Knaur
D0523831

Von Michael Crichton
sind außerdem erschienen:

Andromeda (Band 3258)
Nippon Connection (Band 60223, Band 60673 und Band 60997)
Die Intrige (Band 60288 und Band 62019)
Schwarze Nebel (Band 60289)
Congo (Band 60290)
Der große Eisenbahnraub (Band 60291)
Fünf Patienten (Band 60469)
The Lost World – Vergessene Welt (Band 60684)

Über den Autor:

Michael Crichton wurde am 23. Oktober 1942 in Chicago geboren. Er absolvierte das Harvard College und die Harvard Medical School. Neben mehreren Filmen und Sachbüchern haben ihm vor allem seine Romane weltweiten Ruhm eingebracht, darunter *Nippon Connection* und *Enthüllung*, die auch als Filme international Furore machten. *Jurassic Park* wurde von Steven Spielberg in Szene gesetzt und gilt heute als der größte Kinoerfolg aller Zeiten.

Michael Crichton

Enthüllung

Roman

Aus dem Amerikanischen
von Michaela Grabinger

Die amerikanische Originalausgabe erschien unter dem Titel
»Disclosure« bei Alfred A. Knopf, New York

Für Douglas Crichton

Vollständige Taschenbuchausgabe Juli 1998
Droemersche Verlagsanstalt Th. Knaur Nachf., München
Dieses Buch ist auch unter den Bandnummern 60380 und 62007 erschienen.

Umschlaggestaltung: Agentur Zero, München
Druck und Bindung: Ebner Ulm
Printed in Germany
ISBN 3-426-71126-5

2 4 5 3 1

Als rechtswidriges Vorgehen eines Arbeitgebers gilt: 1. eine Person aufgrund ihrer Rasse, Hautfarbe, Religion, ihres Geschlechts oder ihrer Herkunft nicht anzustellen bzw. sich zu weigern, sie anzustellen, sie zu entlassen oder auf andere Weise hinsichtlich des Arbeitsentgelts, der Arbeitsbedingungen und -bestimmungen oder hinsichtlich etwaiger Vergünstigungen zu benachteiligen, und 2. Arbeitnehmer bzw. Bewerber aufgrund ihrer Rasse, Hautfarbe, Religion, ihres Geschlechts oder ihrer Herkunft auf eine Weise einzuschränken, abzusondern oder zu klassifizieren, die der Person Arbeitsmöglichkeiten entzieht oder geeignet ist, ihr Arbeitsmöglichkeiten zu entziehen, bzw. den Arbeitnehmerstatus der Person auf andere Weise ungünstig beeinflußt.

Artikel VII, *Civil Rights Act* von 1964

Macht ist weder männlich noch weiblich.

Katherine Graham

MONTAG

Von: DC/M
Arthur Kahn
Twinkle/Kuala Lumpur/Malaysia

An: DC/S
Tom Sanders
Seattle (Privat)

Tom:

In Anbetracht der Fusion halte ich es für besser, Dir dies nach Hause statt ins Büro zu faxen.
Die Twinkle-Produktion läuft trotz aller Bemühungen nur mit 29 % der Kapazität. Stichproben der Laufwerke ergeben durchschnittl. Zugriffszeiten im Bereich von 120–140 Msek. Vorerst keine eindeutigen Hinweise, warum wir von den vorgegebenen Spezifikationen abweichen.
Trotz letzte Woche erfolgter Fehlerbehebung gemäss DC/S kämpfen wir ausserdem immer noch mit dem Bildschirmflackern, das offenbar von den Gelenken herrührt. Dieses Problem ist meiner Ansicht nach noch nicht gelöst.
Wie läuft es mit der Fusion? Werden wir alle reich und berühmt?
Schon mal herzliche Glückwünsche zur Beförderung!

Arthur

Gerade an diesem Montag, dem 15. Juni, lag es am allerwenigsten in Tom Sanders' Absicht, zu spät zur Arbeit zu erscheinen. Um halb acht trat er in seinem Haus auf Bainbridge Island unter die Dusche. Er wußte, daß er nur noch zehn Minuten hatte, um sich zu rasieren, anzuziehen und aus dem Haus zu gehen, wenn er die 7-Uhr-50-Fähre erreichen und um halb neun im Büro sein wollte. Vor der Besprechung mit den Anwälten von Conley-White mußte er dringend die noch ungeklärten Punkte mit Stephanie Kaplan durchgehen. Der Tag würde mit Arbeit vollgestopft sein, das wußte er jetzt schon, und das Fax, das er gerade aus Malaysia erhalten hatte, machte alles noch schlimmer.

Sanders war Abteilungsleiter bei Digital Communications Technology in Seattle. Seit einer Woche überschlugen sich in seiner Firma die Ereignisse, denn DigiCom sollte von Conley-White, einem New Yorker Medienkonzern, übernommen werden. Die Fusion ermöglichte Conley den Ankauf von Technologien, die für Publikation und Informationsverbreitung bis ins kommende Jahrhundert maßgeblich sein würden.

Diese Neuigkeiten aus Malaysia klangen wirklich nicht gut, und Arthur hatte recht daran getan, sie ihm an seine Privatadresse zu faxen. Es würde nicht einfach sein, den Leuten von Conley-White zu erklären, was los war, weil die garantiert nicht begriffen –

»Tom? Wo bist du denn? Tom?«

Susan, seine Frau, rief aus dem Schlafzimmer nach ihm. Er hielt den Kopf aus dem Wasserstrahl. »Ich dusche gerade!«
Sie erwiderte etwas, aber er verstand es nicht. Er trat aus der Duschkabine und griff nach einem Handtuch. »Was?«
»Ob du den Kindern Frühstück machen kannst, wollte ich wissen.«
Seine Frau war Anwältin. Sie arbeitete vier Tage pro Woche bei einer Sozietät in der Innenstadt. Den Montag nahm sie sich immer frei, um mehr Zeit für die Kinder zu haben, aber es fiel ihr schwer, die Alltagsroutine daheim zu bewältigen. Das Ergebnis waren häufige Montagmorgenkrisen.
»Tom, gibst du den Kindern das Frühstück? Kannst du das für mich tun?«
»Nein, Sue«, rief er ihr zu. Die Uhr im Bad zeigte 7 Uhr 34. »Ich bin schon viel zu spät dran.« Er ließ Wasser ins Waschbecken laufen, um sich zu rasieren, und seifte sich das Gesicht ein. Er war ein gutaussehender Mann mit den lockeren Bewegungen eines Sportlers. Er betastete den dunklen Bluterguß an der Hüfte, der vom Touch-Football-Spiel der Betriebsmannschaft am Samstag stammte. Mark Lewyn hatte ihn zu Boden gerissen; Lewyn war schnell, aber ungeschickt. Und Sanders wurde allmählich zu alt für Touch-Football. Er war zwar immer noch gut in Form, wog höchstens fünf Pfund mehr als zu Collegezeiten, aber als er mit der Hand durch sein nasses Haar fuhr, sah er graue Strähnen darin. Wird Zeit, dem Alter seinen Tribut zu zollen und sich aufs Tennisspielen zu verlegen, dachte er.
Susan kam herein, noch im Bademantel. Morgens, gleich nach dem Aufstehen, sah seine Frau immer wunderschön aus. Sie hatte diese frische Schönheit, die ohne jedes Make-up auskam. »Kannst du ihnen wirklich nicht das Frühstück machen?« fragte sie. »He, kein schlechter Bluterguß! Wirkt ausgesprochen männlich.« Sie gab ihm einen zarten Kuß und

stellte ihm einen Henkelbecher mit frischem Kaffee ans Waschbecken. »Ich muß um Viertel nach acht mit Matthew beim Kinderarzt sein, und beide haben noch nichts gegessen, und ich bin nicht angezogen. Kannst du ihnen nicht bitte was zu essen geben? Komm, sei so lieb!« Sie strich ihm neckisch übers Haar. Ihr Bademantel öffnete sich. Sie ließ ihn offen und lächelte ihren Mann an. »Dann hast du was gut bei mir …«

»Ich kann jetzt nicht, Sue.« Er küßte sie zerstreut auf die Stirn. »Ich habe eine Besprechung, ich darf auf keinen Fall zu spät kommen.«

Sie seufzte, sagte: »Na gut«, zog einen Schmollmund und ging.

Sanders begann sich zu rasieren.

Kurz darauf hörte er seine Frau sagen: »Los jetzt, Kinder, auf, auf! Eliza, du ziehst dir deine Schuhe an …« Es folgte Gequengel von der vierjährigen Eliza, die es haßte, Schuhe zu tragen. Sanders hatte sich fast fertig rasiert, da hörte er: »Eliza, du ziehst dir jetzt deine Schuhe an und kommst mit deinem Bruder nach unten, und zwar sofort!« Elizas Erwiderung war undeutlich, aber sofort darauf sagte Susan: »Eliza Ann, ich rede mit dir!« Dann hörte Sanders, wie Susan die Schubladen des Wäscheschranks in der Diele aufzog und wieder zuknallte. Beide Kinder begannen zu weinen.

Eliza, die schon bei der geringsten Spannung aus der Fassung geriet, betrat mit beleidigtem Gesichtsausdruck und Tränen in den Augen das Bad. »Daddy …«, schluchzte sie. Er drückte sie mit einer Hand an sich, während er sich mit der anderen weiterrasierte.

»Sie ist alt genug, sie kann wirklich ein bißchen mithelfen!« rief Susan aus der Diele.

»Mommy!« jammerte Eliza und preßte sich noch fester an Sanders' Bein.

»Wirst du jetzt endlich aufhören, Eliza!«
Woraufhin Eliza nur noch lauter brüllte. Susan stampfte mit dem Fuß auf den Dielenboden. Sanders haßte es, seine Tochter weinen zu sehen. »Okay, Sue, ich mache ihnen das Frühstück.« Er drehte den Wasserhahn zu und nahm seine Tochter auf den Arm. »Komm, Lize«, sagte er und wischte ihr die Tränen ab, »wir machen jetzt Frühstück.«
Er trat in die Diele. Susan schien ein Stein vom Herzen zu fallen. »Ich brauche nur zehn Minuten, nicht mehr«, erklärte sie. »Consuela kommt wieder mal zu spät. Ich habe keine Ahnung, was mit ihr los ist.«
Sanders erwiderte nichts. Sein Sohn Matt, gerade neun Monate alt, saß rasselschwingend und heulend mitten in der Diele. Sanders umfaßte ihn mit dem anderen Arm und hob auch ihn hoch.
»So, Kinder«, sagte er, »auf zum Frühstück!«
Als er sich nach Matt bückte, rutschte das Handtuch von seinen Hüften und fiel zu Boden. Eliza begann zu kichern. »Ich sehe deinen Penis, Dad!« Sie holte aus und trat ihren Vater mehrmals mit dem Fuß.
»Da unten treten wir Daddy nicht!« sagte Sanders, bückte sich, packte das Handtuch, legte es sich wieder um und machte sich auf den Weg nach unten.
Susan rief ihm nach: »Vergiß nicht, Matt seine Vitamine in die Flocken zu geben! Einen Tropfenzähler voll. Und gib ihm keine Reisflocken mehr, die spuckt er aus. Er mag jetzt nur noch die Weizenflocken.« Sie ging ins Bad und knallte die Tür hinter sich zu.
Eliza sah mit ernster Miene zu ihrem Vater auf. »Ist das wieder so ein Tag, Daddy?«
»Ja, sieht ganz danach aus.« Während er die Treppe hinunterging, überlegte er, daß er nun doch die Fähre verpassen und zur ersten Besprechung des Tages verspätet erscheinen würde.

Nicht übermäßig verspätet, aber doch so sehr, daß er vorher nichts mehr mit Stephanie Kaplan durchsprechen konnte. Aber er konnte sie ja von der Fähre aus anrufen, dann –

»Hab' ich auch einen Penis, Dad?«

»Nein, Lize.«

»Warum nicht, Dad?«

»Weil es eben so ist, Mäuschen.«

»Jungs haben Penisse und Mädchen haben Vaginas«, verkündete sie feierlich.

»Genau.«

»Warum, Dad?«

»Darum.« Er ließ seine Tochter auf einen Stuhl am Küchentisch hinab, zog das Kinderstühlchen aus der Ecke und setzte Matt hinein. »Was willst du zum Frühstück essen, Lize? Rice Crispies oder Chex?«

»Chex.«

Matt begann mit seinem Löffel auf das Kinderstühlchen einzuhauen. Sanders nahm erst die Chex-Schachtel und eine Schüssel aus dem Schrank, dann die Weizenflocken und eine kleinere Schüssel für Matt. Eliza ließ ihn nicht aus den Augen, als er den Kühlschrank öffnete, um die Milch herauszuholen.

»Dad?«

»Was denn?«

»Ich will, daß Mommy glücklich ist.«

»Ich auch, Mäuschen.«

Er mischte die Weizenflocken mit Milch und stellte die Schüssel vor seinen Sohn hin. Dann stellte er Elizas Schüssel auf den Tisch, füllte sie mit Chex und warf seiner Tochter einen Blick von der Seite zu: »Genug?«

»Ja.«

Er fügte Milch hinzu.

»Nein, Dad!« schrie Eliza und brach in Tränen aus. »*Ich* will doch die Milch reintun!«

»Tut mir leid, Lize –«
»Tu sie raus! Tu die Milch raus!« Sie kreischte in den höchsten Tönen, völlig hysterisch.
»Entschuldige, Lize, aber das ist wirklich –«
»*Ich* hab' die Milch reintun wollen!« Sie kletterte von ihrem Stuhl, warf sich auf den Boden und strampelte wild mit den Beinen. »Tu sie raus! Tu die Milch raus!«
Seine Tochter pflegte sich mehrmals täglich so aufzuführen. Es war, so hatte man ihm versichert, nur eine Phase. Den Eltern riet man in solchen Fällen, mit Bestimmtheit zu reagieren.
»Tut mir leid«, sagte Sanders noch einmal, »aber du wirst das wohl essen müssen, Lize.« Er setzte sich neben Matt, um ihn zu füttern. Matt patschte mit der Hand in die Flocken, schmierte sie sich über die Augen und begann ebenfalls zu weinen.
Sanders holte ein Geschirrtuch und säuberte Matts Gesicht. Die Küchenuhr zeigte mittlerweile fünf vor acht. Es war wohl besser, im Büro anzurufen und die Kollegen über seine Verspätung vorzuwarnen. Aber erst mußte er Eliza beruhigen, die noch immer auf dem Fußboden lag, mit den Füßen trat und ihren Zorn über die Milch hinausbrüllte. »Also gut, Eliza. Aber ganz ruhig jetzt, ganz ruhig, ja?« Er holte eine andere Schüssel, schüttete Flocken hinein und drückte Eliza einen Milchkarton in die Hand. »Da!«
Sie verschränkte die Arme vor der Brust und sagte schmollend: »Ich mag nicht.«
»Eliza, du schüttest jetzt *sofort* diese Milch in die Schüssel!«
Eliza kletterte betont langsam auf ihren Stuhl. »Okay, Dad.«
Sanders setzte sich, wischte noch einmal über Matts Gesicht und begann seinen Sohn zu füttern. Sofort hörte das Weinen auf; der Junge schlang die Flocken gierig hinunter. Das arme Kind hatte wirklich Hunger. Eliza stellte sich auf ihren Stuhl,

hob den Milchkarton auf und verschüttete den Inhalt über den ganzen Tisch. »Oh-oh ...«
»Halb so schlimm.« Das Geschirrtuch in der einen Hand, wischte Tom die Milch auf, während er mit der anderen Hand Matt weiterfütterte.
Eliza zog die Schachtel mit den Flocken ganz dicht an ihre Schüssel, stierte das Goofy-Bild auf der Rückseite an und begann zu essen. Matt neben ihr schluckte in stetem Rhythmus. Eine Zeitlang war es still in der Küche.
Sanders warf über die Schulter einen Blick auf die Uhr: schon fast acht. Er mußte im Büro anrufen.
Susan trat in die Küche. Sie trug Jeans und einen beigefarbenen Pullover und wirkte ausgesprochen entspannt. »Tut mir leid, daß ich es nicht auf die Reihe gekriegt habe«, sagte sie. »Danke fürs Frühstückmachen.« Sie gab ihm einen Kuß auf die Wange.
»Bist du glücklich, Mom?« fragte Eliza.
»Ja, mein Schatz.« Susan lächelte ihrer Tochter zu und wandte sich wieder an Tom. »Ich übernehme das hier jetzt. Du darfst nicht zu spät kommen. Ist nicht heute der große Tag? Heute soll doch deine Beförderung bekanntgegeben werden.«
»Hoffentlich.«
»Ruf mich an, sobald du etwas erfahren hast.«
»Mach' ich.« Sanders stand auf, zog das um seine Hüften gewickelte Handtuch straff und lief nach oben, um sich anzuziehen. Kurz vor dem Ablegen der Fähre gab es immer viel Verkehr in der Stadt. Er mußte sich beeilen, wenn er sie nicht verpassen wollte.

Er parkte den Wagen wie immer hinter Rickys Shell-Tankstelle und lief den überdachten Gehweg zur Fähre hinunter. Nur Sekunden ehe sie die Rampe hochzogen, ging er an Bord. Unter seinen Füßen stampften die Maschinen. Er ging durch die Türen hinaus aufs Hauptdeck.

»Hi, Tom!«

Er warf einen Blick über die Schulter. Dave Benedict kam von hinten auf ihn zu. Benedict war Anwalt in einer Sozietät, die viel mit High-Tech-Unternehmen zu tun hatte. »Sie haben die 7-Uhr-50er auch verpaßt, was?« sagte Benedict.

»Ja. Ein verrückter Morgen.«

»Wem sagen Sie das! Ich wollte schon vor einer Stunde im Büro sein. Aber das Schuljahr ist zu Ende, und jetzt weiß Jenny nicht, was sie mit den Kindern tun soll, bis das Feriencamp beginnt.«

»Hm.«

»Das reinste Tollhaus bei mir daheim«, murmelte Benedict kopfschüttelnd.

Eine Weile schwiegen beide. Sanders spürte, daß er und Benedict einen ähnlich gearteten Morgen hinter sich hatten. Aber darüber sprachen die zwei Männer nicht weiter. Sanders wunderte sich oft darüber, daß Frauen die intimsten Einzelheiten ihrer Ehe mit ihren Freundinnen besprachen, während bei Männern stets diskretes Schweigen vorherrschte.

»Na, sei's drum«, sagte Benedict schließlich. »Wie geht es Susan?«

»Gut. Sehr gut.«

Benedict sah an ihm herunter und grinste. »Und warum humpeln Sie dann?«

»Touch-Football, Betriebsmannschaftsspiel am Samstag. Ist ein bißchen außer Kontrolle geraten.«

»Das hat man nun davon, daß man mit Kindern spielt«,

meinte Benedict. DigiCom war bekannt für seine jungen Angestellten.
»Von wegen! Ich habe Punkte gemacht!« sagte Sanders.
»Was Sie nicht sagen!«
»Allerdings! Sogar das spielentscheidende Touchdown! Die Endzone grandios durchlaufen! Aber dann sind sie über mich hergefallen.«
Sie reihten sich in die Schlange vor der Hauptdeckcafeteria ein. »Ehrlich gesagt hatte ich ja angenommen, daß Sie heute morgen gestiefelt und gespornt und viel zu früh in Ihrer Firma erscheinen würden«, sagte Benedict. »Heute ist doch der große Tag bei DigiCom, oder nicht?«
Sanders nahm seinen Kaffee vom Tresen, gab Süßstoff hinzu, rührte um. »Wie kommen Sie denn darauf?«
»Aber heute wird doch die Fusion bekanntgegeben!«
»Welche Fusion?« fragte Sanders kühl. Die Fusion war geheim; nur einige wenige leitende Angestellte von DigiCom wußten etwas darüber. Er sah Benedict mit nichtssagendem Blick an.
»Also, bitte!« erwiderte der. »Ich habe doch gehört, daß die Sache praktisch unter Dach und Fach ist und daß Bob Garvin die Umstrukturierung, die auch einige Beförderungen beinhaltet, heute bekanntgibt.« Benedict nippte an seinem Kaffee. »Garvin tritt ab, was?«
Sanders zuckte mit den Achseln. »Abwarten.« Es war ganz offensichtlich, daß Benedict ihn aushorchen wollte, aber Susan arbeitete viel mit Anwälten aus Benedicts Sozietät zusammen – Sanders konnte es sich nicht leisten, grob zu werden. Geschäftsbeziehungen waren deutlich komplizierter geworden, seit praktisch jeder Mann eine arbeitende Ehefrau oder Freundin hatte.
Die beiden gingen aufs Deck hinaus, stellten sich an die Backbord-Reling und sahen zu, wie die Häuser von Bain-

bridge Island allmählich verschwanden. Sanders machte eine Kopfbewegung zu dem Haus am Wing Point, das Warren Magnuson jahrelang als Sommerresidenz gedient hatte, als er noch Senator war.

»Soll gerade wieder verkauft worden sein.«

»Wirklich? Wer hat es gekauft?«

»Irgendein kalifornisches Arschloch.«

Bainbridge verschob sich in Richtung Heck. Sie sahen auf das graue Wasser des Puget Sound hinaus. Der Kaffee dampfte in der Morgensonne. »Sie glauben also nicht, daß Garvin abtritt?«

»Das weiß niemand«, antwortete Sanders. »Bob hat das Unternehmen vor 15 Jahren aus dem Nichts aufgebaut. Als er anfing, verkaufte er nachgemachte Modems aus Korea, zu einer Zeit, wo noch kein Mensch wußte, was ein Modem ist. Mittlerweile hat die Firma drei Gebäude in der Innenstadt und große Fabriken in Kalifornien, Texas, Irland und Malaysia. Er baut Modems, die nicht größer sind als eine Zehn-Cent-Münze, er bringt Fax- und E-Mail-Software auf den Markt, er stellt CD-ROMs her, und er hat patentierte Verfahren entwickelt, die ihn im kommenden Jahrhundert auf dem Bildungssektor mit Sicherheit zum Marktführer machen. Für Bob hat sich vieles geändert, wenn man bedenkt, daß er mal 300-Baud-Modems unter die Leute gebracht hat. Ich kann wirklich nicht sagen, ob er in der Lage ist, das einfach so aufzugeben.«

»Aber die Fusionsbedingungen erfordern das doch, oder nicht?«

Sanders grinste. »Wenn Sie irgend etwas über eine Fusion wissen, Dave, dann müssen Sie es mir unbedingt erzählen«, sagte er. »Ich habe nämlich nicht das geringste darüber gehört.« In Wahrheit waren Sanders nur die genauen Konditionen der bevorstehenden Fusion unbekannt geblieben. Zu seinem Arbeitsbereich gehörte die Entwicklung von CD-ROMs und elektronischen Datenbanken. Dies waren zwar für die Zukunft des Unternehmens wichtige Bereiche – sie bildeten das Hauptmotiv für die Übernahme DigiComs durch Conley-White –, im Grunde allerdings rein technische Bereiche. Und für die Firmenleitung war Sanders in erster Linie Techniker. Über die auf allerhöchster Ebene getroffenen Entscheidungen wurde er nicht informiert.

Er sah darin eine gewisse Ironie. In früheren Jahren, als er noch in Kalifornien arbeitete, hatte man ihn in alle Überlegungen mit einbezogen, die das Management betrafen, aber seit seiner Versetzung nach Seattle vor acht Jahren war er aus den inneren Zirkeln der Macht gedrängt worden.

Benedict trank einen Schluck Kaffee. »Also, ich habe gehört, daß Bob auf jeden Fall abtritt und daß er eine Frau zur Vizedirektorin machen wird.«

»Wer hat Ihnen das erzählt?« wollte Sanders wissen.

»Er hat doch schon einen weiblichen Finanzmanager, oder?«

»Ja, klar. Schon seit langem.« Stephanie Kaplan war die Leiterin Finanzen bei DigiCom. Sanders hielt es jedoch für sehr unwahrscheinlich, daß sie das Unternehmen jemals führen würde. Kaplan, eine schweigsame, stets angespannt wirkende Frau, war zwar kompetent, aber bei vielen in der Firma unbeliebt. Auch Garvin liebte sie nicht gerade heiß und innig.

»Tja, also, demzufolge, was mir zu Ohren gekommen ist, wird er eine Frau benennen, die innerhalb der nächsten fünf Jahre die Leitung übernehmen soll«, erklärte Benedict.

»Ist Ihnen auch ein Name zu Ohren gekommen?«

Benedict schüttelte den Kopf. »Ich dachte, Sie wüßten das alles. Schließlich ist es ja Ihre Firma.«

Auf dem sonnenbeschienenen Deck holte Sanders sein Mobiltelefon hervor und rief in der Firma an. Cindy Wolfe, seine Sekretärin, meldete sich. »Büro Mr. Sanders.«

»Hi, ich bin's.«

»Hi, Tom. Rufen Sie von der Fähre an?«

»Ja. Ich werde kurz vor neun dasein.«

»Okay, ich sag's ihnen.« Sie schwieg, und er hatte das Gefühl, als wählte sie ihre nächsten Worte sehr vorsichtig. »Es geht ziemlich rund hier heute morgen. Mr. Garvin war gerade hier, er hat Sie gesucht.«

Sanders runzelte die Stirn. »Er hat mich gesucht?«

»Ja.« Wieder eine kurze Pause. »Er, äh, war ein bißchen überrascht, weil Sie noch nicht da waren.«

»Hat er gesagt, was er wollte?«

»Nein, aber er scheint die Büros auf unserer Etage abzuklappern, eines nach dem anderen, und redet mit den Leuten. Irgendwas ist im Busch, Tom.«

»Was denn?«

»Mir hat keiner was erzählt.«

»Und Stephanie?«

»Stephanie hat angerufen; ich habe ihr gesagt, daß Sie noch nicht da sind.«

»Sonst noch irgendwas?«

»Arthur Kahn hat aus Kuala Lumpur angerufen und gefragt, ob Sie sein Fax bekommen haben.«

»Ja. Ich rufe ihn nachher an. Gibt's sonst noch etwas?«

»Nein, das war so ziemlich alles, Tom.«

»Danke, Cindy.« Er drückte auf den AUS-Knopf.

Benedict, der neben Sanders stand, deutete auf das Telefon. »Diese Dinger sind wirklich erstaunlich. Die werden immer kleiner, was? Stammt das hier von euch?«

Sanders nickte. »Ohne dieses Telefon wäre ich verloren,

gerade jetzt. Wer kann sich schon diese vielen Nummern merken? Das Ding ist mehr als ein Telefon: Es ist auch mein Telefonbuch. Sehen Sie mal!« Er begann, Benedict das Gerät zu erklären. »Es hat einen Speicher für 200 Telefonnummern. Man speichert sie mit den drei ersten Buchstaben des Namens.« Sanders drückte K-A-H, den Befehl für die Fernwahl zu Arthur Kahn in Malaysia. Dann drückte er auf EIN, und eine lange Reihe elektronischer Piepser ertönte – 13 insgesamt, mit der Landes- und der Regionalvorwahl.

»Meine Güte!« sagte Benedict. »Wohin wollen Sie sich denn verbinden lassen – zum Mars?«

»So ungefähr. Nach Malaysia. Wir haben dort eine Fabrik.«

DigiComs Anlage in Malaysia war erst ein Jahr alt und stellte die neuen CD-ROM-Player der Firma her – Geräte, die an CD-Player erinnerten, aber für Computer gedacht waren. Innerhalb der Branche herrschte Einigkeit darüber, daß alle Informationen bald digital sein würden und man einen großen Teil davon auf solchen Compact Disks speichern könnte. Computerprogramme, Datenbanken, sogar Bücher und Zeitschriften – all das würde auf Disk zu haben sein.

Daß dies nicht schon längst der Fall war, lag an der notorischen Langsamkeit der CD-ROMs. Die Anwender mußten vor leeren Bildschirmen warten, während die Laufwerke surrten und klickten – und Computerbenutzer haßten es nun mal, zu warten. In einer Industrie, in der sich die Geschwindigkeiten zuverlässig alle 18 Monate verdoppelten, hatten die CD-ROMs im Verlauf der vergangenen fünf Jahre kaum verbessert werden können. DigiCom war dem Problem mit einer neuen Laufwerkgeneration begegnet, deren Codename Twinkle lautete. Diese Laufwerke waren doppelt so schnell wie alle anderen auf der Welt. Twinkle war ein kleiner, selbständiger Multimedia-Player mit eigenem Bildschirm. Er hatte eine handliche Größe und konnte beispielsweise im Bus oder Zug benutzt werden – ein revolutionäres Produkt. Jetzt allerdings war man in der malaysischen Anlage bei der Herstellung dieser neuen schnellen Laufwerke auf Schwierigkeiten gestoßen.

Benedict nippte an seinem Kaffee. »Stimmt es denn, daß Sie der einzige Abteilungsleiter sind, der eigentlich kein Techniker ist?«

Sanders grinste. »Ja, das stimmt. Ich komme vom Marketing her.«

»Ist das nicht ziemlich ungewöhnlich?« fragte Benedict.

»Eigentlich nicht. Im Marketing haben wir immer viel Zeit damit verbracht, die wichtigsten Eigenschaften der neuen Produkte herauszufinden, und die meisten von uns konnten sich mit den Technikern gar nicht unterhalten. Ich dagegen schon. Warum, weiß ich auch nicht. Ich habe keine technische Ausbildung, aber ich konnte mit den Jungs immer gut reden. Ich wußte immer mindestens so viel, daß sie mich nicht verscheißern konnten. Es dauerte nicht lange, da war ich eben der Typ, der die Gespräche mit den Technikern führte. Und vor acht Jahren hat Garvin mich dann gefragt, ob ich nicht eine Abteilung leiten wollte. Und jetzt bin ich hier.«

Das Freizeichen ertönte. Sanders warf einen Blick auf seine Armbanduhr. In Kuala Lumpur war es jetzt kurz vor Mitternacht. Er hoffte, daß Arthur Kahn noch wach war. Sekunden später ertönte ein leises Klicken, und eine leicht benommen klingende Stimme sagte: »Ja? Hallo?«

»Arthur, hier spricht Tom.«

Arthur Kahn hustete dumpf. »Ah, Tom! Gut!« Er hustete noch einmal. »Hast du mein Fax bekommen?«

»Ja.«

»Na, dann weißt du ja alles. Ich verstehe nicht, was da los ist«, sagte Kahn. »Den ganzen Tag habe ich in der Fabrik verbracht. Mußte ich – Jafar ist ja weg.«

Mohammed Jafar hatte die Aufsicht über die Produktionshalle in Malaysia und war ein sehr fähiger junger Mann. »Jafar ist weg? Warum denn?«
Ein statisches Knistern ertönte. »Er wurde verflucht.«
»Das habe ich jetzt eben nicht verstanden.«
»Jafar wurde von seiner Cousine verflucht, daraufhin ist er weggegangen.«
»Was?«
»Ja – kaum zu glauben, nicht? Er sagt, die Schwester seiner Cousine in Johore hat einen Hexer damit beauftragt, ihn zu verzaubern, und er ist zu den Orang-Asli-Hexendoktoren gerannt, um sich einen Gegenzauber verpassen zu lassen. Diese Eingeborenen führen ein Krankenhaus in Kuala Tingit, mitten im Urwald, ungefähr drei Stunden von Kuala Lumpur entfernt. Ist sehr berühmt, viele Politiker gehen hin, wenn sie krank sind. Jafar läßt sich dort behandeln.«
»Wie lange soll das denn dauern?«
»Ich habe keinen Schimmer. Die anderen Arbeiter meinen, so was dauert ungefähr eine Woche.«
»Und was ist mit dem Fließband los, Arthur?«
»Ich weiß es nicht«, sagte Kahn. »Ich bin mir gar nicht sicher, daß es etwas mit dem Fließband ist. Aber die Geräte, die wir herstellen, sind sehr langsam. Bei Stichproben einzelner Geräte haben wir ständig Zugriffszeiten über 100 Millisekunden. Wir wissen nicht, warum sie so langsam sind, und wir wissen auch nicht, wie es zu den Schwankungen kommt. Aber die Techniker hier tippen auf ein Kompatibilitätsproblem zwischen dem Steuer-Chip, der die Split-Optik einstellt, und der CD-Treiber-Software.«
»Du meinst, daß die Steuer-Chips nichts taugen?« Die Chips wurden in Singapur hergestellt und über die Grenze nach Malaysia zur dortigen Fabrik transportiert, wo die Montage erfolgte.

»Keine Ahnung. Entweder taugen sie nichts, oder der Fehler liegt im Treiber-Code.«
»Was ist mit dem Bildschirmflackern?«
Kahn hustete. »Das halte ich für ein Konstruktionsproblem, Tom. Wir können das so nicht bauen. Die Stecker, die den Strom zum Bildschirm führen, sind im Inneren des Plastikgehäuses angebracht. Sie sollen den elektrischen Kontakt aufrechterhalten, egal, wie man den Bildschirm bewegt. Aber die Stromzufuhr wird immer wieder unterbrochen. Wenn man das Gelenk bewegt, geht der Bildschirm an und aus.«
Sanders hörte ihm stirnrunzelnd zu. »Das ist aber im Grunde Standard, Arthur. Jeder Laptop auf der ganzen Welt hat die gleiche Gelenkform. Es ist schon seit zehn Jahren das immer gleiche.«
»Ich weiß«, erwiderte Kahn. »Aber das unsere funktioniert nicht. Macht mich ganz verrückt.«
»Du mußt mir sofort ein paar Geräte schicken.«
»Habe ich bereits veranlaßt. Wir haben sie mit DHL geschickt. Du kriegst sie heute abend, spätestens aber morgen.«
»Okay.« Nach einer kurzen Pause fügte Sanders hinzu: »Wie lange wird es deiner Ansicht nach mindestens dauern, Arthur?«
»Tja, also im Augenblick schaffen wir unsere Produktionsquoten nicht und stellen ein Produkt her, das 30 bis 50 Prozent langsamer ist als geplant. Das sind keine guten Nachrichten, ich weiß. Wir haben da kein sensationelles CD-Laufwerk, Tom – es ist nur um ein geringes besser als das, was Toshiba und Sony schon längst auf den Markt gebracht haben. Und die machen ihre Geräte wesentlich billiger. Wir haben also ziemlich große Probleme.«
»Wird es nun eine Woche dauern oder einen Monat – oder was?«
»Einen Monat, aber nur, wenn wir nicht einen ganz neuen

Entwurf brauchen. Für den Fall würde ich nämlich vier Monate veranschlagen. Wenn es sich um einen Chip handelt, könnte es ein Jahr dauern.«

Sanders stieß einen Seufzer aus. »Wunderbar.«

»Das ist die augenblickliche Situation. Es funktioniert nicht, und wir wissen nicht, warum.«

»Wem hast du noch davon erzählt?« fragte Sanders.

»Niemandem. Das ist ganz allein deine Sache, mein Freund.«

»Vielen Dank.«

Kahn hustete. »Willst du das erst mal unter den Teppich kehren, bis die Fusion über die Bühne ist?«

»Ich weiß nicht recht. Ich bin mir nicht sicher, ob ich das kann.«

»Wie auch immer, von mir erfährt keiner was, darauf kannst du dich verlassen. Wenn mich jemand fragt, ich habe keine Ahnung – weil ich nämlich in diesem Fall tatsächlich keine habe.«

»Gut. Danke, Arthur. Wir hören voneinander.«

Sanders beendete das Gespräch. Twinkle stellte für die bevorstehende Fusion mit Conley-White eindeutig ein firmenpolitisches Problem dar, und er wußte nicht genau, wie er damit umgehen sollte. Aber er würde sich bald etwas einfallen lassen müssen: Von der Fähre ertönte ein Pfiff, und geradeaus vor sich sah Sanders das schwarze Pfahlwerk des Coleman-Docks und die Wolkenkratzer von Downtown Seattle.

Die Firma Digital Communications war auf drei verschiedene Gebäude im Umkreis des historischen Pioneer Square in Downtown Seattle verteilt. In der Mitte dieses dreieckigen Platzes befand sich ein kleiner Park mit einer schmiedeeisernen Pergola, auf der mehrere antike Uhren angebracht waren. Rundum standen niedrige Häuser aus rötlichem Granit, die aus der Zeit um die Jahrhundertwende stammten – Häuser mit verzierten Fassaden und den eingemeißelten Jahreszahlen ihrer Erbauung. Diese Gebäude beherbergten jetzt Top-Architekten, Grafikdesigner sowie eine Reihe von High-Tech-Unternehmen, darunter Aldus, Advance HoloGraphics und DigiCom. Ursprünglich hatte DigiCom seinen Sitz im Hazzard Building an der Südseite des Platzes gehabt. Als die Firma immer größer wurde, bezog sie drei Etagen des angrenzenden Western Building und einige Zeit später zusätzlich den Gorham Tower in der James Street. Die Büros der Unternehmensleitung befanden sich nach wie vor in den drei obersten Etagen des Hazzard Building mit Blick auf den Pioneer Square. Sanders' Büro lag im vierten Stock; er rechnete aber damit, noch vor Ablauf der Woche in den fünften befördert zu werden.

Um neun Uhr kam er in seiner Abteilung an und merkte sofort, daß etwas nicht stimmte. Die Gänge waren von Stimmengewirr erfüllt, es lag eine spürbare Spannung in der Luft. In Grüppchen standen die Angestellten um die Laserdrucker herum oder unterhielten sich flüsternd an den Kaffeemaschinen; wenn er an einer solchen Gruppe vorbeikam, wandten sich die Leute ab und unterbrachen ihre Gespräche.

Oha, dachte er.

Aber er als Abteilungsleiter konnte nicht gut vor irgendeiner Sekretärin stehenbleiben und sie fragen, was eigentlich los sei. Leise vor sich hin fluchend, ging er weiter; er war wütend auf sich selbst, weil er an diesem wichtigen Tag zu spät kam.

Durch die Glaswände des Konferenzraums sah er Mark Lewyn, den 33jährigen Leiter der Abteilung Produktentwicklung, der gerade mehreren Leuten von Conley-White irgend etwas erläuterte. Es war eindrucksvoll, wie Lewyn, jung, gutaussehend und arrogant, in schwarzen Jeans und schwarzem

Armani-T-Shirt, hin und her ging und lebhaft auf die Conley-White-Leute einredete, die in dunkelblauen Anzügen stocksteif an einem Tisch mit Produktattrappen saßen und sich Notizen machten.
Als Lewyn Sanders bemerkte, winkte er ihm zu, ging zur Tür des Konferenzraumes und streckte seinen Kopf heraus.
»Hi, Junge!« sagte er.
»Hi, Mark. Hör mal –«
»Ich sage dir nur eines«, unterbrach Lewyn ihn, »und zwar: Scheiß auf alle! Scheiß auf Garvin, scheiß auf Phil, scheiß auf die Fusion! Diese Umstrukturierung ist eine einzige Kacke! Ich bin in dieser Sache total auf deiner Seite, Junge!«
»Hör mal, Mark, könntest du mir vielleicht –«
»Ich bin gerade mitten in einem Briefing.« Lewyn machte eine Kopfbewegung zu den Conley-Leuten im Konferenzraum. »Aber ich wollte dir einfach sagen, was ich von alldem halte. Was die da machen, ist einfach nicht richtig. Wir reden später ausführlich darüber, okay? Kopf hoch, Junge! Laß dich nicht unterkriegen!« Schon war er wieder im Konferenzraum verschwunden.
Die Leute von Conley-White hatten Sanders die ganze Zeit durch die Glasscheibe angestarrt. Er wandte sich ab und ging mit raschen Schritten auf sein Büro zu. Das Unbehagen in ihm wurde immer stärker. Lewyn war berüchtigt für seinen Hang zur Übertreibung, aber trotzdem –
Was die da machen, ist einfach nicht richtig.
Was das zu bedeuten hatte, war nicht allzu schwer zu erraten. Sanders würde nicht befördert werden. Er spürte, wie ihm der Schweiß ausbrach, und plötzlich wurde ihm, während er den Gang hinuntereilte, schwindlig. Er lehnte sich kurz an die Wand, wischte sich über die Stirn und blinzelte angestrengt. Dann holte er tief Atem und schüttelte den Kopf, um wieder einen klaren Gedanken fassen zu können.

Keine Beförderung. Verdammt! Er atmete noch einmal tief durch und ging weiter.

Die technischen Abteilungen waren erst neun Monate zuvor durchgreifend umgestaltet worden, was eine Neuordnung der gesamten Hierarchie mit sich gebracht und alle Mitarbeiter in Seattle zutiefst verärgert hatte. Die Angestellten wußten nicht, an wen sie sich wenden sollten, wenn sie Papier für ihre Laserdrucker brauchten oder einen Monitor entmagnetisieren lassen mußten. Nach monatelanger Aufregung hatten sich die Technikteams endlich wieder wenigstens ansatzweise eine gute Arbeitsatmosphäre geschaffen. Und jetzt – noch eine Umstrukturierung? Welchen Sinn sollte das haben?

Denn eben diese Umstrukturierung im vergangenen Jahr hatte Sanders zum Anwärter auf die Stelle als Leiter der Technikabteilung gemacht. Die Advanced Products Group war in vier Unterabteilungen aufgegliedert worden – Produktentwicklung, Programmierung, Datentelekommunikation und Produktion –, alles unter der Führung eines noch zu ernennenden Hauptabteilungsleiters. In den letzten Monaten hatte Tom Sanders jedoch inoffiziell bereits als ebendieser Hauptabteilungsleiter fungiert, vor allem deshalb, weil er als Leiter der Produktion derjenige war, der sich am meisten um die Koordination mit allen anderen Abteilungen kümmern mußte.

Aber was würde sich alles ändern, wenn jetzt eine weitere Umstrukturierung erfolgt war? Möglicherweise beauftragte man Sanders wieder mit der Aufsicht über die Fabriken von DigiCom überall auf der Welt. Oder es kam noch schlimmer: Wochenlang hatte sich nämlich das Gerücht gehalten, die Firmenzentrale im kalifornischen Cupertino würde den Bereich Produktion aus Seattle abziehen und den jeweiligen Produktmanagern vor Ort die Leitung übertragen. Sanders hatte diesen Gerüchten keine Beachtung geschenkt, einfach deswegen, weil sie ziemlich unsinnig waren; die Produktmanager hatten schon genug damit zu tun, die Produkte an den Mann zu bringen, da mußten sie nicht auch noch deren Herstellung übernehmen.

Jetzt aber sah er sich zu der Erwägung gezwungen, daß diese Gerüchte wahr sein könnten. Denn wenn sie wahr waren, hatte Sanders es unter Umständen mit mehr als nur einer Zurücksetzung zu tun. Dann verlor er vielleicht seinen Job.

Mein Gott! dachte er. Den Job verlieren?

Manches von dem, was Dave Benedict heute morgen auf der Fähre zu ihm gesagt hatte, schoß ihm durch den Kopf. Benedict ging ständig allen möglichen Gerüchten nach, und es hatte sich so angehört, als wüßte er eine ganze Menge. Möglicherweise sogar mehr, als er erzählt hatte.

Stimmt es denn, daß Sie der einzige Abteilungsleiter sind, der eigentlich kein Techniker ist?

Und dann hatte er ganz höflich hinzugefügt:

Ist das nicht ziemlich ungewöhnlich?

Mein Gott! dachte Sanders. Er begann wieder zu schwitzen, zwang sich zu einem weiteren tiefen Atemzug.

Laß dich nicht unterkriegen!

Er hatte jetzt das Ende des Gangs im vierten Stock erreicht und betrat sein Büro, wo Stephanie Kaplan, die Leiterin der Finanzabteilung, wohl schon seit einiger Zeit auf ihn wartete. Sie würde ihm erklären können, was da vor sich ging. Aber sein Büro war leer. Er wandte sich an Cindy, seine Sekretärin, die sich gerade an den Aktenschränken zu schaffen machte.

»Wo ist Stephanie?«

»Sie kommt nicht.«

»Warum nicht?«

»Ihre Besprechung um halb zehn wurde aufgrund der Personaländerungen gestrichen.«

»Welche Änderungen?« fragte Sanders. »Was geht hier vor?«

»Es hat so eine Art Umstrukturierung stattgefunden«, erklärte Cindy. Sie vermied es, ihm in die Augen zu sehen, und hielt den Blick auf die Liste der notierten Anrufe gesenkt. »Gerade wurde für halb eins ein Mittagessen mit allen Abteilungsleitern im großen Konferenzsaal festgesetzt, und Phil Blackburn ist auf dem Weg hierher, um mit Ihnen zu reden. Er muß jeden Moment kommen. Tja, und was noch? DHL liefert heute nachmittag Laufwerke aus Kuala Lumpur. Und Gary Bosak möchte sich um halb elf mit Ihnen treffen.« Sie fuhr mit dem Zeigefinger das Notizblatt hinunter. »Don Cherry hat zweimal angerufen, es geht um den Korridor, und außerdem kam gerade ein dringender Anruf von Eddie aus Austin.«

»Rufen Sie ihn zurück.« Eddie Larson war der Produktionsleiter der Fabrik in Austin, wo Mobiltelefone produziert wurden. Cindy stellte die Verbindung her; wenige Sekunden später hörte Sanders die vertraute Stimme mit dem texanischen Singsang: »Hi, Tommy-Boy!«

»Hi, Eddie. Was gibt's?«

»Kleines Problem mit den Leuten am Band. Hast du gerade mal eine Minute Zeit?«

»Ja, klar.«

»Sind denn Glückwünsche zum neuen Job bereits angebracht?«

»Ich habe noch nichts gehört«, erwiderte Sanders.

»Aha. Aber es bleibt doch dabei, oder?«

»Ich habe noch nichts gehört, Eddie.«

»Sag mal, stimmt es, daß sie die Fabrik hier in Austin schließen wollen?«

Sanders war so verblüfft, daß er laut loslachte. »*Was?*«

»Mensch, hier bei uns wird von nichts anderem mehr geredet, Tommy-Boy. Conley-White will das Unternehmen kaufen und uns dann schließen.«

»Quatsch!« sagte Sanders. »Niemand kauft irgendwas, und

niemand verkauft irgendwas, Eddie. Die Anlage in Austin stellt Standardgeräte her und ist außerdem sehr profitabel.«
Erst nach einer kurzen Pause sagte Eddie: »Tommy-Boy, du würdest es mir doch sagen, wenn du es wüßtest, oder?«
»Ja, ganz bestimmt«, versicherte ihm Sanders. »Aber es ist nur ein Gerücht, Eddie. Vergiß es einfach. So, und was für ein Problem habt ihr mit den Leuten am Band?«
»Ach, es ist total bekloppt. Die Fließbandarbeiterinnen fordern, daß wir die Pin-ups im Umkleideraum der Männer abhängen. Sie finden sie anstößig. Wenn du mich fragst, ist das Ganze völliger Quatsch. Die Frauen gehen nämlich nie in den Umkleideraum der Männer.«
»Woher wissen sie dann von den Pin-ups?«
»In der Putzkolonne, die nachts kommt, sind Frauen. Und jetzt wollen die Fließbandfrauen, daß die Pin-ups verschwinden.«
Sanders seufzte. »Beschwerden darüber, daß wir auf sexuelle Belästigung, auch im weitesten Sinn, nicht reagieren, können wir wirklich nicht brauchen. Reiß die Pin-ups runter.«
»Obwohl die Frauen in *ihrem* Umkleideraum selbst Pin-ups aufgehängt haben?«
»Tu's einfach, Eddie, ja?«
»Wenn du mich fragst, gibst du damit diesem feministischen Scheißdreck voll nach.«
Es klopfte. Sanders hob den Blick und sah Phil Blackburn, den Justitiar des Unternehmens, an der Tür stehen.
»Ich muß jetzt aufhören, Eddie.«
»Okay. Aber ich weise dich darauf hin, daß du damit einen Präzedenzfall schaffst: Was immer die Frauen fordern, du tust es –«
»Entschuldige bitte, Eddie, ich muß jetzt auflegen. Ruf mich an, falls es zu irgendwelchen Veränderungen kommt.«
Sanders legte den Hörer auf, und Phil Blackburn betrat den

Raum. Sanders hatte sofort den Eindruck, daß Blackburn viel zu breit grinste, viel zu aufgesetzt fröhlich war.
Ein schlechtes Zeichen.

Philip Blackburn, der Chefjustitiar von DigiCom, war ein schlanker Mann von 46 Jahren und trug an diesem Tag einen dunkelgrünen Boss-Anzug. Wie Sanders arbeitete Blackburn schon seit über einem Jahrzehnt für DigiCom, gehörte also zu den »alten Jungs«, zu denen, die »von Anfang an dabei waren«. Sanders hatte ihn als einen forschen jungen Bürgerrechtsanwalt kennengelernt, der frisch von Berkeley kam. Mittlerweile aber hatte Blackburn den Protest schon lange gegen den Profit eingetauscht, dem er sich mit Zielstrebigkeit und Eifer widmete, während er gleichzeitig intern sehr auf Mitspracherecht und Chancengleichheit bedacht war. Blackburns Art, sich stets nach der neuesten Mode zu kleiden und zu verhalten, hatte »PC Phil«, wie man ihn in Anspielung auf die derzeit vieldiskutierte *political correctness* nannte, in den Augen so mancher Mitarbeiter der Firma zu einer Witzfigur werden lassen. Einer der Angestellten hatte es einmal so formuliert: »Phils Zeigefinger ist vom vielen Anfeuchten und In-den-Wind-Halten schon ganz aufgesprungen.« Er war der erste mit Birkenstock-Schuhen, der erste mit Schlaghosen, der erste, der sich die Koteletten abrasierte, und der erste, der es mit dem innerbetrieblichen Mitspracherecht hatte.
Viele der Witze, die über ihn gerissen wurden, nahmen sein Gehabe auf die Schippe. Er war affektiert, stark auf sein Äußeres bedacht und zupfte ständig an sich herum – er strich sich übers Haar, übers Gesicht, über den Anzug, um die Falten zu glätten, was fast so aussah, als streichle er sich selbst. Dies

und seine unglückselige Angewohnheit, sich die Nase zu reiben, zu drücken oder sogar darin zu bohren, boten immer wieder Anlaß zur Heiterkeit. Das Lachen über ihn hatte jedoch immer einen ängstlichen Unterton: Man mißtraute Blackburn, weil er ein moralistischer Mann fürs Grobe war.

Wenn Blackburn Ansprachen hielt, konnte er durchaus charismatisch wirken, und auch im privaten Gespräch beeindruckte er zumindest kurze Zeit hindurch mit seiner intellektuellen Ehrlichkeit. Innerhalb der Firma aber betrachtete man ihn als das, was er war – als einen käuflichen Menschen, als einen Mann, der keinerlei eigene Überzeugung besaß und demnach den idealen Erfüllungsgehilfen für Garvin abgab.

In den ersten Jahren waren Sanders und Blackburn enge Freunde gewesen. Sie hatten nicht nur gemeinsam die Anfänge des Unternehmens miterlebt, sondern auch privat viel miteinander zu tun gehabt: Als Blackburn 1985 eine schlimme Scheidung durchstehen mußte, hatte er sich eine Zeitlang in Sanders' Junggesellenwohnung in Sunnyvale einquartiert. Und ein Jahr darauf war er bei Sanders' Hochzeit mit der jungen Anwältin Susan Handler Toms Trauzeuge gewesen.

Als Blackburn sich 1989 wieder verheiratete, lud er Sanders allerdings nicht zur Hochzeit ein. Die Beziehung der beiden Männer war brüchig geworden. Manche Leute in der Firma hielten ein Zerwürfnis für unausweichlich: Blackburn war ein Mitglied des inneren Machtzirkels in Cupertino, dem Sanders, der nach Seattle übergewechselt war, nicht mehr angehörte. Darüber hinaus gab es zwischen den beiden heftige Kontroversen in bezug auf die neuen Fabriken in Irland und Malaysia. Sanders hatte den Eindruck, daß Blackburn, der sich ganz auf die juristischen Feinheiten konzentrierte, keinerlei Sinn für die unausweichlichen Fakten der Auslandsproduktion besaß.

Typisch war beispielsweise Blackburns Forderung, das Kontingent der Fließbandarbeiter in der neuen Fabrik in Kuala Lumpur solle zur Hälfte aus Frauen bestehen, die mit den Männern zusammen an einem Fließband arbeiten sollten. Die malaysischen Manager dagegen wollten die Frauen von den Männern trennen, wollten sie nur an bestimmten Abschnitten eines Fließbandes arbeiten lassen, möglichst weit weg von den Männern. Phil erhob energischen Protest, während Sanders ihm immer wieder sagte: »Das ist nun mal ein islamisches Land, Phil!«

»Ist mir doch scheißegal«, erwiderte Phil dann. »Bei DigiCom herrscht Gleichheit.«

»Das ist ihr Land, Phil, und sie sind nun mal Muslime.«

»Na und? Es ist unsere Fabrik!«

Es kam zu immer neuen Meinungsverschiedenheiten dieser Art. Die Behörden in Malaysia wollten nicht, daß ortsansässige Chinesen als Aufseher eingestellt wurden, obwohl sie am besten dafür qualifiziert gewesen wären; die malaysische Regierung hatte klar zum Ausdruck gebracht, daß nur Malaysier zu Aufsehern ausgebildet werden sollten. Sanders war mit dieser eklatant diskriminierenden Vorgehensweise nicht einverstanden gewesen, weil er für die Fabrik die besten Vorarbeiter haben wollte, die zu bekommen waren. Phil aber, der sich in Amerika offen gegen jede Diskriminierung aussprach, hatte die Einstellungspolitik der malaysischen Behörden sofort hingenommen, und zwar mit dem Argument, DigiCom müsse eine wirklich multikulturelle Haltung einnehmen. Sanders mußte in letzter Minute nach Kuala Lumpur fliegen und sich mit den Sultans von Selangor und Pahang treffen, um ihre Forderungen zu erfüllen. Phil hatte öffentlich verkündet, Sanders habe »sich den Extremisten gebeugt«.

Aber dies war nur eine von vielen Kontroversen in Zusammenhang mit Sanders' Leitung der malaysischen Fabrik gewesen.

Sanders und Blackburn begrüßten sich nun mit der Behutsamkeit ehemaliger Freunde, die schon seit langem nur mehr oberflächliche Herzlichkeit füreinander aufbrachten. Sanders schüttelte dem eintretenden Justitiar die Hand. »Was ist eigentlich los, Phil?«

»Ein großer Tag«, sagte Phil Blackburn und setzte sich auf den Stuhl gegenüber Sanders' Schreibtisch. »Jede Menge Überraschungen. Ich weiß nicht, was du schon gehört hast.«

»Ich habe gehört, daß Garvin zu einer Entscheidung bezüglich der Umstrukturierung gelangt ist.«

»Ja, das ist richtig. Zu mehreren Entscheidungen.«

Es entstand eine kurze Pause. Blackburn veränderte seine Sitzhaltung und betrachtete eingehend seine Hände. »Bob wollte dich eigentlich selbst über alles informieren. Er ist heute morgen schon hier gewesen und hat mit den Leuten aus der Abteilung gesprochen.«

»Aber ich war nicht hier.«

»Tja. Wir waren alle einigermaßen überrascht darüber, daß du ausgerechnet heute zu spät gekommen bist.«

Sanders ließ diesen Satz unkommentiert und sah Blackburn erwartungsvoll an.

»Wie auch immer, Tom«, fuhr Blackburn fort, »es geht grundsätzlich um folgendes: Bob hat beschlossen, jemanden von außerhalb der Advanced Products Group mit der zukünftigen Leitung der Abteilung zu betrauen.«

Jetzt war es ausgesprochen. Endlich lagen die Karten auf dem Tisch. Sanders holte tief Luft, um seine innere Anspannung zu lösen. Sein ganzer Körper war verkrampft. Aber er versuchte, sich nichts anmerken zu lassen.

»Ich weiß, daß das ein Schock für dich ist«, sagte Blackburn.

»Na ja«, erwiderte Sanders mit einem Achselzucken, »ich hatte schon gerüchteweise so was ähnliches gehört.« Sein Verstand arbeitete wie wild, während er sprach. Jetzt war klar, daß er keine Beförderung zu erwarten hatte und auch keine Gehaltserhöhung und damit auch nicht die Chance zu –

»Ja, also ...« Blackburn räusperte sich. »Bob hat beschlossen, daß Meredith Johnson die Abteilung leiten wird.«

Sanders runzelte die Stirn. »*Meredith Johnson?*«

»Jawohl. Sie arbeitet in Cupertino. Du kennst sie ja von früher her.«

»Ja, ich kenne sie, aber ...« Sanders schüttelte den Kopf. Das Ganze war völlig unsinnig. »Meredith ist im Verkauf beschäftigt. Sie kommt vom Verkauf her.«

»Ursprünglich schon. Aber du weißt doch, daß sie in den letzten Jahren für die Geschäftsleitung gearbeitet hat.«

»Trotzdem, Phil. Die Advanced Products Group ist eine technische Abteilung.«

»Du bist auch kein Techniker und hast deine Sache dennoch gut gemacht.«

»Aber ich war schon vor Jahren mit dabei, schon als ich noch Marketing machte. Sieh mal, die APG besteht zum größten Teil aus Programmiererteams und der Hardwareproduktion. Wie will Meredith die Abteilung denn leiten?«

»Bob erwartet gar nicht von ihr, daß sie die Abteilung direkt leitet. Sie steht den APG-Abteilungsleitern vor. Meredith' offizielle Bezeichnung wird ›Vizedirektorin der Geschäftsleitung und Unternehmensplanung‹ lauten. Innerhalb der neuen Betriebsstruktur wird sie die gesamte Advanced Products Group, die Marketingabteilung und die TelCom-Abteilung unter sich haben.«

»Mein Gott!« Sanders lehnte sich auf seinem Stuhl zurück. »Das ist ja so ziemlich alles.«

Blackburn nickte bedächtig.

Sanders schwieg eine Weile. Er dachte nach. »Klingt ganz so«, sagte er schließlich, »als würde Meredith Johnson in Zukunft dieses Unternehmen leiten.«

»Also, *so* weit würde ich nun auch wieder nicht gehen«, erwiderte Blackburn. »Sie erhält keine direkte Kontrolle über den Verkauf oder die Finanzen oder über den Vertrieb. Für mich besteht allerdings kein Zweifel daran, daß Bob sie als seine direkte Nachfolgerin plaziert hat. Er will ja innerhalb der nächsten zwei Jahre als Unternehmensleiter zurücktreten.« Blackburn rutschte nervös auf seinem Stuhl herum. »Aber das ist Zukunftsmusik. Was die Gegenwart betrifft, so –«

»Augenblick mal! Die vier Abteilungsleiter der Advanced Products Group sollen ihr unterstellt werden?« fragte Sanders nach.

»Ja.«

»Und wer sollen diese Abteilungsleiter sein? Ist das bereits entschieden?«

»Also ...« Phil hustete kurz, fuhr sich mit der Hand über die Brust und zupfte an seinem Einstecktuch. »Die letzte Entscheidung hinsichtlich der Ernennung der Abteilungsleiter liegt natürlich bei Meredith.«

»Was bedeuten kann, daß ich meinen Job verliere.«

»Schwachsinn, Tom! Davon kann nicht die Rede sein. Bob will alle Mitarbeiter der Abteilungen behalten, auch dich. Gerade dich würde er nun wirklich nicht gern verlieren.«

»Aber Meredith Johnson wird darüber entscheiden, ob ich meinen Job behalte oder nicht.«

»Es muß so sein, aus technischen Gründen«, erklärte Blackburn und spreizte die Finger beider Hände. »Aber das ist doch nur pro forma.«

Sanders sah das völlig anders. Bob Garvin hätte gleichzeitig mit der Ernennung Meredith Johnsons zur Leiterin der APG völlig problemlos auch die Abteilungsleiter ernennen können. Wenn Garvin beschlossen hatte, irgendeiner Frau die Firmenleitung zu übertragen, die vorher im Verkauf beschäftigt war, so war das seine Sache. Aber das brauchte ihn doch nicht daran zu hindern, die Abteilungsleiter in ihren Positionen zu belassen – Männer, die ihm und dem Unternehmen jahrelang gute Dienste erwiesen hatten.

»Mein Gott!« sagte Sanders noch einmal. »Seit zwölf Jahren bin ich nun schon in dieser Firma.«

»Und du wirst bestimmt noch viele weitere Jahre bei uns sein«, versuchte Blackburn ihn zu beruhigen. »Sieh mal, alle Beteiligten haben ein Interesse daran, daß die Teams so bleiben, wie sie sind, weil Meredith, wie bereits gesagt, sie nicht direkt leiten kann.«

»Hm.«

Blackburn schloß seine Manschettenknöpfe und strich sich mit der Hand durchs Haar. »Hör mir zu, Tom. Ich weiß, du bist enttäuscht, weil Bob dich nicht befördert hat. Aber du darfst der Tatsache, daß Meredith nun die Abteilungsleiter benennen wird, nicht zuviel Gewicht beimessen. Wenn du die Sache realistisch betrachtest, muß dir doch klar sein, daß sie keine Veränderungen vornehmen wird. Deine Stellung ist gesichert.« Er hielt kurz inne. »Du weißt doch, wie Meredith ist, Tom.«

»Ja, von früher her«, sagte Sanders nickend. »Meine Güte, ich habe doch praktisch eine Zeitlang mit ihr gelebt. Aber ich habe sie schon seit Jahren nicht mehr gesehen.«

Blackburn überraschte das offenbar. »Ihr zwei habt keinen Kontakt mehr zueinander?«

»Nein, überhaupt nicht. Als Meredith bei DigiCom anfing, war ich hier oben in Seattle, und sie arbeitete in Cupertino. Ein einziges Mal traf ich sie, als ich geschäftlich dort war. Wir sagten hallo, und das war's dann auch schon.«

»Dann kennst du sie also nur von früher her«, sagte Blackburn, als ergebe das alles für ihn plötzlich einen Sinn. »Sechs, sieben Jahre liegt das wohl inzwischen zurück, nicht?«

»Länger sogar«, sagte Sanders. »Seit acht Jahren bin ich in Seattle. Es muß also ...« Er versuchte sich zu erinnern. »Als ich mit ihr befreundet war, arbeitete sie für Novell in Mountain View. Sie verkaufte damals Ethernet-Karten an kleine lokale Netzwerke. Wann war das noch mal?« An seine Beziehung mit Meredith Johnson konnte er sich lebhaft erinnern, aber nicht an die genauen Daten. Er versuchte, sich irgendein wichtiges Ereignis ins Gedächtnis zu rufen – einen Geburtstag, eine Beförderung, einen Umzug –, um auf das Jahr zu kommen. Dann fiel ihm ein, daß er einmal mit ihr zusammen die Wahlberichterstattung im Fernsehen angesehen hatte: in die Höhe schwebende Luftballons, jubelnde Menschen. Meredith hatte Bier getrunken. Das war noch am Anfang ihrer gemeinsamen Beziehung gewesen.

»Mensch, Phil, wie die Zeit vergeht. Das muß jetzt fast zehn Jahre her sein.«

»So lange«, sagte Blackburn nachdenklich.

Als Sanders Meredith Johnson zum erstenmal begegnete, war sie eine von Tausenden hübscher Vertreterinnen gewesen, die in San José arbeiteten, junge Frauen zwischen 20 und 30, frisch aus dem College, deren Tätigkeit zunächst darin bestand, Computer vorzuführen, während ein älterer, stets männlicher Kollege daneben stand und dem Kunden alles erklärte. Mit der Zeit lernten viele dieser Frauen genug dazu, um die Verkaufsgespräche selbst durchzuführen. Als Sanders mit Meredith befreundet war, hatte sie sich bereits so gut in den Verkaufsjargon eingearbeitet, daß sie ohne Schwierigkeiten alles über Token-Ring-Karten und 10BaseT-Sternverteiler herunterrattern konnte. Sie besaß kein wirklich fundiertes Wissen über diese Dinge, aber das war auch nicht nötig. Sie sah gut aus, war sexy und intelligent und verfügte über eine geradezu unheimliche Selbstbeherrschung. Sanders hatte sie damals sehr bewundert, aber niemals hätte er sie für fähig

gehalten, eine Führungsposition in einem Betrieb zu übernehmen.
Blackburn zuckte mit den Achseln. »Es ist viel passiert in diesen neun Jahren, Tom. Meredith ist mehr als eine einfache Firmenvertreterin. Sie ist noch mal aufs College gegangen und hat ein Studium der Betriebswirtschaft abgeschlossen. Sie hat bei Symantic und anschließend für Borland gearbeitet und kam dann zu uns. In den vergangenen Jahren hat sie sehr eng mit Garvin zusammengearbeitet. Sie wird von ihm protegiert. Diverse Aufgaben hat sie zu seiner großen Zufriedenheit erledigt.«
Sanders schüttelte den Kopf. »Und jetzt ist sie meine Chefin ...«
»Ist das ein Problem für dich?«
»Nein. Ich finde es nur irgendwie komisch – eine ehemalige Freundin als Chefin ...«
»Ja, sie hat sich gemacht«, sagte Blackburn. Er grinste, aber Sanders merkte, daß er ihn dabei genau beobachtete. »Du scheinst dich bei dem Gedanken irgendwie unwohl zu fühlen, Tom.«
»Wird ein bißchen dauern, bis ich mich daran gewöhnt habe.«
»Stellt es ein Problem für dich dar, eine Frau über dir zu haben?«
»Überhaupt nicht. Ich habe unter Eileen gearbeitet, als sie die Personalabteilung leitete, und bin ausgezeichnet mit ihr ausgekommen. Das ist es nicht. Es ist nur einfach komisch, mir Meredith Johnson als meine Chefin vorzustellen.«
»Sie ist eine überaus beeindruckende und fähige Managerin«, sagte Blackburn, erhob sich und strich seine Krawatte glatt. »Ich bin sicher, daß du sehr von ihr angetan sein wirst, wenn du sie wiedersiehst. Gib ihr eine Chance, Tom!«
»Ja, klar.«

»Das wird sich schon einspielen, Tom. Richte deinen Blick jetzt auf die Zukunft. Schließlich wirst du in etwa einem Jahr ziemlich reich sein.«

»Soll das heißen, daß der Spin-off der Advanced Products Group trotzdem über die Bühne geht?«

»Aber natürlich. Auf jeden Fall.«

Der Fusionsplan beinhaltete die vieldiskutierte Bestimmung, daß Conley-White nach dem Erwerb von DigiCom die Abteilung Advanced Products ausgliedern und als eigene Aktiengesellschaft etablieren würde. Für alle Mitarbeiter der Abteilung bedeutete dies enorme Gewinne, denn jeder würde Gelegenheit haben, vor dem öffentlichen Verkauf der Aktien günstige Optionen zu erwerben.

»Wir sind noch dabei, die letzten Einzelheiten auszuarbeiten«, erklärte Blackburn. »Aber ich rechne damit, daß Abteilungsleitern wie dir zunächst 20000 Anteile und eine Anfangsoption von 200000 Anteilen à 25 Cent zustehen werden. Außerdem werdet ihr in den folgenden fünf Jahren das Recht haben, jährlich weitere 100000 Anteile zu erwerben.«

»Und der Spin-off wird auch dann durchgeführt, wenn Meredith die Abteilungen leitet?«

»Du kannst es mir glauben. Innerhalb der nächsten zwölf Monate ist es soweit. Das ist ein formaler Bestandteil des Fusionsplans.«

»Sie hat also keine Möglichkeit, es sich vielleicht anders zu überlegen?«

»Keinerlei Möglichkeit, Tom.« Blackburn grinste ihn an. »Ich kann dir ja das kleine Geheimnis erzählen: Dieser Spin-off war ursprünglich Meredith' Idee!«

Blackburn verließ Sanders' Büro, suchte sich im selben Gang einen Raum, von dem aus er ungestört telefonieren konnte, und rief Garvin an. Blackburn hörte den vertrauten harschen Ton: »Garvin am Apparat.«

»Ich habe mit Tom Sanders gesprochen.«

»Und?«

»Ich finde, er hat es ganz gut aufgenommen. Enttäuscht war er natürlich schon. Offenbar waren ihm bereits Gerüchte zu Ohren gekommen. Aber er hat es gut aufgenommen.«

»Und die neue Unternehmensstruktur? Wie hat er darauf reagiert?«

»Na ja, er macht sich Sorgen«, sagte Blackburn. »Er äußerte Bedenken.«

»Wieso denn?«

»Er hält ihr technisches Wissen für nicht groß genug, um die Abteilung zu leiten.«

»Technisches Wissen? Das ist wirklich das letzte, um was es mir geht!« schnaubte Garvin.

»Natürlich. Aber ich hatte den Eindruck, daß er in privater Hinsicht ein gewisses Unbehagen verspürt. Sie wissen ja, daß die beiden mal eine Beziehung miteinander hatten.«

»Ja«, sagte Garvin. »Ich weiß. Haben sie sich seitdem gesehen?«

»Schon seit ein paar Jahren nicht mehr, sagt er.«

»Böses Blut?«

»Ich hatte nicht den Eindruck.«

»Was macht er sich dann Sorgen?«

»Ich glaube, er braucht ein bißchen Zeit, bis er sich an die Vorstellung gewöhnt hat.«

»Wird schon werden.«

»Denke ich auch.«

»Informieren Sie mich, falls Sie etwas Gegenteiliges hören sollten«, sagte Garvin und legte auf.

Blackburn blieb in dem leeren Raum stehen und runzelte nachdenklich die Stirn. Das Gespräch mit Garvin hatte eine unerklärliche Unruhe in ihm hinterlassen. Es war zwar nicht schlecht gelaufen, aber trotzdem ... Tom Sanders würde diese Umstrukturierung nicht einfach so hinnehmen, dessen war er sicher. Sanders war beliebt in der Firma und durchaus in der Lage, Schwierigkeiten zu machen. Er war zu unabhängig, kein Teamspieler, dabei hatte die Firma gerade jetzt Teamgeist besonders nötig. Je länger Blackburn darüber nachdachte, um so stärker wurde seine Überzeugung, daß Sanders noch ein Problem werden würde.

Sanders saß an seinem Schreibtisch und starrte gedankenverloren vor sich hin. Er versuchte, seine Erinnerungen an eine hübsche junge Vertreterin in Silicon Valley diesem neuen Bild von einer Führungskraft anzugleichen, die mehrere Abteilungen leiten und die komplexen Grundlagen dafür schaffen sollte, eine Firmenabteilung als eigenes Unternehmen an die Börse zu bringen. Seine Gedanken wurden jedoch immer wieder von aufblitzenden privaten Erinnerungen unterbrochen: Meredith, lächelnd, in einem seiner Hemden, darunter nackt. Ein geöffneter Koffer auf dem Bett. Weiße Strümpfe und ein weißer Strapsgürtel. Eine Schüssel Popcorn auf der blauen Couch im Wohnzimmer. Der Fernseher mit abgedrehtem Ton.
Und aus irgendeinem Grund sah er immer wieder eine Blume vor sich, eine violette Iris aus gefärbtem Glas, eines dieser abgedroschenen nordkalifornischen Hippie-Erkennungszeichen. Sanders wußte, woher diese Erinnerung stammte: Die Blume war auf dem Glaseinsatz der Tür zu seiner damaligen Wohnung in Sunnyvale zu sehen gewesen. Damals, als er mit

Meredith befreundet war. Er konnte sich nicht erklären, warum er jetzt dauernd daran denken mußte, und er –

»Tom?«

Er hob den Blick. Cindy stand in der Tür. Sie wirkte sehr nervös.

»Möchten Sie Kaffee, Tom?«

»Nein, danke.«

»Don Cherry hat noch mal angerufen, während Phil bei Ihnen war. Er möchte, daß Sie zu ihm kommen und sich den Korridor ansehen.«

»Gibt es Probleme?«

»Ich weiß nicht. Er klang sehr aufgeregt. Wollen Sie ihn zurückrufen?«

»Nein. Ich gehe gleich mal runter und rede mit ihm.«

Cindy blieb an der Tür stehen. »Möchten Sie einen Bagel? Haben Sie schon gefrühstückt?«

»Ich brauche nichts.«

»Bestimmt nicht?«

»Nein, ich brauche nichts, Cindy. Wirklich nicht.«

Sie ging. Als er sich umdrehte, sah er auf dem Bildschirm das Symbol für seine E-Mail blinken, aber seine Gedanken kreisten noch immer um Meredith Johnson. Er hatte insgesamt etwa sechs Monate mit ihr zusammengelebt. Eine Zeitlang war es eine ziemlich intensive Beziehung gewesen. Und trotzdem – obwohl immer wieder einzelne, sehr deutliche Bilder in ihm auftauchten, merkte er, daß seine Erinnerungen an diese Zeit im großen und ganzen erstaunlich blaß waren. Hatte er wirklich ein halbes Jahr lang mit Meredith zusammengelebt? Wann genau hatten sie sich kennengelernt, und wann war es zur Trennung gekommen? Sanders stellte zu seiner großen Überraschung fest, daß es ihm überaus schwerfiel, die zeitliche Abfolge zu rekonstruieren. Um mehr Klarheit zu gewinnen, dachte er an andere Aspekte seines Lebens

zurück: Welche berufliche Position hatte er damals gehabt? War er noch im Marketing tätig gewesen oder bereits in den technischen Bereich übergewechselt? Mit Sicherheit konnte er es nicht sagen; er würde es in den Akten nachlesen müssen. Blackburn fiel ihm wieder ein. Der hatte genau zu der Zeit seine Frau verlassen und war in Sanders' Wohnung gezogen, als dieser mit Meredith zusammenlebte. Oder doch nicht? War es vielleicht doch erst später gewesen, als die Beziehung bereits zu Ende ging? Möglicherweise war Phil auch erst später zu ihm gezogen, etwa zu der Zeit, als Tom Susan kennenlernte. Aber auch das wußte Sanders nicht mit Sicherheit zu sagen.
Er drückte auf den Knopf der Sprechanlage. »Cindy? Ich möchte Sie mal etwas fragen.«
»Was denn, Tom?«
»Wir haben jetzt die zweite Juniwoche. Was haben Sie in der zweiten Juniwoche vor zehn Jahren gemacht?«
Sie zögerte nicht eine Sekunde. »Das ist einfach: Da war ich gerade mit dem College fertig.«
Das stimmte garantiert. »Okay«, sagte Sanders. »Dann nehmen wir jetzt mal den Juni vor neun Jahren.«
»Vor neun Jahren?« Plötzlich klang sie ziemlich zögerlich, weit weniger sicher als zuvor. »Puh! Also, im Juni ... vor neun Jahren? Juni ... Äh ... Ich glaube, da war ich mit meinem Freund in Europa.«
»Aber nicht mit Ihrem jetzigen Freund, oder? Nicht daß ich neugierig sei will ...«
»Nein ... Der Typ damals war ein echter Idiot.«
»Wie lange dauerte es?« fragte Sanders.
»Einen Monat waren wir drüben.«
»Die Beziehung, meine ich.«
»Mit dem? Also, warten Sie mal, wir machten Schluß ... ja, genau, das muß im ... äh ... Dezember gewesen sein ... Ich glaube, es war im Dezember, vielleicht auch erst im Januar,

nach den Ferien ... Warum wollen Sie das eigentlich wissen?«

»Ich versuche nur, etwas herauszubekommen«, antwortete Sanders. Die Unsicherheit in ihrer Stimme, als sie versucht hatte, sich an ein lange vergangenes Ereignis zu erinnern, erfüllte ihn mit Erleichterung. »Ach, übrigens, wie lange reichen eigentlich unsere Firmenaufzeichnungen zurück? Die Korrespondenz und die Verzeichnisse über Telefonate?«

»Da muß ich erst nachsehen. Ich weiß aber, daß ich hier ungefähr die letzten drei Jahre greifbar habe.«

»Und was ist mit früher?«

»Früher? Wie viel früher denn?«

»Vor zehn Jahren.«

»Mensch, da waren Sie doch noch in Cupertino. Haben die das so lange aufgehoben? Haben die das auf Mikrofiche gespeichert oder nicht doch einfach weggeworfen?«

»Ich weiß nicht.«

»Soll ich mal nachfragen?«

»Jetzt nicht«, sagte Sanders. Er lehnte sich zurück und schaltete die Sprechanlage aus. Er wollte nicht, daß Cindy zu diesem Zeitpunkt Nachforschungen in Cupertino anstellte. Später vielleicht.

Sanders rieb sich die Augen. Seine Gedanken kehrten wieder in die Vergangenheit zurück. Wieder sah er die bunte Glasblume vor sich. Sie war riesig, grell, geschmacklos, und eben wegen dieser Geschmacklosigkeit hatte er sie immer als peinlich empfunden. Er hatte damals in einem der Apartmentkomplexe am Merano Drive gewohnt. 20 um einen mit stets kaltem Wasser gefüllten Swimming-pool gruppierte Wohnungen. Alle Leute in dem Gebäude waren bei High-Tech-Firmen beschäftigt. Niemals war irgend jemand in den Pool gegangen. Und Sanders war nicht viel daheim. Damals flog er zweimal pro Monat mit Garvin nach Korea. Und sie saßen

noch in der Tourist Class, nicht einmal Business Class hatten sie sich leisten können.
Und er erinnerte sich, daß er von diesen langen Flügen immer sehr erschöpft heimkam und dann als erstes diese verdammte Glasblume auf seiner Wohnungstür sah.
Und Meredith hatte damals eine Vorliebe gehabt für weiße Strümpfe, weiße Strapsgürtel, kleine weiße Blümchen auf den Strumpfhaltern und –
»Tom?« Er blickte auf. Cindy stand wieder an der Tür. »Wenn Sie Don Cherry noch sehen wollen, müssen Sie jetzt zu ihm«, sagte sie. »Um halb elf treffen Sie sich nämlich mit Gary Bosak.«
Sie behandelte ihn wie einen geistig Minderbemittelten, fand er. »Ich weiß schon selbst, was ich zu tun habe, Cindy.«
»Gut. War ja auch nur zur Erinnerung.«
»Okay. Ich gehe gleich los.«
Er eilte die Treppe zum dritten Stock hinunter. Das Laufen beruhigte ihn ein bißchen. Cindy hatte recht daran getan, ihn aus dem Büro zu werfen. Außerdem war er neugierig, was Cherrys Team mit dem Korridor gemacht hatte.
Der Korridor war das, was alle DigiCom-Mitarbeiter VIE – Virtual Information Environment – nannten. VIE war neben Twinkle das zweite wichtige Element in der nahen Zukunft digitaler Information, wie DigiCom sie plante. Information würde künftig auf Disketten gespeichert sein oder aber in großen Online-Datenbanken zur Verfügung stehen, zu denen sich der Benutzer über Telefonleitungen Zutritt verschaffen konnte. Derzeit sahen die Anwender die Informationen noch auf flachen Bildschirmen – auf Fernseh- oder Computerbildschirmen –, so wie Information in den vergangenen 30 Jahren normalerweise übermittelt worden war, aber schon bald würde es neue Wege der Präsentation von Informationen geben. Die radikalste und aufregendste dieser neuen Möglichkeiten

waren die Virtual Environments. Die Benutzer trugen Spezialhelme, mit denen sie computergenerierte, dreidimensionale Räume sehen konnten und dabei den Eindruck hatten, sich tatsächlich in einer anderen Welt zu bewegen. Dutzende von High-Tech-Unternehmen waren an dem Wettlauf um die Entwicklung von Virtual Environments beteiligt. Es handelte sich um eine aufregende, aber sehr komplizierte Technologie. Bei DigiCom gehörte VIE zu Garvins Lieblingsprojekten, in das er schon eine Menge Geld gesteckt hatte. Zwei Jahre lang, so wollte er es, sollten Don Cherrys Programmierer rund um die Uhr daran arbeiten.
Aber bisher hatte es damit nichts als Schwierigkeiten gegeben.

Auf dem Schild an der Tür stand »VIE«, und darunter war zu lesen: »Wenn die Wirklichkeit nicht genug ist.« Sanders schob seine Karte in den Schlitz; mit einem leisen Klickgeräusch öffnete sich die Tür. Schon im Vorraum hörte er lautes Stimmengewirr aus dem dahinterliegenden Hauptraum. Außerdem nahm er einen geradezu atemberaubenden, stechenden Geruch wahr.
Als er den Hauptraum betrat, sah er sich dem totalen Chaos gegenüber. Sämtliche Fenster waren weit geöffnet, und der intensive Zitronengeruch eines Reinigungsmittels lag in der Luft. Die meisten der Programmierer saßen auf dem Boden und arbeiteten an auseinandermontierten Geräten. Inmitten eines bunten Kabelgewirrs lagen die VIE-Geräte in einzelnen Teilen herum, selbst die schwarzen, runden Laufflächen hatte man auseinandermontiert, um die Lager für die Gummikugeln einzeln reinigen zu können. Von der Decke hängende Kabel führten zu den Laser-Scannern, deren elektronische

Bauteile offen sichtbar waren. Alle Anwesenden schienen gleichzeitig zu sprechen. Und in der Mitte des Raums stand wie ein jugendlicher Buddha, in einem stahlblauen T-Shirt mit dem Aufdruck »SCHEISSREALITÄT«, Don Cherry, der Leiter der Programmierabteilung. Er war 22 Jahre alt, galt allgemein als unersetzlich, und war berüchtigt für seine unverschämte Art.

Als er Sanders kommen sah, schrie er: »Raus! Raus, verdammtes Management! Sofort raus hier!«

»Wieso denn?« fragte Sanders. »Ich dachte, du wolltest mich sprechen.«

»Zu spät! Du hattest deine Chance – jetzt ist sie vorüber.«

Einen Moment lang dachte Sanders, Cherry meinte die Beförderung, die ihm entgangen war. Aber Cherry war von allen DigiCom-Abteilungsleitern mit Abstand der unpolitischste, und als er Sanders entgegenging, wobei er über einige seiner auf dem Boden liegenden Programmierer steigen mußte, grinste er auch schon. »Tut mir leid, Tom, du kommst zu spät. Wir sind schon bei der Feineinstellung.«

»Bei der Feineinstellung? Sieht eher aus wie der Nullpunkt. Was stinkt hier eigentlich so widerlich?«

»Ich weiß.« Cherry hob in komischer Verzweiflung die Hände. »Ständig sage ich den Jungs, sie sollen sich täglich waschen, aber du riechst es ja selbst ... sind eben Programmierer. Wie die Hunde ...«

»Cindy sagte, du hättest mehrmals angerufen.«

»Stimmt. Der Korridor war funktionstüchtig und lief, und ich wollte, daß du ihn dir mal ansiehst. Ist aber nicht so wichtig.«

Sanders ließ den Blick über die im ganzen Raum verstreuten Teile schweifen. »Er war *funktionstüchtig*?«

»Das war früher. Dies hier ist jetzt. Jetzt sind wir bei der Feinabstimmung.« Cherry machte eine Kopfbewegung zu den Programmierern, die sich an den Laufwerken zu schaffen machten. »Endlich haben wir den Defekt in der Hauptplatine beheben können, gestern gegen Mitternacht. Die Bildwiederholungsrate hat sich verdoppelt. Jetzt läuft das System wie am Schnürchen, und deshalb müssen wir die Lauffläche und die Servos auf die neue Reaktionszeit einstellen. Ist ein *mechanisches* Problem«, fügte er verächtlich hinzu. »Aber wir kümmern uns trotzdem darum.«

Die Programmierer waren immer sauer, wenn sie es mit mechanischen Defekten zu tun hatten. Sie lebten fast ausschließlich in einer abstrakten Computercodewelt und betrachteten jede physikalische Maschinerie als unter ihrer Würde.

»Wo genau liegt denn das Problem?« wollte Sanders wissen.

»Also, paß auf! Das da ist unsere neueste Implementierung. Der Benutzer trägt diesen Helm und einen Datenhandschuh.« Cherry deutete auf eine Art dicke, silbrig beschichtete Sonnenbrille und auf einen daneben liegenden schwarzen Stoffhandschuh. »Und er steigt auf diese Lauffläche hier.«

Die Lauffläche gehörte zu Cherrys jüngsten Innovationen. Sie war ungefähr so groß wie ein kleines rundes Trampolin, bestand an der Oberfläche aus dicht nebeneinanderliegenden Gummikugeln und funktionierte wie ein in alle Richtungen bewegliches Tretwerk. Auf den Kugeln konnte sich der Benutzer frei bewegen.

»Wenn der Benutzer auf der Lauffläche steht«, erklärte Cherry, »wählt er sich in eine Datenbank. Daraufhin nimmt der Computer dort drüben« – Cherry deutete auf mehrere in einer Ecke aufeinandergestapelte Kästen – »die von der Datenbank kommende Information auf und konstruiert einen virtuellen Raum, der innen auf die Brille projiziert wird. Während der Benutzer auf der Unterlage umhergeht, verändert sich die Projektion, so daß er den Eindruck hat, durch einen auf beiden Seiten von Datenschubladen gesäumten Korridor zu gehen. Der Benutzer kann stehenbleiben, wo er will, mit seinem Handschuh irgendeine Schublade öffnen und sich die Daten ansehen. Eine völlig realistische Simulation.«

»Für wie viele Benutzer?«

»Im Augenblick schafft das System fünf Benutzer gleichzeitig.«

»Und wie sieht der Korridor aus?« fragte Sanders. »Drahtgittermodelle?« In den früheren Versionen hatte der Korridor aus einem primitiven schwarzweißen Gestänge bestanden. Je weniger Linien es gab, um so schneller konnte der Computer sie aufbauen.

»Drahtgittermodelle?« Cherry rümpfte die Nase. »Ich bitte dich!« Die haben wir doch schon vor zwei Wochen rausgeschmissen. Ich spreche von 3-D-Oberflächen, voll ausmodelliert in 24-Bit-Farbtiefe mit spektakulären Möglichkeiten der Oberflächengestaltung. Wir rendern hier sphärisch geformte Oberflächen ohne Ecken und Kanten. Sieht total echt aus!«

»Und wozu die Laser-Scanner? Ich dachte, die Position wird mit Infrarot bestimmt.« Über der Brille waren Infrarotsensoren angebracht, damit das System herausfinden konnte, wohin der Benutzer gerade blickte, und das projizierte Bild auf der Innenseite des Helms so einstellte, daß es mit der Blickrichtung übereinstimmte.

»Das ist nach wie vor der Fall«, erklärte Cherry. »Die Scanner sorgen für die Körperdarstellung.«

»Körperdarstellung?«

»Ja. Wenn du jetzt zusammen mit anderen den Korridor hinuntergehst, kannst du dich umdrehen und sie mit Hilfe deines Helms ansehen und auch wirklich *sehen*. Die Scanner produzieren nämlich ein dreidimensionales Echtzeit-Oberflächenmuster. Sie tasten den Körper und den Gesichtsausdruck ab und zeichnen das virtuelle Gesicht des virtuellen Menschen, der neben dir im virtuellen Raum steht. Die Augen dieser Person kann man natürlich nicht sehen, die sind ja hinter der Brille versteckt. Aber das System entnimmt dem gespeicherten Oberflächenmuster einfach ein Gesicht. Ziemlich raffiniert, was?«

»Soll das heißen, daß man die anderen Benutzer sehen kann?«

»Genau. Du kannst das Gesicht sehen, sogar den Gesichtsausdruck. Und das ist noch nicht alles. Auch wenn andere Benutzer im System keinen Spezialhelm tragen, kannst du sie sehen. Das Programm identifiziert jeden anderen Benutzer, entnimmt der Personalakte sein Foto und heftet es auf ein virtuelles Körperbild. Wirkt bißchen improvisiert, aber gar nicht schlecht.« Cherry fuchtelte mit der Hand in der Luft herum. »Und das ist immer noch nicht alles. Wir haben obendrein eine virtuelle Hilfe eingebaut.«

»Virtuelle Hilfe?«

»Klar, Anwender brauchen immer Online-Hilfe. Deshalb haben wir einen Engel kreiert, der einem hilft. Er schwebt neben dem Benutzer her und beantwortet alle Fragen.« Cherry grinste übers ganze Gesicht. »Zuerst sollte es eine blaue Fee werden, aber wir wollten niemandem zu nahe treten.«

Sanders sah sich nachdenklich im Raum um. Cherry erzählte ihm von seinen Erfolgen, aber hier war noch etwas anderes im Gange – die Anspannung, die hektische Betriebsamkeit, mit der die Menschen hier arbeiteten, war nicht zu übersehen.

»He, Don«, rief einer der Programmierer. »Wie hoch soll die Z-Bildwiederholungsrate sein?«

»Über fünf«, rief Cherry zurück.

»Ich habe sie jetzt bei vier-drei.«

»Vier-drei ist Scheiße. Bring sie auf fünf, oder du wirst gefeuert.« Er wandte sich wieder Sanders zu. »Ständig muß man die Truppe anfeuern.«

Sanders sah Cherry in die Augen. »Also, wo liegt das *eigentliche* Problem?«
Cherry zuckte mit den Achseln. »Es gibt keines. Ich hab's dir ja schon gesagt: Wir sind bei der Feinabstimmung.«
»Don!«
Cherry seufzte. »Also, beim Erhöhen der Bildwiederholungsrate haben wir das Grafik-Modul ruiniert. Der Raum wird ja von der Box in Echtzeit aufgebaut. Bei einer schnelleren Bildwiederholung von den Sensoren her müssen wir die Objekte sehr viel schneller berechnen, sonst hat man den Eindruck, der Raum bleibe hinter einem zurück. Das ist dann, als ob man besoffen wäre. Wenn man den Kopf dreht, folgt der Raum sozusagen immer ein Stück hinter einem her.«
»Ja, und?«
»Dann muß der Benutzer kotzen.«
Sanders stieß einen Seufzer aus. »Super.«
»Wir mußten die Laufflächen auseinandernehmen, weil Teddy alles vollgereihert hat.«
»Wirklich super, Don.«
»Was hast du denn? Ist doch keine große Sache. Wird schon wieder sauber.« Aber dann schüttelte er den Kopf. »Wäre mir allerdings wesentlich lieber gewesen, wenn Teddy zum Frühstück keine *huevos rancheros* gegessen hätte. Das war wirklich ungünstig. Überall winzige Tortillastückchen im Getriebe...«
»Du weißt, daß der Korridor morgen den Conley-White-Leuten vorgeführt werden soll.«
»Kein Problem. Dann ist längst alles fertig.«
»Don, es darf nicht dazu kommen, daß einer von der Geschäftsleitung dabei erbrechen muß!«
»Vertrau mir«, sagte Cherry. »Es wird klappen. Sie werden begeistert sein. Dieses Unternehmen mag mit vielen Problemen zu kämpfen haben, aber der Korridor gehört ganz sicher nicht dazu.«

»Ist das ein Versprechen?«
»Das, mein lieber Tom«, erwiderte Cherry, »ist eine Garantie.«

Um 20 nach 10 war Sanders wieder in seinem Büro und saß an seinem Schreibtisch, als Gary Bosak eintrat, ein großer Mann Mitte 20, bekleidet mit Jeans, Laufschuhen und einem Terminator-T-Shirt. Er brachte eine große Aktentasche aus Leder mit, wie sie Strafverteidiger oft bei sich haben.
»Du bist blaß«, sagte Bosak. »Aber heute ist hier jeder blaß. Eine unglaubliche Spannung liegt in der Luft, hast du das bemerkt?«
»Ja, ich habe es bemerkt.«
»Kann ich mir denken. Kann's losgehen?«
»Ja.«
»Cindy? Mr. Sanders ist jetzt ein paar Minuten lang nicht erreichbar.«
Bosak drückte die Tür von Sanders' Büro zu und schloß sie ab. Dann zog er fröhlich pfeifend das Kabel des Schreibtischtelefons aus dem Anschluß, dann das des Apparats neben der Couch in der Ecke. Von dort ging er ans Fenster und ließ die Jalousien herunter. In einer anderen Ecke stand ein kleiner Fernseher; den schaltete er an. Er öffnete die Schnallen seiner Aktentasche, entnahm ihr eine kleine Plastikbox und betätigte den Kippschalter an der Seite. Das Ding begann zu blinken und gab ein leises weißes Rauschen von sich. Bosak stellte es in die Mitte von Sanders' Schreibtisch. Bosak gab immer erst dann Informationen, wenn das weiße Rauschen den Raum erfüllte, denn fast alles, was er zu sagen hatte, hatte mit illegalen Vorgehensweisen zu tun.

»Ich habe gute Nachrichten für dich«, verkündete er. »Dein Mann ist sauber.« Er zog einen Schnellhefter aus seiner Tasche, öffnete ihn und begann, Sanders einzelne Papiere hinüberzureichen. »Peter John Nealy, 23, seit 16 Monaten bei DigiCom angestellt. Arbeitet als Programmierer in der Advanced Products Group. So, und hier sind Kopien seines High-School- und College-Zeugnisses und die Personalakte von Data General, seinem letzten Arbeitgeber. Alles in Ordnung. Jetzt die neueren Sachen: die Einschätzung seiner Kreditfähigkeit durch TRW ... Telefonrechnungen für die Gespräche aus seiner Wohnung und hier die für sein Mobiltelefon ... Kontoauszug ... Sparkonto ... die beiden letzten Einkommensteuerformulare Nummer 1040 ... die Kreditkartengebühren der letzten zwölf Monate, VISA und MC ... Auflistung der Reisen ... E-Mail-Mitteilungen innerhalb der Firma und über Internet ... Strafzettel wegen Falschparkens ... Und jetzt die Sachen, die jeden Zweifel ausräumen: Ramada Inn in Sunnyvale, die letzten drei Aufenthalte, seine Telefonrechnung von dort, die Nummern, die er angerufen hat ... die letzten drei Auto-Leasings mit den zurückgelegten Meilen ... das Mobiltelefon im Mietwagen und die Nummern, die er damit anwählte. Das wär's.«

»Und?«

»Ich bin die Nummern durchgegangen, die er gewählt hat. Hier ist eine Zusammenstellung. Jede Menge Anrufe an Seattle Silicon, aber Nealy ist mit einem Mädchen befreundet, das dort arbeitet. Sie ist Sekretärin, arbeitet im Verkauf, also keine Gefahr. Außerdem spricht er oft mit seinem Bruder; der ist Programmierer bei Boeing, Parallelverarbeitung für Tragflächendesign, keine Gefahr. Die anderen Anrufe gelten Lieferfirmen und Code-Verkäufern und sind alle vertretbar. Keine Anrufe außerhalb der Arbeitszeiten. Keine Anrufe an öffentlichen Fernsprechern. Keine Ferngespräche nach Übersee. Keinerlei verdächtiges Muster in den Anrufen zu erkennen. Keine unerklärlichen Banktransfers, keine plötzlichen größeren Anschaffungen. Nicht der geringste Anhaltspunkt dafür, daß es ihn von hier wegzieht. Meiner Meinung nach hat er mit niemandem Kontakt, der dir ein Dorn im Auge sein könnte.«

»Gut.« Sanders warf einen Blick auf die Papiere und sagte nach einer kurzen Pause: »Gary ... einiges von dem Zeug hier stammt aus unserem Betrieb. Einige dieser Dokumente ...«

»Ja, und?«

»Wie bist du an die rangekommen?«

Bosak grinste. »He! Du fragst nicht, und ich erzähle dir nichts, klar!«

Wie bist du an die Personalakte von Data General rangekommen?«

Bosak schüttelte den Kopf. »Genau dafür bezahlst du mich doch, oder?«

»Ja, schon, aber ...«

»Mann, du wolltest die Überprüfung eines Angestellten – hier hast du sie. Der Junge ist sauber. Er arbeitet nur für dich. Willst du noch irgendwas über ihn wissen?«

»Nein«, sagte Sanders und schüttelte den Kopf.

»Gut. Ich brauche nämlich ein bißchen Schlaf.« Bosak sammelte die Papiere ein und legte sie in den Schnellhefter zurück. »Übrigens wird sich mein Bewährungshelfer demnächst bei dir melden.«

»Aha.«

»Kann ich auf dich zählen?«

»Klar, Gary.«

»Ich habe ihm gesagt, daß ich dich in Sachen Sicherheit in der Telekommunikation berate.«

»Was du ja auch tust.«

Bosak schaltete das blinkende Kästchen aus, steckte es in

seine Aktentasche und schloß die Telefonapparate wieder an.
»Ist mir ein Vergnügen. Geht die Rechnung gleich an dich oder soll ich sie Cindy geben?«
»Ich nehme sie. Bis bald, Gary.«
»Jederzeit, Mann! Wenn du was brauchst – du weißt, wo du mich finden kannst.«
Sanders schielte auf die Rechnung der »NE Professional Services Inc.« in Bellview, Washington. Mit dem Namen hatte Bosak sich einen Witz erlaubt – die Buchstaben NE standen für »Necessary Evil«, »Notwendiges Übel«. Normalerweise beschäftigten High-Tech-Firmen pensionierte Polizeibeamte und Privatdetektive für ihre Personenüberprüfungen, hin und wieder aber bedienten sie sich auch eines Hackers wie Gary Bosak, der sich Zugang zu elektronischen Datenbanken verschaffen konnte, um an Informationen über verdächtige Angestellte zu gelangen. Bosak hatte den Vorteil, daß er schnell arbeitete und einen Bericht oft sogar innerhalb von Stunden beziehungsweise über Nacht abfassen konnte. Seine Methoden waren selbstverständlich illegal; schon indem Sanders ihn überhaupt engagierte, brach er mindestens ein halbes Dutzend Gesetze. Die Überprüfung von Angestellten war jedoch in allen High-Tech-Unternehmen, wo ein einziges Dokument, ein einziger Produktentwicklungsplan für einen Konkurrenten Hunderttausende von Dollars wert sein konnte, als gängige Praxis akzeptiert.
Und im Fall von Pete Nealy war eine solche Überprüfung ganz besonders angeraten. Nealy codierte Kompressionsalgorithmen, mit denen Videobilder auf CD-ROM-Laserdisketten komprimiert und dekomprimiert werden konnten. Seine Arbeit bildete einen wichtigen Bestandteil der neuen Twinkle-Technologie. Schnelle Digitalbilder von der Diskette würden eine gegenwärtig noch sehr träge Technologie völlig verändern und auf dem Bildungssektor eine Revolution einleiten.

Würden Twinkle-Algorithmen jedoch einem Konkurrenzunternehmen zugänglich gemacht, so wäre DigiComs Vorsprung dahin, und das bedeutete –

Die Gegensprechanlage summte. »Tom«, sagte Cindy, »es ist elf Uhr. Sie müssen zu der APG-Besprechung. Möchten Sie auf dem Weg nach unten noch schnell die Tagesordnung lesen?«

»Heute nicht«, sagte Sanders. »Ich glaube, ich weiß, über was wir reden werden.«

Im Konferenzraum auf der dritten Etage hatte sich die Advanced Products Group bereits eingefunden. Es handelte sich um ein allwöchentliches Meeting, bei dem die Abteilungsleiter diverse Probleme besprachen und einander auf dem laufenden hielten. Normalerweise wurde dieses Meeting von Sanders geleitet. Um den Tisch saßen Don Cherry, der Programmierchef, Mark Lewyn, der launische Leiter der Abteilung Produktentwicklung, ganz in Schwarz und ganz in Armani, sowie Mary Anne Hunter, die der Abteilung Datenbankentwicklung vorstand. Hunter, eine zierliche, angespannt wirkende Frau, trug ein Sweatshirt, Shorts und Läufer-Leggings von Nike. Sie aß nie zu Mittag, sondern nutzte die Zeit nach dem Meeting meist für einen Fünfmeilenlauf.

Lewyn hatte wieder mal einen seiner katastrophalen Wutausbrüche: »Das ist für alle in der Abteilung ein Schlag ins Gesicht! Ich weiß wirklich nicht, warum sie diese Stellung bekommt! Ich kann mir beim besten Willen nicht vorstellen, welche Qualifikationen sie für einen solchen Job aufweisen könnte, und –«

Als Sanders eintrat, unterbrach Lewyn seinen Redefluß. Es

war eine peinliche Situation; erst starrten ihn alle schweigend an, dann senkten sich die Blicke.
»Ich hatte schon so ein Gefühl, daß ihr *darüber* reden würdet«, sagte Sanders lächelnd.
Die anderen blieben still. »Also bitte«, rief Sanders, während er sich auf einen Stuhl setzte, »wir sind doch nicht bei einer Beerdigung!«
Mark Lewyn räusperte sich. »Tut mir wirklich leid, Tom. Ich finde, das Ganze ist eine einzige Schande!«
Mary Anne Hunter fügte hinzu: »Jeder weiß doch, daß du es hättest werden sollen.«
»Es ist ein Schock für uns alle, Tom«, sagte Lewyn.
»Tja«, meldete sich Cherry grinsend zu Wort, »wir hatten uns zwar alle mächtig ins Zeug gelegt, damit du an die Luft gesetzt wirst, aber daß es wirklich passiert, hätten wir nicht für möglich gehalten.«
»Ich weiß eure Anteilnahme zu würdigen«, erklärte Sanders. »Aber es ist Garvins Unternehmen, und er kann damit machen, was er will. Seine Maßnahmen haben sich weitaus häufiger als richtig denn als falsch erwiesen. Und ich bin schon ein großer Junge. Niemand hat mir irgendwas versprochen.«
»Kommst du damit wirklich klar?« fragte Lewyn.
»Ich komme damit klar, du kannst es mir glauben.«
»Hast du mit Garvin gesprochen?«
»Ich habe mit Phil gesprochen.«
Lewyn schüttelte den Kopf. »Dieses scheinheilige Arschloch.«
»Sag mal«, schaltete Cherry sich ein, »hat Phil eigentlich irgendwas über den Spin-off erwähnt?«
»Ja«, antwortete Sanders. »Der Spin-off findet statt. Zwölf Monate nach der Fusion werden sie die Aktienneuemission vorbereiten, und die Abteilung geht an die Börse.«

Alle um den Tisch Sitzenden nickten. Sanders sah, daß sie erleichtert waren. Der Gang an die Börse bedeutete für jeden der Anwesenden eine Menge Geld.
»Und was hat Phil über Ms. Johnson gesagt?« erkundigte sich Cherry.
»Nicht viel. Nur daß Garvin sich eben für sie als Leiterin der technischen Seite entschieden hat.«
In diesem Augenblick betrat Stephanie Kaplan, DigiComs Leiterin Finanzen, den Raum. Diese große, sehr stille Frau mit dem frühzeitig ergrauten Haar war in der Firma auch unter der Bezeichnung Stephanie Heimlich beziehungsweise als der »heimliche Bomber« bekannt – wobei der zweite Spitzname sich auf ihre Angewohnheit bezog, still und heimlich Projekte sterben zu lassen, die sie für nicht ausreichend profitabel erachtete. Kaplan arbeitete in Cupertino, kam normalerweise jedoch einmal im Monat zu den Abteilungsmeetings nach Seattle. In letzter Zeit war sie häufiger hiergewesen.
»Wir versuchen gerade, Tom ein bißchen aufzumuntern, Stephanie«, sagte Lewyn.
Kaplan setzte sich und lächelte Sanders mitfühlend an, ohne etwas zu sagen.
»Wußten *Sie*, daß Meredith Johnson den Posten bekommen würde?« fragte Lewyn sie.
»Nein. Das war für jeden eine Überraschung. Und nicht jeder ist glücklich darüber.« Als hätte sie bereits zuviel gesagt, öffnete sie ihren Aktenkoffer, kramte in ihren Unterlagen herum und trat wie üblich rasch in den Hintergrund; die anderen nahmen sie bald nicht mehr wahr.
»Tja«, sagte Cherry, »wie ich höre, hat Garvin einen richtigen Narren an ihr gefressen. Diese Johnson arbeitet erst seit vier Jahren bei uns und hat nichts Außergewöhnliches geleistet. Aber Garvin hat sie unter seine Fittiche genommen. Vor zwei Jahren fing er an, sie in einem Affentempo nach oben zu

hieven. Aus irgendeinem Grund hält er diese Johnson für genial.«
»Bumst er sie?« fragte Lewyn.
»Nein, er mag sie einfach so.«
»Mit irgend jemandem muß sie doch bumsen.«
»Augenblick mal!« warf Mary Anne Hunter ein. »Wenn Garvin irgendeinen Typen von Microsoft als Abteilungsleiter angeschleppt hätte, hätte kein Mensch gesagt, der muß doch irgendwen bumsen!«
Cherry lachte auf. »Käme drauf an, um wen es sich dabei handeln würde!«
»Ich meine es ernst. Warum glauben alle, daß eine Frau, die befördert wird, sich hochgeschlafen hat?«
»Paß mal auf«, sagte Lewyn. »Wenn sie Ellen Howard von Microsoft anschleppen würden, bräuchten wir diese Unterhaltung nicht zu führen, weil wir alle wissen, daß Ellen überaus kompetent ist. Es würde uns nicht passen, aber wir würden es akzeptieren. Meredith Johnson dagegen *kennen* wir nicht mal. Oder kennt die hier vielleicht einer?«
»Also, ja, ich kenne sie«, sagte Sanders.
Alles schwieg.
»Ich war mal mit ihr befreundet.«
»Dann bist also *du* derjenige, der sie bumst!« rief Cherry lachend.
Sanders schüttelte den Kopf. »Ist schon Jahre her.«
»Wie ist sie denn so?« erkundigte sich Mary Anne.
»Genau!« sagte Cherry mit laszivem Unterton. »Wie ist sie denn so?«
»Halt's Maul, Don!«
»Reg dich ab, Mary Anne!«
»Als ich mit ihr zusammen war, arbeitete sie bei Novell«, sagte Sanders. »Sie war damals ungefähr 25. Sehr intelligent und ehrgeizig.«

»Intelligent und ehrgeizig«, sagte Lewyn. »Das ist wirklich gut. Die ganze Welt ist voll von Intelligenten und Ehrgeizigen. Clarence Thomas ist auch intelligent und ehrgeizig. Die Frage ist nur, ob sie eine technische Abteilung leiten kann, oder ob wir es hier mit einem zweiten ›Brüller‹ Freeling zu tun haben.«

Zwei Jahre zuvor hatte Garvin einen Verkaufsleiter namens Howard Freeling zum Abteilungsleiter befördert. Unter seiner Führung sollte die Produktentwicklung bereits zu einem früheren Zeitpunkt mit den Kunden in Kontakt gebracht und neue Produkte sollten besser auf die Nachfrage abgestimmt werden. Freeling arbeitete mit Marktforschung – alle verbrachten sie damals eine Menge Zeit damit, hinter Spionspiegeln zu sitzen und potentielle Kunden dabei zu beobachten, wie sie mit neuen Produkten herumspielten.

Von technischen Dingen hatte Freeling allerdings nicht die geringste Ahnung gehabt und deshalb jedesmal losgebrüllt, wenn man ihn mit einem Problem konfrontierte. Er war wie ein Tourist, der in einem ihm fremden Land, dessen Sprache er nicht beherrscht, glaubt, sich den Einheimischen durch Schreien verständlich machen zu können. Freelings Zeit in der APG war eine einzige Katastrophe gewesen. Die Programmierer haßten ihn, die Techniker rebellierten gegen seine Idee, neonfarbene Gehäuse herzustellen, und die Herstellungsschwierigkeiten in den Fabriken in Irland und Austin konnten nicht behoben werden. Als die Produktion in Cork schließlich einmal elf Tage lahm lag, flog Freeling hin und brüllte. Daraufhin kündigten sämtliche leitenden Angestellten der irischen Niederlassung, und Garvin feuerte Freeling.

»Also – haben wir es hier mit einem zweiten Brüller zu tun?«

Stephanie Kaplan räusperte sich. »Ich denke, Garvin hat aus

der Sache gelernt. Er wird nicht den gleichen Fehler zweimal machen.«

»Sie meinen also, daß Meredith Johnson dieser Aufgabe gewachsen ist.«

»Ich weiß es nicht«, erwiderte Kaplan vorsichtig.

»Nicht gerade eine eindeutige Bestätigung«, warf Lewyn ein.

»Ich denke jedoch, daß sie allemal besser ist als Freeling«, fügte Stephanie Kaplan hinzu.

Lewyn ließ ein verächtliches Schnauben ertönen. »Offenbar handelt es sich hier um den Größer-als-Mickey-Rooney-Preis – man gewinnt immer, egal, wie klein man ist.«

»Nein«, sagte Kaplan, »ich denke, sie ist besser.«

»Besser aussehend jedenfalls, wenn es stimmt, was ich gehört habe«, sagte Cherry.

»Sexist!« fauchte Mary Anne Hunter.

»Was? Ich darf nicht mal sagen, daß sie gut aussieht?«

»Wir sprechen hier über ihre Kompetenz und nicht über ihre äußere Erscheinung!«

»Augenblick mal!« erwiderte Cherry. »Auf dem Weg zu diesem Konferenzraum komme ich an der Espressobar vorbei, wo ein paar Frauen rumstehen, und über was reden diese Frauen die ganze Zeit? Na? Über Männerärsche. Die diskutieren darüber, ob Richard Gere einen besseren Arsch hat als Mel Gibson, und unterhalten sich ausführlich über die diversen Arschritzen, ob er hängt oder knackig ist und lauter solche Sachen. Ich sehe echt nicht ein, warum *die* über so was –«

»Wir schweifen vom Thema ab«, warf Sanders ein.

»Ganz egal, was ihr Männer sagt«, erwiderte Mary Anne, »die Firma ist und bleibt männlich dominiert. Außer Stephanie gibt es praktisch keine Frauen in Führungspositionen. Ich finde es großartig, daß Bob eine Frau zur Leiterin dieser Abteilung bestimmt hat, und was mich betrifft, so bin ich dafür, daß wir sie unterstützen.« Sie sah zu Sanders hinüber.

»Wir mögen dich alle sehr gern, Tom, aber du weißt, wie ich es meine.«

»Ja, wir mögen dich alle sehr gern«, wiederholte Cherry. »Zumindest hatten wir dich alle gern, bis wir unsere neue süße Chefin zum erstenmal erblickten.«

»Ich bin bereit, die Johnson zu unterstützen – wenn sie Leistung bringt«, sagte Lewyn.

»Du wirst sie bestimmt nicht unterstützen«, warf Mary Anne ein. »Du wirst sie sabotieren und garantiert einen Grund finden, sie loszuwerden.«

»Also, ich bitte dich!«

»Nein, nein – wißt ihr, um was es hier *wirklich* geht? Es geht darum, daß ihr alle wahnsinnig sauer seid, weil ihr zukünftig eine Frau über euch habt.«

»Mary Anne ...«

»Das ist meine feste Überzeugung.«

»Daß Tom sauer ist, weil er den Job nicht bekommen hat, denke ich auch«, pflichtete Lewyn ihr bei.

»Ich bin überhaupt nicht sauer«, beteuerte Sanders.

»Aber *ich* bin sauer«, sagte Cherry. »Und zwar bin ich sauer, weil Meredith mal Toms Freundin war und er daher natürlich einen hervorragenden Draht zur neuen Chefin hat.«

»Vielleicht«, sagte Sanders stirnrunzelnd.

»Andererseits«, gab Lewyn zu bedenken, »könnte es genausogut sein, daß sie dich haßt. Meine ehemaligen Freundinnen hassen mich ohne Ausnahme.«

»Und mit gutem Grund, wie ich höre«, sagte Cherry lachend. »Die nennen dich nicht umsonst Blaubart.«

»Wer nennt mich Blaubart?«

»Gehen wir wieder zur Tagesordnung zurück, okay?« schlug Sanders vor.

»Zu welchem Punkt?«

»Twinkle.«

Ein Murren erfüllte den Raum. »Nicht schon wieder!«
»Dieses blöde Twinkle!«
»Wie schlimm ist es denn?«
»Sie schaffen es immer noch nicht, die Zugriffszeiten zu verkürzen, und die Probleme mit den Gelenken sind auch nicht beseitigt. Die Produktion liegt im Moment bei 29 Prozent.«
»Die müssen uns sofort ein paar Geräte schicken«, sagte Lewyn.
»Sollen noch heute eintreffen.«
»Okay. Kann man den Tagesordnungspunkt bis dahin zurückstellen?«
»Meinetwegen.« Sanders ließ den Blick über die Tischrunde schweifen. »Hat sonst noch jemand ein Problem? Mary Anne?«
»Nein, bei uns ist alles in Ordnung. Wir rechnen nach wie vor damit, auf der Basis unserer Testreihen noch vor Ablauf von zwei Monaten Prototypen der neuen Telefone präsentieren zu können.«
Die Mobiltelefone der neuen Generation waren nicht viel größer als eine Kreditkarte. Man klappte sie einfach auf, wenn man sie benutzen wollte. »Wie niedrig ist denn das Gewicht mittlerweile?«
»Wir sind jetzt bei 113 Gramm. Das ist nicht überwältigend, aber auch nicht schlecht. Unser Problem ist die Energie. Die Batterien halten nur 120 Minuten lang. Und die Tasten bleiben beim Wählen stecken. Aber da muß Mark sich etwas einfallen lassen. Von unserer Seite her läuft die Sache jedenfalls.«
»Gut.« Sanders wandte sich an Don Cherry. »Und wie steht es mit dem Korridor?«
Cherry lehnte sich, übers ganze Gesicht strahlend, in seinem Stuhl zurück und verschränkte die Hände vor dem Bauch. »Es

ist mir eine Freude, mitteilen zu können, daß der Korridor seit einer halben Stunde einfach fan-ta-stisch abgeht!«

»Wirklich?«

»Ist ja super!«

»Keiner kotzt mehr?«

»Also *bitte*! Das ist doch Prähistorie.«

»Warte mal – wie war das? Jemand hat sich erbrochen?« fragte Lewyn.

»Ein schändliches Gerücht. Das war damals. Jetzt ist jetzt. Vor einer halben Stunde ist es uns gelungen, den letzten für die Verzögerung verantwortlichen Defekt auszuschalten, und alle Funktionen sind mittlerweile komplett implementiert. Wir können jetzt jede beliebige Datenbank nehmen und sie in ein 3-D-24-Bit-Environment umformen, das sich in Echtzeit steuern läßt. Das heißt, man kann fortan durch jede Datenbank der Welt gehen.«

»Und ist der Korridor auch stabil?«

»Hart wie Felsgestein.«

»Habt ihr es mit Laien ausprobiert?«

»Absolut kugelsicher.«

»Dann kann die Demo für Conley also durchgeführt werden?«

»Die werden völlig weg sein vor Begeisterung«, sagte Cherry. »Die werden ihren Augen nicht trauen, das darfst du mir glauben.«

Als Sanders aus dem Konferenzraum trat, stieß er auf eine Gruppe hochrangiger Conley-White-Leute, die Bob Garvin gerade durch die Firma führte. Robert T. Garvin sah so aus, wie jeder Unternehmer auf den Seiten von *Fortune* gerne ausgesehen hätte. Er war 59, ein schöner Mann mit markanten Gesichtszügen und graumeliertem Haar, das immer wie vom Wind zerzaust wirkte, als käme er gerade vom Fliegenfischen in Montana oder einem Segelwochenende vor den San Juan Islands. Früher hatte er, wie alle anderen auch, in der Firma Jeans und Jeanshemden getragen, seit der Hochzeit mit seiner zweiten Frau bevorzugte er jedoch dunkelblaue Caraceni-Anzüge. Dies war nur eine der zahlreichen Veränderungen, die seine Angestellten seit dem Tod seiner Tochter vor fünf Jahren an ihm festgestellt hatten.

So barsch und verletzend Garvin als Privatmensch sein konnte, so charmant gab er sich vor Publikum. »Hier in der dritten Etage befinden sich unsere Technikabteilungen und die Versuchsräume der Advanced Products Group«, erklärte er seinen Zuhörern gerade. Als er Sanders sah, legte er ihm gleich einen Arm um die Schulter. »Ah, gut, daß ich Sie hier treffe, Tom! Meine Herrschaften, ich möchte Ihnen Tom Sanders vorstellen, unseren Abteilungsleiter der Advanced Products Group – einer der brillanten jungen Männer, die unser Unternehmen zu dem gemacht haben, was es heute ist. Tom, das ist Ed Nichols, der Finanzleiter von Conley-White ...«

Nichols, Mitte 50, ein hagerer Mann mit Raubvogelprofil, hatte den Kopf weit zurückgelegt, was den Eindruck vermittelte, als weiche er ständig vor einem üblen Geruch zurück. Er blickte Sanders über seine Halbbrille hinweg fast mißbilligend an und reichte ihm sehr förmlich die Hand.

»Guten Tag, Mr. Sanders.«

»Mr. Nichols.«

»Und hier John Conley, Neffe des Firmengründers und Vizedirektor des Unternehmens ...«

Sanders drehte sich um und sah vor sich einen stämmigen, athletisch wirkenden Mann Ende 20. Randlose Brille, Armani-Anzug, fester Händedruck, ernste Miene. Sanders vermittelte er den Eindruck eines reichen und sehr zielstrebigen Menschen.

»Hi, Tom!«

»Hi, John!«

»... und das hier ist Jim Daly von Goldman und Sachs.«

Ein schmaler, an einen Storch erinnernder Mann mit beginnender Glatze, im Nadelstreifenanzug. Daly wirkte nervös, ja verwirrt. Er nickte Sanders kurz zu, als sie sich die Hand gaben.

»... und dann natürlich noch Meredith Johnson aus Cupertino.«

Sie war schöner, als er sie in Erinnerung hatte. Und auch verändert, aber kaum merklich. Älter, selbstverständlich – in den Augenwinkeln sah er Krähenfüße, und die Stirn war von leichten Falten durchzogen. Aber sie hielt sich besser als damals und strahlte eine Kraft und Selbstsicherheit aus, die er sofort mit Macht in Verbindung brachte. Dunkelblaues Kostüm, blondes Haar, große Augen. Und diese unglaublich langen Wimpern! Die hatte er ganz vergessen.

»Hallo, Tom! Schön, dich wiederzusehen!« Ein warmes Lächeln. Ihr Parfum.

»Hallo, Meredith!«

Sie ließ seine Hand los, und die Gruppe bewegte sich, von Garvin angeführt, weiter den Gang hinunter. »Im Stockwerk unter uns befindet sich die Abteilung Virtual Information Environment, die wir Ihnen morgen vorführen werden ...«

Mark Lewyn trat aus dem Konferenzraum und sagte zu Sanders: »Na, bist du den Kerlen aus dem Verbrecheralbum begegnet?«

»Kann man wohl so sagen«, murmelte Sanders.

Lewyn sah der Gruppe nach. »Kaum zu glauben, daß diese Typen bald das Unternehmen leiten werden. Ich habe ihnen heute morgen einen Kurzvortrag gehalten, und ich sage dir:

Die haben von Tuten und Blasen keine Ahnung. Geradezu erschreckend ist das.«
Als die Gruppe am Ende des Gangs angekommen war, warf Meredith Sanders über die Schulter hinweg einen Blick zu, formte mit den Lippen die Worte »Ich ruf' dich an« und schenkte ihm ein strahlendes Lächeln. Dann war sie verschwunden.
Lewyn seufzte tief auf. »Tja«, sagte er, »man sieht, daß du einen hervorragenden Draht zu unserem Top-Management hast, Tom.«
»Schon möglich.«
»Ich möchte zu gern wissen, warum Garvin sie dermaßen toll findet.«
»Na, aussehen tut sie ja wohl toll, oder?« sagte Sanders.
Lewyn wandte sich zum Gehen und murmelte: »Abwarten. Abwarten.«

Um 20 nach 12 verließ Sanders sein Büro im vierten Stock, um in den großen Konferenzsaal hinunterzugehen, wo das Mittagessen stattfinden sollte. Noch bevor er die Treppe erreicht hatte, begegnete ihm eine in gestärkte weiße Tracht gekleidete Krankenschwester, die nacheinander in jedes Büro hineinsah und immer wieder kopfschüttelnd sagte: »Wo ist er denn? Eben war er doch noch hier!«
»Wer?« fragte Sanders.
»Der Professor.« Die Schwester blies sich eine Haarsträhne aus dem Auge. »Keine fünf Minuten kann man ihn alleine lassen ...«
»Welcher Professor?« Aber da hörte Sanders schon in einem Büro, das weiter unten am Gang lag, Frauen kichern und

konnte sich die Frage selbst beantworten. »Professor Dorfman?«
»Ja. Professor Dorfman«, bestätigte die Schwester grimmig nickend und eilte der Quelle des Gelächters entgegen.
Sanders folgte ihr einigermaßen verwundert. Max Dorfman war ein deutschstämmiger, mittlerweile hochbetagter Unternehmensberater. Im Lauf der Zeit hatte er an jeder großen amerikanischen Universität als Gastdozent Betriebswirtschaft gelehrt und galt als Guru der High-Tech-Unternehmen. Fast die gesamten 80er Jahre hindurch war er Mitglied des Verwaltungsrats von DigiCom gewesen und hatte Garvins aufstrebender Firma damit großes Prestige verliehen. Und während dieser Jahre war er für Sanders zu einer Art Mentor geworden. *Er* hatte ihn damals, vor acht Jahren, überredet, Cupertino zu verlassen und den Job in Seattle anzunehmen.
»Ich wußte nicht, daß er noch lebt«, sagte Sanders.
»Und *wie* der lebt!« bemerkte die Schwester trocken.
»Er muß an die 90 sein.«
»Tja, benimmt sich aber, als wäre er gerade mal 85.«
Während sie auf die Bürotür zugingen, kam plötzlich Mary Anne Hunter heraus. Sie hatte sich umgezogen, trug jetzt Rock und Bluse, und lächelte so selig, als käme sie gerade von ihrem Liebhaber. »Tom, du errätst nie, wer hier ist!«
»Max.«
»Genau! Du mußt ihn dir ansehen, Tom – er hat sich überhaupt nicht verändert!«
»Das glaube ich gern«, erwiderte Sanders. Schon vor der Tür konnte man den Rauch von Dorfmans Zigaretten riechen.
Die Krankenschwester rief mit strenger Stimme: »Also, Herr Professor!« und rauschte in den Raum. Sanders warf einen Blick hinein. Es war einer der Aufenthaltsräume für die Angestellten. Max Dorfman saß im Rollstuhl an dem Tisch in der Mitte und war umringt von hübschen Sekretärinnen. Die

Frauen waren ganz aus dem Häuschen seinetwegen, während der weißhaarige alte Herr selbst in aller Ruhe und glücklich grinsend aus einer langen Zigarettenspitze rauchte.
»Was macht er denn hier?« wollte Sanders wissen.
»Garvin hat ihn hergebeten, weil er sich von ihm über die Fusion beraten lassen will«, erklärte Mary Anne Hunter. »Möchtest du ihn nicht begrüßen?«
»Nur das nicht – du kennst doch Max. Er kann einen verrückt machen.« Dorfman liebte es, Menschen von durchschnittlicher Intelligenz hochzunehmen, ging dabei aber sehr subtil vor. Er sprach immer mit einem leicht ironischen Unterton, der gleichzeitig provozierend und spöttisch wirkte. Zugleich war er ein Freund von Widersprüchen und zögerte nie, zu lügen. Wenn man ihn beim Flunkern ertappte, sagte er sofort: »Ja, das stimmt. Ich weiß gar nicht, was ich mir dabei gedacht habe.« Dann aber sprach er im selben Atemzug in der gleichen zermürbenden, mit Anspielungen durchsetzten Weise weiter. Was er wirklich dachte, sagte er nie; das herauszufinden überließ er seinem jeweiligen Gesprächspartner. Seine ausschweifenden Monologe verwirrten und erschöpften selbst höchste Führungskräfte.
»Aber ihr wart doch so gut miteinander befreundet«, sagte Hunter zu Sanders. »Er würde sich bestimmt freuen, wenn du ihm guten Tag sagen würdest.«
»Im Augenblick hat er ja zu tun. Später vielleicht.« Sanders sah auf seine Uhr. »Wir kommen sowieso schon zu spät zum Lunch.«
Er eilte den Gang Richtung Treppe weiter. Mary Anne Hunter ging mit nachdenklicher Miene neben ihm her. »Seine Art ist dir schon immer ziemlich unter die Haut gegangen, was?«
»Seine Art ist jedem unter die Haut gegangen. Das beherrscht er am allerbesten.«

Sie betrachtete ihn verdutzt und setzte zu einer Bemerkung an, aber dann ließ sie es bleiben und zuckte nur mit den Achseln. »Mir soll's recht sein.«
»Ich bin jetzt einfach nicht in der Stimmung für ein Dorfman-Gespräch«, sagte Sanders. »Vielleicht später. Aber nicht jetzt.« Sie liefen die Treppe zum Erdgeschoß hinunter.

Wie die meisten modernen High-Tech-Firmen folgte auch DigiCom dem Trend zu schnörkelloser Funktionalität und verzichtete daher auf einen eigenen Speisesaal. Geschäftsessen fanden in Restaurants der Umgebung statt, meistens im nahegelegenen *Il* Terrazzo. Da die Fusion jedoch strenger Geheimhaltung unterlag, hatte DigiCom das Mittagessen in den großen holzgetäfelten Konferenzsaal im Erdgeschoß liefern lassen. Pünktlich um halb eins saßen die leitenden Angestellten der technischen Abteilungen von DigiCom, die Führungsspitze von Conley-White sowie die Banker von Goldman und Sachs an den Tischen. Der Raum war voll. Wegen des bei DigiCom herrschenden Gleichheitsgrundsatzes gab es keine Tischordnung; dennoch hatten die führenden Conley-White-Leute allesamt am Tischende im vorderen Teil des Konferenzsaals Platz genommen; auch Garvin saß bei ihnen. Das Macht-Ende des Tisches.
Sanders suchte sich einen Platz, der mehr am gegenüberliegenden Tischende lag, und war überrascht, als Stephanie Kaplan sich kurze Zeit später auf den Stuhl zu seiner Rechten setzte. Normalerweise hielt sie sich viel näher bei Garvin auf; Sanders selbst stand in der Hackordnung beträchtlich unter ihr. Links von ihm saß Bill Everts, der Leiter der Personalabteilung, ein netter, etwas langweiliger Mensch. Während weißgekleidete Kellner das Essen servierten, unterhielt San-

ders sich mit ihm über das Fischen vor Orcas Island, Everts' große Leidenschaft. Kaplan war wie üblich die meiste Zeit hindurch schweigsam; sie schien geradezu in sich hineinzukriechen.

Irgendwann überkam Sanders das Gefühl, daß er sich ihr ein bißchen widmen müsse. Gegen Ende des Essens wandte er sich zu ihr und sagte: »Mir ist aufgefallen, daß Sie in den letzten Monaten öfter bei uns in Seattle sind als sonst. Hat das etwas mit der Fusion zu tun?«

»Nein.« Sie lächelte. »Mein Sohn hat gerade mit seinem Studium begonnen. Ich komme jetzt öfter her, weil ich ihn besuche.«

»Was studiert er denn?«

»Chemie. Er möchte später in die Kunststoffchemie gehen. Es gibt auf diesem Gebiet offenbar sehr viele Möglichkeiten.«

»Das habe ich auch schon gehört.«

»Die Hälfte von dem, was er mir erzählt hat, verstehe ich überhaupt nicht. Es ist schon seltsam, wenn das eigene Kind mehr weiß als man selbst.«

Sanders nickte und suchte in Gedanken nach weiteren Fragen, die er ihr stellen konnte, aber das war gar nicht so einfach. Obwohl er schon seit Jahren mit Stephanie Kaplan in Besprechungen zusammensaß, wußte er nur sehr wenig über ihr Privatleben. Sie war mit einem Volkswirtschaftsprofessor der San José State University verheiratet, einem rundlichen, jovialen Mann mit Schnurrbart. Wenn die beiden zusammen waren, sprach nur er, während Stephanie schweigend neben ihm stand. Sie war eine große, dünne, ungraziöse Frau, die sich mit ihrem mangelnden Talent zur Geselligkeit anscheinend abgefunden hatte. Sie sei eine sehr gute Golferin, hieß es – so gut jedenfalls, daß Garvin nicht mehr mit ihr spielte. Niemanden, der sie kannte, hatte es überrascht, daß sie den Fehler begangen hatte, Garvin zu oft zu besiegen; irgendwelche

Witzbolde hatten sogar einmal behauptet, sie sei einfach zu wenig Verliererin, um jemals weiter befördert zu werden. Garvin konnte sie im Grunde nicht leiden, aber es fiel ihm nicht im Traum ein, sie gehen zu lassen. Das Engagement, mit dem diese blasse, humorlose, unermüdliche Frau dem Unternehmen diente, war bereits legendär. Sie machte jeden Tag Überstunden und kam auch an den meisten Wochenenden ins Büro. Selbst als sie einige Jahre zuvor an einem Krebsleiden erkrankt war, hatte sie sich geweigert, der Arbeit auch nur einen einzigen Tag lang fernzubleiben. Von der Krankheit war sie offenbar geheilt; jedenfalls hatte Sanders nie wieder etwas darüber gehört. Jene Episode schien Stephanie Kaplans schonungslose Hingabe an ihr unpersönliches Arbeitsgebiet – Zahlen und Tabellen – sowie ihre natürliche Neigung, hinter den Kulissen zu agieren, noch verstärkt zu haben. Schon mehr als nur ein Manager war morgens zur Arbeit erschienen und hatte sich der Tatsache gegenübergesehen, daß seinem Lieblingsprojekt durch den »heimlichen Bomber« der Todesstoß versetzt worden war, ohne daß er die geringste Erklärung dafür vorfand, warum und wie es dazu hatte kommen können. Kaplans Tendenz, sich in Gesellschaft abseits zu halten, spiegelte daher nicht nur ihr eigenes Unbehagen wider, sondern erinnerte auch ständig daran, welche Macht sie innerhalb der Firma innehatte und wie sie diese Macht handhabte. Auf ihre Art war sie sehr mysteriös – und stellte eine potentielle Gefahr dar.
Während Sanders noch nach weiteren Gesprächsthemen suchte, begann Kaplan auf ihrem Stuhl herumzurutschen, senkte die Stimme und beugte sich verschwörerisch zu ihm hinüber. »Bei der Besprechung heute morgen haben mir irgendwie die Worte gefehlt, Tom ... Aber ich hoffe, daß Sie einigermaßen zurechtkommen ... mit dieser neuerlichen Umstrukturierung.«

Sanders verbarg sein Erstaunen. In zwölf langen Jahren hatte sie ihm kein einziges Mal etwas so offen Persönliches gesagt. Er fragte sich, warum sie es wohl jetzt tat. Sofort kam Argwohn in ihm auf; er wußte nicht recht, wie er reagieren sollte.

»Na ja, ein Schock war es schon«, sagte er.

Sie ließ ihren Blick unverwandt auf ihm ruhen. »Es war für viele von uns ein Schock«, sagte sie leise. »In Cupertino gab es fast einen Aufstand. Viele haben Garvins Urteilsvermögen ernsthaft angezweifelt.«

Sanders runzelte die Stirn. Stephanie Kaplan pflegte sich über Garvin nie auch nur indirekt kritisch zu äußern. Niemals. Und jetzt das! Wollte sie ihn auf die Probe stellen? Schweigend stocherte er in seinem Essen herum.

»Ich kann mir vorstellen, daß Ihnen diese neue Ernennung Unbehagen bereitet ...«, fuhr sie fort.

»Aber nur, weil sie so unerwartet kam – wie ein Blitz aus heiterem Himmel.«

Kaplan warf ihm einen sonderbaren Blick zu, der zu sagen schien, daß sie von ihm enttäuscht war. Aber dann nickte sie. »So ist das immer bei Fusionen«, erklärte sie in eher förmlichem Ton, weniger vertraulich als noch Sekunden zuvor. »Ich arbeitete bei CompuSoft, als die Firma mit Symantec fusionierte, und es lief ganz genauso ab: Ankündigungen in letzter Minute, Veränderungen im Organisationsplan. Versprochene Posten, verlorene Posten. Wochenlang war alles in der Schwebe. Es ist nicht einfach, zwei Firmen zusammenzulegen – besonders diese beiden, bei denen doch große Unterschiede in der Unternehmenskultur bestehen. Diese Diskrepanzen muß Garvin nun irgendwie beseitigen.« Sie deutete zu dem Tischende, an dem Garvin saß. »Ein Blick genügt«, sagte sie zu Sanders. »Alle Conley-Leute tragen Anzüge, während in unserer Firma kein Mensch einen Anzug anhat, außer den Justitiaren.«

»Die kommen eben von der Ostküste.«

»Das allein ist es nicht. Conley-White präsentiert sich gern als ein Unternehmen der Kommunikationsbranche mit breiter Produktpalette, aber in Wirklichkeit sind sie gar nicht so toll. Der Schwerpunkt ihrer Produktion liegt auf Lehrbüchern. Das ist ein lukratives Geschäft, aber verkauft wird an Schulbehörden in Texas, Ohio und Tennessee, die meistens erzkonservativ sind. Und deshalb ist auch Conley konservativ – aus Instinkt wie aus Erfahrung. Die wollen diese Fusion, weil sie zukunftsträchtige High-Tech-Kapazitäten brauchen. Mit der Vorstellung, daß es sich dabei um ein sehr junges Unternehmen handelt, dessen Angestellte in T-Shirts und Jeans arbeiten und einander mit dem Vornamen anreden, haben sie sich allerdings noch lange nicht angefreundet. Sie sind schockiert. Und obendrein«, fügte sie mit wieder gesenkter Stimme hinzu, »gibt es innerhalb von Conley-White verschiedene Interessengruppen, und auch damit wird Garvin sich auseinandersetzen müssen.«

»Was für Interessengruppen?«

Stephanie Kaplan machte eine Kopfbewegung zum Tischende hin. »Vielleicht ist Ihnen aufgefallen, daß ihr Geschäftsführer nicht da ist. Der große Mann hat uns nicht die Ehre seiner Anwesenheit zuteil werden lassen. Er wird erst Ende der Woche hier aufkreuzen. Bis dahin schickt er nur seine Speichellecker. Der höchstrangige von ihnen ist Ed Nichols, der verantwortliche Finanzmanager.«

Sanders schielte zu dem mißtrauisch dreinblickenden Mann mit den scharfgeschnittenen Zügen hinüber, dem er kurz zuvor die Hand geschüttelt hatte. »Nichols ist dagegen, unsere Firma zu kaufen«, sagte Kaplan. »Er hält uns für zu teuer und für zu wenig leistungsstark. Letztes Jahr begann er eine strategische Allianz mit Microsoft aufzubauen, aber Gates hat ihn zurückgepfiffen. Dann versuchte Nichols, InterDisk zu kaufen, aber das klappte nicht – zu viele Probleme, außerdem hatte InterDisk damals eine miese Presse wegen des gefeuerten Angestellten. So sind sie an uns geraten. Aber Ed ist todunglücklich darüber.«

»Ja, glücklich sieht er weiß Gott nicht aus«, bemerkte Sanders.

»Der Hauptgrund dafür ist, daß er das Conley-Baby haßt.«

Neben Nichols saß John Conley, der bebrillte junge Anwalt, mit seinen Mitte 20 wesentlich jünger als die anderen Führungskräfte. Er sprach gerade energisch auf Nichols ein und fuchtelte dabei mit seiner Gabel in der Luft herum.

»Ed Nichols hält Conley für ein Arschloch.«

»Aber Conley ist doch nur ein Vizedirektor«, sagte Sanders. »So viel Macht kann er gar nicht haben.«

Kaplan schüttelte den Kopf. »Sie haben wohl vergessen, daß er der Erbe ist.«

»Na und? Was hat das schon zu bedeuten? Daß ein Bild seines Großvaters an der Wand irgendeines Sitzungssaales hängt?«

»Conley besitzt 4 Prozent der Conley-White-Aktien und kontrolliert weitere 26 Prozent, die sich noch im Besitz seiner Familie beziehungsweise in von der Familie kontrollierten Fonds befinden. John Conley verfügt über die meisten Stimmrechtsaktien.«

»Und John Conley will die Fusion?«

»Ja.« Stephanie Kaplan nickte. »Er hat sich unser Unternehmen zum Ankauf sorgsam ausgesucht. Und er geht schnell zur Sache, wobei ihn Freunde wie Jim Daly von Goldman und Sachs unterstützen. Daly ist sehr klug, aber Investmentbanker holen aus Fusionen immer hohe Honorare raus. Sie werden die übliche Analyse durchführen, das will ich gar nicht anzweifeln. Aber es würde schwierig werden, sie jetzt noch aus dem Geschäft zu drängen.«

»Aha.«

»Nichols hat nun das Gefühl, daß man ihm die Kontrolle über die Übernahme aus der Hand gerissen hat und daß er in ein Geschäft getrieben wird, das um einiges umfangreicher ist, als es sein sollte. Nichols sieht nicht ein, warum Conley-White uns reich machen soll. Wenn er könnte, würde er die Sache sofort rückgängig machen – und wenn es nur wäre, um Conley zu ärgern.«

»Aber Conley zieht das Geschäft durch.«

»Ja. Und er geht mit einer Zermürbungstaktik vor. Er genießt es, kleine Reden zu halten über Themen wie den Generationskonflikt, das kommende digitale Zeitalter, über die Zukunftsvisionen der Jungen. Nichols bringt das zur Weißglut. Er ist der Ansicht, daß er das Reinvermögen des Unternehmens innerhalb eines Jahrzehnts verdoppelt hat, und jetzt kommt dieser junge Schnösel daher und erteilt ihm Lektionen.«

»Und wie paßt Meredith da hinein?«

Kaplan zögerte kurz. »Meredith paßt gut hinein.«

»Und wieso?«

»Sie kommt von der Ostküste. Sie wuchs in Connecticut auf und studierte in Vassar. Das gefällt den Conley-Leuten. Es wirkt beruhigend auf sie.«

»Das ist alles? Bloß weil sie den richtigen Akzent hat?«

»Von mir haben Sie es nicht gehört«, mahnte Kaplan, »aber ich denke, daß sie Meredith Johnson auch für schwach halten. Sie glauben, sie kontrollieren zu können, sobald die Fusion abgeschlossen ist.«

»Und Garvin macht da mit?«

Kaplan zuckte mit den Achseln. »Bob ist Realist«, sagte sie. »Er muß kapitalisieren. Er hat das Unternehmen mit großem Geschick aufgebaut, aber für die nächste Phase, in der wir uns im Bereich Produktentwicklung ein Kopf-an-Kopf-Rennen mit Sony und Philips liefern werden, brauchen wir massive

Geldspritzen. Die Lehrbuchproduktion von Conley-White ist eine Art Goldesel. Bob braucht nur einen Blick darauf zu werfen, schon sieht er lauter grüne Scheinchen – und um an dieses Geld ranzukommen, ist er bereit, zu tun, was sie wollen.«

»Und selbstverständlich mag er Meredith.«

»Ja, das stimmt. Bob mag sie.«

Sanders hatte das starke Gefühl, daß Kaplan sie nicht mochte. Er wartete ein wenig, während sie lustlos in ihrem Essen herumstocherte. »Und Sie, Stephanie? Was halten Sie von ihr?«

Wieder hob Kaplan die Schultern. »Was ich von ihr halte? Sie ist tüchtig.«

»Tüchtig, aber schwach?«

»Nein.« Stephanie Kaplan schüttelte den Kopf. »Meredith verfügt ohne jede Frage über große Fähigkeiten. Aber ich mache mir Sorgen hinsichtlich ihrer Erfahrung. Sie ist nicht so abgebrüht, wie es nötig wäre. Man überträgt ihr die Verantwortung für vier wichtige technische Abteilungen, die in Zukunft rasch wachsen werden. Ich kann nur hoffen, daß sie das schafft.«

Ein Löffel wurde gegen ein Glas geschlagen, und Garvin trat in die Mitte des Raums. »Sie sind zwar noch beim Dessert, aber ich möchte trotzdem gern beginnen, damit wir um 14 Uhr fertig sind«, sagte er. »Ich möchte Sie an den neuen Zeitplan erinnern. Wenn jeder wie geplant weiterarbeitet, kann die Übernahme am Freitag mittag im Rahmen einer hier stattfindenden Pressekonferenz öffentlich bekanntgegeben werden. Und jetzt will ich Ihnen unsere neuen Kollegen von Conley-White vorstellen ...«

Während Garvin nacheinander die Namen nannte und jeder der Conley-White-Leute sich kurz von seinem Platz erhob, beugte Stephanie Kaplan sich zu Tom hinüber und flüsterte ihm zu: »Das ist völlig belangloses Getue. Der wahre Grund für dieses Lunch ist Sie-wissen-schon-wer ...«

»... und nun«, sagte Garvin, »lassen Sie mich noch eine Dame vorstellen, die viele von Ihnen bereits kennen, einige jedoch noch nicht – die neue stellvertretende Leiterin Advanced Operations und Planung, Meredith Johnson.«

Als Meredith aufstand und zu dem Podium im vorderen Teil des Raums ging, ertönte vereinzelt kurzer Applaus. In ihrem dunkelblauen Kostüm sah sie aus wie das leibhaftige Klischee einer Geschäftsfrau, aber sie war immer noch umwerfend schön. Sie betrat das Podium, setzte eine Brille mit Horngestell auf und dämpfte das Licht im Konferenzsaal.

»Bob hat mich gebeten, Ihnen einen Überblick über die Funktionsweise der neuen Struktur zu geben«, sagte sie. »Und er hat mich gebeten, etwas darüber zu erzählen, was uns alle in den kommenden Monaten erwartet.« Sie beugte sich ein wenig hinunter und deutete auf einen Computer, den man für die Präsentation auf das Podium gestellt hatte. »So, wenn ich das Ding jetzt auch noch ankriege ... Augenblick, bitte ...«

In dem abgedunkelten Raum fiel Don Cherrys Blick auf Sanders. Er schüttelte langsam den Kopf.

»So, das wäre geschafft«, sagte Meredith auf dem Podium. Der Bildschirm hinter ihr wurde hell; aus dem Computer projizierte Bilder tauchten auf. Das erste zeigte ein rotes Herz, das in vier Teile zerbrach. »Das Herz von DigiCom war immer schon die Advanced Products Group, die, wie Sie hier sehen, aus vier verschiedenen Abteilungen besteht. Aufgrund der weltweiten Digitalisierung aller Information werden diese Abteilungen jedoch unweigerlich miteinander verschmelzen.« Auf dem Bildschirm schoben sich die vier Herzteile nun wieder ineinander, und das Herz verwandelte sich in einen sich drehenden Globus, der Produkte abwarf. »Für die einzelnen Kunden der nahen Zukunft, die mit Mobiltelefon, eingebautem Fax-Modem und einem Handcomputer beziehungsweise mit Personal Digital Assistant ausgestattet sein werden, ist es zunehmend unwichtig, wo auf der Welt sie sich gerade befinden und woher die Information kommt. Es geht hier faktisch um die Globalisierung von Information, und diese Globalisierung bringt eine stattliche Reihe neuer Produkte für unsere wichtigsten Märkte im Bereich Business und Ausbildung mit sich.« Der Globus dehnte sich aus, verschwand, und die Kontinente wurden zu Klassenzimmern mit an Schulbänken sitzenden Schülern. »Gerade auf den Ausbildungssektor wird sich dieses Unternehmen zunehmend konzentrieren – die Technologie schreitet ja derzeit vom Buchdruck zu digitalen Anzeigen und weiter zu virtuellen Welten fort. Lassen Sie mich Ihnen bitte einen Überblick darüber geben, was das genau bedeutet und wohin es uns meiner Ansicht nach führen wird.«

Und dann brachte sie alles – Hypermedia, integriertes Video, Autorensysteme, integrierte Netzwerke, Academic Sourcing, Produktakzeptanz. Dann ging sie über auf die Kostenstrukturen – Ausgaben und Einnahmen bei der Projektforschung, Fünfjahresziele, Kostenvariablen im Ausland. Als nächstes sprach sie über die wichtigsten Herausforderungen in bezug auf die Produkte selbst – über Qualitätskontrolle, die Resonanz auf seiten der Anwender, kürzere Entwicklungszyklen.

Meredith Johnsons Präsentation war makellos. Die Bilder verschmolzen miteinander und schwebten über den Bildschirm, Meredith' Stimme klang selbstbewußt, es gab kein Zögern und keine Pausen. Es wurde allmählich still im Saal; der Respekt, den man ihr nicht versagen konnte, lag förmlich greifbar in der Luft.

»Es ist zwar nicht der passende Zeitpunkt, um über technische Dinge zu reden«, sagte sie, »aber ich will trotzdem erwähnen, daß die im Bereich von unter 100 Millisekunden liegenden

Zugriffszeiten neuer CD-Laufwerke in Kombination mit in Entstehung befindlichen Kompressionsalgorithmen flimmerfreie Vollbildschirme künftig zum Industriestandard voll digitalisierter Videos mit 60 Bildern pro Sekunde werden lassen. Außerdem geht es um plattformübergreifende RISC-Prozessoren. 24 unterstützt durch 32-Bit-Farbaktiv-Matrix-Displays und tragbare Hardcopy mit 1200 DPI sowie drahtlose Vernetzung sowohl in LAN- als auch in WAN-Konfigurationen. Das alles in Verbindung mit einem autonom generierten Zugriff auf virtuelle Datenbanken, besonders mit auf ROM basierenden Software-Agents für Objektdefinition und -klassifikation, und ich denke, wir sind uns alle darüber einig, daß sich uns Aussichten auf eine ungemein spannende Zukunft bieten.«

Sanders sah, daß Cherry der Mund offenstand. Er beugte sich zu Stephanie Kaplan hinüber. »Klingt ganz so, als würde sie ihren Stoff beherrschen.«

»Ja«, sagte seine Sitznachbarin nickend. »Die Königin der Präsentation. Damit hat sie angefangen. Äußerlichkeiten haben ihr immer schon sehr gelegen.« Diesmal war Kaplans Antipathie nicht mehr zu überhören. Sanders sah sie an; sie wandte den Blick ab.

Dann war der Vortrag zu Ende. Als das Licht wieder eingeschaltet wurde und Meredith zu ihrem Stuhl zurückging, ertönte Applaus. Gleich danach brachen alle auf, machten sich auf den Weg an ihre Arbeitsplätze. Meredith wandte sich von Garvin ab, ging direkt auf Don Cherry zu und richtete einige Worte an ihn. Cherry lächelte – geschmeichelt ist er, der Idiot, dachte Sanders. Dann ging Meredith quer durch den Saal zu Mary Anne, sprach kurz mit ihr, danach mit Mark Lewyn.

»Sie ist schlau«, sagte Stephanie Kaplan, die Meredith Johnson nicht aus den Augen ließ. »Stellt den Kontakt zu allen

Abteilungsleitern her – schlau besonders deshalb, weil sie sie in ihrer Rede nicht erwähnt hat.«

Sanders legte die Stirn in Falten. »Sie glauben, daß das von Bedeutung ist?«

»Nur wenn sie Veränderungen plant.«

»Phil sagte, sie plane keine.«

»Aber man kann nie wissen, nicht wahr?« sagte Kaplan, stand auf und warf ihre Serviette auf den Tisch. »Ich muß los – außerdem sind Sie offenbar der nächste auf ihrer Liste.«

Sie zog sich diskret zurück, während Meredith lächelnd auf Sanders zuschritt. »Ich möchte mich bei dir entschuldigen, Tom«, sagte sie, »weil ich in meiner Präsentation weder deinen Namen noch die der anderen Abteilungsleiter genannt habe. Ich möchte nicht, daß da irgend etwas mißverstanden wird. Aber Bob hatte mich gebeten, das Ganze kurz abzuhandeln.«

»Na, du konntest ja offenbar alle für dich gewinnen«, erwiderte Sanders. »Die Reaktion fiel eindeutig zu deinen Gunsten aus.«

»Hoffentlich. Hör mal«, sagte sie und legte ihre Hand auf seinen Arm, »wir haben morgen einen Haufen Sitzungen in Sachen Unternehmensanalysen. Ich habe alle Abteilungsleiter gebeten, sich, wenn möglich, noch heute mit mir zu treffen. Könntest du heute abend nach Arbeitsschluß auf einen Drink in mein Büro kommen? Wir könnten ein paar Dinge bereden und vielleicht auch ein bißchen über die alten Zeiten plaudern.«

»Klar«, sagte Sanders. Er spürte die Wärme ihrer Hand auf seinem Arm.

»Man hat mir ein Büro im fünften Stock zugeteilt, und wenn ich Glück habe, wird es heute noch möbliert. Würde dir 18 Uhr passen?«

»In Ordnung«, sagte Sanders.

Sie lächelte. »Trinkst du immer noch am liebsten trockenen Chardonnay?«
Gegen seinen Willen fühlte er sich geschmeichelt, weil sie sich daran erinnerte. »Ja, immer noch«, sagte er lächelnd.
»Ich sehe, ob ich welchen besorgen kann. Und dann unterhalten wir uns mal über einige der dringendsten Probleme, zum Beispiel über dieses 100-Millisekunden-Laufwerk.«
»Okay, in Ordnung. Was dieses Laufwerk betrifft –«
»Ich weiß«, sagte sie etwas leiser. »Das kriegen wir schon hin.« Hinter ihr tauchten die Conley-White-Leute auf. »Wir sprechen heute abend darüber.«
»Gut.«
»Bis dann, Tom.«
»Bis dann.«

Die Sitzung war beendet; alle zogen sich in ihre Büros zurück. Mark Lewyn schlenderte auf Sanders zu. »Also, laß hören! Was hatte sie dir denn zu sagen?«
»Meredith?«
»Nein, die Heimliche. Die Kaplan hat dir doch die ganze Zeit was ins Ohr geflüstert. Also, was ist los?«
Sanders zuckte mit den Achseln. »Ach, eigentlich nur Small talk.«
»Also, bitte! Stephanie macht keinen Small talk. So was beherrscht die doch überhaupt nicht! Und sie hat mehr mit dir geredet, als ich sie in vielen Jahren habe reden sehen.«
Lewyns Neugier erstaunte Sanders. »Wir haben uns hauptsächlich über ihren Sohn unterhalten«, verriet er. »Er hat gerade mit seinem Studium begonnen.«
Lewyn kaufte es ihm nicht ab. Er blickte ihn argwöhnisch an

und sagte: »Sie hat irgend etwas vor, stimmt's? Sie redet nie ohne Grund. Geht es um mich? Ich weiß, daß sie dem Entwicklungsteam kritisch gegenübersteht. Sie findet, daß wir zuviel Geld verbrauchen. Ich habe ihr schon oft gesagt, daß das nicht wahr ist –«

»Mark«, unterbrach ihn Sanders, »dein Name fiel kein einziges Mal, ich schwöre es.«

»Aber sie hat irgendwas in der Hinterhand.«

»Nicht daß ich wüßte.«

»Bei Stephanie weiß man nie. Bei der spürt man nie, wie das Messer in einen eindringt, erst wenn sie es in der Wunde umdreht, weiß man, was passiert ist.«

Um das Thema zu wechseln, sagte Sanders: »Was hältst du von Meredith? Ziemlich gute Präsentation, fand ich.«

»Ja. Es war wirklich beeindruckend. Nur eines hat mich gestört«, erklärte Lewyn, die Stirn noch immer mißtrauisch runzelnd. »Es heißt doch, Meredith Johnson sei eine Personalentscheidung in letzter Minute, die uns vom Conley-Management aufgezwungen wurde, oder?«

»Ja, so habe ich es auch gehört. Warum?«

»Wegen ihrer Präsentation. Um eine solche grafische Präsentation zusammenzustellen, braucht man mindestens zwei Wochen. In meiner Entwicklungsgruppe beginnen die Techniker mit so was einen Monat vorher; dann lassen wir das Ganze durchlaufen, um das Timing zu bestimmen, dann brauchen wir noch ungefähr eine Woche für Überprüfung und Nachbesserungen und eine weitere Woche für die Übertragung auf ein Laufwerk. Und dabei handelt es sich um meine eigene firmeninterne Gruppe, die wirklich schnell arbeitet. Für einen von der Chefetage würde es länger dauern. Die schanzen das irgendeinem Assistenten zu, der versucht das hinzukriegen. Dann sieht der Auftraggeber es sich an und will, daß alles neu gemacht wird. Und das dauert dann noch länger. Wenn es

also ihre eigene Präsentation war, würde ich behaupten, daß sie schon seit einer ganzen Weile darüber Bescheid wußte, daß sie diesen neuen Job bekommen würde. Schon seit einigen Monaten.«
Sanders verzog nachdenklich das Gesicht.
»Die armen Schweine in den Schützengräben erfahren es immer als letztes«, sagte Lewyn. »Ich frage mich nur, was wir *noch* alles nicht wissen ...«

Um Viertel nach zwei war Sanders wieder in seinem Büro. Er rief seine Frau an und teilte ihr mit, daß er um 18 Uhr eine Besprechung habe.
»Was ist eigentlich los bei euch?« fragte Susan. »Adele, Marks Frau, hat mich angerufen. Sie sagte, alle seien wütend auf Garvin, die ganze Firma soll umgekrempelt werden.«
»Ich weiß noch nichts Genaues«, antwortete Sanders vorsichtig. Cindy war gerade hereingekommen.
»Wirst du denn jetzt noch befördert?«
»Im großen und ganzen lautet die Antwort: Nein.«
»Das ist nicht zu glauben!« sagte Susan. »Tom, das tut mir sehr leid. Geht's dir gut? Bist du sehr verärgert?«
»Ja, doch, das würde ich schon sagen.«
»Kannst du jetzt nicht reden?«
»Genau.«
»Okay. Wir sehen uns dann daheim.«
Cindy legte einen Aktenstapel vor ihn hin. Als Sanders den Hörer aufgelegt hatte, sagte sie: »Wußte sie es schon?«
»Sie hat es befürchtet.«
Cindy nickte. »Ja, sie hat in der Mittagspause angerufen. Ich dachte mir schon, daß sie was davon gehört hat. Bestimmt reden die Ehefrauen schon darüber.«

»Bestimmt redet schon jeder darüber.«
Cindy ging zur Tür, blieb kurz davor stehen und fragte zaghaft: »Und wie war das Arbeitsessen?«
»Meredith wurde als die neue Leiterin aller technischen Abteilungen vorgestellt und machte eine Präsentation. Alle Abteilungsleiter sollen in ihren Positionen belassen werden, aber alle sind ihr unterstellt.«
»Dann ändert sich also nichts für uns? Nur daß es jetzt noch jemanden über uns gibt?«
»Bis jetzt, ja. Jedenfalls hat man mir das gesagt. Wieso fragen Sie? Haben Sie etwas erfahren?«
»Das gleiche.«
Sanders lächelte. »Dann muß es wohl die Wahrheit sein.«
»Soll ich jetzt bei der Eigentumswohnung zugreifen?« Sie hatte seit einiger Zeit mit dem Gedanken gespielt, für sich und ihre kleine Tochter eine Wohnung in St. Anne's Hill zu kaufen.
»Wann müssen Sie sich entscheiden?« fragte Sanders.
»In zwei Wochen, Ende des Monats.«
»Dann warten Sie noch. Nur um sicherzugehen, wissen Sie.«
Sie nickte und verließ den Raum, kam aber gleich danach wieder zurück. »Das hätte ich fast vergessen. Mark Lewyns Büro hat gerade angerufen. Die Twinkle-Laufwerke sind aus Kuala Lumpur eingetroffen, die Techniker sehen sie sich jetzt an. Wollen Sie auch mal einen Blick darauf werfen?«
»Bin schon unterwegs.«

Die Abteilung für Produktentwicklung nahm die gesamte zweite Etage des Western Building ein. Wie immer herrschte hier das reine Chaos: Sämtliche Telefone läuteten, aber in dem kleinen Warteareal neben den Aufzügen, das mit ausgebleichten Plakaten für eine Bauhaus-Ausstellung 1929 in Berlin und für einen alten Science-fiction-Film, *Colossus*, geschmückt war, saß natürlich kein Mensch an der Anmeldung. Zwei Besucher aus Japan hockten an einem Tischchen in der Ecke neben dem verbeulten Cola-Automaten und dem mit den Schokoriegeln und unterhielten sich in rasender Geschwindigkeit miteinander. Sanders nickte ihnen zu, steckte seine Karte in den Schlitz, um die Tür zu öffnen, und trat ein.

Innen bestand die Entwicklungsabteilung aus einem einzigen riesigen offenen Raum, der in ungewöhnlichen Winkeln durch schiefe Wände unterteilt war. Diese Wände hatte man so besprüht, daß sie aussahen, als bestünden wie aus pastellfarben geädertem Stein. Unbequem wirkende Metallstühle und -tische standen kreuz und quer im Raum verteilt, und ohrenbetäubend dröhnende Rockmusik war zu hören. Alle waren sehr leger gekleidet; die meisten Techniker trugen Shorts und T-Shirts. Hier waren Kreative am Werk, das sah man sofort.

Sanders ging weiter zu Foamland, einer kleinen Ausstellung der neuesten von der Gruppe entworfenen Produkte. Dort standen Modelle winziger CD-ROM-Laufwerke und Mini-Mobiltelefone. Lewyns Teams hatten die Aufgabe, Produktdesigns für die Zukunft zu kreieren, und die meisten dieser Gegenstände waren geradezu absurd klein. Eines der Mobiltelefone hatte die Größe eines Bleistifts, ein anderes sah aus wie die postmoderne, in Pastellgrün und Grau gehaltene Version des Armbandfunkgeräts von Dick Tracy. Sanders sah einen Piepser, der nicht größer als ein Feuerzeug war, und

einen Micro-CD-Player mit aufklappbarem Bildschirm, der leicht in einer Hand Platz fand.
Obwohl alle diese Geräte bereits unglaublich klein waren, wußte Sanders, daß solche Designs ihrer Zeit höchstens um zwei Jahre voraus sind. Die Hardware schrumpfte immer schneller. Sanders konnte sich kaum mehr daran erinnern, daß in seiner Anfangszeit bei DigiCom ein »tragbarer Computer« ein 30 Pfund schweres Gehäuse von der Größe eines Aktenkoffers war – und daß es Mobiltelefone damals überhaupt noch nicht gegeben hatte. Die ersten von DigiCom produzierten Mobiltelefone waren 15-Pfund-Mirakel, die man an einem Schulterriemen mit sich herumschleppte. Damals hielten die Leute diese Geräte für Wunderdinge – jetzt beschwerten sich die Kunden, wenn ihre Telefone mehr als 200 Gramm wogen.
Sanders ging an der großen Schaumstoffschneidemaschine vorbei – ineinander verschlungene Röhren und Messer hinter Schutzwänden aus Plexiglas – und fand Mark Lewyn und dessen Team über drei dunkelblaue CD-ROM-Player aus Malaysia gebeugt. Eines der Geräte lag bereits in seine Einzelteile zerlegt auf dem Tisch; unter hellen Halogenlampen bohrten die Leute vom Team gerade mit winzigen Schraubenziehern in seinem Inneren herum und hoben die Köpfe nur hin und wieder, um einen Blick auf die Kontrollbildschirme zu werfen.
»Was habt ihr gefunden?« fragte Sanders.
»Ach, Scheiße ist das«, antwortete Lewyn und warf die Hände mit dem Ausdruck fachmännischer Erbitterung in die Luft. »Sieht nicht gut aus, Tom, gar nicht gut!«
»Sag schon!«
Lewyn deutete auf den Tisch. »In dem Gelenk befindet sich ein Metallstift. Diese Klammern hier ermöglichen den Kontakt mit dem Stift, wenn das Gehäuse geöffnet wird – auf diese

Weise bleibt die Stromzufuhr zum Bildschirm aufrechterhalten.«
»Ja ...«
»Aber die Stromzufuhr setzt teilweise aus. Offenbar sind die Stifte zu klein. Sie sollen 54 Millimeter lang sein, aber diese hier sind wohl nur 52 oder 53 Millimeter lang.«
Lewyn blickte finster drein; sein ganzes Gebaren deutete auf unaussprechliche Konsequenzen hin. Die Stifte waren einen Millimeter zu klein, und schon brach die Welt zusammen. Sanders wußte, daß er Lewyn jetzt beruhigen mußte. Es war nicht das erstemal.
»Das kriegen wir wieder hin, Mark«, sagte er aufmunternd. »Wir müssen zwar alle Gehäuse öffnen und die Stifte austauschen, aber das schaffen wir schon.«
»Ja, klar«, stimmte ihm Lewyn zu. »Aber damit ist das Problem mit den Klammern noch nicht gelöst. Unsere Spezifikation verlangt 16/10 nichtrostenden Stahl mit ausreichender Spannung, damit die Klammern elastisch bleiben und den Kontakt mit dem Stift halten können. Diese Klammern hier bestehen aber offenbar aus anderem Stahl, 16/4 vielleicht. Sie sind viel zu steif. Deshalb biegen sich zwar die Klammern, wenn das Gehäuse geöffnet wird, aber sie springen nicht mehr zurück.«
»Dann müssen wir also auch die Klammern austauschen. Kein Problem. Das können wir ja machen, wenn wir die Stifte austauschen.«
»Leider ist das nicht so einfach. Die Klammern sind in die Gehäuse eingeschweißt.«
»Mist!«
»Genau. Sie sind Bestandteil des Gehäuses.«
»Soll das heißen, daß wir neue Gehäuse bauen müssen, nur weil die Klammern nicht funktionieren?«
»Ganz genau.«

Sanders schüttelte den Kopf. »Wir haben schon Tausende hergestellt. Ungefähr 4000 bisher.«
»Tja, die müssen wir alle neu herstellen.«
»Und was ist mit dem Laufwerk selbst?«
»Es ist langsam, keine Frage«, sagte Lewyn. »Ich weiß nur noch nicht, warum. Könnten Probleme mit der Stromzufuhr sein. Vielleicht liegt es auch am Steuer-Chip.«
»Wenn es der Steuer-Chip ist ...«
»... dann sitzen wir ganz tief in der Scheiße. Wenn es ursächlich mit dem Entwurf zu tun hat, müssen wir wieder zurück an den Zeichentisch. Wenn es sich nur um ein Fabrikationsproblem handelt, müssen wir den Produktionsplan, möglicherweise die Schablonen ändern. Aber egal woran es nun liegt, es wird Monate dauern.«
»Wann werden wir es wissen?«
»Ich habe den Jungs von der Diagnostik ein Laufwerk und eine Stromversorgung geschickt«, sagte Lewyn. »Um fünf müßte ihr Bericht fertig sein. Ich lasse ihn dir gleich zukommen. Weiß Meredith schon von der Sache?«
»Ich habe um sechs eine Besprechung mit ihr.«
»Okay. Ruf mich bitte gleich an, wenn du mit ihr geredet hast, ja?«
»Klar.«
»Die Sache hat auch ihr Gutes«, sagte Lewyn.
»Wie das?«
»Wir werfen ihr gleich zu Beginn ein Riesenproblem vor die Füße. Mal sehen, wie sie es anpackt.«
Sanders wandte sich zum Gehen. Lewyn begleitete ihn hinaus. »Übrigens, Tom, bist du nun eigentlich sauer, daß du den Job nicht bekommen hast?«
»Enttäuscht«, antwortete Sanders. »Nicht sauer. Es hat keinen Sinn, sauer zu sein.«
»Wenn du mich fragst, hat Garvin dich nämlich verarscht.

Du hast viel Zeit investiert, hast gezeigt, daß du die Abteilung leiten kannst, und er gibt den Job einfach jemand anderem.«

Sanders hob die Schultern. »Es ist seine Firma.«

Lewyn legte Sanders einen Arm um die Schulter und drückte ihn kurz an sich. »Weißt du, Tom, manchmal tust du dir nichts Gutes mit deiner übertriebenen Flexibilität.«

»Ich wußte nicht, daß vernünftig zu sein etwas Schlechtes ist.«

»*Zu* vernünftig zu sein ist schlecht«, gab Lewyn zurück. »Du erreichst damit nur, daß jeder mit dir umspringt, wie er will.«

»Ich versuche nur, mit allen klarzukommen«, sagte Sanders. »Ich will noch hiersein, wenn die Abteilung an die Börse geht.«

»Ja, du hast recht. Du mußt bleiben.« Sie hatten den Ausgang erreicht. »Glaubst du, daß sie den Job bekommen hat, weil sie eine Frau ist?«

Sanders zuckte mit den Achseln. »Wer weiß.«

»Und die schlappen Männchen schlucken wieder mal alles. Ich sag' dir, manchmal kotzt mich dieser ständige Druck, Frauen einzustellen, wahnsinnig an«, sagte Lewyn. »Schau dir nur mal diese Entwicklungsabteilung hier an. Wir haben hier 40 Prozent Frauen, mehr als in jeder anderen Abteilung, aber ständig heißt es: Warum sind es nicht noch mehr? Mehr Frauen, mehr –«

»Mark«, unterbrach Sanders ihn, »die Zeiten haben sich geändert.«

»Aber nicht zum Besseren«, sagte Lewyn. »Alle haben darunter zu leiden. Ich sag' dir mal was. Als ich bei DigiCom anfing, gab es nur eine Frage, und die lautete: Bist du gut? Wenn man gut war, wurde man genommen. Wenn man ordentlich arbeitete, durfte man bleiben. Das war alles. Heutzutage ist Tüchtigkeit nur eine von vielen gefragten Eigenschaften. Es gibt da nämlich noch die Frage, ob man das

Geschlecht und die Hautfarbe hat, die den Vorstellungen der Personalabteilung entsprechen. Wenn sich dann herausstellt, daß man inkompetent ist, kann man deshalb trotzdem nicht gefeuert werden. Und dann kommt eben Schrott heraus, wie dieses Twinkle-Laufwerk. Weil niemand mehr verantwortlich ist. Weil keiner mehr zur Rechenschaft gezogen werden kann. Aber Produkte kann man nicht allein aufgrund einer *Theorie* herstellen, ein Produkt ist etwas Reales. Und wenn es mies ist, ist es mies, und keiner wird es kaufen. So einfach ist das.«

Tom Sanders stieg die Treppe hinauf und steckte seine elektronische Passierkarte in den Schlitz der Eingangstür zum vierten Stock. Dann schob er die Karte in die Hosentasche und eilte, in Gedanken mit dem eben geführten Gespräch beschäftigt, den Gang zu seinem Büro entlang. Es ärgerte ihn, daß Lewyn ihm zu verstehen gegeben hatte, er lasse sich von Garvin herumschubsen, sei zu passiv, zu verständnisvoll.

Sanders sah das nicht so. Als er zu Lewyn sagte, dies sei schließlich Garvins Firma, hatte er ausgesprochen, was er wirklich dachte. Bob war der Chef, Bob konnte tun und lassen, was er wollte. Sanders war enttäuscht, den Job nicht bekommen zu haben, aber diesen Job hatte ihm auch niemand jemals versprochen. Er und andere in den Abteilungen in Seattle waren im Verlauf einiger Wochen zu der Vermutung gelangt, daß er den Posten bekommen würde. Aber Garvin selbst hatte das nie ausgesprochen, und Phil Blackburn auch nicht.

Deshalb sah Sanders auch keinen Grund zum Meckern. Wenn er enttäuscht war, dann nur über sich selbst. Er hatte

sich geradezu klassisch verhalten – er hatte sich zu früh gefreut.
Und was seine angebliche Passivität betraf – was sollte er denn Lewyns Meinung nach tun? Einen Aufstand machen? Brüllen und schreien? Das würde gar nichts bringen, denn jetzt hatte nun mal Meredith Johnson diesen Job, ob es Sanders paßte oder nicht. Kündigen? Das würde nun *wirklich* nichts bringen. Denn wenn er kündigte, gingen ihm die Gewinne durch die Lappen, die mit DigiComs Gang an die Börse entstehen würden. Und das wäre eine wirkliche Katastrophe.
Er gelangte zu dem Schluß, daß ihm nichts anderes übrigblieb, als Meredith in ihrer neuen Stellung zu akzeptieren und die Angelegenheit auf sich beruhen zu lassen. Und er hatte das starke Gefühl, daß Lewyn bei all seiner Prahlerei im umgekehrten Fall genau das gleiche tun würde – die Zähne zusammenbeißen und lächeln.
Das weitaus größere Problem stellte seiner Ansicht nach das Twinkle-Laufwerk dar. Lewyns Team hatte an diesem Nachmittag drei Laufwerke auseinandergenommen und wußte immer noch nicht, warum die Geräte nicht funktionierten. Sie hatten einige nicht der Spezifikation entsprechende Komponenten im Gelenk entdeckt, um die Sanders sich kümmern konnte. Er würde bald herausgefunden haben, warum von den Spezifikationen abweichendes Material verwendet worden war. Aber das wirkliche Problem – die Langsamkeit der Laufwerke – blieb ihm ein Rätsel, und solange er keinerlei Anhaltspunkte hatte, bedeutete das, daß er –
»Tom? Sie haben Ihre Karte fallen lassen.«
»Was?« Er blickte zerstreut auf. Eine Sekretärin deutete stirnrunzelnd auf den Boden hinter ihm.
»Sie haben Ihre Karte fallen lassen.«
»Oh!« Er sah die Passierkarte am Boden liegen, weiß auf dem grauen Teppichboden. »Danke!«

Er ging zurück, um sie aufzuheben. Offenbar nahm ihn das alles doch mehr mit, als ihm bewußt war. Ohne Passierkarte hatte man innerhalb der DigiCom-Gebäude nirgends Zugang. Sanders bückte sich, hob die Karte auf und schob sie in die Hosentasche.

Und fühlte die zweite Karte, diejenige, die bereits in der Tasche steckte. Er zog beide Karten heraus und betrachtete sie mit zusammengekniffenen Augen.

Die Karte, die auf dem Boden gelegen hatte, war nicht seine, sie gehörte einem anderen Angestellten. Er blieb stehen und versuchte herauszufinden, welche nun seine war. Vom Äußeren her waren die Karten ohne jede individuelle Kennzeichnung; sie wiesen nur das DigiCom-Logo, eine eingestanzte Seriennummer und einen Magnetstreifen auf der Rückseite auf.

Er versuchte sich an die Seriennummer seiner Karte zu erinnern, aber es gelang ihm nicht; er lief in sein Büro, um den Computer danach zu fragen. Er warf einen Blick auf die Uhr. Es war vier – noch zwei Stunden bis zur Besprechung mit Meredith Johnson. Er hatte noch viel zu tun, um sich auf dieses Treffen vorzubereiten. Mit angespanntem Gesichtsausdruck ging er weiter, den Blick zu Boden gesenkt. Er mußte die Produktionsberichte heraussuchen, möglicherweise auch die detaillierten Konstruktionsspezifikationen. Er war sich nicht sicher, ob Meredith sie verstehen würde, aber er wollte sie auf jeden Fall dabeihaben. Was sonst noch? In jedem Fall wollte er bei dieser ersten Besprechung keinen Fehler machen und auf alles vorbereitet sein.

Wieder wurde sein Gedankengang durch Bilder der Vergangenheit unterbrochen. Ein geöffneter Koffer. Die Schüssel mit Popcorn. Das bunte Glasfenster.

»So!« hörte er eine vertraute Stimme sagen. »Sie begrüßen also Ihre Freunde nicht mehr!«

Sanders hob den Blick. Er stand in dem Gang vor dem Konferenzraum mit den Glaswänden, hinter denen eine einsame Gestalt tief gebeugt in einem Rollstuhl hockte und, Sanders den Rücken zuwendend, die Skyline von Seattle betrachtete.

»Hallo, Max!«

Max Dorfman hielt den Blick weiterhin aus dem Fenster gerichtet. »Hallo, Thomas.«

»Woher wußten Sie, daß ich es bin?«

Dorfman schnaubte verächtlich auf. »Muß wohl Zauberei sein. Was meinen Sie? *Ist* es Zauberei?« Seine Stimme klang sarkastisch. »Ich kann Sie *sehen*!«

»Wie denn? Haben Sie Augen im Hinterkopf?«

»Nein, Thomas. Ich habe direkt *vor* meinem Kopf ein Spiegelbild. Ich sehe Sie im Fensterglas, ist doch klar. Sie schlurfen mit gesenktem Kopf durch die Gegend wie ein geschlagener Hund.« Dorfman schnaubte noch einmal, dann drehte er seinen Rollstuhl um. Seine Augen funkelten spöttisch. »Sie waren mal ein so vielversprechender Mann. Und jetzt lassen Sie den Kopf hängen?«

»War nicht gerade mein bester Tag heute, Max.«

»Und Sie wollen, daß jeder das erfährt? Wollen Sie Mitleid?«

»Nein, Max.« Ihm fiel wieder ein, wie lächerlich Dorfman Mitleid immer gefunden hatte. Er hatte immer gesagt, eine Führungskraft, die Mitleid wolle, sei keine Führungskraft, sondern eine Art Schwamm, der etwas Überflüssiges aufsauge.

»Nein, Max«, sagte Sanders. »Ich habe nur nachgedacht.«

»Ah, er hat *nachgedacht*! Ich mag das Nachdenken. Nachdenken ist gut. Und über was haben Sie nachgedacht, Thomas? Über das farbige Glas in Ihrer Wohnung?«

Sanders war wider Willen völlig verdutzt. »Woher wußten Sie das?«

»Zauberei vielleicht!« sagte Dorfman und lachte krächzend auf. »Oder ich kann Gedanken lesen. Glauben Sie, daß ich Gedanken lesen kann, Thomas? Sind Sie so dumm, das zu glauben?«
»Max, ich bin jetzt wirklich nicht in Stimmung –«
»Na, dann muß ich wohl aufhören. Wenn Sie nicht in Stimmung sind, muß ich aufhören. Wir müssen Ihnen um jeden Preis Ihre Stimmung erhalten.« Er schlug gereizt auf die Armlehne seines Rollstuhls. »*Sie haben es mir gesagt*, *Thomas*. Deshalb wußte ich, an was Sie gerade dachten.«
»Ich habe es Ihnen gesagt? Wann?«
»Vor neun Jahren, glaube ich.«
»Was habe ich Ihnen gesagt?«
»Sie erinnern sich nicht? Kein Wunder, daß Sie Probleme haben. Es ist wohl besser, wenn Sie noch ein bißchen auf den Boden starren. Würde Ihnen guttun. Ja, das glaube ich wirklich. Starren Sie weiter auf den Boden, Thomas.«
»Verdammt noch mal, Max!«
Dorfman grinste ihn an. »Verunsichere ich Sie?«
»Mein lieber Max, Sie wissen genau, daß Sie mich immer verunsichern.«
»Na gut. Dann besteht ja vielleicht doch noch Hoffnung. Nicht für Sie natürlich – für mich. Ich bin alt, Thomas. In meinem Alter hat die Hoffnung eine andere Bedeutung. Das verstehen Sie nicht. Ich kann mich zur Zeit nicht einmal allein bewegen. Ich brauche jemanden, der mich *schiebt*. Am liebsten wäre mir eine hübsche Frau, aber hübsche Frauen haben gemeinhin keine Lust zu so etwas. Und so stehe ich jetzt ohne eine hübsche Frau da, die mich herumschubst – *ganz im Gegensatz zu Ihnen*.«
Sanders seufzte auf. »Max, meinen Sie, daß wir vielleicht einfach ein ganz normales Gespräch miteinander führen können, oder halten Sie das für unmöglich?«

»Eine hervorragende Idee!« sagte Dorfman. »Das würde mir sehr gefallen. Was ist denn ein normales Gespräch?«

»Ich meine, können wir nicht einfach wie normale Menschen reden?«

»Wenn es Sie nicht langweilt, Thomas – selbstverständlich. Sie wissen ja, wie sehr alte Leute befürchten, langweilig zu sein ...«

»Was wollten Sie mit dem Hinweis auf das farbige Glas sagen, Max?«

Dorfman zog die Schultern hoch. »Meredith habe ich damit gemeint, wen sonst?«

»Was ist mit ihr?«

»Wie soll ich das wissen?« gab Dorfman gereizt zurück. »Ich weiß über die Sache nur das, was Sie mir erzählt haben. Und Sie haben mir nur erzählt, daß Sie früher oft nach Korea oder Japan geflogen sind, und jedesmal, wenn Sie zurückkamen, hat Meredith –«

»Tom, entschuldigen Sie bitte, daß ich unterbreche!« Es war Cindy. Sie stand in der Tür zum Konferenzraum.

»Oh, entschuldigen Sie sich nicht!« sagte Dorfman. »Wer ist dieses bezaubernde Geschöpf, Thomas?«

»Ich bin Cindy Wolfe, Professor Dorfman«, sagte Cindy. »Ich arbeite für Thomas.«

»Was für ein Glück dieser Mann hat!«

Cindy wandte sich an Sanders. »Es tut mir wirklich leid, Tom, aber einer der Leute von Conley-White ist in Ihrem Büro, und ich dachte mir, es sei besser –«

»Ja, ja«, sagte Dorfman sofort. »Er muß gehen. Conley-White – das klingt doch *sehr* wichtig.«

»Gleich«, sagte Sanders zu Cindy. »Max und ich waren gerade mitten im Gespräch.«

»Nein, nein, Thomas«, warf Dorfman ein, »wir haben uns ja nur über die alten Zeiten unterhalten. Sie gehen jetzt besser.«

»Max –«
»Wenn Sie sich weiter mit mir unterhalten wollen, wenn Sie meinen, daß es wichtig ist, dann besuchen Sie mich einfach. Ich wohne im *Four Seasons*. Das Hotel kennen Sie ja. Es hat eine *herrliche* Halle, so hohe Decken. Überaus prachtvoll, besonders für einen alten Mann. So, und jetzt gehen Sie, Thomas.« Er kniff die Augen zusammen. »Und lassen Sie die schöne Cindy hier bei mir!«
Sanders zögerte. »Seien Sie auf der Hut vor ihm!« sagte er zu Cindy. »Er ist ein alter Schwerenöter!«
»Man tut, was man kann«, sagte Dorfman kichernd und blinzelte Cindy zu.
Sanders ging weiter zu seinem Büro. Im Weggehen hörte er Dorfman noch sagen: »So, schöne Cindy, jetzt fahren Sie mich bitte in die Lobby. Dort unten wartet ein Wagen auf mich. Und auf dem Weg dorthin würde ich Ihnen gern ein paar Fragen stellen, wenn es Ihnen nichts ausmacht, einem alten Mann gefällig zu sein. Ich habe da ein paar kleine Fragen. In dieser Firma geschehen so viele *interessante* Dinge, und die Sekretärinnen wissen doch immer alles, nicht wahr?«

»Mr. Sanders.« Jim Daly stand hastig auf, als Sanders den Raum betrat. »Ich bin froh, daß man Sie gefunden hat.«
Sie gaben einander die Hand. Sanders bedeutete Daly mit einer Geste, wieder Platz zu nehmen, und ließ sich auf dem Stuhl hinter seinem Schreibtisch nieder. Er war nicht überrascht. Mit einem Besuch von Daly oder einem der anderen Investment-Banker hatte er schon seit mehreren Tagen gerechnet. Mitarbeiter von Goldman und Sachs hatten bereits Einzelgespräche mit Angestellten in den verschiedenen Ab-

teilungen geführt und diverse Aspekte der Fusion diskutiert. Dabei hatten sie es zumeist auf Hintergrundinformationen abgesehen: High-Technology war zwar der Hauptgrund für den Ankauf, aber keiner der Banker verstand viel davon. Sanders erwartete, daß Daly ihn nach den Fortschritten bei der Produktion des Twinkle-Laufwerks fragen würde, vielleicht auch nach dem Korridor.

»Ich bin Ihnen dankbar, daß Sie sich die Zeit nehmen«, sagte Daly und fuhr sich mit der Hand über die Glatze. Er war ein sehr großer, sehr dünner Mann, der im Sitzen noch länger wirkte und dann nur aus Knien und Ellbogen zu bestehen schien. »Ich hätte Sie gern ein paar Dinge, äh, vertraulich gefragt.«

»Selbstverständlich.«

»Es hat mit Meredith Johnson zu tun«, erklärte Daly etwas verlegen. »Wenn es Ihnen, äh, nichts ausmacht, dann wäre es mir lieber, wenn dieses Gespräch unter uns bliebe.«

»In Ordnung.«

»Ich habe gehört, daß Sie an der Errichtung der Fabriken in Irland und Malaysia maßgeblich beteiligt waren und daß es da eine kleine firmeninterne Kontroverse bezüglich der Durchführung dieser Projekte gab.«

»Nun ja«, sagte Sanders achselzuckend, »Phil Blackburn und ich waren nicht in allem der gleichen Meinung.«

»Was in meinen Augen für Ihren gesunden Menschenverstand spricht«, bemerkte Daly trocken. »Aber wenn ich es richtig sehe, vertreten Sie in derartigen Disputen den technischen Sachverstand, während andere im Unternehmen, äh, verschiedene andere Teilbereiche repräsentieren. Kann man das so sagen?«

»Ja, ich denke schon.« Auf was wollte er nur hinaus?

»Nun, in eben dieser Hinsicht würde ich gerne einmal Ihre Ansicht hören. Bob Garvin hat soeben Ms. Johnson befördert

– ein Schritt, den viele bei Conley-White sehr begrüßen. Und es wäre sicherlich unfair, sich im vorhinein ein Urteil darüber bilden zu wollen, wie Ms. Johnson ihre neuen Aufgaben innerhalb des Unternehmens wohl erfüllen wird. Umgekehrt müßte ich mir aber Nachlässigkeit vorwerfen lassen, wenn ich mich nicht über ihre Leistungen in der Vergangenheit erkundigen würde. Verstehen Sie, was ich damit meine?«

»Nicht genau«, gestand Sanders.

»Ich stelle mir die Frage«, erklärte Daly, »wie Sie wohl Ms. Johnsons frühere Leistungen in Hinblick auf die technischen Produktionsvorgänge der Firma einschätzen, insbesondere in Hinblick auf die ausländischen Niederlassungen des Unternehmens.«

Sanders versuchte sich zu erinnern. »Ich könnte nicht sagen, daß sie mit diesen Dingen besonders viel zu tun gehabt hat. Vor zwei Jahren kam es in Cork zu arbeitsrechtlichen Auseinandersetzungen, und sie gehörte zu dem Team, das damals nach Irland flog, um eine Einigung auszuhandeln. Sie war es auch, die in Washington auf Abgeordnete einzuwirken versuchte, um deren Zustimmung zu Einheitstarifen zu erhalten. Und ich weiß, daß sie in Cupertino das Operations Review Team leitete, dessen Mitarbeiter die Pläne für die neue Fabrik in Kuala Lumpur genehmigten.«

»Ja, genau.«

»Aber ich wüßte nicht, daß ihre Tätigkeit darüber hinausgegangen wäre.«

»Nun gut. Vielleicht hat man mich da falsch informiert«, sagte Daly und schlug die Beine übereinander.

»Was hat man Ihnen denn gesagt?«

»Ohne ins Detail zu gehen: Es wurde die Frage nach Ms. Johnsons Urteilsvermögen aufgeworfen.«

»Verstehe«, sagte Sanders. Wer hatte wohl Daly etwas über Meredith erzählt? Garvin oder Blackburn ganz bestimmt

nicht. Stephanie Kaplan? Hundertprozentig sicher konnte man es nicht wissen. Aber Daly hatte zweifellos nur mit Leuten aus der Führungsspitze gesprochen.
»Ich dachte mir«, fuhr Daly fort, »daß Sie möglicherweise eine Meinung über Ms. Johnsons Urteilsvermögen in technischen Fragen haben – eine Meinung, die Sie hier selbstverständlich streng vertraulich äußern könnten.«
In diesem Augenblick piepste Sanders' Computer dreimal, und eine Mitteilung blinkte auf:

EINE MINUTE BIS ZUR
VIDEO-DIREKT-VERBINDUNG: DCS/KL
SEN: A. KAHN
EMPF: T. SANDERS

»Ist etwas nicht in Ordnung?« erkundigte sich Daly.
»Nein, nein. Offenbar kommt gleich die Schaltung für eine Videokonferenz aus Malaysia herein.«
»Dann mache ich es kurz und lasse Sie gleich allein«, sagte Daly. »Erlauben Sie mir, daß ich Ihnen meine Frage ganz direkt stelle: Gibt es in Ihrer Abteilung irgendwelche Zweifel daran, daß Meredith Johnson für diesen Posten qualifiziert ist?«
Sanders zuckte mit den Achseln. »Sie ist die neue Chefin. Sie wissen doch, wie Betriebe sind: An einem neuen Chef wird immer gezweifelt.«
»Sie sind sehr diplomatisch. Meine Frage betrifft eventuell auftretende Zweifel an ihrem Sachverstand. Schließlich ist sie noch relativ jung. Ortsveränderung, Entwurzelung – neue Gesichter, neue Kollegen, neue Probleme. Und hier oben wird sie nicht mehr so direkt unter den, äh, Fittichen von Bob Garvin sein.«
»Ich weiß nicht, was ich dazu sagen soll«, erklärte Sanders. »Wir müssen alle einfach mal abwarten.«

»Es ist mir zu Ohren gekommen, daß es einmal Probleme gab, als ein Nichttechniker die Abteilung leitete ... Ein Mann namens, äh, ›Brüller‹ Freeling?«
»Ja. Das ging nicht gut.«
»Und in Hinblick auf Meredith bestehen ähnliche Befürchtungen?«
»Es sind welche geäußert worden, ja.«
»Und ihre finanziellen Maßnahmen? Diese Kosteneinsparungspläne von ihr? Das ist die Crux, nicht wahr?«
Welche Kosteneinsparungspläne denn? dachte Sanders.
Der Computer piepste wieder.

30 SEKUNDEN BIS ZUR
VIDEO-DIREKT-VERBINDUNG: DCS/KL

»Da – Ihre Maschine meldet sich wieder«, sagte Daly und erhob sich. »Ich lasse Sie jetzt allein. Danke, daß Sie mir Ihre Zeit gewidmet haben, Mr. Sanders.«
»Keine Ursache.«
Sie gaben einander die Hand. Daly drehte sich um und ging aus dem Zimmer. Sanders' Computer piepste dreimal rasch hintereinander.

15 SEKUNDEN BIS ZUR
VIDEO-DIREKT-VERBINDUNG: DCS/KL

Er setzte sich vor den Monitor und drehte die Schreibtischlampe so, daß das Licht auf sein Gesicht fiel. Die Zahlen auf dem Bildschirm näherten sich der Null. Sanders warf einen Blick auf seine Armbanduhr. Es war 17 Uhr – 9 Uhr in Malaysia. Wahrscheinlich rief Arthur aus der Fabrik an.
In der Mitte des Bildschirms erschien ein kleines Rechteck, das sich sprunghaft nach außen hin vergrößerte. Sanders sah Arthurs Gesicht und dahinter die hellerleuchtete Fertigungsstraße. Nagelneu, der Inbegriff moderner Fabrikation: Alles

war sauber und leise, die Arbeiter standen in Straßenkleidung zu beiden Seiten des grünen Fließbandes postiert. An jedem Arbeitsplatz befanden sich mehrere Lampen, deren fluoreszierendes Licht ein wenig in die Kamera hineinflackerte.

Kahn hustete und rieb sich das Kinn. »Hallo, Tom. Wie geht es dir?« Während er sprach, wurde das Bild ein bißchen unscharf, und die Stimme ertönte nicht synchron zu den Lippenbewegungen, weil das Signal zum Satelliten eine kleine Verzögerung im Video bewirkte, während der Ton sofort übertragen wurde. In den ersten Sekunden war dieser Mangel an Übereinstimmung von Bild und Ton sehr störend, die Übertragung bekam dadurch etwas Traumähnliches, war ein bißchen so, wie wenn man unter Wasser spricht. Aber man gewöhnte sich daran.

»Mir geht es gut, Arthur«, sagte Sanders.

»Schön. Das mit der Umstrukturierung tut mir leid. Was ich persönlich darüber denke, weißt du.«

»Danke, Arthur.« Sanders schoß kurz die Frage durch den Kopf, wie Kahn in Malaysia schon davon erfahren haben konnte. Aber Tratsch machte wohl in jedem Unternehmen schnell die Runde.

»Tja, dann, Tom. Ich stehe in der Fertigungshalle«, sagte Kahn und deutete hinter sich, »und wie du sehen kannst, läuft es hier immer noch langsam. Und die Stichproben haben keine besseren Ergebnisse erbracht. Was sagen denn die Techniker? Haben sie die Geräte schon erhalten?«

»Die sind heute eingetroffen, aber ich kann dir dazu noch nichts sagen. Sie arbeiten noch daran.«

»Hm. Okay. Und sind die Geräte zur Diagnostik gebracht worden?«

»Ich glaube schon. Gerade eben.«

»Schön. Wir haben nämlich von den Diagnostikern eine Anfrage nach zehn weiteren Laufwerken erhalten, die in verschweißten Plastiktüten versandt werden sollen. Und sie haben angeordnet, daß diese Tüten innerhalb der Fabrik zugeschweißt werden müssen – frisch vom Fließband. Weißt du irgendwas darüber?«

»Nein, das höre ich zum erstenmal. Ich werde mich mal erkundigen und mich dann bei dir melden.«

»Okay. Ich finde das nämlich, ehrlich gesagt, ziemlich seltsam. Ich meine, zehn Geräte, das ist eine ganze Menge. Wenn wir sie alle zusammen verschicken, wird der Zoll unangenehme Fragen stellen. Und was dieses Einschweißen soll, ist mir völlig unklar. Wir verschicken die Dinger sowieso in Plastik, aber eben nicht eingeschweißt. Warum wollen die, daß wir die Tüten verschweißen, Tom?« Kahn klang sehr irritiert.

»Ich weiß es nicht«, antwortete Sanders. »Ich werde mich mal umhören. Im Augenblick kann ich es mir nur damit erklären, daß enormer Druck gemacht wird. Die Leute hier wollen wirklich wissen, warum diese verdammten Laufwerke nicht funktionieren.«

»He, wir hier auch!« sagte Kahn. »Das kannst du mir glauben. Es macht uns völlig verrückt.«

»Wann schickt ihr die Laufwerke weg?«

»Wir müssen erst ein Verschweißgerät besorgen. Ich hoffe, die Geräte am Mittwoch wegschicken zu können, dann habt ihr sie am Freitag.«

»Das reicht nicht«, sagte Sanders. »Ihr solltet sie noch heute, spätestens aber morgen losschicken. Soll ich euch ein Verschweißgerät organisieren? Ich könnte wahrscheinlich eines von Apple bekommen.« Auch Apple hatte eine Fabrik in Kuala Lumpur.

»Nein, nicht nötig. Aber das ist eine gute Idee! Ich rufe selbst bei Apple an und frage mal, ob Ron mir eines leiht.«

»Gut. Was ist nun eigentlich mit Jafar los?«

»Üble Sache«, sagte Kahn. »Ich habe gerade mit dem Krankenhaus telefoniert. Er ist offenbar wirklich krank. Krämpfe und Erbrechen. Ißt nichts. Die Eingeborenenärzte sagen, sie können keine Ursache finden, außer einem Zauber, du weißt schon.«

»Die glauben an so was?«

»Allerdings«, antwortete Kahn. »Hier gibt es sogar Gesetze gegen Hexerei. Man kann Leute deswegen vor Gericht bringen.«

»Du weißt also nicht, wann er wiederkommt?«

»Keiner sagt einem was. Offenbar ist er wirklich krank.«

»Okay, Arthur. Gibt's sonst noch etwas?«

»Nein. Ich besorge das Verschweißgerät. Und du teilst mir mit, was du über die Sache herausgefunden hast.«

»Mach' ich«, sagte Sanders. Die Übertragung war zu Ende. Kahn winkte ihm noch zu, dann wurde der Bildschirm schwarz.

SOLL DIESE ÜBERTRAGUNG AUF DISKETTE ODER DAT GESPEICHERT WERDEN?

Sanders klickte DAT an, um das Ganze auf Digitalband abzuspeichern, und stand von seinem Schreibtisch auf. Was immer das alles zu bedeuten hatte, er mußte sich darüber informieren, bevor er sich um sechs Uhr mit Meredith traf. Er verließ sein Büro und trat an Cindys Schreibtisch.

Cindy kehrte ihm den Rücken zu und lachte gerade in den Telefonhörer. Als sie Sanders bemerkte, wurde sie schlagartig ernst. »Du, ich muß jetzt Schluß machen«, sagte sie in den Hörer.

Sanders wartete, bis sie das Gespräch beendet hatte; dann sagte er: »Würden Sie bitte die Twinkle-Produktionsberichte der letzten zwei Monate heraussuchen? Oder, noch besser – suchen Sie alles raus, seit das Gerät entwickelt wird!«

»In Ordnung.«

»Und rufen Sie Don Cherry für mich an. Ich muß wissen, was seine Diagnostikgruppe mit den Laufwerken macht.«
Er ging zurück in sein Büro. Sein Mailbox-Zeiger blinkte, und er drückte auf die Taste, um die Nachricht abzurufen. Während er wartete, las er die drei Faxe, die auf seinem Schreibtisch lagen. Zwei kamen aus Irland, es waren wöchentliche Produktionsberichte, eine Routineangelegenheit. Das dritte war die Mitteilung, daß an der Fabrik in Austin eine Dachreparatur notwendig sei; diese Mitteilung war in Cupertino liegengeblieben, und Murphy hatte sie nun an Sanders weitergegeben, damit endlich etwas getan wurde.
Der Bildschirm blinkte. Sanders las die erste seiner Mailbox-Nachrichten.

OHNE JEDE ANKÜNDIGUNG SCHICKT UNS DIE ABTEILUNG BETRIEBSPLANUNG IN CUPERTINO EINEN ERBSENZÄHLER HIERHER NACH AUSTIN, DER IN ALLEN GESCHÄFTSBÜCHERN RUMSCHNÜFFELT UND UNS GANZ VERRÜCKT MACHT. WAS LÄUFT DA EIGENTLICH? DIE GERÜCHTE ÜBERSCHLAGEN SICH, WAS DIE PRODUKTIONSLEISTUNGEN HIER NICHT GERADE VERBESSERT. VERRAT MIR DOCH BITTE MAL, WAS ICH SAGEN SOLL! WIRD DIESES UNTERNEHMEN NUN VERKAUFT ODER NICHT?

EDDIE

Sanders zögerte keine Sekunde. Er konnte Eddie nicht sagen, was los war. Hastig tippte er seine Antwort ein.

DIE ERBSENZÄHLER AUS CUPERTINO WAREN LETZTE WOCHE AUCH IN IRLAND. GARVIN HAT EINE DAS GESAMTE UNTERNEHMEN UMFASSENDE ÜBERPRÜFUNG ANGEORDNET, SIE SEHEN SICH ALLES GENAU AN. SAG ALLEN DA UNTEN, SIE SOLLEN ES EINFACH VERGESSEN UND WIEDER AN IHRE ARBEIT GEHEN.

TOM

Er drückte die EIN-Taste. Die Nachricht verschwand vom Bildschirm.
»Du wolltest mich sprechen?« Don Cherry kam herein, ohne anzuklopfen, ließ sich auf einen Stuhl fallen und verschränkte die Hände hinter dem Kopf. »Meine Güte, war das vielleicht ein Tag! Den ganzen Nachmittag war ich nur am Wogenglätten!«
»Erzähl's mir!«
»Bei mir unten sitzen ein paar Idioten von Conley, die meine Jungs fragen, was der Unterschied zwischen RAM und ROM ist. Als ob meine Jungs für so was Zeit hätten! Einer von diesen Idioten schnappt den Ausdruck *flash memory* auf und fragt allen Ernstes: ›Wie oft blitzt er denn?‹ – als ob das ein Blitzlicht oder so was wäre! Und meine Jungs müssen sich mit so was rumschlagen! Mann, das sind hochbezahlte Leute, die haben Besseres zu tun, als irgendwelchen Anwälten Nachhilfestunden zu geben! Kannst du mal was dagegen unternehmen?«
»Dagegen kann niemand etwas unternehmen.«
»Vielleicht kann ja Meredith was dagegen tun«, sagte Cherry grinsend.
Sanders zuckte mit den Achseln. »Sie ist die Chefin.«
»Na gut. Also, was willst du wissen?«
»Deine Diagnostikgruppe arbeitet an den Twinkle-Laufwerken.«
»Stimmt. Das heißt, wir arbeiten an dem, was noch übrig ist, nachdem Lewyns fingerfertige Spezialisten sie ausgeweidet haben. Wieso sind die Geräte zuerst in die Entwicklungsabteilung geschickt worden? Niemals, *niemals* darf man einen Designer auch nur in die Nähe eines elektronischen Bauteils kommen lassen, Tom! Designer sollten nie etwas anderes tun dürfen, als Bilder auf Papier zu zeichnen. Und man darf ihnen nie mehr als *ein* Blatt Papier auf einmal geben.«

»Was habt ihr über die Laufwerke herausgefunden?« fragte Sanders.
»Nichts bisher. Aber wir haben da ein paar Ideen, mit denen wir herumspielen.«
»Habt ihr deshalb Arthur Kahn gebeten, euch zehn noch in der Fabrik eingeschweißte Laufwerke zu schicken?«
»Das darfst du glauben!«
»Kahn hat sich darüber ziemlich gewundert.«
»Ach, wirklich?« sagte Cherry. »Dann laß ihn sich mal wundern. Tut ihm sicher gut. Hält ihn davon ab, an sich selbst rumzuspielen.«
»Ich wüßte es auch ganz gern.«
»Paß auf!« sagte Cherry. »Möglicherweise führen unsere Einfälle ja auch zu nichts. Im Moment haben wir da so einen verdächtigen Chip. Das ist alles, was Lewyns Clowns uns gelassen haben. Es ist nicht gerade viel, auf dem man aufbauen könnte.«
»Der Chip ist schadhaft?«
»Nein, der Chip ist in Ordnung.«
»Wieso ist der dann verdächtig?«
»Hör mal zu. Es sind sowieso schon genug Gerüchte im Umlauf. Wir können mitteilen, daß wir an der Sache arbeiten und noch nichts gefunden haben. Das ist alles. Morgen oder am Mittwoch bekommen wir die eingeschweißten Laufwerke, dann können wir innerhalb einer Stunde sagen, was los ist. Okay?«
»Was glaubst du – ist es ein großes oder ein kleines Problem? Ich muß das wissen«, drängte Sanders. »In den morgigen Sitzungen wird das ein Thema sein.«
»Also, im Augenblick kann ich dir als Antwort nur geben, daß wir es nicht wissen. Es kann alles mögliche sein. Wir arbeiten daran.«
»Arthur glaubt, daß es eine größere Sache ist.«

»Vielleicht hat Arthur recht. Aber wir werden das Problem lösen. Mehr kann ich dir nicht sagen.«
»Don ...«
»Ich verstehe, daß du eine Antwort hören willst«, sagte Cherry. »Verstehst du, daß ich dir keine geben kann?«
Sanders sah ihm in die Augen. »Du hättest mich anrufen können. Warum bist du persönlich hier erschienen?«
»Ah – gut, daß du es ansprichst«, sagte Cherry. »Ich habe da ein kleines Problem, ziemlich heikel. Es geht um sexuelle Belästigung.«
»Schon wieder? Offenbar gibt es hier bei uns nichts anderes mehr.«
»Bei uns und bei allen anderen. Ich habe gehört, daß bei UniCom gerade 14 entsprechende Klagen laufen, und bei Digital Graphics sind es noch mehr. Bei Microsoft machen sie sich auch schon darauf gefaßt. Aber die sind sowieso alle ziemliche Schweine. Na, egal ... Ich hätte gern mal deine Meinung dazu gehört.«
Sanders seufzte. »In Ordnung.«
»Es geht um eine meiner Programmiergruppen, um die Gruppe ›Datenbank-Fernzugriff‹. Die Leute in dieser Gruppe sind alle schon ziemlich alt, 25 bis 29. Die Leiterin des Fax-Modem-Teams fragt schon seit längerem einen der Jungs immer wieder, ob er mit ihr ausgehen will. Sie findet ihn nämlich süß. Aber er gibt ihr jedesmal einen Korb. Heute hat sie ihn in der Mittagspause auf dem Parkplatz wieder mal gefragt, und er hat wieder mal nein gesagt. Da setzt sie sich in ihren Wagen, rammt seinen Wagen und haut ab. Ihm ist weiter nichts passiert, und er will auch nichts gegen sie unternehmen. Aber er hat Angst, daß sie vollends ausrasten könnte, kommt zu mir und fragt mich um Rat. Was soll ich denn jetzt tun?«
Sanders legte die Stirn in Falten. »Glaubst du, daß das die

ganze Wahrheit ist? Sie ist nur deshalb so wütend auf ihn, weil er sie abgewiesen hat? Oder hat er etwas getan, das ihr Verhalten erst provozierte?«

»Er behauptet nein. Ist ein ziemlich anständiger Kerl. Bißchen schwerfällig, nicht gerade ein routinierter Weiberheld.«

»Und die Frau?«

»Die ist jähzornig, keine Frage. Fährt die Leute im Team manchmal nicht schlecht an. Ich mußte deswegen schon hin und wieder ein Wörtchen mit ihr reden.«

»Und was sagt sie über den Zwischenfall auf dem Parkplatz?«

»Weiß ich nicht. Der Junge hat mich ja gebeten, nicht mit ihr darüber zu sprechen. Er sagt, daß es ihm peinlich ist und daß er die Sache nicht, äh, noch schlimmer machen will.« Sanders hob die Schultern. »Was soll ich jetzt tun? Die Leute geraten in Streit miteinander, aber keiner macht den Mund auf ... Also, ich weiß nicht, Don. Wenn eine Frau seinen Wagen rammt, dann muß er ihr doch vorher etwas getan haben. Wahrscheinlich hat er einmal mit ihr geschlafen und wollte sie nicht wiedersehen, und jetzt ist sie sauer. Das ist jedenfalls meine Vermutung.«

»Ja, das vermute ich ja auch«, stimmte Cherry ihm zu. »Aber vielleicht liegen wir doch falsch. Vielleicht ist sie nicht ganz dicht.«

»Und der Schaden am Auto?«

»Nichts Ernstes. Ein Schlußlicht ist zerbrochen. Der Junge will das Ganze einfach nicht noch schlimmer machen. Also – soll ich die Sache auf sich beruhen lassen?«

»Wenn er keine Anzeige erstattet, würde ich die Sache auf sich beruhen lassen.«

»Soll ich mal unter vier Augen mit ihr reden?«

»Würde ich nicht tun. Wenn man eine Frau einer ungehörigen Handlungsweise beschuldigt – auch wenn man es unter vier Augen tut –, dann braucht man sich nicht zu wundern, wenn man Ärger kriegt. In solchen Angelegenheiten hilft dir keiner, ganz einfach weil es ziemlich wahrscheinlich ist, daß dein Knabe eben doch etwas getan hat, durch das sie sich provoziert fühlte.«

»Obwohl er behauptet, daß es nicht so war?«

»Ach, Don«, sagte Sanders seufzend, »die behaupten doch immer, daß es nicht so war. Ich habe noch nie einen sagen hören: ›Ja, geschieht mir ganz recht.‹ Das gibt es einfach nicht.«

»Also – ich lasse die Sache auf sich beruhen?«

»Trag eine kurze Notiz in die Personalakte ein, daß er dir den Vorfall erzählt hat, achte darauf, daß du die Vorfälle in seiner Geschichte als mutmaßlich bezeichnest, und vergiß das Ganze.«

Cherry nickte, stand auf und ging zur Tür. Kurz davor blieb er stehen und drehte sich um. »Eines mußt du mir noch sagen: Warum sind wir beide so überzeugt, daß dieser Typ etwas angestellt haben muß?«

»Eine Frage der größeren Wahrscheinlichkeit«, antwortete Sanders. »Und jetzt reparier mir endlich dieses verdammte Laufwerk!«

Um 18 Uhr verabschiedete er sich von Cindy und ging mit den Twinkle-Akten die Treppe zu Meredith' Büro im fünften Stock hinauf. Die Sonne stand noch ziemlich hoch, ihr Licht strömte durch die Glasfenster. Man hatte Meredith das Eckbüro gegeben, in dem früher Ron Goldman gearbeitet hatte. Auch eine neue Sekretärin war da. Sanders vermutete, daß sie zusammen mit ihrer Chefin aus Cupertino gekommen war.

»Ich bin Tom Sanders«, stellte er sich vor. »Ich bin mit Ms. Johnson verabredet.«
»Ich bin Betsy Ross aus Cupertino, Mr. Sanders.« Sie sah ihn an. »Sagen Sie nichts!«
»Okay.«
»Jeder macht eine Bemerkung drüber. Bloß weil eine Betsy Ross in Urzeiten die erste amerikanische Flagge genäht hat. Ich kann es nicht mehr hören!«
»Okay.«
»Mein ganzes Leben geht das schon so.«
»Okay. Schon gut.«
»Ich sage Ms. Johnson, daß Sie hier sind.«

»Tom!« Meredith saß an ihrem Schreibtisch und winkte ihn zu sich, in der anderen Hand hielt sie einen Telefonhörer, den sie kurz vom Ohr weghielt. »Komm rein, setz dich!«
Von ihrem großen Eckbüro ging der Blick nach Norden, fiel auf Downtown Seattle. Man sah die Space Needle, die Arly Towers, das SODO Building. In der Nachmittagssonne wirkte die Stadt geradezu prächtig.
»Ich führe nur rasch dieses Gespräch zu Ende.« Sie hob den Hörer wieder ans Ohr. »Ja, Ed, Tom ist jetzt hier, wir werden das alles besprechen. Ja, er hat die Unterlagen mitgebracht.« Sanders hielt die Aktenmappe hoch, in der sich die Unterlagen über das Laufwerk befanden. Meredith deutete auf ihren Aktenkoffer, der mit geöffnetem Deckel auf der Eckkante des Schreibtisches lag, und bat Sanders mit einer Geste, die Mappe hineinzulegen.
Dann wandte sie sich wieder dem Telefon zu. »Ja, Ed, ich denke, daß die Überprüfung problemlos über die Bühne gehen

wird, und es gibt bestimmt keinen Grund, irgend etwas zurückzuhalten ... Nein, nein ... Ja, das können wir gleich morgen früh machen, wenn Sie wollen.«
Sanders legte die Mappe in Meredith' Aktenkoffer.
Meredith sagte: »Genau, Ed, ganz genau. Absolut.« Sie kam hinter ihrem Schreibtisch hervor, ging auf Tom zu und setzte sich mit einer Pobacke auf die Schreibtischkante, so daß ihr dunkelblauer Kostümrock ein Stück den Oberschenkel hochrutschte. Sie trug keine Strümpfe. »Alle sind sich darin einig, daß das sehr wichtig ist. Ganz bestimmt.« Sie wippte mit einem Fuß, ließ den Stöckelschuh von ihrem großen Zeh baumeln und sah Sanders dabei lächelnd an. Es bereitete ihm Unbehagen; er trat einen Schritt zurück. »Ich verspreche es Ihnen, Ed. Ja. Ganz bestimmt.«
Sie beugte sich rückwärts über den Schreibtisch und legte den Hörer auf den hinter ihr stehenden Apparat zurück, wobei sie sich so drehte, daß sich ihre Brüste unter der Seidenbluse deutlich abzeichneten. Dann setzte sie sich wieder gerade hin und seufzte laut auf. »Die Leute von Conley haben erfahren, daß wir Probleme mit Twinkle haben. Das war eben Ed Nichols, er ist völlig ausgerastet. Das ist nun schon das dritte Telefongespräch, das ich heute nachmittag wegen Twinkle führen mußte. Man könnte fast glauben, es gäbe nichts anderes in dieser Firma. Na, wie gefällt dir mein Büro?«
»Nicht schlecht«, sagte Sanders. »Toller Ausblick.«
»Ja, die Stadt ist wunderschön.« Sie schlug die Beine übereinander und sagte, als sie Sanders' Blick bemerkte: »Im Sommer trage ich nur ungern Strümpfe. Ich mag dieses nackte Gefühl. An heißen Tagen fühlt sich das so viel kühler an!«
»Es soll den ganzen restlichen Sommer hindurch fast durchgehend so heiß bleiben.«
»Mir graut vor dem Wetter hier«, sagte sie. »Ich meine, nach Kalifornien ...« Sie stellte ihre Beine wieder nebeneinander.

»Man gewöhnt sich daran«, erwiderte Sanders. Dann deutete er auf ihren Aktenkoffer. »Sollen wir die Twinkle-Unterlagen durchgehen?«

»Ja, unbedingt.« Sie ließ sich vom Schreibtisch gleiten, kam auf ihn zu und sah ihm direkt in die Augen. »Aber erst möchte ich dir etwas zu trinken anbieten, wenn du nichts dagegen hast. Nur einen Schluck.«

»Gut.«

Sie trat zur Seite. »Schenk bitte den Wein ein.«

»Okay.«

»Sieh nach, ob er kalt genug ist.« Sanders ging zu dem kleinen Tisch, auf dem die Weinflasche stand. »Ich weiß noch, daß du ihn immer nur kalt getrunken hast.«

»Stimmt«, sagte er und drehte die Flasche in den Eiswürfeln herum.

Er mochte den Wein schon lange nicht mehr so kalt.

»Wir hatten viel Spaß damals«, sagte sie.

»Ja, das stimmt.«

»Und wie! Manchmal denke ich mir, als wir beide jung waren und beruflich hochkommen wollten, das war doch die schönste Zeit.«

Er zögerte kurz, weil er nicht wußte, was er darauf erwidern sollte und in welchem Ton.

»Ja. Eine schöne Zeit«, sagte sie. »Ich denke oft daran zurück.«

Ich nie, dachte Sanders.

»Und du Tom? Denkst du auch oft zurück?«

»Ja, natürlich.« Er ging mit den zwei gefüllten Gläsern auf sie zu, reichte ihr eines und stieß mit ihr an. »Natürlich. Wir verheirateten Männer denken alle an die alten Zeiten zurück. Du weißt ja, daß ich inzwischen verheiratet bin.«

»Ja«, sagte sie nickend. »Sehr verheiratet, wie ich höre. Und wie viele Kinder? Drei?«

»Nein, nur zwei. Aber manchmal könnte man denken, daß es drei sind.«

»Und deine Frau ist Anwältin?«

»Ja.« Jetzt fühlte er sich sicherer. Irgendwie gab ihm das Gespräch über seine Frau und die Kinder Sicherheit.

»Ich verstehe nicht, wie man verheiratet sein kann«, sagte Meredith. »Ich hab's auch mal probiert.« Sie hob die Hand. »Noch vier Unterhaltszahlungen an diesen Scheißkerl, und ich bin frei.«

»Mit wem warst du verheiratet?«

»Mit einem leitenden Werbefritzen bei CoStar. Er war süß. Richtig niedlich. Aber dann stellte sich heraus, daß er es nur auf mein Geld abgesehen hatte. Drei Jahre zahle ich jetzt schon für diesen Fehlgriff. Und schlecht im Bett war er auch noch!« Sie machte eine verächtliche Handbewegung und warf einen Blick auf ihre Armbanduhr. »So, jetzt komm, setz dich und erzähl mir, wie schlimm es um Twinkle steht!«

»Willst du die Unterlagen sehen? Ich habe sie in deinen Aktenkoffer gelegt.«

»Nein.« Sie klopfte mit der flachen Hand neben sich auf die Couch. »Das kannst du mir alles selbst erzählen.«

Er setzte sich neben sie.

»Du siehst gut aus, Tom.« Sie lehnte sich zurück, kickte die Stöckelschuhe von den Füßen und wackelte mit den nackten Zehen. »Mein Gott, war das ein Tag!«

»Viel Streß?«

Sie trank einen Schluck Wein und blies sich eine Haarsträhne aus dem Gesicht. »Zuviel, als daß ich es dir aufzählen könnte. Ich bin froh, daß wir zusammenarbeiten, Tom. Ich habe das Gefühl, daß du hier der einzige Freund für mich sein wirst, der einzige, auf den ich immer zählen kann.«

»Danke. Ich werde mir Mühe geben.«

»Also – wie schlimm ist es mit Twinkle?«

»Tja, schwer zu sagen.«
»Spuck's aus!«
Er wußte, daß ihm nichts anderes übrigblieb, als die Karten offen auf den Tisch zu legen. »Wir haben sehr erfolgreiche Prototypen gebaut, aber die Laufwerke aus der Fabrik in Kuala Lumpur sind wesentlich langsamer als 100 Millisekunden.«
Meredith seufzte und schüttelte den Kopf. »Wissen wir, warum?«
»Noch nicht. Wir haben einige Vermutungen ...«
»Diese Fertigungsstraße ist erst seit kurzem in Betrieb, oder?«
»Seit zwei Monaten.«
Sie zuckte mit den Achseln. »Dann sind es also Probleme mit einer neuen Fertigungsstraße. Das ist halb so schlimm.«
»Andererseits«, gab Sanders zu bedenken, »kauft Conley-White dieses Unternehmen gerade wegen seiner Technologie und im besonderen wegen des CD-ROM-Laufwerks. Im Augenblick sieht es nicht so aus, als könnten wir unsere Lieferfristen einhalten.«
»Und *das* willst du ihnen sagen?«
»Ich befürchte, sie werden es bei ihren Nachforschungen selbst rausfinden.«
»Vielleicht, vielleicht auch nicht.« Meredith lehnte sich wieder zurück. »Wir dürfen nicht vergessen, um was es hier wirklich geht. Tom, das haben wir doch alle schon erlebt: Erst türmen sich die Probleme vor einem auf, und über Nacht sind sie dann plötzlich verschwunden. Vielleicht ist das hier auch so eine Situation. Wir müssen die Twinkle-Fabrikation nur nach Fehlern abklopfen. Wahrscheinlich haben wir es mit ein paar Anfangsproblemen zu tun – keine große Sache.«
»Schon möglich. Aber das wissen wir eben nicht. Es könnte auch an den Steuer-Chips liegen, was bedeuten würde, daß wir unseren Zulieferer in Singapur wechseln müßten. Es könnte sich sogar um ein noch grundlegenderes Problem

handeln – beispielsweise um ein Designproblem, das hier im Haus entstanden ist.«

»Vielleicht«, sagte Meredith. »Aber wie du bereits gesagt hast, wissen wir das nicht. Und ich sehe überhaupt keinen Grund, sich zu diesem heiklen Zeitpunkt in Spekulationen zu verlieren.«

»Aber, ehrlich gesagt –«

»Hier geht es nicht um Ehrlichkeit«, unterbrach ihn Meredith. »Hier geht es um Fakten. Gehen wir das mal Punkt für Punkt durch. Wir haben ihnen gesagt, daß wir ein Twinkle-Laufwerk haben.«

»Ja.«

»Und der Prototyp funktioniert tadellos. Er ist doppelt so schnell wie die modernsten Laufwerke aus Japan.«

»Ja.«

»Wir haben ihnen gesagt, daß wir das Laufwerk jetzt produzieren?«

»Ja.«

»Tja, dann«, sagte Meredith, »haben wir ihnen alles gesagt, was man zum gegenwärtigen Zeitpunkt mit Sicherheit wissen kann. Ich finde, wir handeln in gutem Glauben.«

»Kann schon sein, aber ich weiß nicht, ob wir –«

»Tom.« Sie legte ihm eine Hand auf den Arm. »Deine Geradlinigkeit hat mir schon immer gefallen. Ich möchte, daß du weißt, wie sehr ich dein fachmännisches Wissen und deinen offenen Umgang mit Problemen schätze. Beides rechtfertigt meine Gewißheit, daß die Schwierigkeiten mit dem Twinkle-Laufwerk beseitigt werden können. Wir wissen, daß es sich grundsätzlich um ein gutes Produkt handelt, das so funktioniert, wie wir es von ihm behaupten. Ich persönlich setze mein ganzes Vertrauen in dieses Produkt und in deine Fähigkeit, alles zu unternehmen, damit es funktioniert wie geplant. Und es bereitet mir keinerlei Probleme, das bei der

morgen stattfindenden Sitzung auch zu sagen.« Sie schwieg und sah ihn aufmerksam an. »Und dir?«
Ihr Gesicht war ganz nahe; sie hatte den Mund halb geöffnet.
»Was, mir?«
»Bereitet es dir irgendwelche Schwierigkeiten, das morgen bei der Besprechung zu sagen?«
Ihre Augen waren hellblau, fast grau. Das hatte er vergessen, und er hatte auch vergessen, wie lang ihre Wimpern waren. Ihr Haar umspielte weich das Gesicht. Sie hatte volle Lippen, einen verträumten Blick. »Nein«, sagte Sanders. »Ich habe keine Schwierigkeiten damit.«
»Gut. Dann haben wir das abgehakt.« Sie lächelte ihn an und hielt ihm ihr Glas entgegen. »Machst du noch mal die Honneurs?«
»Klar.«
Er erhob sich von der Couch und ging zu dem Ecktischchen, auf dem die Weinflasche stand. Sie sah ihm nach.
»Du bist noch toll in Form, Tom.«
»Ja, ich versuche, fit zu bleiben.«
»Machst du Bodybuilding?«
»Ja, zweimal pro Woche. Und du?«
»Du hattest schon immer einen süßen Arsch. Einen süßen, knackigen Arsch.«
Er drehte sich zu ihr um. »Meredith ...«
Sie zuckte mit den Achseln. »Das mußte ich dir einfach sagen. Wir sind doch alte Freunde. Habe ich dich beleidigt?«
»Nein.«
»Prüde kann ich mir dich nun wirklich nicht vorstellen, Tom.«
»Nein, nein.«
»Dich wirklich nicht!« Sie lachte. »Weißt du noch, die Nacht, in der das Bett zusammenkrachte?«

Er schenkte den Wein ein. »Richtig zusammengekracht ist es ja eigentlich nicht.«
»Aber natürlich! Du wolltest, daß ich mich über das Fußende beuge, und dann –«
»Ja, ich erinnere mich.«
»– und zuerst ist das Brett am Fußende abgebrochen, und dann fiel der ganze untere Teil des Bettes zusammen, aber du wolltest nicht aufhören, da sind wir einfach ein Stück hochgekrochen, und als ich mich dann am Kopfende festhalten wollte, ist alles –«
»Ich erinnere mich«, sagte er noch einmal, um sie zu unterbrechen, um dieses Gerede zu beenden. »Es war eine tolle Zeit. Hör zu, Meredith –«
»Und dann hat doch die Frau von unten angerufen! Kannst du dich an die erinnern? Diese alte Litauerin? Sie wollte wissen, ob jemand ist gestorrben oderr was ist los hierr?«
»Ja. Hör zu. Um noch mal auf das Laufwerk zurückzukommen –«
Sie griff nach ihrem Weinglas. »Tom, du bist ja ganz verlegen! Hast du vielleicht geglaubt, ich will dich anmachen, oder was?«
»Nein, nein. Überhaupt nicht.«
»Gut. Das wollte ich nämlich wirklich nicht. Großes Ehrenwort.« Sie warf ihm einen belustigten Blick zu. Dann legte sie den Kopf zurück, reckte den langen Hals und nippte am Wein. »Wenn ich ehrlich sein soll – ah! Ah!« Sie war zusammengezuckt.
Sanders beugte sich besorgt zu ihr hinüber. »Was ist denn?«
»Mein Nacken ist völlig verkrampft, genau da ...« Die Augen immer noch vor Schmerz fest zusammengekniffen, deutete sie auf eine Stelle zwischen Schulter und Nacken.
»Kann ich irgend etwas –«
»Einfach ein bißchen massieren – da –«

Sanders stellte sein Weinglas ab und begann ihr die Schulter zu massieren. »Da?«
»Ja, aber fester – richtig drücken!«
Er spürte, daß sich ihre Schultermuskeln lockerten. Meredith seufzte, ließ den Kopf leicht kreisen, öffnete die Augen. »Ah, schon viel besser ... Mach weiter!«
Er massierte sie weiter.
»Vielen Dank. Ah ... schön ... Ich habe da so eine Nervengeschichte. Irgendwas ist da eingeklemmt, und wenn es losgeht, ist es wirklich ...« Langsam schob sie den Kopf vor und zurück. »Das hast du ausgezeichnet gemacht. Aber mit den Händen warst du ja schon immer sehr geschickt, Tom.«
Er massierte weiter. Er hätte gerne aufgehört, weil er spürte, daß er etwas ganz Falsches tat, daß er viel zu dicht bei ihr saß und sie im Grunde überhaupt nicht berühren wollte. Aber gleichzeitig empfand er es auch als schön, sie anzufassen, schön und spannend.
»Gute Hände«, sagte Meredith. »Mein Gott, als ich verheiratet war, dachte ich die ganze Zeit an dich.«
»Wirklich?«
»Klar. Er war, wie gesagt, mies im Bett. Ich hasse Männer, die nicht wissen, was sie tun.« Sie schloß wieder die Augen. »Dein Problem war das nie, was?«
Sie seufzte, entspannte sich, und plötzlich schmiegte sie sich an ihn, als wollte sie seine Hände noch stärker spüren. Es war eine unmißverständliche Geste. Sofort gab er ihr einen abschließenden kumpelhaften Klaps auf die Schulter und nahm die Hände fort.
Sie schlug die Lider auf und lächelte vielsagend. »Hör zu: Du brauchst wirklich keine Bedenken zu haben.«
Er wandte sich ab und trank einen Schluck Wein. »Ich habe keine Bedenken.«
»Wegen des Laufwerks, meine ich. Wenn sich herausstellen

sollte, daß wir wirklich Probleme damit haben und das Einverständnis von höchster Ebene brauchen, kriegen wir es auch. Aber ich finde, im Augenblick sollten wir nichts übereilen.«
»Okay, in Ordnung. Klingt vernünftig.« Es erleichterte ihn insgeheim, daß sie jetzt wieder über das Laufwerk sprach. Endlich hatte er wieder festen Boden unter den Füßen. »Zu wem würdest du damit gehen? Direkt zu Garvin?«
»Ich denke schon. Ich verhandle gern in informellem Rahmen.« Sie betrachtete ihn. »Du hast dich verändert, nicht wahr?«
»Nein. Ich bin immer noch derselbe.«
»Ich finde, daß du dich verändert hast.« Sie grinste ihn an. »Früher hättest du nie freiwillig aufgehört, mich zu massieren.«
»Jetzt ist doch alles anders, Meredith«, erwiderte er. »Du leitest jetzt die Abteilung. Ich arbeite für dich. Du bist meine Chefin.«
»Ach, sei doch nicht albern!«
»So ist es aber nun mal.«
»Wir sind Kollegen«, sagte sie und zog einen Schmollmund. »Hier glaubt doch kein Mensch, daß ich wirklich über dir stehe. Die haben mir gerade mal die Verwaltungsaufgaben übertragen, das ist alles. Wir sind Kollegen, Tom! Und ich möchte, daß zwischen uns eine offene, freundschaftliche Beziehung herrscht.«
»Ich auch.«
»Gut. Ich freue mich, daß wir darin einer Meinung sind.« Blitzschnell beugte sie sich vor und drückte ihm einen zarten Kuß auf den Mund. »Na – war das so schrecklich?«
»Es war überhaupt nicht schrecklich.«
»Wer weiß – vielleicht müssen wir beide bald mal nach Malaysia fliegen, um die Fabrikation zu überprüfen. Es gibt

sehr schöne Strände in Malaysia. Warst du schon mal in Kuantan?«

»Nein.«

»Es würde dir wahnsinnig gut gefallen.«

»Bestimmt.«

»Ich werde es dir zeigen. Wir könnten ja ein, zwei Tage anhängen. Kurz Zwischenstation machen. Bißchen Sonne tanken.«

»Meredith –«

»Muß ja niemand erfahren.«

»Ich bin verheiratet.«

»Und du bist ein Mann.«

»Was soll das heißen?«

»Tom«, sagte sie mit ironischer Strenge, »du wirst mir doch nicht weismachen wollen, du hättest nie ein kleines Abenteuer nebenbei! Ich kenne dich, vergiß das nicht!«

»Du hast mich vor langer Zeit gekannt, Meredith.«

»Menschen verändern sich nie. Zumindest nicht in *dieser* Hinsicht.«

»Bitte ...«

»Ach, komm! Wir arbeiten zusammen – da werden wir doch noch ein bißchen Spaß miteinander haben dürfen!«

Die Sache glitt in eine Richtung ab, die ihm überhaupt nicht gefiel. Er hatte das Gefühl, in eine peinliche Situation gedrängt zu werden, und obwohl er sich dabei ziemlich spießig und prüde vorkam, sagte er: »Ich bin inzwischen verheiratet.«

»Ach, dein Privatleben interessiert mich nicht«, erwiderte sie leichthin. »Ich bin nur für deine Arbeitsleistung verantwortlich. Arbeit, nichts als Arbeit und kein Vergnügen, Tom – das kann sich schädlich auswirken. Man muß ein bißchen spielerisch bleiben.« Sie beugte sich zu ihm vor. »Nun komm schon! Nur *ein* kleiner Kuß ...«

Die Sprechanlage summte, gleich darauf ertönte die Stimme der Sekretärin. »Meredith?«
Meredith blickte verärgert auf. »Ich habe Ihnen doch gesagt, daß Sie keine Anrufe durchlassen sollen.«
»Entschuldigen Sie bitte, aber es ist Mr. Garvin.«
»Na gut.« Sie stand von der Couch auf und ging quer durch den Raum zu ihrem Schreibtisch. »Aber danach keine Anrufe mehr, Betsy!«
»In Ordnung, Meredith. Ich wollte Sie noch fragen, ob es Ihnen recht ist, wenn ich in etwa zehn Minuten gehe. Ich muß mich noch mit dem Vermieter wegen meiner neuen Wohnung treffen.«
»Ja. Haben Sie mir das Päckchen besorgt?«
»Ja, ich habe es hier.«
»Bringen Sie es rein, dann können Sie gehen.«
»Danke, Meredith. Mr. Garvin ist auf Leitung zwei.«
Meredith nahm den Telefonhörer ab und schenkte sich nach. »Hi, Bob! Was gibt's?« Die ungezwungene Vertrautheit in ihrer Stimme war nicht zu überhören.
Während sie mit Garvin sprach, kehrte sie Sanders den Rücken zu. Er saß auf der Couch und fühlte sich ausgeliefert und hilflos wie ein kleines Kind. Die Sekretärin trat ein; sie hielt ein kleines, in eine braune Papiertüte gewickeltes Päckchen in der Hand, das sie Meredith gab.
»Selbstverständlich, Bob«, sagte Meredith gerade. »Ich bin ganz Ihrer Meinung. Wir werden uns auf jeden Fall darum kümmern.«
Die Sekretärin, die darauf wartete, von Meredith nach Hause entlassen zu werden, lächelte Tom zu. Es war ihm so zuwider, untätig auf der Couch sitzen zu bleiben, daß er aufstand, zum Fenster ging, sein Mobiltelefon aus der Tasche zog und den Befehl eingab, Mark Lewyns Nummer zu wählen. Er hatte Mark sowieso versprochen, sich bei ihm zu melden.

»Das ist eine ausgezeichnete Idee, Bob«, sagte Meredith am Telefon. »Ich finde, wir sollten das so machen.«
Tom hörte, wie die von ihm gewünschte Nummer gewählt wurde; dann setzte sich ein Anrufbeantworter in Gang. Eine Männerstimme sagte: »Hinterlassen Sie Ihre Nachricht nach dem Pfeifton«, und ein elektronischer Ton erklang.
»Mark«, sprach Sanders auf den Anrufbeantworter, »hier ist Tom Sanders. Ich habe mit Meredith über Twinkle gesprochen. Sie ist der Meinung, daß wir uns erst im Frühstadium der Fabrikation befinden und noch Verbesserungen vornehmen können. Sie stellt sich auf den Standpunkt, daß noch gar nicht klar ist, ob es wirklich grundlegende Probleme sind, über die man informieren müßte, und daß wir morgen vor den Bankern und den Conley-White-Leuten wie üblich verfahren sollen ...«
Die Sekretärin verließ das Büro. Als sie an Tom vorbeikam, lächelte sie ihm noch einmal zu.
»... und falls wir später doch Probleme mit dem Laufwerk haben, in die wir das Management einweihen müßten, so sollten wir uns ihrer Meinung nach darüber erst dann Gedanken machen, wenn es soweit ist. Ich habe ihr gesagt, wie du die Sache siehst, und sie telefoniert gerade mit Bob – wir werden also morgen in der Sitzung voraussichtlich diese Haltung einnehmen ...«
Die Sekretärin hatte die Bürotür erreicht. Sie blieb kurz stehen, drehte den kleinen Riegel im Türknauf um, ging hinaus und zog die Tür hinter sich zu.
Sanders wunderte sich: Sie hatte auf dem Weg hinaus die Tür abgesperrt! Er war nicht so sehr über diese Tatsache erstaunt als vielmehr über die Erkenntnis, daß er sich offenbar inmitten einer Inszenierung befand, in einem arrangierten Geschehen, in dem jeder wußte, was sich abspielte, nur er nicht.
»... auf jeden Fall, Mark – sollte sich in dieser Sache noch

eine grundlegende Änderung ergeben, würde ich dich morgen vor der Sitzung noch mal anrufen und –«

»Vergiß das dumme Telefon!« sagte Meredith, die plötzlich ganz dicht hinter Sanders stand, seinen Arm nach unten bog und sich an ihn preßte. Sie drückte ihm ihre Lippen auf den Mund. Er nahm nur verschwommen wahr, daß er das Telefon auf die Fensterbank fallen ließ, während sie sich küßten, und daß sie sich wand und drehte und beide zur Couch hinübertaumelten.

»Meredith, warte –«

»O Gott, den ganzen Tag habe ich schon Lust auf dich«, sagte sie mit gepreßter Stimme. Sie küßte ihn wieder, legte sich auf ihn und hob eines seiner Beine, damit er unten blieb. Es war keine sehr graziöse Stellung, aber er spürte, daß er auf Meredith reagierte. Sein erster Gedanke war, es könnte jemand hereinkommen. Er sah sich selbst so mit dem Rücken auf der Couch liegen, während seine Chefin in ihrem dunkelblauen Kostüm praktisch auf ihm lag, und überlegte entsetzt, was der Eindringling, der sie beide so sah, wohl denken würde ... Und dann merkte er, daß er wirklich auf Meredith reagierte, und wie!

Sie merkte es auch, und es erregte sie noch mehr. Sie hob den Kopf, um Atem zu schöpfen. »O Gott, du fühlst dich so *gut* an, ich ertrage es nicht, wenn der Dreckskerl mich anfaßt! Diese blöde Brille! Oh, ich bin so geil, ich hatte schon so lange keinen ordentlichen Fick mehr –« Sie warf sich wieder auf ihn, küßte ihn, preßte ihren Mund auf seinen. Sie schob ihm die Zunge zwischen die Lippen, und er dachte: *Wahnsinn, sie legt es wirklich darauf an*. Er roch ihr Parfum, und sofort kamen die Erinnerungen wieder.

Sie drehte sich so, daß sie hinunterlangen und ihn anfassen konnte, und als sie ihn durch die Hose hindurch fühlte, stöhnte sie auf. Sie zerrte am Reißverschluß. Widersprüchliche Bilder und Gefühle stürzten auf ihn ein – sein Verlangen nach ihr, die Gesichter seiner Frau und seiner Kinder, Erinnerungen an damals, an die Wohnung in Sunnyvale, an die Nacht, als das Bett zusammenkrachte. Dann sah er wieder seine Frau vor sich.

»Warte, Meredith ...«

»Oooh! Sag nichts! Nein! Nein ...« Sie keuchte, ihr Mund zuckte rhythmisch wie das Maul eines Goldfisches. Er erinnerte sich wieder, daß das bei ihr immer so war. Er hatte es ganz vergessen. Er spürte ihren heißen, hechelnden Atem auf seinem Gesicht, sah ihre geröteten Wangen. Sie hatte den Reißverschluß geöffnet. Ihre warme Hand lag auf ihm.

»O mein Gott«, sagte sie, drückte seinen Penis, glitt an seinem Körper entlang nach unten, strich ihm mit der Hand übers Hemd.

»Hör zu, Meredith ...«

»Laß mich!« sagte sie mit heiserer Stimme. »Nur ganz kurz.« Dann war ihr Mund über seinem Glied. Das hatte sie schon immer gut können. Andere Erinnerungen tauchten auf. Sie hatte es immer gern an gefährlichen oder zumindest ungewöhnlichen Orten gemacht: Während sie im Auto auf dem Freeway fuhren, er am Steuer, oder in der Männertoilette während einer Konferenz. Nachts am Strand von Napili. Diese heimliche Leidenschaftlichkeit, diese verborgene Geilheit. Als sie einander damals vorgestellt wurden, hatte einer der leitenden Mitarbeiter von ConTech ihm zugeflüstert: »Sie ist eine großartige Schwanzlutscherin.«

Er spürte ihren feuchten Mund, spürte, wie sich sein Rücken vor Anspannung bog und Genuß und Gefahr sich zu einem unangenehmen Gefühl verklumpten. So viel war geschehen an diesem Tag, so viele Veränderungen hatten stattgefunden, alles war so plötzlich gekommen. Er fühlte sich beherrscht, kontrolliert, bedroht. Während er so auf dem Rücken lag,

spürte er, daß er diese Situation, die er nicht ganz verstand, zwar nicht richtig einordnen konnte, doch irgendwie guthieß. Es würde Ärger geben. Er wollte nicht mit ihr nach Malaysia fliegen. Er wollte keine Affäre mit seiner Chefin, nicht einmal einen One-Night-Stand. Denn so etwas kam immer heraus, und dann tratschten die Leute am Cola-Automaten und warfen einem, wenn man ihnen im Gang begegnete, vielsagende Blicke zu. Und früher oder später erfuhr es auch die Ehefrau oder Freundin. So lief es immer. Türenknallen, Scheidungsanwälte, elterliches Sorgerecht ...«
Er wollte das nicht. Er hatte sein Leben geregelt, alles war an seinem Platz. Er hatte Verpflichtungen. Diese Frau aus seiner Vergangenheit verstand das alles nicht. Sie war frei. Er nicht. Er rutschte auf der Couch hin und her, versuchte sich von ihr loszumachen.
»Meredith ...«
»Mein Gott, wie gut du schmeckst.«
»Meredith ...«
Sie hob den Arm und drückte ihm ihre Finger auf den Mund. »Schsch! Ich weiß doch, daß dir das gefällt.«
»Ja, es gefällt mir«, sagte er, »aber ich –«
»Dann laß mich!«
Sie lutschte ihn weiter, knöpfte dabei sein Hemd auf, nahm seine Brustwarzen zwischen die Finger und drückte sie. Er sah hinunter, sah ihre gespreizten Beine, ihren über ihn gebeugten Kopf. Ihre Bluse war offen, auch den BH mußte sie blitzschnell geöffnet haben, denn ihre Brüste waren nackt. Sie hob wieder den Arm, griff nach seinen Händen, zog sie nach unten und legte sie auf ihren Busen.
Ihr Busen war noch immer perfekt; ganz hart fühlten sich die Brustwarzen zwischen seinen Fingern an. Sie stöhnte auf, wand sich rittlings auf ihm. Er spürte ihre Körperwärme. In seinen Ohren war ein Summen; alle Geräusche klangen mit

einem Mal gedämpft, und eine tiefe Röte wie von einem Rausch übergoß sein Gesicht. Das Zimmer erschien ihm auf einmal weit weg, es gab nichts mehr als diese Frau und ihren Körper und sein Verlangen nach ihr.

Im gleichen Augenblick stieg ein gewaltiger Zorn in ihm auf, eine sehr männliche Wut darüber, von ihr so in die Enge getrieben, so dominiert zu werden – jetzt wollte er das Sagen haben, er wollte sie nehmen. Er setzte sich auf und packte sie grob bei den Haaren, zog ihr Gesicht hoch und wand sich unter ihr hervor. Sie sah ihm in die Augen und erkannte den Wandel in seinen Gefühlen sofort.

»Ja!« Sie rückte zur Seite, damit er sich neben sie aufsetzen konnte. Er schob seine Hände zwischen ihre Beine, fühlte ihren warmen, spitzenbesetzten Slip. Er zog daran. Sie wand sich, um ihm zu helfen, und er rollte den Slip zu den Knien hinunter; dann stieß sie ihn von den Füßen. Sie streichelte Toms Haar, ihre Lippen waren dicht an seinem Ohr. »Ja!« flüsterte sie hitzig. »Ja!«

Ihr blauer Rock war ihr auf die Hüften hochgerutscht. Sanders küßte sie gierig, zog die Bluse auseinander und preßte ihre Brüste an seinen nackten Oberkörper. Überall spürte er ihre Hitze. Er bewegte die Finger, griff zwischen ihre Schamlippen. Sie stöhnte, während sie sich küßten, und immer wieder nickte sie: *Ja*! Dann waren seine Finger in ihr.

Einen Moment lang war er ziemlich verdutzt: Sie war nicht besonders feucht. Aber dann fiel ihm auch das wieder ein. Ihre Sprache und ihr Körper waren immer gleich von Beginn an leidenschaftlich gewesen, während sie dort unten wesentlich langsamer reagiert hatte, auf seine Erregung angewiesen war, um schließlich selbst erregt zu werden. Am meisten hatte sie immer sein Verlangen nach ihr aufgegeilt, immer war sie nach ihm gekommen. Manchmal schon nach wenigen Sekunden, aber manchmal mußte er sich anstrengen, damit sein Penis steif blieb, während sie sich an ihm hochschaukelte, sich, ganz in ihre eigene Welt versunken, an ihm zum Orgasmus stieß, während seiner bereits verklang. Er war sich dann immer sehr allein vorgekommen und hatte das Gefühl gehabt, sie benütze ihn. Diese Rückschau ließ ihn innehalten; sie bemerkte sein Zögern, packte ihn heftig, versuchte keuchend seinen Gürtel zu lösen, während sie ihm das Ohr leckte.

Aber jetzt sickerte das Widerstreben in ihn zurück, seine stürmische Geilheit wich einem Gedanken, der ihm ungewollt durch den Kopf schoß: *Die Sache ist es nicht wert.*

Wieder verwandelten sich seine Gefühle. Jetzt spürte er etwas Altbekanntes: Man trifft sich wieder mit einer ehemaligen Geliebten, beim Abendessen fühlt man die alte Anziehungskraft wieder, man verliebt sich aufs neue, begehrt, und plötzlich, mitten in den drängendsten Umarmungen, stürzt all das ins Gedächtnis zurück, was an dieser Beziehung schlecht gewesen ist, die alten Streitereien und die Wut und die Gereiztheit steigen in einem auf, und man wünscht, man hätte nie ein zweites Mal damit angefangen. Plötzlich denkt man an nichts anderes mehr als daran, wie man dem Ganzen entrinnen könnte, wie man abbrechen könnte, was man da begonnen hat. Aber meistens gibt es keine Möglichkeit zu entrinnen.

Seine Finger waren in ihr; Meredith bewegte sich schlängelnd an ihnen entlang, um sie an den richtigen Stellen zu haben. Sie war feucht geworden, ihre Schamlippen schwollen an. Sie spreizte die Beine noch mehr für ihn, atmete schwer, streichelte ihn. »O Gott, wie wunderbar du dich anfühlst!«

Meistens gibt es keine Möglichkeit zu entrinnen.

Sein Körper war angespannt, bereit. Ihre harten Brustwarzen strichen ihm über die Brust. Ihre Finger liebkosten ihn. Sie leckte sein Ohrläppchen mit rasch hervorschnellender Zunge, und wieder gab es nichts anderes mehr als seine Geilheit,

eine heftige, grimmige Geilheit, die um so größer war, als er eigentlich gar nicht dasein wollte und das Gefühl hatte, daß sie ihn an diesen Ort gelockt hatte. Jetzt würde er sie ficken. Er wollte sie ficken, gründlich durchficken.
Sie spürte seinen Stimmungsumschwung, stöhnte auf, ließ mit dem Küssen von ihm ab, lehnte sich wartend auf der Couch zurück. Durch halbgeschlossene Lider beobachtete sie ihn, nickte ihm zu. Seine Finger streichelten sie noch immer, schnell, ohne Unterlaß, brachten sie zum Keuchen. Er drückte sie rücklings auf die Couch. Sie schob ihren Rock hoch und machte die Beine breit für ihn. Jetzt kauerte er über ihr, und sie lächelte ihn an, ein wissendes, triumphierendes Lächeln. Es machte ihn wütend zu sehen, daß sie irgendwie gewonnen hatte, diese lauernde Distanziertheit in ihrem Blick, und er wollte sie zu fassen kriegen, wollte sie zwingen, sich ebenso gehenzulassen wie er, sich wirklich einzulassen auf ihn. Er wollte ihr diese überhebliche Distanziertheit aus dem Gesicht wischen. Er spreizte ihre Schamlippen, drang aber nicht in sie ein. Er wartete, bewegte seine Finger in ihr, ließ sie zappeln.
Sie bäumte sich auf vor Erwartung. »Nein, nein ... bitte ...«
Er wartete weiter ab, sah sie an. Sein Zorn verrauchte ebenso rasch, wie er gekommen war, seine Gedanken schweiften ab, die alten Vorbehalte kehrten wieder. In grell aufblitzender Klarheit sah er sich plötzlich selbst in diesem Zimmer, ein hechelnder, verheirateter Mann mittleren Alters, dem die Hose zu den Knien hinuntergerutscht war und der sich über eine Frau auf einer viel zu schmalen Bürocouch beugte. Was, zum Teufel, machte er da eigentlich? War er denn von allen guten Geistern verlassen?
Er sah ihr ins Gesicht, sah, daß ihr Make-up in den Augenwinkeln und um den Mund herum kleine Risse bekommen hatte.
Sie legte die Hände auf seine Schultern und zog ihn zu sich

hinunter. »O bitte … Nein … nein …« Und dann drehte sie den Kopf zur Seite und hustete.
Irgend etwas in ihm machte *klick*. Kühl setzte er sich hin, lehnte sich zurück. »Du hast recht.« Er erhob sich von der Couch und zog die Hose hinauf. »Wir dürfen das nicht tun.«
Sie richtete sich auf. »Was machst du denn da?« Sie wirkte völlig perplex. »Du willst es doch genauso wie ich. Ich weiß, daß du es willst!«
»Nein«, sagte er, »wir dürfen das nicht tun, Meredith.« Er schloß seinen Gürtel, während er sich rückwärts von ihr entfernte.
Sie starrte ihn fassungslos an, benommen wie jemand, der gerade aus einem tiefen Schlaf erwacht ist. »Das ist doch nicht dein Ernst …«
»Es war keine gute Idee. Ich habe kein gutes Gefühl dabei.«
Plötzlich blitzten ihre Augen wütend auf. »Du verdammter *Drecksack*!«
Sie stand rasch auf, stürzte auf ihn zu und schlug ihn mit den geballten Fäusten. »Du Arschloch! Du fieses Schwein! Du widerlicher Dreckskerl!« Er versuchte, trotz dieses Angriffs sein Hemd zuzuknöpfen, wich ihren Schlägen aus, so gut es ging. »Du Wichser! Du Drecksack!«
Sie umkreiste ihn, während er sich von ihr abzuwenden versuchte, packte seine Hände und zog an seinem Hemd, um ihn am Zuknöpfen zu hindern.
»Das kannst du nicht bringen! Das kannst du mit mir nicht machen!«
Knöpfe sprangen ab, fielen zu Boden. Sie kratzte ihn; lange rote Striemen zogen sich über seine Brust. Er drehte sich wieder um, wich ihr aus, wollte nichts anderes als dieses Zimmer verlassen. Sich anziehen und dieses Zimmer verlassen. Sie drosch mit den Fäusten auf seinen Rücken ein.
»Du kannst mich nicht einfach so sitzenlassen, du Wichser!«

»Hör auf damit, Meredith!« sagte er. »Es ist vorbei.«
»Du Arschloch!« Sie packte seinen Haarschopf, zog seinen Kopf mit erstaunlicher Kraft nach hinten und biß ihn ins Ohr. Er fühlte einen starken, stechenden Schmerz und schubste sie derb von sich. Sie taumelte nach hinten, verlor die Balance, fiel hart gegen die Glasplatte des Couchtisches, landete ausgestreckt auf dem Boden.
Als sie sich wieder aufgerichtet hatte, sagte sie, um Atem ringend: »Du mieser Widerling!«
»Meredith, laß mich jetzt bitte in Ruhe, ja?« Wieder machte er sich an seinen Hemdknöpfen zu schaffen. Er war nur mehr von einem einzigen Gedanken beherrscht: *Raus hier*! Nimm deine Sachen und hau ab! Er griff nach dem Jackett; da sah er sein Mobiltelefon auf dem Fensterbrett liegen.
Er ging um die Couch herum und nahm das Gerät an sich. Das Weinglas krachte nahe an seinem Kopf vorbei gegen die Fensterscheibe. Er blickte zu Meredith hinüber und sah, daß sie in der Mitte des Raums stand und gerade nach dem nächsten Wurfobjekt griff.
»Ich bring' dich um!« schrie sie. »Ich bring' dich um, du Scheißkerl!«
»Es reicht jetzt, Meredith!«
»Scheiße!« Sie warf die kleine braune Papiertüte nach ihm. Auch sie prallte gegen die Scheibe und fiel zu Boden. Eine Schachtel Kondome glitt heraus.
»Ich gehe jetzt heim.« Er ging zur Tür.
»Sehr gut!« sagte sie. »Geh nur heim zu deiner Frau und deiner beschissenen kleinen Familie!«
In seinem Kopf schrillte eine Alarmsirene auf. Er zögerte.
»O ja«, sagte sie, als sie bemerkte, daß er innehielt. »Ich weiß *alles* über dich, du kleiner Wichser! Deine Frau bumst nicht mehr mit dir, deshalb kommst du hier rein und machst mich an, provozierst mich, und dann haust du einfach ab, du fieses,

brutales Arschloch! Glaubst du wirklich, man kann Frauen so behandeln? Du Wichser!«
Er streckte die Hand nach dem Türknauf aus.
»Wenn du jetzt abhaust, bist du ein toter Mann!«
Er drehte sich nach ihr um, sah sie leicht schwankend am Schreibtisch lehnen und dachte: *Sie ist betrunken*.
»Gute Nacht, Meredith.« Er drehte den Türknauf, da fiel ihm ein, daß die Tür ja abgeschlossen war. Er drehte den kleinen Riegel herum und verließ das Büro, ohne einen Blick zurückzuwerfen.
Im Vorraum leerte eine Putzfrau gerade die Papierkörbe der Sekretärinnen.
»Dafür mache ich dich kalt, du Schwein!« schrie Meredith ihm nach.
Die Putzfrau hörte es und starrte Sanders an. Er wich ihrem Blick aus und ging geradewegs zum Aufzug. Er drückte den Knopf. Aber dann beschloß er, nicht zu warten, sondern die Treppe zu benutzen.

Er stand auf dem Deck der Fähre, die ihn zurück nach Winslow brachte, und starrte in die untergehende Sonne. Ein ruhiger Abend, fast ohne jeden Wind; die Wasseroberfläche war dunkel und unbewegt. Er blickte zurück auf die Lichter der Stadt und versuchte sich klarzumachen, was geschehen war.
Von der Fähre aus konnte er die obersten Stockwerke des DigiCom Building sehen, das sich hinter dem grauen, parallel zum Ufer verlaufenden Betonviadukt in den Himmel erhob. Er versuchte, Meredith' Fenster auszumachen, aber er war schon zu weit entfernt.
Hier draußen auf dem Wasser, auf dem Weg nach Hause zu

seiner Familie, halbwegs zurückgekehrt in die vertraute Alltagsroutine, haftete den Vorfällen der vergangenen Stunde bereits etwas Unwirkliches an. Sanders konnte kaum mehr glauben, daß dies alles tatsächlich geschehen war. An welchem Punkt hatte er einen Fehler gemacht? Er war überzeugt, selbst an allem schuld zu sein, Meredith einen falschen Eindruck vermittelt zu haben. Andernfalls, so dachte er, hätte sie sich niemals an ihn herangemacht. Die ganze Episode war ihm entsetzlich peinlich, und ihr wahrscheinlich ebenso. Er fühlte sich schuldig und elend – und zutiefst verunsichert, was die Zukunft anging. Was würde jetzt geschehen? Was würde sie tun?

Er hatte nicht die geringste Ahnung. In diesem Augenblick wurde ihm klar, daß er sie überhaupt nicht kannte. Sie waren einmal Liebende gewesen, aber das lag weit zurück. Jetzt war sie ein anderer Mensch, ein Mensch mit einer neuen Verantwortung. Für ihn war sie eine Fremde.

Obwohl der Abend mild war, fröstelte ihn. Er ging in den Innenraum der Fähre zurück, setzte sich und nahm sein Telefon heraus, um Susan anzurufen. Er drückte die Tasten, aber das Lämpchen leuchtete nicht auf. Die Batterie war leer. Das verwirrte ihn; eigentlich sollte sie einen ganzen Tag lang halten. Aber sie war leer.

Der krönende Abschluß dieses Tages.

Die Schiffsmotoren hämmerten. Tom Sanders stand in der Toilette der Fähre und betrachtete sich im Spiegel. Sein Haar war zerzaust; die Lippen waren von verschmiertem Lippenstift gerötet, einen weiteren Fleck entdeckte er auf seinem Hals; an seinem Hemd fehlten zwei Knöpfe, Hemd und Hose waren zerknittert. Er sah aus, als hätte er gerade eine scharfe Nummer geschoben. Er drehte den Kopf, um sein Ohr zu begutachten. An der Stelle, wo sie ihn gebissen hatte, befand sich ein kurzer dunkler Streifen verkrusteten Blutes. Er knöpfte das Hemd auf und betrachtete die dunkelroten Kratzspuren, die sich in parallel verlaufenden Reihen längs über seinen Oberkörper zogen.

Mein Gott!

Wie konnte er verhindern, daß Susan das sah?

Er befeuchtete Papiertücher und schrubbte den Lippenstift ab, strich sich das Haar glatt und knöpfte das Jackett zu, so daß der größte Teil des Hemds verdeckt war. Dann ging er wieder hinaus, setzte sich auf einen Stuhl am Fenster und starrte ins Leere.

»Hi, Tom!«

Er hob den Blick. Es war John Perry, sein Nachbar auf Bainbridge. Perry war Rechtsanwalt bei Marlin und Howard, einer der ältesten Sozietäten in Seattle, und gehörte zu den Menschen, die permanent unbändig gut gelaunt sind. Sanders hatte keine Lust, mit ihm zu reden, aber Perry hatte sich schon in dem Stuhl gegenüber niedergelassen.

»Wie geht's, wie steht's?« fragte er fröhlich.

»Recht gut«, antwortete Sanders.

»Also, ich habe einen *tollen* Tag hinter mir!«

»Schön für Sie.«

»Einfach *toll*«, fuhr Perry fort. »Wir hatten eine Verhandlung, und ich sage Ihnen, wir haben den Gegner in der Luft zerrissen.«

»Super«, sagte Sanders und starrte unverwandt aus dem Fenster in der Hoffnung, Perry würde die Andeutung verstehen und sich davonmachen.

Perry blieb. »Tja, und dabei war es ein verdammt kniffliger Fall. Alles sprach gegen uns. Ein Fall erzwungener Kündigung durch den Arbeitnehmer«, erklärte er. »Artikel VII, Federal

Court. Die Klientin – sie arbeitete bei MicroTech – behauptete, sie sei nicht befördert worden, weil sie eine Frau ist. Keine besonders günstige Ausgangslage, wenn ich ehrlich sein soll. Sie trank nämlich und so weiter. Es gab Probleme mit ihr. Aber wir haben da ein Mädel in unserer Sozietät, Louise Fernandez, eine Latina, die ist geradezu *tödlich* bei solchen Diskriminierungsfällen. Einfach *tödlich*. Hat die Jury glatt dazu gebracht, unserer Klientin fast eine halbe Million zuzusprechen. Diese Fernandez ist eine Virtuosin in Sachen Präzedenzrecht, das kann ich Ihnen sagen! 14 ihrer letzten 16 Fälle hat sie gewonnen. Die gibt sich so sanft und zurückhaltend – und innen drin ist sie das reinste *Eis*. Ich sage Ihnen, manchmal machen mir Frauen direkt angst.«
Sanders erwiderte nichts.

Das Haus war still, als er heimkam. Die Kinder schliefen schon; Susan brachte sie immer früh ins Bett. Er ging hinauf. Seine Frau saß im Bett und las; Gerichtsakten und andere Papiere waren über die Decken verstreut. Als sie ihn sah, stand sie auf und ging ihm entgegen, um ihn zu umarmen. Unwillkürlich zuckte er zurück.
»Tut mir wirklich leid, Tom«, sagte sie, »das mit heute morgen. Und natürlich tut mir sehr leid, was da in der Arbeit passiert ist.« Sie hielt ihm das Gesicht entgegen und küßte ihn flüchtig auf den Mund. Ungelenk wandte er sich von ihr ab. Er hatte Angst, sie könnte Meredith' Parfum riechen oder –
»Bist du noch sauer wegen heute morgen?« fragte sie.
»Nein. Wirklich nicht. Aber es war ein verdammt langer Tag für mich.«
»Viele Besprechungen wegen der Fusion?«

»Ja«, sagte er. »Und morgen folgen weitere. Ziemlich verrückt, das Ganze.«
Susan nickte. »Finde ich auch. Übrigens hat gerade jemand aus dem Büro für dich angerufen. Eine gewisse Meredith Johnson.«
»Ach ja?« Er gab sich Mühe, seine Stimme beiläufig klingen zu lassen.
»Mhm. Vor ungefähr zehn Minuten.« Susan ging wieder ins Bett. »Wer ist sie eigentlich?« Susan war immer mißtrauisch, wenn Frauen aus dem Büro anriefen.
»Sie ist die neue Stellvertretende«, sagte Sanders. »Sie haben sie gerade von Cupertino hergeholt.«
»Ich habe mich schon gewundert ... sie tat so, als würde sie mich kennen.«
»Ich glaube nicht, daß ihr euch schon mal begegnet seid.« Er schwieg und hoffte, nicht mehr sagen zu müssen.
»Na, jedenfalls klang sie sehr nett. Sie bat mich, dir auszurichten, daß für die Bestandsaufnahme morgen früh um 8 Uhr 30 alles fertig ist und daß ihr euch dann morgen sehen werdet.«
»Okay. In Ordnung.«
Er stieß die Schuhe von den Füßen und begann sein Hemd aufzuknöpfen, hielt aber plötzlich inne. Er bückte sich und hob die Schuhe auf.
»Wie alt ist sie denn?« wollte Susan wissen.
»Meredith? Weiß ich nicht. 35 oder so. Warum?«
»Einfach so.«
»Ich gehe unter die Dusche«, sagte Sanders.
»Okay.« Sie sammelte die verstreut herumliegenden Schriftsätze ein, machte es sich wieder im Bett bequem und drehte den Lichtstrahl der Leselampe zu sich.
Er ging zur Tür.
»Kanntest du sie eigentlich?« fragte Susan.
»Ich habe sie schon mal gesehen, ja. In Cupertino.«

»Was genau macht sie denn jetzt hier?«
»Sie ist meine neue Chefin.«
»Ach, *die* ist das.«
»Ja, die ist das.«
»Sie ist diese Frau, die Garvin so nahesteht?«
»Ja. Wer hat dir das erzählt? Adele?« Adele war Mark Lewyns Frau, eine von Susans besten Freundinnen.
Sie nickte. »Mary Anne hat auch angerufen. Das Telefon hat gar nicht mehr aufgehört zu klingeln.«
»Kann ich mir vorstellen.«
»Dann bumst Garvin also mit ihr, oder wie?«
»Keiner weiß was. Die allgemeinen Mutmaßungen gehen dahin, daß er sie *nicht* bumst.«
»Warum hat er sie dann angebracht, anstatt dir den Job zu geben?«
»Ich weiß es nicht, Sue.«
»Hast du nicht mit Garvin gesprochen? Oder sagt er dir nichts?«
»Er kam heute morgen in mein Büro, wollte mit mir reden, aber ich war nicht da.«
Sie nickte. »Du bist bestimmt stocksauer. Oder markierst du wieder mal den Verständnisvollen?«
»Na ja.« Er zuckte mit den Achseln. »Was soll ich schon machen?«
»Du kannst kündigen«, sagte sie.
»Kommt nicht in Frage.«
»Sie haben dich übergangen. *Mußt* du da nicht geradezu kündigen?«
»Die Wirtschaftslage ist nicht so, daß man schnell einen neuen Job finden könnte. Und ich bin 41. Ich habe keine Lust, von vorn anzufangen. Außerdem behauptet Phil, daß die Technikabteilung trotz allem ausgegliedert wird und noch in diesem Jahr an die Börse geht. Auch wenn ich sie nicht

leite, werde ich in diesem neuen Unternehmen doch weiterhin eine leitende Funktion innehaben.«
»Und hat er irgendwelche Einzelheiten erzählt?«
Sanders nickte. »Sie geben jedem von uns die Möglichkeit, 20 000 Anteile zu kaufen, außerdem erhält jeder das Bezugsrecht auf weitere 50 000. Und dann in jedem darauffolgenden Jahr das Bezugsrecht auf noch mal 50 000.«
»Zu wieviel?«
»Üblich sind 25 Cent pro Aktie.«
»Und zu welchem Preis wird die Aktie dann angeboten? Fünf Dollar?«
»Mindestens. Neu emittierte Aktien ziehen immer mehr an. Und dann steigt sie auf, sagen wir, 10 Dollar. Vielleicht sogar auf 20, wenn es gut läuft.«
Beide schwiegen eine Weile. Er wußte, daß Susan gut mit Zahlen umgehen konnte. »Nein«, sagte sie schließlich. »Du kannst unmöglich kündigen.«
Er hatte es sich schon oft durchgerechnet. Aus den Wertpapieren konnte er mindestens soviel herausholen, daß die Hypothek in einer einzigen Zahlung zu tilgen war. Wenn die Aktien aber in die Höhe schossen, dann konnte es eine geradezu fantastische Summe werden – zwischen 5 und 14 Millionen Dollar. Aus diesem Grund war der Gang an die Börse der Traum eines jeden Angestellten in einem technischen Unternehmen.
»Meinetwegen«, sagte er, »können sie Godzilla als Abteilungsleiter anbringen – ich würde trotzdem noch zwei Jahre bleiben.«
»Und haben sie das getan? Haben sie Godzilla angebracht?«
Er hob die Schultern. »Ich weiß es nicht.«
»Kommst du gut mit ihr aus?«
Er zögerte. »Ich weiß nicht so recht. Ich gehe jetzt unter die Dusche.«

»Okay«, sagte Susan.
Er schielte kurz zu ihr hinüber. Sie war wieder mit ihren Gerichtsakten beschäftigt.

Nach dem Duschen schloß er sein Telefon an das Ladegerät neben der Küchenspüle an und zog ein T-Shirt und Boxershorts an. Er betrachtete sich im Spiegel; alle Kratzer waren verdeckt. Aber Meredith' Parfum machte ihm noch Sorgen. Er rieb sich die Wangen mit Aftershave ein.
Dann ging er ins Zimmer seines Sohnes, um nach ihm zu sehen. Matthew lag laut schnarchend da, den Daumen im Mund. Er hatte sich freigestrampelt. Vorsichtig legte Sanders die Bettdecke über ihn und gab ihm einen Kuß auf die Stirn.
Er öffnete die Tür zu Elizas Zimmer. Zuerst konnte er seine Tochter gar nicht entdecken; in letzter Zeit hatte sie die Angewohnheit, sich beim Schlafen unter einem Berg von Decken und Kissen zu verkriechen. Auf Zehenspitzen ging Sanders hinein und sah plötzlich eine kleine Hand hervorragen und ihm zuwinken. Er trat ans Bett.
»Warum schläfst du nicht, Eliza?« flüsterte er.
»Ich habe was geträumt«, sagte sie. Aber sie wirkte nicht verängstigt.
Er setzte sich auf die Bettkante und strich Eliza übers Haar.
»Von was hast du denn geträumt?«
»Von einem Monster.«
»Aha ...«
»Das Monster war in Wirklichkeit ein Prinz, aber die Zauberin hatte ihn verzaubert.«
»Genau ...« Er streichelte ihr Haar.
»So daß er ein abscheuliches Monster wurde.«

Sie zitierte den Film beinahe wortwörtlich.
»Ja, genau«, sagte er.
»Aber warum?«
»Ich weiß es nicht, Lize. Die Geschichte geht eben so.«
»Weil er sie nicht vor der bitteren Kälte beschützte?« plapperte sie weiter. »Aber warum *hat* er sie nicht beschützt, Dad?«
»Ich weiß auch nicht.«
»Weil in seinem Herzen keine Liebe war.«
»Du mußt jetzt schlafen, Lize.«
»Erzähl mir erst, was ich träumen soll, Dad!«
»Na gut. Da ist eine wunderschöne Silberwolke, die hängt über deinem Bett, und –«
»Das ist kein guter Traum, Dad.« Sie sah ihn mißmutig an.
»Okay. Was für einen Traum willst du denn?«
»Einen mit Kermit!«
»Okay. Kermit sitzt hier neben deinem Kopf und wird dich die ganze Nacht bewachen.«
»Und dich auch.«
»Ja, und mich auch.« Er küßte sie auf die Stirn. Sie rollte sich zur Wand. Als er aus dem Zimmer ging, hörte er, wie sie laut an ihrem Daumen lutschte.
Er kehrte ins Schlafzimmer zurück und schob Susans Papiere zur Seite, um sich ins Bett legen zu können.
»War sie noch wach?« fragte Susan.
»Ich glaube, sie wird gleich einschlafen. Sie wollte einen Traum. Einen mit Kermit.«
Seine Frau nickte. »Ja, Kermit ist zur Zeit der große Renner.« Über sein T-Shirt verlor sie kein Wort. Er schlüpfte unter die Decke und fühlte sich schlagartig erschöpft. Er legte den Kopf aufs Kissen und schloß die Augen. Susan sammelte ihre Papiere ein und drehte das Licht aus.
»Mmm«, sagte sie, »du riechst aber gut!«

Sie kuschelte sich an ihn, drückte ihr Gesicht an seinen Hals und legte ein Bein über seine Oberschenkel. Das war Susans ewig gleiche Einleitung zum Vorspiel, die ihn immer wieder ärgerte. Irgendwie fühlte er sich festgenagelt von diesem schweren Bein.

Sie streichelte seine Wange. »Ist dieses After-shave für mich?«

»Ach, Susan …« Er seufzte auf, übertrieb seine Müdigkeit.

»Es funktioniert nämlich«, sagte sie kichernd, legte ihre Hand unter der Bettdecke auf seine Brust und ließ sie gleich darauf unter das T-Shirt gleiten.

Plötzlich überkam ihn eine enorme Wut. Was war eigentlich los mit ihr? Sie hatte überhaupt kein Gefühl in solchen Dingen. Immer machte sie sich zu den unpassendsten Zeiten und an den unmöglichsten Orten an ihn heran. Er griff unter sein T-Shirt und packte ihre Hand.

»Stimmt was nicht?«

»Ich bin wirklich müde, Sue.«

Sie hörte auf, ihn zu streicheln. »Mieser Tag, was?« sagte sie in mitfühlendem Ton.

»Ja. Ziemlich mies.«

Sie stützte sich auf einen Ellbogen, beugte sich über ihren Mann und strich sanft mit einem Finger über seine Unterlippe.

»Willst du nicht, daß ich dich ein bißchen aufheitere?«

»Nein, wirklich nicht.«

»Nicht mal ein kleines bißchen?«

Wieder seufzte er auf.

»Bist du ganz sicher, daß du es nicht willst?« fragte sie neckisch. »Ganz, *ganz* sicher?« Und dann kroch sie unter die Bettdecke.

Er griff nach unten und hielt ihren Kopf mit beiden Händen fest. »Bitte, Susan! Hör schon auf!«

Sie kicherte. »Es ist erst halb neun. *So* müde kannst du doch noch gar nicht sein.«

»Bin ich aber.«

»Das werden wir ja sehen ...«

»Verdammt noch mal, Susan! Ich bin nicht in der Stimmung!«

»Schon gut, schon gut.« Sie ließ ihn los. »Aber ich frage mich wirklich, warum du dich mit After-shave einreibst, wenn du gar nicht interessiert bist.«

»Verdammt noch mal!«

»Und überhaupt – wir schlafen sowieso kaum mehr miteinander.«

»Das liegt daran, daß du ständig auf Reisen bist.« Es war ihm herausgerutscht.

»Ich bin nicht ständig auf Reisen!«

»Du bist mehrere Nächte pro Woche nicht zu Hause.«

»Das ist nicht ›ständig auf Reisen‹. Und außerdem ist das mein Job. Ich dachte, du würdest mich in meiner Arbeit unterstützen.«

»Ich unterstütze dich sehr wohl.«

»Herumnörgeln ist etwas anderes als mich unterstützen.«

»Jetzt reicht es aber, verdammt noch mal!« sagte Sanders. »Jedesmal, wenn du nicht in Seattle bist, komme ich früher heim, esse mit den Kindern Abendbrot und kümmere mich um alles, damit du möglichst wenig Arbeit hast und dir keine Sorgen machen mußt –«

»*Manchmal*«, sagte sie. »Und manchmal bleibst du abends ewig im Büro, und die Kinder werden die halbe Nacht von Consuela beaufsichtigt –«

»Ich habe eben auch einen Job –«

»Also erspar mir dieses Gerede, du würdest dich um alles kümmern! Du bist nicht annähernd so viel zu Hause wie ich – ich bin hier diejenige, die zwei Jobs hat, und die meiste Zeit tust du nichts anderes als das, wozu du Lust hast, genau wie jeder andere beschissene Mann auf der Welt!«

»Susan ...«

»Mein Güte – hin und wieder kommt er mal ein bißchen früher heim, und gleich spielt er sich zum Märtyrer auf ...« Sie setzte sich hin und knipste ihre Nachttischlampe an. »Jede Frau, die ich kenne, arbeitet härter als ein Mann.«

»Susan, ich will jetzt nicht streiten.«

»Na klar, jetzt bin wieder ich an allem schuld! Ich bin diejenige, die ein Problem hat, was? *Scheißmänner*!«

Er war zwar müde, aber die Wut gab ihm wieder Energie. Plötzlich fühlte er sich stark. Er stieg aus dem Bett und begann im Zimmer auf und ab zu gehen. »Was hat das damit zu tun, ob man ein Mann ist oder nicht? Kriegen wir jetzt wieder mal zu hören, wie unterdrückt du bist?«

»Hör mal gut zu«, sagte sie und setzte sich noch aufrechter hin. »Frauen *sind* unterdrückt. Das ist eine Tatsache.«

»Ach, wirklich? Wie wirst du denn unterdrückt? Du wäschst nie Wäsche, du kochst nie eine Mahlzeit. Du wischst nie den Boden. Du hast jemanden, der das für dich macht. Du hast jemanden, der alles für dich tut. Du hast jemanden, der deine Kinder in die Schule bringt, und jemanden, der sie abholt. Du bist Anwältin in einer Sozietät, verdammt noch mal – du bist ungefähr genauso unterdrückt wie Leona Helmsley.«

Sie sah ihn erstaunt an. Er wußte, warum: Susan hatte ihre flammende Rede über die Unterdrückung der Frauen schon oft gehalten, aber noch nie hatte er ihr widersprochen. Im Lauf der Zeit und durch zahlreiche Wiederholungen waren ihre Ansichten zu einer innerhalb ihrer Ehe akzeptierten Meinung geworden. Jetzt aber äußerte er eine andere Ansicht, was einer Änderung der Regeln gleichkam.

»Ist ja nicht zu fassen. Ich dachte immer, du wärst anders.« Sie musterte ihn mitleidig mit ihrem typischen vernünftigen

Blick. »Du führst dich so auf, weil eine Frau deinen Job bekommen hat, stimmt's?«

»Auf was willst du denn jetzt hinaus – auf das schwache männliche Ego oder was?«

»Es stimmt doch – du fühlst dich bedroht.«

»Nein, ich fühle mich nicht bedroht. Das ist totaler Quatsch. Wer hat denn hier das schwache Ego? Dein Ego ist so verdammt schwach, daß du nicht mal eine Zurückweisung im Bett verkraftest, ohne sofort Streit zu suchen.«

Das saß. Er sah es sofort: Sie wußte nichts zu erwidern. Sie saß stirnrunzelnd da und starrte ihn grimmig an.

»Verdammt noch mal!« sagte er und wandte sich zum Gehen.

»*Du* hast diesen Streit begonnen«, sagte sie.

Er drehte sich um. »Stimmt nicht!«

»Doch, es stimmt. *Du* hast mit dem ›ständig auf Reisen‹ angefangen.«

»Nein. Du hast dich darüber beklagt, daß wir nicht oft genug miteinander schlafen.«

»Ich habe mich nicht beklagt, ich habe eine Aussage darüber getroffen.«

»Himmel! Warum habe ich bloß eine Anwältin geheiratet?«

»Und außerdem *ist* dein Ego schwach.«

»Willst du über schwache Egos reden, Susan? Du hast derart wenig Selbstbewußtsein, daß du dich heute morgen für den *Kinderarzt* schönmachen mußtest!«

»Ah, da haben wir es ja schon! Na, endlich! Du bist eben *doch* noch sauer, weil du wegen mir zu spät ins Büro gekommen bist. Was soll das? Glaubst du, du hast den Job nicht gekriegt, weil du zu spät gekommen bist?«

»Nein«, sagte er, »ich habe den Job nicht –«

»Du hast den Job deshalb nicht bekommen, weil Garvin ihn dir nicht gegeben hat. Du hast das Spiel nicht gut genug

gespielt, eine andere hat es besser gespielt. Das ist der Grund: Eine Frau hat das Spiel besser gespielt.«
Zitternd vor Wut, unfähig, noch ein Wort zu sagen, machte Sanders auf der Stelle kehrt und verließ das Schlafzimmer.
»Ja, genau, hau nur ab!« rief Susan ihm nach. »Geh nur! Das tust du ja immer. Hau nur ab! Verteidige dich nicht! Du willst es nicht hören, Tom, aber es ist die Wahrheit: Daß du den Job nicht bekommen hast, kannst du niemand anderem zuschreiben als dir selbst.«
Er knallte die Tür zu.

Er saß in der dunklen Küche. Um ihn herum war alles still, nur der Kühlschrank brummte. Durch das Küchenfenster sah er zwischen den Fichten den Mond über der Bucht.
Er überlegte, ob Susan wohl zu ihm herunterkommen würde, aber sie kam nicht. Er stand auf und ging unruhig auf und ab. Nach einer Weile fiel ihm ein, daß er nichts gegessen hatte. Er öffnete den Kühlschrank und blinzelte in das Licht. Das Ding quoll fast über von Babynahrung, großen Saftkartons, Babyvitaminen und Flaschen mit Babymilch. Auf der Suche nach einem Stück Käse oder einem Bier wühlte er zwischen den Sachen herum, aber außer einer von Susans Cola-Light-Dosen konnte er nichts finden.
Mein Gott, dachte er, früher war das anders. Früher war sein Kühlschrank immer mit Tiefkühlkost und Chips und Dips und mit jeder Menge Bier vollgestopft gewesen. In seiner Junggesellenzeit.
Er nahm das Cola Light heraus. Eliza begann nun auch schon, das Zeug zu trinken. Er hatte Susan hundertmal gesagt, wie sehr es ihm gegen den Strich ging, wenn die Kinder künstlich

gesüßte Getränke zu sich nahmen. Sie sollten gesunde Sachen essen und trinken. Richtige Sachen. Aber Susan hatte keine Zeit, und Consuela zeigte sich in bezug auf Ernährung völlig gleichgültig. Die Kinder aßen allen möglichen Mist. Er fand das nicht gut. Er jedenfalls war nicht so aufgezogen worden.

Nichts zu essen da. In seinem eigenen verdammten Kühlschrank war nichts für ihn zu essen da. Hoffnungsvoll hob er den Deckel von einer Tupperware-Dose und fand ein angebissenes Sandwich mit Erdnußbutter und Marmelade. An einer Seite waren deutlich die Abdrücke von Elizas Zähnchen zu sehen. Er nahm das Sandwich, drehte es um und versuchte festzustellen, wie alt es wohl war. Schimmelig war es jedenfalls nicht.

Ach, was soll's, dachte er und machte sich im Licht des geöffneten Kühlschranks über den Rest von Elizas Sandwich her. Als er sein Spiegelbild im Glaseinsatz des Backofens sah, erschrak er ein bißchen. »Noch so ein privilegierter Angehöriger des Patriarchats, der sich auf seinem Landsitz als Herr aufspielt ...«

Verdammt noch mal, dachte er, woher schnappten die Frauen nur immer diesen Quatsch auf?

Er vertilgte das Sandwich und rieb sich die Krümel von den Händen. Die Wanduhr zeigte Viertel nach neun. Susan ging immer früh zu Bett. Offensichtlich würde sie heute abend nicht mehr herunterkommen und sich mit ihm versöhnen. Sie tat es fast nie. Immer blieb es ihm überlassen, die Versöhnung einzuleiten. Er öffnete einen Milchkarton und trank daraus; dann stellte er ihn auf den Drahtboden zurück. Er schloß die Kühlschranktür. Es war wieder dunkel.

Er ging zum Spülbecken, wusch sich die Hände und trocknete sie an einem Geschirrtuch ab. Jetzt, nachdem er ein bißchen gegessen hatte, war seine Wut nicht mehr so stark. Müdigkeit überkam ihn. Er warf noch einen Blick aus dem Fenster und sah durch die Bäume hindurch die Lichter einer Fähre, die sich in westlicher Richtung auf Bremerton zubewegte. Die Abgeschiedenheit auf der Insel gehörte zu den Dingen, die er an diesem Haus schätzte. Es war von einem kleinen Grundstück umgeben, das war gut für die Kinder. Kinder brauchten Platz zum Herumtollen und zum Spielen.

Er gähnte. Nein, jetzt würde sie bestimmt nicht mehr herunterkommen. Er mußte warten bis morgen früh. Er wußte, wie es wieder laufen würde: Er würde als erster aufstehen, ihr eine Tasse Kaffee machen und sie ihr ans Bett bringen. Dann würde er sich entschuldigen, und sie würde zu ihm sagen, daß es ihr auch leid tue, dann würden sie einander umarmen, und er würde sich anziehen und in die Arbeit gehen. Und damit war die Sache dann erledigt.

Er stieg im Dunkeln die Treppe in den ersten Stock hinauf und öffnete die Schlafzimmertür. Susan atmete tief und ruhig. Er schlüpfte ins Bett und drehte sich auf seine Seite. Und dann schlief er ein.

DIENSTAG

Am Morgen regnete es. Wahre Wassermassen klatschten gegen die Fenster der Fähre. Sanders stand in der Schlange um Kaffee an und überlegte, wie der Tag wohl werden würde, als er aus den Augenwinkeln Dave Benedict auf sich zukommen sah. Rasch drehte er sich um, aber es war schon zu spät. Benedict rief: »He, alter Knabe!« und winkte ihm zu. Sanders war an diesem Morgen ganz und gar nicht in der Stimmung, über DigiCom zu plaudern.

Im letzten Augenblick rettete ihn ein Anruf. Das Telefon in seiner Tasche begann zu piepsen. Sanders wandte sich ab, um unbehelligt sprechen zu können.

»Der absolute Hammer, Tommy-Boy!« Es war Eddie Larson aus Austin.

»Was ist denn, Eddie?«

»Dieser Erbsenzähler, den die uns aus Cupertino geschickt haben, du weißt schon – also, hör gut zu: Inzwischen sind es *acht!* Jenkins und McKay, Unabhängige Wirtschaftsprüfer, Dallas. Die stürzen sich auf sämtliche Bücher wie die Kakerlaken, wirklich auf alles: Forderungen, Verbindlichkeiten, Aktiva und Passiva, das laufende Geschäftsjahr bis zum heutigen Tag, einfach alles! Und jetzt verfolgen sie alles Jahr für Jahr bis '89 zurück!«

»Wirklich? Die bringen alles durcheinander?«

»Das kannst du mir glauben. Die Mädchen haben nicht mal mehr Platz, um sich hinzusetzen und Anrufe entgegenzunehmen. Außerdem ist alles von '91 an in der Innenstadt gelagert.

Wir haben es zwar hier auf Mikrofiche, aber die Herren legen Wert auf die Originaldokumente, wollen Papier sehen. Kommandieren uns herum. Die haben schon einen ganz schrägen Blick vor lauter Paranoia. Behandeln uns wie Diebe oder so, wollen uns unbedingt drankriegen. Das Ganze ist eine einzige Frechheit!«

»Geht nicht anders«, sagte Sanders. »Ihr müßt tun, was sie euch sagen.«

»Was mich wirklich ankotzt«, fuhr Eddie fort, »ist, daß heute nachmittag noch mal sechs von der Sorte reinschneien sollen. Die führen nämlich obendrein eine vollständige Inventur der Fabrik durch – alles, von den Büromöbeln bis hin zu den Druckluftpressen entlang der Fertigungsstraße. Einer von den Kerlen geht gerade die ganze Fertigungsstraße ab, bleibt an jedem Arbeitsplatz stehen und fragt: ›Wie nennt man diesen Gegenstand? Wie buchstabiert man das? Wer stellt es her? Wie lautet die Modellnummer? Wie alt ist es? Wo ist die Seriennummer?‹ Wenn du mich fragst, können wir die Produktion gleich für den Rest des Tages einstellen, verdammt noch mal!«

Sanders verzog das Gesicht. »Eine Inventur führen die durch?«

»Zumindest nennen sie es so. Aber was die machen, geht über jede Inventur hinaus, von der ich je gehört habe. Die Typen haben mal drüben bei Texas Instruments oder so gearbeitet, und eines muß ich ihnen lassen: Sie wissen, wovon sie reden. Heute morgen kam einer dieser Jenkins-Leute zu mir und fragte mich, welche Art Glas wir in den Deckenluken haben. ›Welche Art Glas?‹ frage ich ihn – ich dachte, der Kerl will mich verarschen. Da sagt er doch glatt: ›Ja. Ist es Corning 247 oder 247/9‹ – so was in der Art. Das sind verschiedene Sorten UV-Glas. UV-Strahlen können nämlich Chips während der Fertigung beschädigen. ›Tja‹, meint der Typ, ›wenn eure

S.p.a. über 220 liegen, wird es gefährlich.‹ Das sind Sonnentage per annum. Hast du das schon mal gehört?«

Sanders' Gedanken aber kreisten noch um die Frage, was es zu bedeuten hatte, daß jemand – entweder Garvin oder die Leute von Conley-White – eine Inventur der Firma anordnete. Normalerweise wurde eine Inventur nur dann gefordert, wenn man die Fabrik zu verkaufen beabsichtigte. Dann war eine Inventur unumgänglich. Man mußte die Abschreibungen zum Zeitpunkt der Vermögensübertragung auflisten, und –

»Bist du noch dran, Tom?«

»Ja, ja.«

»Ich sage also zu dem Typen, daß ich das noch nie gehört habe – das von den UV-Strahlen und den Chips – und daß wir schon seit Jahren Chips in Telefone einsetzen und noch nie Probleme hatten. Und da sagt der Mensch zu mir: ›Nein, nein, nicht beim Installieren der Chips. UV-Strahlen können Chips bei der *Herstellung* beschädigen.‹ Da erkläre ich ihm, daß wir hier keine Chips herstellen. Daraufhin er: ›Ich weiß.‹ Und jetzt frage ich mich: Was, zum Teufel, interessiert den, welches Glas wir haben? Tommy-Boy? Bist du noch dran? Was ist eigentlich los? Heute abend werden es insgesamt 14 Kerle sein, die da über uns herfallen, und sag mir jetzt bitte nicht, das Ganze wäre eine Routineangelegenheit!«

»Sieht nicht nach einer Routineangelegenheit aus, nein.«

»Sieht ganz so aus, als würden sie die Fabrik an jemanden verkaufen, der Chips produziert, so sieht es aus. Und *wir* produzieren nun mal keine.«

»Stimmt. Sieht ganz danach aus.«

»Wirklich super«, sagte Eddie sarkastisch. »Du hast mir doch beteuert, genau das würde nicht passieren. Tom: Die Leute hier werden nervös. Und ich auch.«

»Verstehe.«

»Ich meine, die Leute kommen zu mir und stellen mir Fragen. Die haben gerade ein Haus gekauft, oder ihre Frau ist schwanger, ein Baby ist unterwegs, und da wollen sie natürlich wissen, was los ist. Und was, bitte, soll ich ihnen sagen?«

»Ich verfüge über keinerlei Information, Eddie.«

»Menschenskind, Tom, du bist der Abteilungsleiter!«

»Ich weiß. Ich setze mich mal mit Cork in Verbindung und versuche herauszufinden, was die Wirtschaftsprüfer dort gemacht haben. Dort waren sie nämlich vergangene Woche.«

»Ich habe schon vor einer Stunde mit Colin gesprochen. Die Unternehmensplanung hat zwei Leute zu ihnen geschickt. Einen Tag lang waren sie da. Sehr höflich. Nicht zu vergleichen mit dem, was hier abläuft.«

»Keine Inventur?«

»Keine Inventur.«

»Okay«, sagte Sanders seufzend. »Dann laß mich das mal rausfinden.«

»Tommy-Boy, ich mußte es dir leider sagen – ich befürchte, es gibt da einiges, was nicht mal du weißt.«

»Das befürchte ich auch«, sagte Sanders.

Er beendete das Gespräch. Dann drückte er K-A-P für Stephanie Kaplan. Sie wußte bestimmt, was in Austin vor sich ging, und er war ziemlich sicher, daß sie es ihm auch sagen würde. Aber ihre Sekretärin teilte ihm mit, daß Kaplan den ganzen restlichen Vormittag nicht in ihrem Büro sein werde. Sanders rief Mary Anne an, aber auch sie war nicht zu erreichen. Dann wählte er die Nummer des *Four Seasons Hotel* und fragte nach Max Dorfman. Die Telefonistin erklärte, Mr. Dorfmans Leitungen seien besetzt. Sanders nahm sich vor, es später noch einmal zu versuchen. Denn wenn Eddie recht hatte, bedeutete das, daß er, Sanders, über wichtige Beschlüsse nicht mehr informiert wurde. Und das war nicht gut!

Auf jeden Fall würde er im Anschluß an das Vormittagstreffen mit Conley-White mit Meredith über das Thema Fabrikstilllegung sprechen. Mehr konnte er im Augenblick nicht tun. Die Vorstellung, mit ihr zu reden, rief starkes Unbehagen in ihm wach. Aber irgendwie würde er es schaffen. Es blieb ihm gar nichts anderes übrig.

Als er den Konferenzraum im vierten Stock betrat, fand er ihn leer vor. An eine Tafel an der gegenüberliegenden Wand hatte jemand den Querschnitt des Twinkle-Laufwerks sowie eine schematische Darstellung der Fertigungsstraße in der malaysischen Niederlassung gezeichnet. Auf einigen der offen daliegenden Papiere sah er hingekritzelte Notizen, neben mehreren Stühlen lagen aufgeklappte Aktenkoffer.

Die Besprechung hatte bereits begonnen.

Sanders geriet in Panik. Ihm brach der Schweiß aus.

Durch eine Tür am anderen Ende des Konferenzraums trat eine Sekretärin ein und begann, rings um den Tisch Gläser und Mineralwasserflaschen zu verteilen.

»Wo sind denn alle?« fragte er.

»Ach, die sind vor einer Viertelstunde gegangen.«

»Vor einer Viertelstunde? Wann hat die Besprechung begonnen?«

»Die Besprechung war auf acht Uhr festgesetzt.«

»Auf acht? Ich dachte, sie sollte um halb neun beginnen.«

»Nein, die Besprechung begann um acht.«

Verdammt!

»Und wo sind sie jetzt?«

»Meredith hat sie alle nach unten zum VIE geführt. Sie will ihnen den Korridor zeigen.«

Das erste, was Sanders bei seinem Eintreten ins VIE hörte, war Gelächter. Als er in den Hauptraum kam, sah er, daß Don Cherrys Team gerade dabei war, das System an zwei Führungskräften von Conley-White zu demonstrieren. John Conley und Jim Daly gingen, mit Datenhelm und Datenhandschuh ausgestattet, auf der Lauffläche umher. Beide grinsten übers ganze Gesicht, und alle anderen Anwesenden lachten lauthals, selbst Ed Nichols, der sonst so sauertöpfische Finanzmanager von Conley-White; er hatte den Blick auf einen Seitenmonitor gerichtet, der den virtuellen Korridor so zeigte, wie auch die Benutzer ihn sahen. Auf seiner Stirn zeichneten sich rötliche Flecken ab – er hatte den Helm schon getragen, war also bereits im Korridor gewesen.

Als Sanders sich der Gruppe näherte, warf Nichols ihm einen Blick zu. »Das ist wirklich fantastisch!«

»Ja, ziemlich spektakulär«, sagte Sanders.

»Einfach fantastisch! Wenn die in New York das sehen, wird jede Kritik verstummen! Wir haben Don gebeten, uns durch unsere eigene Betriebsdatenbank gehen zu lassen!«

»Kein Problem«, meinte Cherry. »Sie müssen uns nur die Programmcodes für Ihre Datenbank geben, dann bringen wir Sie rein. Dauert ungefähr eine Stunde.«

Nichols deutete auf den Datenhelm. »Und von diesen komischen Dingern da kriegen wir eines nach New York?«

»Klar«, sagte Cherry. »Wir können es noch heute versenden, dann haben Sie es am Donnerstag. Ich schicke Ihnen einen von meinen Leuten, der schließt es Ihnen an.«

»Das wird ein *sehr* wichtiges Verkaufsargument sein«, erklärte Nichols. »Einfach großartig!« Er holte seine Brille mit den Halbgläsern hervor. Es handelte sich um eine komplizierte, auf ein sehr kleines Format zusammenklappbare Brille. Nichols klappte sie auf und setzte sie sich auf die Nase.

John Conley stapfte auf der Lauffläche umher, lachte plötzlich laut auf, sagte: »Engel! Wie öffne ich diese Schublade?« und lauschte mit geneigtem Kopf.

»Er spricht mit dem Engel«, erklärte Cherry. »Über den Kopfhörer kann er ihn hören.«

»Was sagt denn der Engel zu ihm?« wollte Nichols wissen.

»Das bleibt das Geheimnis der beiden!« sagte Cherry lachend.

John Conley auf der Lauffläche nickte langsam, während er lauschte; dann griff er mit der Hand nach vorn in die Luft. Er schloß die Hand, als würde er etwas packen, und zog sie zurück. Es war, wie wenn ein Pantomime das Aufziehen einer Schublade imitiert.

Auf dem Monitor sah Sanders die virtuelle Schublade eines virtuellen Aktenschranks aus der Wand des Korridors gleiten. In der Schublade befanden sich ordentlich aufgereihte Akten.

»Wow!« sagte Conley. »Das ist wirklich erstaunlich! Engel! Kann ich mir mal eine Akte ansehen? ... Ach. Na gut.«

Conley streckte die Hand aus und berührte mit der Fingerspitze eine der Aktenaufschriften. Sofort sprang die Akte aus der Schublade, öffnete sich und blieb scheinbar in der Luft hängen.

»Hin und wieder müssen wir die physische Metapher durchbrechen, weil die Anwender nur eine Hand einsetzen können«, sagte Cherry. »Und mit einer Hand kann man eine normale Akte nicht aufschlagen.«

Conley auf der Lauffläche bewegte seine Hand in kurzen, bogenförmigen Gesten durch die Luft – wie jemand, der mit einer Hand Seiten umblättert. Auf dem Monitor sah Sanders, daß Conley tatsächlich eine Reihe von Tabellen durchging.

»He, Leute«, sagte Conley, »ihr solltet vorsichtiger sein. Ich habe hier all eure Finanzunterlagen!«

»Das will ich sehen!« sagte Daly, der ebenfalls auf der Lauffläche stand, und wandte sich Conley zu.
»Sehen Sie sich ruhig an, was Sie wollen!« Cherry kam aus dem Lachen nicht mehr heraus. »Genießen Sie es, solange es noch geht. Das System wird nämlich, wenn es einmal fertig ist, über eingebaute Sicherungen verfügen, die den Zugriff kontrollieren. Aber im Augenblick umgehen wir das gesamte System. Ist Ihnen aufgefallen, daß einige der Zahlen rot sind? Das bedeutet, daß sie bestimmte Details gespeichert haben. Berühren Sie mal eine!«
Conley berührte eine rote Zahl. Die Zahl wurde größer und schuf eine neue Informationsebene, die nun über der ursprünglichen Tabelle hing.
»Wow!«
»So 'ne Art Hypertext-Sache«, sagte Cherry mit coolem Achselzucken. »Ich finde es selbst ziemlich gut, muß ich sagen.«
Conley und Daly steckten kichernd die Köpfe zusammen, besahen sich die Zahlen auf der Tabelle und zoomten etwa ein Dutzend Detailblätter hervor, die dann um sie herum in der Luft stehenblieben. »He, wie werden wir das Zeug wieder los?«
»Sehen Sie das erste Blatt noch?«
»Es ist hinter den anderen Blättern versteckt.«
»Beugen Sie sich vor und sehen Sie nach! Vielleicht kriegen Sie es zu fassen.«
Conley beugte den Oberkörper vor und wühlte offenbar in einem Haufen Detailblätter herum. Dann streckte er den Arm aus und packte etwas in der Luft. »Ich habe es!«
»Okay. Sie sehen jetzt einen grünen Pfeil in der rechten Ecke. Berühren Sie ihn!«
Conley tat es. Alle Dokumente zoomten in das ursprüngliche Papier zurück.
»Gigantisch!«

»Ich möchte das auch mal machen!« quengelte Daly.
»Nein, nicht Sie – ich mache das jetzt mal!«
»Nein, ich!«
»*Ich*!«
Sie kicherten wie ins Spiel versunkene Kinder.
Plötzlich schaltete Blackburn sich ein. »Ich weiß, wie unterhaltsam das für Sie alle ist«, sagte er zu Nichols, »aber wir sind bereits in unserem Zeitplan zurück und sollten jetzt vielleicht doch besser wieder in den Konferenzraum gehen.«
»Na gut«, erwiderte Nichols sichtbar widerwillig. Dann wandte er sich an Cherry. »Und Sie werden uns ganz bestimmt eines von diesen Dingern schicken?«
»Sie können sich darauf verlassen«, versicherte ihm Cherry.

Auf dem Weg zurück in den Konferenzraum waren die Chefs von Conley-White geradezu aufgekratzt: Sie sprachen wild durcheinander und lachten über das, was sie gerade erlebt hatten. Die DigiCom-Leute gingen schweigend neben ihnen her, um die gute Stimmung nicht zu gefährden. Plötzlich war Mark Lewyn neben Sanders und flüsterte ihm zu: »He – warum hast du mich gestern abend nicht mehr angerufen?«
»Aber ich habe dich angerufen.«
Lewyn schüttelte den Kopf. »Als ich heimkam, war nichts von dir auf dem Anrufbeantworter.«
»Aber ich habe so gegen Viertel nach sechs auf deinen Anrufbeantworter gesprochen.«
»Es war nichts darauf«, wiederholte Lewyn. »Und als ich heute morgen hierherkam, warst du nicht da.« Wieder senkte er die Stimme. »Ich saß nicht schlecht in der Patsche, Mann! Ich mußte in die Besprechung über Twinkle, ohne die gering-

ste Ahnung zu haben, welche Haltung ich einnehmen sollte!«

»Tut mir sehr leid, aber ich weiß wirklich nicht, was da passiert ist.«

»Gott sei Dank hat Meredith dann die Diskussionsleitung übernommen«, fuhr Lewyn fort. »Sonst hätte ich wirklich in der Scheiße gesessen. Es war sogar so, daß ich – wir reden später weiter«, unterbrach er sich, denn er hatte bemerkt, daß Meredith ihren Schritt verlangsamte. Offenbar wollte sie mit Sanders reden. Lewyn zog sich zurück.

»Wo warst du, verdammt noch mal?« fragte Meredith.

»Ich dachte, die Besprechung würde um halb neun beginnen.«

»Ich habe gestern abend extra bei dir zu Hause angerufen, weil sie auf acht vorverlegt worden war. Sie wollen die Nachmittagsmaschine nach Austin erreichen, deshalb haben wir alles vorverlegt.«

»Diese Mitteilung habe ich nicht erhalten.«

»Ich habe mit deiner Frau gesprochen. Hat sie es dir nicht ausgerichtet?«

»Ich dachte, es wäre um halb neun.«

Meredith schüttelte den Kopf, um das Thema abzuschließen. »Wie auch immer«, sagte sie, »jedenfalls mußte ich in der Besprechung um acht einen anderen Kurs bezüglich Twinkle einschlagen, und es ist äußerst wichtig, daß wir uns absprechen, besonders in Anbetracht der –«

»Meredith?« Garvin, der ganz vorne in der Gruppe ging, hatte sich zu ihr umgedreht. »Meredith, John möchte Sie etwas fragen.«

»Ich komme sofort«, sagte sie und eilte, Sanders einen letzten verärgerten Blick zuwerfend, nach vorne.

Als alle wieder im Konferenzraum versammelt waren, herrschte noch immer aufgeräumte Stimmung. Während jeder seinen Platz einnahm, wurde kräftig herumgealbert. Ed Nichols eröffnete den zweiten Teil der Sitzung mit einer an Sanders gerichteten Aufforderung: »Meredith hat uns über den neuesten Stand der Produktion des Twinkle-Laufwerks informiert. Jetzt sind Sie ja selbst da und können uns Ihre Einschatzung darlegen.«

Ich mußte einen anderen Kurs bezüglich Twinkle einschlagen, hatte Meredith gesagt. Sanders zögerte. »Meine Einschätzung?«

»Ja«, sagte Ed Nichols. »Sie sind doch für Twinkle verantwortlich, oder nicht?«

Sanders ließ den Blick über die Gesichter rings um den Tisch wandern, die sich ihm erwartungsvoll zugewandt hatten. Er schielte zu Meredith hinüber, aber sie hatte ihren Aktenkoffer geöffnet, kramte in irgendwelchen Papieren und holte nacheinander einige dicke Umschläge heraus.

»Nun«, sagte Sanders, »wir haben mehrere Prototypen gebaut und gründlich getestet. Die Prototypen funktionierten ohne jede Einschränkung. Es handelt sich um die besten Laufwerke der Welt.«

»Das ist mir soweit klar«, warf Nichols ein. »Aber Sie sind bereits in die Produktion gegangen, ist das richtig?«

»Das ist richtig, ja.«

»Ich denke, wir sind mehr an Ihrer Einschätzung der Produktion interessiert.«

Wieder zögerte Sanders. Was hatte sie ihnen denn nun erzählt? Meredith, die an der gegenüberliegenden Wand saß, schloß ihren Aktenkoffer, faltete die Hände unter dem Kinn und sah ihn mit ruhigem Blick an. In ihrer Miene konnte er nichts lesen.

Was hatte sie ihnen gesagt?

»Mr. Sanders?«
»Nun«, setzte Sanders von neuem an, »wir sind dabei, den Produktionsablauf umzustrukturieren, und gehen alle aufkommenden Probleme sofort an. Das ist ziemlich typisch für den Beginn einer bestimmten Produktion. Wir befinden uns noch in einer sehr frühen Phase.«
»Entschuldigen Sie bitte«, unterbrach ihn Nichols, »aber ich dachte, Sie seien schon vor zwei Monaten in Produktion gegangen.«
»Ja, das stimmt.«
»Zwei Monate klingt mir aber nicht nach einer ›sehr frühen Phase‹.«
»Nun –«
»Einige Ihrer Produktzyklen betragen gerade mal 9 Monate, ist das korrekt?«
»9 bis 18 Monate, ja.«
»Dann müßten Sie doch nach zwei Monaten schon mitten in der Produktion sein. Wie schätzen Sie als der Hauptverantwortliche das ein?«
»Nun ja, ich würde sagen, die aufgetretenen Probleme halten sich im Rahmen dessen, was wir zu diesem Zeitpunkt normalerweise zu erwarten haben.«
»Das ist wirklich interessant«, sagte Nichols. »Meredith hat uns gegenüber vorhin nämlich angedeutet, daß die Probleme ziemlich gravierend seien. Sie sagte, Sie müßten möglicherweise sogar zurück an die Zeichentische.«
Scheiße!
Wie sollte er jetzt weiter verfahren? Er hatte bereits gesagt, daß die Probleme nicht so schwerwiegend seien. Einen Rückzieher konnte er nicht mehr machen. Er holte tief Luft und sagte: »Ich hoffe, Meredith keinen falschen Eindruck vermittelt zu haben. Ich bin nämlich von unserer Fähigkeit, das Twinkle-Laufwerk herzustellen, voll und ganz überzeugt.«

»Es ist mir klar, daß Sie davon überzeugt sind«, erwiderte Nichols. »Aber wir stehen unter dem Druck der Konkurrenz von Sony und Philips, und ich bin mir nicht sicher, daß die simple Äußerung Ihrer Überzeugung in diesem Fall ausreicht. Wie viele der Laufwerke, die direkt vom Fließband kommen, entsprechen eigentlich den Spezifikationen?«

»Darüber habe ich leider keine Informationen.«

»Wenigstens eine ungefähre Zahl werden Sie uns doch nennen können!«

»Das möchte ich ohne exakte Zahlen nicht sagen.«

»Sind exakte Zahlen verfügbar?«

»Ja. Ich habe sie nur nicht bei mir.«

Nichols legte die Stirn in Falten. Sein Gesichtsausdruck sagte: Warum hast du sie nicht bei dir, wenn du doch wußtest, daß es in der Besprechung genau darum gehen würde?

John Conley räusperte sich. »Meredith hat uns mitgeteilt, daß die Produktion bei 29 Prozent der Kapazität liegt und daß nur 5 Prozent der Laufwerke den Spezifikationen entsprechen. Stimmen Sie darin mit ihr überein?«

»Das ist mehr oder weniger der Fall, ja.«

Für kurze Zeit legte sich Stille über den Raum. Dann richtete Nichols sich abrupt auf. »Ich glaube, Sie müssen mir da ein wenig helfen«, sagte er, an Sanders gewandt. »Auf was gründet sich eigentlich angesichts solcher Zahlen Ihre Zuversicht hinsichtlich des Twinkle-Laufwerks?«

»Ich bin zuversichtlich, weil all das nichts Neues für uns ist«, sagte Sanders. »Wir hatten es schon mit Produktionsschwierigkeiten zu tun, die unlösbar schienen, dann jedoch ziemlich rasch beseitigt werden konnten.«

»Aha. Sie gehen also davon aus, daß Ihre bisher gemachten Erfahrungen auch in diesem Fall Gültigkeit besitzen.«

»Ja.«

Nichols lehnte sich in seinen Stuhl zurück und verschränkte

die Arme vor der Brust. Er strahlte extreme Unzufriedenheit aus.
Jim Daly beugte sich ein wenig vor und sagte: »Bitte verstehen Sie uns nicht falsch, Tom. Es liegt nicht in unserer Absicht, Sie in Verlegenheit zu bringen. Wir haben schon vor langer Zeit eine Reihe von Gründen erkannt, die für den Kauf dieses Unternehmens sprechen, ungeachtet irgendeines spezifischen Problems mit Twinkle. Ich denke daher nicht, daß Twinkle heute ein wichtiges Thema darstellt. Wir wollen einfach nur wissen, wo wir in bezug auf Twinkle stehen. Und wir möchten, daß Sie uns darüber so offen wie möglich Auskunft erteilen.«
»Nun ja, es gibt tatsächlich Probleme«, gab Sanders zu. »Wir sind dabei, sie zu lösen. Wir haben da einige Ideen. Manche dieser Probleme könnten jedoch mit der Konstruktion zu tun haben.«
»Nehmen wir mal den schlimmstmöglichen Fall an«, sagte Jim Daly.
»Den schlimmstmöglichen Fall? Wir halten das Band an, nehmen Veränderungen an den Gehäusen und möglicherweise auch an den Steuer-Chips vor, und dann produzieren wir weiter.«
»Wodurch eine Verzögerung welcher Dauer entsteht?«
Neun bis zwölf Monate. »Bis zu sechs Monate«, sagte Sanders.
»Gütiger Himmel!« flüsterte jemand.
»Meredith gab uns zu verstehen, daß die maximale Verzögerung sechs *Wochen* betragen werde.«
»Das hoffe ich auch. Aber Sie haben mich nach dem schlimmstmöglichen Fall gefragt.«
»Glauben Sie wirklich, daß es sechs Monate dauern wird?«
»Sie haben nach dem schlimmsten Fall gefragt. Ich halte es für unwahrscheinlich.«
»Aber möglich?«

»Ja, möglich ist es.«

Nichols beugte sich wieder vor und seufzte tief. »Stellen wir das noch einmal klar: *Wenn* es sich bei dem Laufwerk um Konstruktionsprobleme handelt, dann sind sie unter Ihrer Leitung entstanden, ist das korrekt?«

»Ja.«

Nichols schüttelte den Kopf. »Ihnen haben wir all diese Komplikationen also zu verdanken – meinen Sie denn, daß Sie der richtige Mann sind, die Sache wieder in Ordnung zu bringen?«

Sanders unterdrückte den in ihm aufwallenden Zorn. »Ja, das meine ich«, sagte er. »Ich halte mich sogar für die am besten geeignete Person. Wir haben es, wie bereits gesagt, nicht zum erstenmal mit einer solchen Situation zu tun. Und wir haben es bisher immer geschafft, die Probleme zu lösen. Ich stehe in engem Kontakt mit allen Menschen, die an der Produktion des Laufwerks beteiligt sind, und ich bin sicher, daß wir die Sache in Ordnung bringen werden.« Er überlegte, wie er diesen Leuten, denen die Materie so fremd war, die Wirklichkeit der Produktfabrikation erklären sollte. »Wenn man in Zyklen arbeitet«, setzte er an, »ist es manchmal gar nicht so schlimm, wieder an die Zeichentische zurückzugehen. Niemand tut das gerne, aber es hat auch seine Vorteile. Früher stellten wir fast jedes Jahr eine komplette Generation neuer Produkte her. Jetzt nehmen wir immer häufiger auch innerhalb einer Generation zusätzliche Änderungen vor. Wenn wir die Chips neu herstellen, könnten wir vielleicht die Video-Kompressionsalgorithmen eincodieren, die zu Beginn der Produktion noch nicht verfügbar waren. Dadurch wird das Geschwindigkeitsempfinden des Endverbrauchers weit besser bedient als durch die simplen Laufwerk-Spezifikationen. Wir werden kein neues 100-Millisekunden-Laufwerk bauen, sondern ein 80-Millisekunden-Laufwerk.«

»Aber«, warf Nichols ein, »in der dazwischenliegenden Zeit werden Sie nicht auf dem Markt sein.«
»Ja, das ist richtig.«
»Sie werden weder Ihren Markennamen etabliert noch einen Marktanteil für Ihren Produktfluß gewonnen haben. Sie werden keine Vertriebsverträge haben und über keine Geräte von Wiederverkäufern verfügen, und eine Werbekampagne können Sie auch nicht durchführen, weil Sie keine Produktlinie haben, die Sie dazu aber unbedingt brauchen. Sie haben dann möglicherweise ein besseres Laufwerk, aber es wird ein völlig unbekanntes Laufwerk sein. Dann können Sie ganz von vorn anfangen.«
»Alles richtig. Aber der Markt reagiert schnell.«
»Und unsere Konkurrenz ebenfalls. Wo wird Sony stehen, wenn Sie auf den Markt kommen? Werden die dann auch bei 80 Millisekunden angelangt sein?«
»Das weiß ich nicht«, sagte Sanders.
Nichols seufzte auf. »Ich hätte gern mehr Sicherheit, was unseren augenblicklichen Stand angeht. Ganz zu schweigen von der Frage, ob wir ausreichend Personal haben, um die Sache auf die rechte Bahn zu bringen.«
Jetzt ergriff Meredith zum erstenmal das Wort. »Vielleicht habe ich mich ja geirrt«, sagte sie, »aber als wir beide über Twinkle sprachen, Tom, hatte ich den Eindruck, daß du die Probleme für ziemlich gravierend erachtest.«
»Sie sind gravierend, ja.«
»Also, ich glaube nicht, daß wir hier irgend etwas unter den Teppich kehren sollten.«
»Ich kehre nichts unter den Teppich!« fiel Sanders ihr ins Wort, bevor es ihm richtig bewußt wurde. Seine Stimme klang hoch und gepreßt.
»Nein, nein«, sagte Meredith beschwichtigend. »Das wollte ich damit auch nicht sagen. Aber diese technischen Dinge

sind für manche von uns eben schwer zu verstehen. Wir brauchen Informationen über den Stand der Dinge, aber in einer für Laien verständlichen Sprache. Wenn du das für uns machen könntest ...«

»Das habe ich bereits versucht«, erwiderte er. Er wußte, daß es schuldbewußt klang, aber er konnte nicht anders.

»Ja, Tom, ich weiß, daß du es bereits versucht hast«, hakte Meredith nach, immer noch mit sanfter Stimme. »Aber wenn beispielsweise die Laser-Lese-/Schreibköpfe nicht mit den m-Subset-Befehlen aus dem Steuer-Chip synchronisiert sind, was bedeutet das für uns hinsichtlich der Ausfallzeit?«

Er wußte, sie zog eine Show ab, demonstrierte, wie gut sie den Technik-Jargon beherrschte, aber trotzdem brachte ihn das, was sie gesagt hatte, gänzlich aus dem Gleichgewicht. Denn die Laserköpfe waren nur zum Lesen, nicht zum Schreiben und Lesen geeignet, und mit dem m-Subset des Steuer-Chips hatten sie nicht das geringste zu tun. Die Lesekopfsteuerung erfolgte gänzlich durch den x-Subset. Und der x-Subset war ein lizensierter Code von Sony, Bestandteil des Treiber-Codes, den alle Unternehmen in ihren CD-Laufwerken benutzten.

Um Meredith' Frage zu beantworten, ohne sie der Lächerlichkeit preiszugeben, mußte er sich aufs Fantasieren verlegen.

»Nun, das ist eine gute Frage, Meredith. Aber ich denke, der m-Subset stellt ein relativ einfaches Problem dar, wenn man davon ausgeht, daß die Laserköpfe innerhalb des Toleranzbereichs spurgenau laufen. Das hinzukriegen, dauert höchstens drei, vier Tage.«

Er warf einen kurzen Seitenblick auf Cherry und Lewyn, die beiden einzigen Menschen im Raum, die wußten, daß Sanders gerade ausgemachten Unsinn von sich gegeben hatte. Beide nickten verständig vor sich hin. Cherry rieb sich dabei sogar nachdenklich das Kinn.

»Und glaubst du, daß wir Probleme mit den asynchronen Spursignalen von der Grundplatine bekommen werden?«
Wieder brachte sie alles durcheinander. Die Spursignale kamen von der Stromversorgung und wurden vom Steuer-Chip geregelt. In Laufwerken gab es keine Grundplatine. Aber er hatte sich inzwischen warmgeredet. Rasch antwortete er: »Das ist sicherlich bedenkenswert, Meredith, und wir sollten dieser Frage gründlich nachgehen. Meiner Ansicht nach könnte sich allerdings höchstens herausstellen, daß die asynchronen Signale phasenverschoben sind, aber das dürfte auch schon alles sein.«
»Ist eine Phasenverschiebung einfach zu reparieren?«
»Ja, ich denke doch.«
Ed Nichols räusperte sich. »Es handelt sich hier offenbar um eine hausinterne technische Frage. Vielleicht sollten wir doch besser zu anderen Themen übergehen. Wie lautet der nächste Punkt der Tagesordnung?«
»Wir haben als nächstes an die Vorführung der Video-Kompression gedacht, nur ein paar Räume weiter den Gang hinunter.«
»Gut. Dann machen wir das.«
Stühle wurden quietschend zurückgeschoben. Alle standen auf und verließen hintereinander den Raum. Meredith nahm sich viel Zeit, ihre Papiere zu ordnen. Auch Sanders blieb zurück.

Was in aller Welt sollte *das* denn?« fragte er sie, als sie allein waren.
»Was, das?«
»Dieses Geschwafel über Steuer-Chips und Leseköpfe. Du hast offenbar keine Ahnung, was du alles dahergeredet hast.«

»O doch«, erwiderte sie ärgerlich. »Ich weiß, was ich dahergeredet habe: Ich habe versucht, den Schaden zu begrenzen, den du angerichtet hast.« Sie beugte sich vor und sah ihn wütend an. »Paß auf, Tom. Ich habe mich gestern abend entschlossen, deinem Rat zu folgen und die Wahrheit über das Laufwerk zu sagen. Heute morgen erklärte ich, daß wir größere Probleme damit haben und daß du über profundes Fachwissen verfügst und ihnen alles genau darlegen würdest. Ich hatte alles so vorbereitet, daß du Gelegenheit gehabt hättest, das zu sagen, von dem du mir gegenüber behauptet hast, du würdest es gerne sagen. Aber dann kommst du hier rein und verkündest, es gebe keinerlei gravierende Probleme –«
»Aber wir hatten uns doch gestern abend darauf geeinigt, daß –«
»Diese Männer sind keine Idioten, und wir werden sie nicht an der Nase herumführen können.« Sie ließ das Schloß ihres Aktenkoffers zuschnappen. »Ich habe in gutem Glauben wiedergegeben, was du mir gesagt hast. Und da behauptest du, ich wüßte nicht, was ich daherrede.«
Er biß sich auf die Lippe, um seine Wut zurückzuhalten.
»Ich weiß nicht, für was du das hier hältst«, fuhr sie fort. »Diese Leute kümmern sich doch nicht um technische Details. Die können einen Schreib-/Lesekopf nicht von einem Dildo unterscheiden. Die wollen nur rausfinden, ob sich da jemand verantwortlich fühlt, ob da jemand ist, der die Probleme in den Griff bekommt. Die brauchen Beruhigung. Aber du hast sie nicht beruhigt, und deshalb mußte ich eingreifen und das Ganze mit einem Haufen Techno-Quatsch noch mal hinbiegen. Ich mußte deine Scharte auswetzen, und das habe ich getan, so gut ich konnte. Aber eines muß ich dir sagen: Du hast heute nicht gerade Zuversicht versprüht, Tom. Wahrlich nicht.«

»Verdammte Scheiße! Du redest ausschließlich davon, wie sich das Unternehmen nach außen hin darstellt – wohlgemerkt in einer Sitzung ebendieses Unternehmens! Aber irgendwer muß dieses verdammte Laufwerk *bauen*!«
»Ich –«
»Und ich leite diese Abteilung nun seit acht Jahren, und ich leite sie verdammt gut –«
»Meredith?« Garvin steckte den Kopf zur Tür herein. Sanders und Johnson verstummten.
»Wir warten, Meredith«, sagte Garvin und warf Sanders einen kühlen Blick zu.
Meredith ergriff ihren Aktenkoffer und rauschte hinaus.

Sanders ging sofort hinunter in Blackburns Büro. »Ich muß mit Phil reden.«
Sandra, seine Sekretärin, stieß einen Seufzer aus. »Er ist aber heute sehr beschäftigt.«
»Ich muß ihn sprechen, und zwar jetzt!«
»Ich sehe mal nach, Tom.« Sie meldete sich per Sprechanlage in Blackburns Zimmer. »Phil? Tom Sanders ist hier.« Sie lauschte und sagte dann zu Sanders: »Sie können gleich reingehen.«
Sanders trat in Blackburns Büro und schloß die Tür. Blackburn stand hinter seinem Schreibtisch und fuhr sich mit der Hand über die Brust. »Tom, ich bin froh, daß du hergekommen bist.«
Sie gaben sich kurz die Hand. »Das mit Meredith funktioniert nicht«, sagte Sanders unvermittelt. Seine Wut über den nur wenige Minuten zurückliegenden Wortwechsel war noch nicht verraucht.
»Ja, ich weiß.«

»Ich glaube nicht, daß ich mit Meredith zusammenarbeiten kann.«

Blackburn nickte. »Ich weiß. Sie hat es mir bereits gesagt.«

»Ach? Was hat sie dir denn gesagt?«

»Sie hat mir von eurem Treffen gestern abend erzählt, Tom.«

Sanders runzelte die Stirn. Er konnte sich einfach nicht vorstellen, daß Meredith darüber gesprochen hatte. »Gestern abend?«

»Sie erzählte mir, daß du sie sexuell belästigt hast.«

»Daß ich *was*?«

»Du brauchst dich nicht aufzuregen, Tom. Meredith hat mir versichert, daß sie dich nicht anzeigen wird. Wir können das ganz diskret regeln, rein intern. Das wird für alle das beste sein. Ich bin sogar schon dabei, die Organisationspläne durchzugehen, und –«

»Augenblick mal!« rief Sanders. »Sie hat gesagt, *ich* hätte *sie* belästigt?«

Blackburn starrte ihn an. »Tom. Wir sind schon lange miteinander befreundet. Ich versichere dir, das ist alles kein Problem. Die Sache muß ja nicht im ganzen Betrieb die Runde machen. Auch deine Frau braucht nichts davon zu erfahren. Wie schon gesagt, können wir das Ganze diskret und zur Zufriedenheit aller Beteiligten regeln.«

»Augenblick mal! Es stimmt überhaupt nicht –«

»Laß mich bitte ausreden, Tom. Das Wichtigste ist jetzt, daß wir euch beide trennen, damit du ihr nicht mehr unterstellt bist. Ich denke, daß sich in diesem Fall eine Versetzung an eine gleichwertige Stelle geradezu anbietet.«

»Eine Versetzung?«

»Ja. In der Funkgeräteabteilung in Austin ist die Stelle eines stellvertretenden technischen Direktors frei. Ich möchte dich dorthin versetzen. Dienstalterzulage, Gehalt und Altersversorgung bleiben gleich. Alles bleibt gleich, außer daß du in

Austin bist und keinen direkten Kontakt mit ihr haben wirst. Na, wie klingt das?«
»Austin.«
»Ja.«
»Funkgeräteabteilung.«
»Ja. Herrliches Wetter, prächtige Arbeitsbedingungen ... Universitätsstadt ... Kriegst deine Familie endlich mal raus aus dem Regen hier ...«
»Aber Conley wird Austin verkaufen«, sagte Sanders.
Blackburn setzte sich hinter den Schreibtisch. »Ich weiß nicht, wo du das gehört hast, Tom«, sagte er ganz ruhig. »Aber es entspricht absolut nicht den Tatsachen.«
»Bist du sicher?«
»Ich bin hundertprozentig sicher. Glaub mir, das ist das letzte, was sie tun würden.«
»Warum wird dann eine Inventur der Fabrik durchgeführt?«
»Ist doch klar, daß sie sich die Niederlassung sehr genau ansehen. Conley macht sich Sorgen wegen des Cash Flow nach dem Ankauf, und die Fabrik in Austin ist, wie du ja weißt, sehr profitabel. Wir haben ihnen die Zahlen genannt, und die werden jetzt natürlich verifiziert. Aber es ist völlig ausgeschlossen, daß sie die Fabrik verkaufen. Der Funkgerätesektor wird wachsen, Tom, das weißt du. Und ich finde, der Posten eines stellvertretenden Direktors bedeutet einen großen Karriereschritt für dich.«
»Aber die Advanced Products Group müßte ich verlassen?«
»Ja, schon. Der Sinn des Ganzen besteht ja gerade darin, dich von dieser Abteilung wegzubringen.«
»Und dann wäre ich nicht mehr in dem neuen Unternehmen, wenn es gegründet wird.«
»Das ist richtig.«
Sanders ging nervös auf und ab. »Das ist vollkommen unakzeptabel.«

»Nur keine übereilten Entschlüsse!« sagte Blackburn. »So etwas will sorgfältig durchdacht sein.«
»Phil«, sagte Sanders, »ich weiß nicht, was sie dir erzählt hat, aber –«
»Sie hat mir die ganze Geschichte erzählt.«
»– aber ich finde, du solltest wissen, daß –«
»– und *ich* will, daß du weißt«, unterbrach ihn Blackburn, »daß ich mir keinerlei Urteil anmaße über das, was immer da gestern vorgefallen ist. Weder geht es mich etwas an, noch interessiert es mich. Ich versuche nur, ein für das Unternehmen heikles Problem zu lösen.«
»Phil. Hör zu. Ich habe es nicht getan.«
»Ich kann verstehen, daß du es so empfindest, aber –«
»Ich habe sie nicht belästigt. *Sie* hat *mich* belästigt.«
»Ich glaube dir ja, daß es dir in der Situation selbst so vorgekommen sein mag, aber –«
»Phil, ich sage dir: Sie hat es bis an die Grenze zur Vergewaltigung getrieben.« Er ging wütend auf und ab. »Phil: *Sie* hat *mich* sexuell belästigt!«
Blackburn lehnte sich aufseufzend in seinen Stuhl zurück und begann, mit einem Kugelschreiber auf die Schreibtischecke zu klopfen. »Ich muß es dir offen sagen, Tom: Es fällt mir äußerst schwer, das zu glauben.«
»Es war aber so.«
»Meredith ist eine schöne Frau, Tom. Eine sehr vitale, sexy Frau. Ich finde es ganz natürlich, daß ein Mann bei einer solchen Frau, nun, sagen wir, die Kontrolle verliert.«
»Phil, du hörst offenbar nicht, was ich sage. Sie hat mich belästigt.«
Blackburn reagierte nur mit einem hilflosen Achselzucken. »Ich höre sehr wohl, was du sagst, Tom. Allein – ich finde es sehr schwierig, mir das vorzustellen. Wirklich sehr, sehr schwierig.«

»Aber sie hat es getan! Willst du wissen, was gestern abend wirklich vorgefallen ist?«

»Selbstverständlich möchte ich mir auch deine Version anhören.« Blackburn rutschte unruhig auf seinem Stuhl herum. »Die Sache ist nur die – Meredith Johnson hat sehr gute Beziehungen innerhalb dieser Firma. Sie hat auf einige extrem wichtige Leute großen Eindruck gemacht.«

»Auf Garvin, zum Beispiel.«

»Nicht nur auf Garvin. Meredith hat sich in verschiedenen Bereichen gewisse Machtstützpunkte erobert.«

»Conley-White.«

Blackburn nickte. »Ja, auch dort.«

»Du willst dir also nicht anhören, was ich dir über die Vorfälle des gestrigen Abends zu sagen habe?«

»Aber selbstverständlich«, sagte Blackburn und fuhr sich mit den Fingern durchs Haar. »Auf jeden Fall will ich mir das anhören. Und ich will größtmögliche Fairneß walten lassen. Aber ich versuche dir klarzumachen, daß wir um eine Versetzung nicht herumkommen werden, ganz egal, was nun war. Und Meredith hat eben wichtige Verbündete.«

»Es ist also ganz egal, was ich sage.«

Blackburn legte die Stirn in Falten und folgte dem auf und ab gehenden Sanders mit den Blicken. »Ich weiß, daß du wütend bist. Das sehe ich ja. Und du bist ein hochgeschätzter Mitarbeiter in diesem Unternehmen. Aber ich möchte dich dazu bringen, die Situation einmal illusionslos zu betrachten.«

»Welche Situation?«

Wieder stieß Blackburn einen Seufzer aus. »Gab es gestern abend irgendwelche Zeugen?«

»Nein.«

»Dann steht deine Aussage gegen ihre.«

»Ja, so ist das wohl.«

»Mit anderen Worten: eine sinnlose Streiterei.«

»Ach? Das ist aber noch lange kein Grund anzunehmen, daß ich unrecht habe und sie recht!«

»Natürlich nicht. Aber sieh dir doch die Situation an! Ein Mann, der behauptet, von einer Frau sexuell belästigt worden zu sein, wirkt – nun ja – ziemlich unglaubwürdig. Ich denke nicht, daß in diesem Betrieb schon jemals so etwas vorgekommen ist. Was nicht heißen soll, daß es nicht passieren könnte. Aber es heißt, daß alles gegen dich spricht – und auch dann gegen dich sprechen würde, wenn Meredith nicht so exzellente Beziehungen hätte.« Er schwieg einige Sekunden lang und fügte dann hinzu: »Ich will nicht, daß du aus dieser Sache geschädigt hervorgehst.«

»Ich bin bereits geschädigt.«

»Hier geht es, wie gesagt, um Gefühle. Um einander widersprechende Behauptungen. Und leider, Tom, leider haben wir keine Zeugen.« Er rieb sich die Nase und zupfte an seinem Revers.

»Wenn du mich aus der APG drängst, bedeutet das einen großen Schaden für mich, weil ich dann der neuen Firma nicht mehr angehören werde. Der Firma, für die ich zwölf Jahre lang gearbeitet habe.«

»Interessante Rechtslage«, warf Blackburn ein.

»Ich rede nicht von irgendeiner Rechtslage. Ich rede von –«

»Paß auf, Tom. Ich werde die Sache mit Garvin besprechen. In der Zwischenzeit kannst du dir das Angebot Austin noch mal durch den Kopf gehen lassen. Denk gründlich darüber nach! Eine derart sinnlose Streiterei gewinnt nämlich keiner. Du kannst Meredith Schaden zufügen, noch weit mehr aber dir selbst. Diese Gefahr macht mir Sorgen, denn schließlich bin ich dein Freund.«

»Wenn du mein Freund wärst –«, setzte Sanders an.

»Und ich *bin* dein Freund«, warf Blackburn ein. »Ob du es nun glaubst oder nicht.« Er erhob sich und blieb hinter seinem

Schreibtisch stehen. »Es ist völlig unnötig, daß die Geschichte in sämtlichen Zeitungen Schlagzeilen macht. Deine Frau braucht nie etwas davon zu erfahren, deine Kinder natürlich auch nicht. Du willst doch nicht den restlichen Sommer hindurch den Stoff für den Tratsch von Bainbridge abgeben! Das würde dir wirklich nicht guttun.«

»Ich verstehe, aber –«

»– aber wir müssen der Realität ins Auge blicken, Tom. Das Unternehmen ist hier mit einander widersprechenden Behauptungen konfrontiert. Was geschehen ist, ist geschehen, daran läßt sich nichts mehr ändern. Ich kann dir nur sagen, daß ich die Sache so schnell wie möglich bereinigen möchte. Also, denk darüber nach. Bitte. Und dann komm wieder.«

Als Sanders gegangen war, rief Blackburn Garvin an. »Ich habe gerade mit ihm gesprochen.«

»Und?«

»Er sagt, es sei genau andersherum gewesen. Sie habe ihn belästigt.«

»Mein Gott – was für ein Chaos!«

»Ja. Andererseits war genau das auch zu erwarten«, sagte Blackburn. »Es ist die übliche Reaktion in solchen Fällen. Der Mann streitet es immer ab.«

»Ja, schon, aber – es könnte gefährlich werden, Phil.«

»Ich verstehe.«

»Ich will nicht, daß uns die Sache über den Kopf wächst.«

»Nein, nein.«

»Es gibt im Augenblick nichts Wichtigeres, als diese Angelegenheit aus der Welt zu schaffen!«

»Ich verstehe, Bob.«

»Haben Sie ihm das Austin-Angebot unterbreitet?«

»Ja. Er will es sich überlegen.«
»Wird er es annehmen?«
»Nein, ich glaube nicht.«
»Haben Sie ihn gedrängt?«
»Ich habe ihm klarzumachen versucht, daß wir Meredith nicht im Stich lassen, sondern ihr in dieser Sache beistehen werden.«
»Allerdings!« sagte Garvin.
»Ich denke, daß ihm das klargeworden ist. Wir müssen jetzt abwarten, was er sagen wird, wenn er sich wieder bei uns meldet.«
»Er wird doch nicht etwa Anzeige erstatten, oder?«
»Dafür ist er zu klug.«
»Na, hoffentlich«, sagte Garvin gereizt und legte den Hörer auf.

Sieh dir doch die Situation an!

Sanders stand, an einen Pfeiler gelehnt, im Pioneer Park, starrte in den feinen Nieselregen und ließ das Gespräch mit Blackburn in Gedanken Revue passieren.
Blackburn war nicht einmal bereit gewesen, sich Sanders' Version anzuhören. Blackburn hatte bereits gewußt, was geschehen war.
Sie ist sehr sexy. Es ist ganz natürlich, daß ein Mann bei einer solchen Frau die Kontrolle verliert.
Und genau das würden alle seine Kollegen bei DigiCom denken. Jeder einzelne Mitarbeiter des Unternehmens würde diese Vorstellung von den Geschehnissen haben. Blackburn hatte gesagt, es falle ihm schwer, zu glauben, daß Sanders sexuell belästigt worden sei. Auch vielen anderen würde es schwerfallen, das zu glauben.

Aber Blackburn hatte ihm gesagt, es sei völlig egal, was wirklich passiert sei. Blackburn gab ihm zu verstehen, daß Meredith über gute Beziehungen verfügte und daß kein Mensch es einem Mann abkaufen würde, er sei von einer Frau sexuell belästigt worden.

Sieh dir doch die Situation an!

Sie forderten ihn auf, Seattle zu verlassen. Die Advanced Products Group zu verlassen. Keine Optionen, keine Abfindung. Keine Gegenleistung für zwölf lange Jahre harter Arbeit. Das alles konnte er vergessen.

Austin. Glühendheiß, trocken, brandneu.

Susan würde es niemals akzeptieren. Ihre Kanzlei in Seattle lief gut; auf diesen Erfolg hatte sie acht Jahre lang hingearbeitet. Den Kleinen gefiel es hier. Das Haus war gerade umgebaut worden. Wenn Sanders auch nur andeutungsweise von einem Umzug spräche, würde Susan sofort Verdacht schöpfen und wissen wollen, was dahintersteckte. Und früher oder später würde sie es herausfinden. Wenn er sich mit der Versetzung einverstanden erklärte, käme das einem Schuldeingeständnis seiner Frau gegenüber gleich.

Ganz egal von welchem Standpunkt aus er die Sache betrachtete, Sanders konnte nirgendwo eine Lösung des Problems entdecken. Sie würden ihn so oder so bescheißen.

Ich bin dein Freund, Tom, ob du es nun glaubst oder nicht.

Ihm fiel wieder ein, wie Blackburn als sein Trauzeuge bei der Hochzeit Susans Ehering in Olivenöl tauchen wollte, weil es, wie er sagte, stets schwierig sei, den Ring über den Finger zu streifen. Blackburn hatte panische Angst gehabt, irgendeine winzige Kleinigkeit während der Zeremonie könnte schiefgehen. So war Phil: stets um das äußere Erscheinungsbild besorgt.

Deine Frau braucht nichts davon zu erfahren.

Aber Phil ließ ihn hängen. Und hinter Phil stand Garvin.

Beide ließen sie ihn hängen. Sanders hatte viele Jahre lang hart für die Firma gearbeitet, und jetzt war er ihnen völlig gleichgültig. Sie stellten sich ganz offen auf Meredith' Seite. Nicht einmal seine Version des Vorfalls wollten sie sich anhören.

Je länger Sanders so im Regen stand, um so mehr schwächte sich der Schock ab. Und mit dem Schock verschwand auch seine Loyalität. Er wurde wütend.

Er holte sein Telefon hervor und gab einen Wahlbefehl ein.

»Büro Mr. Perry.«

»Hier spricht Tom Sanders.«

»Tut mir leid, Mr. Perry ist im Gericht. Kann ich ihm etwas ausrichten?«

»Vielleicht können Sie mir helfen. Er hat unlängst eine Dame erwähnt, die bei Ihnen für Fälle von sexueller Belästigung zuständig ist.«

»Wir haben mehrere Anwälte und Anwältinnen, die solche Fälle übernehmen, Mr. Sanders.«

»Er erwähnte eine Latina.« Sanders versuchte sich an weitere Einzelheiten zu erinnern, die Perry erwähnt hatte. Hatte er nicht irgendwas von sanft und zurückhaltend gesagt? Sanders wußte es nicht mehr genau.

»Dann meinte er wohl Ms. Fernandez.«

»Können Sie mich mit ihr verbinden?«

Ihr Büro war klein, ihr Schreibtisch mit hohen, ordentlich aufeinandergestapelten Papieren und Gerichtsakten sowie einem Computer beladen. Als er eintrat, erhob sie sich. »Sie sind wohl Mr. Sanders.«

Sie war eine große Frau Mitte 30, mit geradem blonden Haar und einem hübschen, etwas hageren Gesicht. Sie trug ein dunkelblaues Kostüm, hatte eine direkte, offene Art, und ihr Händedruck war fest. »Ich bin Louise Fernandez. Was kann ich für Sie tun?«

Sie war ganz anders, als er erwartet hatte. Sie war nicht sanft und zurückhaltend, ganz und gar nicht. Und am allerwenigsten sah sie wie eine Latina aus. Einen Moment lang brachte er vor Verblüffung kein Wort heraus. Schließlich sagte er: »Danke, daß Sie mir so schnell einen Termin gegeben haben.«

»Sie sind ein Freund von John Perry?«

»Ja. Er hat vor kurzem erwähnt, daß Sie sich, nun ja, auf solche Fälle spezialisiert haben.«

»Ich mache vor allem Arbeitsrecht, insbesondere erzwungene Kündigung durch den Arbeitnehmer und Artikel-VII-Klagen.«

»Aha.« Er stand da und hatte plötzlich das Gefühl, daß es idiotisch gewesen war, hierherzukommen. Ihre forsche Art, ihre elegante Erscheinung überraschten ihn. Wenn er es sich recht überlegte, fand er, daß sie Meredith sehr ähnlich war. Bestimmt würde sie ablehnend auf seine Geschichte reagieren.

Sie drehte sich um, trat hinter den Schreibtisch und setzte eine Brille mit Horngestell auf. »Bitte nehmen Sie Platz, Mr. Sanders. Haben Sie schon gegessen? Ich kann Ihnen ein Sandwich bringen lassen, wenn Sie wollen.«

»Nein, danke. Ich habe keinen Hunger.«

Sie schob einen Teller mit einem angebissenen Sandwich beiseite.

»Tut mir leid, aber ich muß in einer Stunde ins Gericht. Manchmal wird die Zeit etwas knapp.« Sie zog einen gelben Notizblock hervor und legte ihn vor sich hin. Das alles tat sie mit raschen, entschlossenen, routinierten Bewegungen.

Sanders beobachtete sie, und sein Gefühl, an die Falsche

geraten zu sein, wuchs. Er hätte nie hierherkommen dürfen. Er hatte einen Fehler begangen. Er sah sich in dem Büro um; sein Blick fiel auf einige säuberlich aufeinandergestapelte Schaubilder für einen Auftritt vor Gericht.

Fernandez hob den Blick von ihrem Notizblock und zückte einen Stift, einen teuren Füllfederhalter. »Würden Sie mir jetzt bitte erzählen, um was es sich handelt?«

»Äh ... ich weiß nicht recht, wo ich anfangen soll.«

»Beginnen wir mit Ihrem vollen Namen, Ihrer Adresse und Ihrem Alter.«

»Thomas Robert Sanders.« Er diktierte ihr seine Adresse.

»Und Ihr Alter?«

»41.«

»Beruf?«

»Ich bin Abteilungsleiter bei Digital Communications. Leiter der Abteilung Advanced Products.«

»Seit wann bei diesem Unternehmen angestellt?«

»Seit zwölf Jahren.«

»Mhm. Und seit wann in der augenblicklichen Position?«

»Seit acht Jahren.«

»Und warum sind Sie zu uns gekommen, Mr. Sanders?«

»Ich bin sexuell belästigt worden.«

»Mhm.« Sie ließ keinerlei Überraschung erkennen. Ihre Miene blieb völlig neutral. »Würden Sie mir bitte die näheren Umstände erläutern?«

»Meine Chefin, äh, hat sich über mich hergemacht.«

»Der Name ihrer Chefin?«

»Meredith Johnson.«

»Gut.« Sie schrieb; der Federhalter machte ein leises Kratzgeräusch. »Wann ist das passiert?«

»Gestern abend.«

»Und jetzt die genauen Umstände, bitte.«

Er beschloß, nichts von der Fusion zu erwähnen. »Sie ist

gerade zu meiner neuen Chefin ernannt worden, und wir mußten einige Dinge miteinander besprechen. Sie fragte mich, ob wir uns nach Arbeitsschluß treffen könnten.«

»Sie hat um dieses Treffen gebeten?«

»Ja.«

»Und wo hat das Treffen stattgefunden?«

»In ihrem Büro. Um 18 Uhr.«

»Waren weitere Personen anwesend?«

»Nein. Ihre Sekretärin kam zu Beginn der Besprechung einmal kurz herein und ging dann nach Hause. Das war, bevor irgend etwas passierte.«

»Ich verstehe. Bitte erzählen Sie weiter.«

»Wir haben uns eine Zeitlang über das Unternehmen unterhalten und Wein getrunken. Sie hatte den Wein besorgt. Und dann hat sie sich an mich rangeschmissen. Ich stand gerade am Fenster, da begann sie mich plötzlich zu küssen. Und dann saßen wir ziemlich bald beide auf der Couch. Und dann begann sie, äh, zu ...« Er zögerte. »Wie weit soll ich denn mit den Einzelheiten gehen?«

»Im Augenblick genügt es, wenn Sie mir die Sache in groben Umrissen berichten.« Sie biß in das Sandwich. »Sie küßten sich also?«

»Ja.«

»Und das war von ihr ausgegangen?«

»Ja.«

»Wie haben Sie reagiert, als sie damit anfing?«

»Es war mir unangenehm. Ich bin verheiratet.«

»Mhm. Wie war denn die Atmosphäre bei diesem Treffen, bevor es zu diesem Kuß kam?«

»Es war ein normales geschäftliches Treffen. Wir unterhielten uns über die Firma. Aber zwischendurch machte sie immer wieder, äh, Andeutungen.«

»Was für Andeutungen?«

»Na ja, sie sagte beispielsweise, daß ich gut aussähe. Daß ich gut in Form sei. Und daß sie sich freue, mich wiederzusehen.«

»Sie wiederzusehen?« wiederholte Fernandez erstaunt.

»Ja. Wir kannten uns von früher her.«

»Sie hatten mal eine Beziehung mit ihr?«

»Ja.«

»Wann war das?«

»Vor zehn Jahren.«

»Waren Sie damals schon verheiratet?«

»Nein.«

»Arbeiteten Sie damals beide für diese Firma?«

»Nein. Ich schon, aber sie war bei einer anderen Firma angestellt.«

»Wie lange dauerte Ihre gemeinsame Beziehung?«

»Etwa ein halbes Jahr.«

»Haben Sie den Kontakt mit ihr aufrechterhalten?

»Nein.«

»Hatten Sie überhaupt noch irgendeinen Kontakt zu ihr?«

»Nur einmal.«

»Intimen Kontakt?«

»Nein. Nur hallo gesagt, als wir uns einmal auf dem Gang trafen. In der Firma.«

»Ich verstehe. Waren Sie in den vergangenen acht Jahren jemals in ihrem Haus beziehungsweise in ihrer Wohnung?«

»Nein.«

»Gemeinsames Abendessen, Drinks nach der Arbeit, irgend etwas in der Art?«

»Nein. Ich habe sie die ganze Zeit über nie gesehen. Als sie bei DigiCom anfing, arbeitete sie in Cupertino in der Unternehmensplanung, während ich in Seattle in der Abteilung Advanced Products tätig war. Wir hatten wirklich nicht viel Kontakt.«

»Sie war in dieser Zeit also nicht Ihre Vorgesetzte?«

»Nein.«
»Beschreiben Sie mir doch bitte mal Ms. Johnson. Wie alt ist sie?«
»35.«
»Würden Sie sie als attraktiv bezeichnen?«
»Ja.«
»Als sehr attraktiv?«
»Als junges Mädchen war sie mal Miß Teenage oder so was ähnliches.«
»Sie würden sie also als sehr attraktiv bezeichnen.« Der Füllfederhalter kratzte über den Notizblock.
»Ja.«
»Und andere Männer – würden Sie sagen, daß auch andere Männer sie attraktiv finden?«
»Ja.«
»Welche Einstellung zeigt sie gegenüber sexuellen Themen? Reißt sie Witze darüber? Erzählt sie obszöne Geschichten? Macht sie anzügliche Bemerkungen?«
»Nein, nie.«
»Und ihre Körpersprache? Auf Flirt hin angelegt? Berührt sie ihre Gesprächspartner?«
»Nein, eigentlich nicht. Sie weiß natürlich, daß sie gut aussieht, und sie weiß das auch auszuspielen. Aber im Grunde hat sie eher eine ... coole Art drauf. Eher ein Grace-Kelly-Typ.«
»Grace Kelly soll angeblich in sexueller Hinsicht überaus aktiv gewesen sein. Mit den meisten der männlichen Hauptdarsteller in ihren Filmen hatte sie Affären.«
»Das wußte ich nicht.«
»Mhm. Und wie ist das bei Ms. Johnson – hat sie Liebesaffären innerhalb der Firma?«
»Das weiß ich nicht. Ich habe aber noch nie etwas gehört.« Fernandez schlug rasch das vollgeschriebene Blatt des Notiz-

blocks nach hinten. »Na gut. Und seit wann ist sie Ihre Vorgesetzte?«

»Seit einem Tag.«

Zum erstenmal wirkte Fernandez wirklich verblüfft. Sie warf ihm einen kurzen Blick zu und biß wieder in ihr Sandwich.

»Seit einem Tag?«

»Ja. Gestern war der erste Tag nach einer größeren Betriebsumstrukturierung. Sie ist gerade erst befördert worden.«

»Gleich am Tag ihrer Beförderung hat sie sich also abends mit Ihnen getroffen?«

»Ja.«

»Gut. Sie sagten, Sie hätten auf der Couch gesessen und sie habe Sie geküßt. Was passierte dann?«

»Sie hat meinen Reißverschluß aufge – also, als allererstes hat sie angefangen mich zu streicheln.«

»Ihre Geschlechtsteile.«

»Ja. Und sie hat mich geküßt.« Er merkte, daß er stark schwitzte, und wischte sich mit der Hand über die Stirn.

»Ich weiß, daß Ihnen das nicht leichtfällt. Ich werde mich bemühen, es so kurz wie möglich zu machen«, sagte Fernandez. »Und dann?«

»Dann zog sie meinen Reißverschluß auf und begann mich mit der Hand zu reiben.«

»Ihren nackten Penis?«

»Ja.«

»Wer hatte ihn herausgezogen?«

»Sie.«

»Sie zog also Ihren Penis aus der Hose und rieb ihn dann mit der Hand, ist das richtig?« Sie sah ihn über ihre Brille hinweg an. Er war so peinlich berührt, daß er ihrem Blick sekundenlang auswich. Aber als er wieder zu ihr hinsah, wurde ihm bewußt, daß sie nicht die geringste Peinlichkeit empfand, daß sie eine mehr als klinische, mehr als professionelle Art

hatte – sie war emotional tatsächlich völlig unbeteiligt, fast kalt.
»Ja«, antwortete er, »so war es.«
»Und wie haben Sie reagiert?«
»Na ja«, sagte er mit einem verlegenen Schulterzucken, »es hat funktioniert.«
»Sie waren sexuell erregt?«
»Ja.«
»Haben Sie etwas zu ihr gesagt?«
»Was, zum Beispiel?«
»Ich will nur wissen, ob Sie etwas zu ihr gesagt haben.«
»Was denn, beispielsweise? Ich weiß nicht, was Sie meinen.«
»Haben Sie überhaupt irgend etwas zu ihr gesagt?«
»Ja, ich habe irgend etwas gesagt ... Ach, ich weiß auch nicht ... Das Ganze war mir wahnsinnig unangenehm.«
»Können Sie sich erinnern, was Sie gesagt haben?«
»Ich glaube, ich habe einfach nur einige Male ›Meredith!‹ gesagt, weil ich sie dazu bringen wollte, daß sie aufhört, verstehen Sie? Aber sie hat mich immer wieder unterbrochen oder geküßt.«
»Haben Sie außer ›Meredith!‹ noch etwas gesagt?«
»Ich weiß es nicht mehr.«
»Wie fühlten Sie sich bei dem, was sie mit Ihnen tat?«
»Ich fühlte mich unwohl.«
»Warum?«
»Ich hatte Angst, etwas mit ihr anzufangen, weil sie doch jetzt meine Chefin ist und weil ich inzwischen verheiratet bin, und ich wollte einfach keine Komplikationen. Ich wollte keine – na, Sie wissen schon – Büroaffäre.«
»Warum denn nicht?« fragte Fernandez.
Die Frage verdutzte ihn. »*Warum* nicht?«
»Ja.« Sie sah ihm mit kühlem, musternden Blick in die

Augen. »So ganz allein mit einer schönen Frau, die Sie begehrt ... Eine kleine Affäre – warum denn nicht?«
»Meine Güte!«
»Diese Frage würden wohl die meisten Menschen stellen.«
»Ich bin verheiratet.«
»Na und? Verheiratete Menschen haben ununterbrochen Affären.«
»Tja«, sagte er, »also, erstens ist meine Frau Anwältin und ziemlich mißtrauisch.«
»Kenne ich sie?«
»Sie hat ihren Mädchennamen behalten, Susan Handler. Sie arbeitet bei Benedict und King.«
Fernandez nickte. »Ich habe von ihr gehört. Gut. Sie hatten also Angst, Ihre Frau könnte davon erfahren?«
»Klar. Ich meine, wenn man am Arbeitsplatz etwas anfängt, dann weiß das doch gleich jeder. So was läßt sich einfach nicht geheimhalten.«
»Sie hatten also Angst, es könnte sich herumsprechen?«
»Ja. Aber das war nicht der Hauptgrund.«
»Was war der Hauptgrund?«
»Ms. Johnson ist meine Chefin. Die Position, in der ich mich befand, gefiel mir nicht. Sie hatte doch das Recht, mich zu feuern, wenn sie wollte. Es war irgendwie so, als *müßte* ich es tun. Es war mir wahnsinnig unangenehm.«
»Haben Sie ihr das gesagt?«
»Ich hab's versucht.«
»Wie haben Sie es versucht?«
»Na ja, ich habe es eben versucht.«
»Würden Sie sagen, daß Sie ihr zu verstehen gaben, daß ihre Annäherungsversuche Ihnen nicht recht waren?«
»Letztlich schon, ja.«
»Was wollen Sie damit sagen?«
»Na ja, wir haben ja zunächst mit diesem ... ich weiß nicht,

wie ich es nennen soll – Vorspiel oder was auch immer –, weitergemacht, und sie trug keinen Slip mehr, und –«

»Entschuldigen Sie bitte, aber wie kam es, daß sie keinen Slip mehr trug?«

»Den hatte ich ihr ausgezogen.«

»Hatte sie Sie darum gebeten?«

»Nein. Aber zu einem bestimmten Zeitpunkt hatte es mich doch ziemlich gepackt, ich wollte es tun, beziehungsweise ich spielte mit dem Gedanken, es zu tun.«

»Sie wollten den Geschlechtsverkehr ausüben.« Ihre Stimme klang ganz cool. Die Feder kratzte.

»Ja.«

»Sie waren aktiv beteiligt.«

»Eine Zeitlang schon, ja.«

»In welcher Hinsicht waren Sie aktiv beteiligt?« fragte sie. »Oder, anders gesagt: Haben Sie begonnen, ihre Brust oder ihre Genitalien zu berühren, ohne daß sie Sie dazu aufgefordert hatte?«

»Ich weiß nicht. Eigentlich hat sie mich zu so ziemlich allem aufgefordert.«

»Ich frage, ob Sie es freiwillig getan haben. Ob Sie es von sich aus getan haben. Oder hat sie, beispielsweise, Ihre Hand genommen und sie auf ihre –«

»Nein. Das habe ich von mir aus getan.«

»Was war aus Ihren vorangegangenen Bedenken geworden?«

»Ich war aufgewühlt. Erregt. An diesem Punkt war mir alles egal.«

»Gut. Erzählen Sie weiter!«

Er wischte sich noch einmal über die Stirn. »Ich bin Ihnen gegenüber ziemlich ehrlich ...«

»Sollten Sie auch sein. Das ist das Beste, was Sie tun können. Erzählen Sie jetzt bitte weiter.«

»Sie lag mit hochgeschobenem Rock auf der Couch und

wollte, daß ich in sie eindringe … und sie stöhnte so, Sie wissen schon, sie stöhnte immer ›Nein, nein‹, und plötzlich überkam mich wieder dieses Gefühl, daß ich es eigentlich gar nicht tun wollte, und ich sagte: ›Okay, lassen wir's bleiben.‹ Und dann ging ich von der Couch weg und begann mich anzuziehen.«

»Sie haben die Sache von sich aus abgebrochen?«

»Ja.«

»Weil sie nein gesagt hatte?«

»Nein. Das war nur der Vorwand für mich. Der eigentliche Grund war, daß ich zu diesem Zeitpunkt ein großes Unbehagen verspürte.«

»Mhm. Sie sind also aufgestanden und haben sich angekleidet …«

»Ja.«

»Und haben Sie währenddessen etwas gesagt? Haben Sie eine Erklärung für Ihr Verhalten abgegeben?«

»Ja. Ich sagte ihr, daß ich das Ganze nicht für eine gute Idee hielte und daß ich kein gutes Gefühl dabei hätte.«

»Wie hat sie darauf reagiert?«

»Sie wurde total sauer. Sie begann, mit Gegenständen nach mir zu werfen. Dann schlug sie mich. Und sie kratzte mich.«

»Haben Sie irgendwelche Kratzspuren?«

»Ja. Am Hals und auf der Brust.«

»Sind sie schon fotografiert worden?«

»Nein.«

»Na gut. Und wie haben Sie reagiert, als sie Sie gekratzt hat?«

»Ich habe nur versucht, mich anzuziehen und rauszugehen.«

»Sie haben nicht direkt auf ihren Angriff reagiert?«

»Doch. Einmal schubste ich sie zurück, um sie mir vom Leib zu halten, und sie stieß gegen den Tisch und fiel zu Boden.«

»Das klingt so, als hätten Sie sie aus Notwehr geschubst.«

»Ja, aus Notwehr. Sie hatte mir schon Knöpfe vom Hemd

gerissen. Ich mußte heim und wollte nicht, daß meine Frau mein Hemd so sieht, deshalb habe ich sie weggeschubst.«

»Haben Sie irgend etwas gemacht, was *nicht* aus Notwehr geschah?«

»Nein.«

»Haben Sie sie geschlagen?«

»Nein.«

»Sind Sie ganz sicher?«

»Ja.«

»Gut. Was geschah dann?«

»Sie warf ein Weinglas nach mir. Aber da war ich schon fast ganz angekleidet. Ich ging noch zum Fenster, um mein Telefon vom Fensterbrett zu nehmen, und dann –«

»Entschuldigen Sie, bitte. Sie holten Ihr Telefon? Was für ein Telefon ist das denn?«

»Ich hatte ein Mobiltelefon dabei.« Er nahm es aus der Tasche und zeigte es ihr. »Alle in der Firma tragen so ein Telefon bei sich – wir stellen diese Geräte nämlich her. Und ich hatte das Telefon benutzt, um von ihrem Büro aus anzurufen. Genau da begann sie mich zu küssen.«

»Sie waren mitten in einem Telefongespräch, als sie mit dem Küssen anfing?«

»Ja.«

»Mit wem sprachen Sie?«

»Mit einem Anrufbeantworter.«

»Ich verstehe.« Sie konnte ihre Enttäuschung nicht verbergen. »Bitte weiter!«

»Ich nahm also mein Telefon an mich und machte, daß ich rauskam. Sie schrie, das könne ich ihr nicht antun und sie würde mich umbringen.«

»Und Sie reagierten wie?«

»Gar nicht. Ich bin einfach gegangen.«

»Um wieviel Uhr war das?«

»Etwa Viertel vor sieben.«
»Hat irgend jemand Sie gesehen, als Sie gingen?«
»Die Putzfrau.«
»Wissen Sie zufällig, wie sie heißt?«
»Nein.«
»Haben Sie sie jemals vorher gesehen?«
»Nein.«
»Glauben Sie, daß sie für Ihre Firma arbeitete?«
»Sie trug den Kittel einer bestimmten Firma, der Büroreinigungsfirma, die unsere Büros saubermacht, Sie wissen schon.«
»Mhm. Und weiter?«
Er zuckte mit den Achseln. »Dann bin ich heimgefahren.«
»Haben Sie Ihrer Frau von der Sache erzählt?«
»Nein.«
»Haben Sie irgend jemandem davon erzählt?«
»Nein.«
»Warum nicht?«
»Ich glaube, ich stand unter Schock.«
Sie überflog schweigend die Notizen, die sie sich gemacht hatte. »Gut. Sie sagen, Sie seien sexuell belästigt worden. Und Sie haben mir geschildert, daß diese Frau sehr direkt auf Sie zugegangen ist. Da es sich um Ihre Chefin handelte, hätte ich erwartet, daß Sie ein gewisses Risiko darin sahen, Sie zurückzuweisen.«
»Ja, ich hatte Bedenken, klar. Andererseits – habe ich denn kein Recht, sie zurückzuweisen? Genau darum geht es doch!«
»Selbstverständlich haben Sie dieses Recht. Ich frage nach Ihrem emotionalen Zustand zu jenem Zeitpunkt.«
»Ich war sehr aufgewühlt.«
»Und trotzdem wollten Sie niemandem erzählen, was vorgefallen war? Sie wollten dieses aufwühlende Erlebnis keinem

Kollegen oder Freund mitteilen? Oder einem Verwandten, einem Bruder vielleicht? Wirklich niemandem?«

»Nein. An so etwas habe ich nicht mal gedacht. Ich wußte überhaupt nicht, wie ich mich verhalten sollte – ich glaube, ich stand wirklich unter Schock. Ich wollte einfach nur weg. Ich wollte glauben, daß das alles gar nicht passiert war.«

»Haben Sie sich irgendwelche Notizen gemacht?«

»Nein.«

»Gut. Sie sagten, Sie hätten es Ihrer Frau nicht erzählt. Würden Sie sagen, daß Sie es Ihrer Frau verheimlicht haben?«

Er zögerte kurz. »Ja.«

»Verheimlichen Sie ihr öfter etwas?«

»Nein. Aber in diesem Fall, Sie wissen schon – eine ehemalige Freundin war im Spiel ... Ich glaube nicht, daß sie das locker wegstecken würde. Ich wollte mich nicht herumstreiten mit ihr wegen dieser Sache.«

»Hatten Sie bereits Affären?«

»Das war keine Affäre.«

»Meine Frage versteht sich ganz allgemein – im Hinblick auf Ihre Beziehung zu Ihrer Frau.«

»Nein. Ich hatte keine Affären.«

»Gut. Ich rate Ihnen, Ihrer Frau sofort alles zu erzählen. Offenbaren Sie sich ihr voll und ganz. Sie wird es nämlich herausbekommen, das garantiere ich Ihnen – wenn sie es nicht ohnehin bereits weiß. Wie schwer es Ihnen auch immer fallen mag, ihr von dem Vorfall zu erzählen – die größte Chance, Ihre Ehe aufrechtzuerhalten, haben Sie, wenn Sie Ihrer Frau gegenüber absolut ehrlich sind.«

»Okay.«

»Zurück zu gestern abend. Was passierte dann?«

»Meredith Johnson rief bei mir daheim an und sprach mit meiner Frau.«

Fernandez hob die Augenbrauen. »Aha. Hatten Sie das erwartet?«

»Nein, um Gottes willen. Ich erschrak furchtbar. Aber sie war offenbar freundlich und rief nur an, um mir ausrichten zu lassen, daß die nächste Besprechung für den kommenden Morgen um halb neun angesetzt sei.«

»Ich verstehe.«

»Als ich allerdings heute zur Arbeit kam, stellte sich heraus, daß die Besprechung bereits um acht begonnen hatte.«

»Sie sind also zu spät gekommen, gerieten in eine peinliche Situation und so weiter?«

»Ja.«

»Und Sie hatten den Eindruck, daß das von ihr beabsichtigt gewesen war.« Es klang wie eine Aussage, nicht wie eine Frage.

»Ja.«

Fernandez warf einen Blick auf ihre Armbanduhr. »Die Zeit läuft uns davon. Informieren Sie mich bitte noch rasch über das, was heute geschah.«

Ohne Conley-White zu erwähnen, beschrieb er kurz die morgendliche Sitzung und schilderte seine daraus resultierende Demütigung. Dann berichtete er von dem Streit mit Meredith und dem Gespräch mit Phil Blackburn. Er erwähnte das Angebot einer Versetzung und die Tatsache, daß ihm durch eine Versetzung die Vergünstigungen des Kursgewinns verlorengingen. Schließlich schilderte er noch, wie er zu dem Entschluß gekommen war, rechtlichen Beistand zu suchen.

Fernandez stellte ihm noch einige weitere Fragen und schrieb fleißig mit. Dann schob sie den gelben Notizblock zur Seite. »Gut. Ich denke, ich weiß jetzt genug, um mir ein Bild machen zu können. Sie fühlen sich zurückgesetzt und hintergangen. Und nun wollen Sie wissen, ob es sich in Ihrem Fall um sexuelle Belästigung handelt.«

»Ja«, sagte er nickend.
»Also: Es ließe sich darüber streiten. Es wäre ein Fall fürs Schwurgericht, und wir wissen nicht, was passieren würde, wenn wir vor Gericht gingen. Aber angesichts dessen, was Sie mir hier geschildert haben, muß ich Ihnen sagen, daß Ihre Aussichten nicht gut stehen.«
Sanders war schockiert. »Das darf doch nicht wahr sein!«
»Ich habe die Gesetze nicht gemacht. Ich sage es Ihnen ganz offen, um Ihnen alle Informationen zu geben, die Sie für einen Entschluß brauchen. Ihre Situation ist nicht günstig, Mr. Sanders.«
Sie schob ihren Stuhl zurück und begann, einige der Papiere, die auf dem Schreibtisch lagen, in ihren Aktenkoffer zu stopfen. »Ich habe nur noch fünf Minuten Zeit, aber ich möchte Ihnen noch rasch erklären, was sexuelle Belästigung, rechtlich betrachtet, eigentlich ist. Viele Klienten sind sich darüber nämlich nicht im klaren. Seit Mitte der 80er Jahre gibt eine Behörde für die Gleichberechtigung am Arbeitsplatz Richtlinien heraus, die durch das Präzedenzrecht weiter spezifiziert werden. Die Definitionen sind ziemlich eindeutig. Damit eine Klage der Definition von sexueller Belästigung entspricht, muß sie dem Gesetz zufolge drei Elemente beinhalten. Erstens muß es sich um sexuelles Verhalten handeln. Das bedeutet, daß beispielsweise ein unanständiger oder geschmackloser Witz nicht unter sexuelle Belästigung fällt, auch wenn ein Zuhörer ihn als anstößig empfindet. Das jeweilige Verhalten muß sexueller Natur sein. Aus dem zu schließen, was Sie mir erzählt haben, kann es in Ihrem Fall keinen Zweifel an dem Vorhandensein eines eindeutig sexuellen Elements geben.«
»Okay.«
»Zweitens muß das jeweilige Verhalten unerwünscht sein. Die Gerichte unterscheiden zwischen freiwilligem und uner-

wünschtem Verhalten. So kann eine Person beispielsweise sexuelle Beziehungen zu einem Vorgesetzten unterhalten und dies offensichtlich freiwillig tun – niemand zwingt die Person dazu. Die Gerichte nehmen es den Angestellten jedoch ab, wenn sie sagen, sie glaubten, keine andere Möglichkeit gehabt zu haben, als einzuwilligen. Dann gehen die Gerichte davon aus, daß die sexuelle Beziehung nicht aus freien Stücken eingegangen wurde – sie ist unerwünscht.
Um zu entscheiden, ob ein Verhalten wirklich unerwünscht ist, sehen sich die Gerichte das dem Ereignis vorausgegangene Verhalten im weitesten Sinne an. Hat der Arbeitnehmer oder die Arbeitnehmerin am Arbeitsplatz sexuelle Witze gemacht und somit zu verstehen gegeben, daß er beziehungsweise sie solche Witze auch von anderen gerne hört? Fiel der oder die Angestellte in Gesprächen mit anderen Angestellten durch Anzüglichkeiten oder sexuelles Geplänkel auf? Falls der oder die Angestellte eine intime Beziehung mit einem Vorgesetzten unterhielt, dann lauten die Fragen: Wurde der oder die Vorgesetzte zum Beispiel im Krankenhaus besucht beziehungsweise wurden mit ihr oder ihm Treffen außerhalb der Arbeitszeit vereinbart? Wurden Handlungen anderer Art vollzogen, die es nahelegen, daß der oder die Angestellte die Beziehung aktiv und willig aufrechterhielt? Des weiteren versucht das Gericht herauszufinden, ob der oder die Angestellte seinem oder seiner Vorgesetzten je gesagt hat, daß das entsprechende Verhalten unerwünscht sei, oder sich vor irgendeiner dritten Person über die Beziehung beklagt oder irgend etwas unternommen hat, um die unerwünschte Situation zu vermeiden. Diese Erwägung ist von zusätzlicher Bedeutung, wenn der oder die Angestellte eine hochrangige Position einnimmt und dadurch mutmaßlich mehr Freiheit hat, dem eigenen Wunsch entsprechend zu handeln.«
»Aber ich habe niemandem davon erzählt.«

»Nein. Und ihr haben Sie auch nichts gesagt. Zumindest nichts Eindeutiges, soweit ich das beurteilen kann.«

»Ich hatte das Gefühl, mir das nicht leisten zu können«, erwiderte Sanders.

»Das ist mir klar. Aber es stellt ein Problem für Ihren Fall dar. Also, das dritte Element sexueller Belästigung ist die Diskriminierung auf sexueller Basis, meist nach dem Prinzip Quidproquo – sexuelle Gefälligkeit wird mit Gegenleistungen in Form des Arbeitsplatzerhaltes oder einer Beförderung vergütet. Die dahinterstehende Bedrohung kann ausdrücklich oder stillschweigend zu verstehen gegeben worden sein. Sie sagten, glaube ich, Ihrer Ansicht nach hat Ms. Johnson die Möglichkeit, Sie zu entlassen?«

»Ja.«

»Wie sind Sie zu dieser Ansicht gelangt?«

»Phil Blackburn erzählte es mir.«

»Ausdrücklich?«

»Ja.«

»Und Ms. Johnson selbst? Hat Sie Ihnen irgendein Angebot gemacht, das mit Sex verbunden war? Hat sie im Lauf des Abends in irgendeiner Weise erwähnt, daß sie die Möglichkeit besitzt, Sie zu feuern?«

»Nicht so deutlich, aber es lag in der Luft. Ja, es lag die ganze Zeit über in der Luft.«

»Woher wußten Sie das?«

»Sie sagte zum Beispiel sinngemäß: ›Solange wir miteinander arbeiten, dürfen wir ruhig auch ein bißchen Spaß haben.‹ Und sie sprach davon, daß wir uns auf gemeinsamen Geschäftsreisen nach Malaysia ein paar schöne Tage machen würden und so weiter.«

»Und das interpretierten Sie als eine unausgesprochene Bedrohung Ihres Arbeitsplatzes?«

»Meiner Interpretation nach bedeutete es: Wenn ich mit ihr

gut stehen wollte, dann hatte ich ihr gefälligst zu Willen zu sein.«

»Und das wollten Sie nicht?«

»Nein.«

»Haben Sie ihr das gesagt?«

»Ich sagte ihr, daß ich verheiratet bin und daß sich zwischen uns alles geändert habe.«

»Nun, dieser Wortwechsel allein würde in den meisten Fällen wahrscheinlich ausreichen, Ihre Prozeßaussichten zu verbessern – wenn es Zeugen dafür gäbe.«

»Es gibt aber keine.«

»Nein. Es gibt jedoch noch eine letzte Möglichkeit, wenn nämlich das besteht, was wir feindselige Arbeitsatmosphäre nennen. Normalerweise beruft man sich darauf in Situationen, in denen ein Individuum durch ein ganzes Muster von Vorfällen belästigt wurde, von denen jeder für sich betrachtet möglicherweise nicht sexuell angehaucht ist, die als Ganzes jedoch eine auf dem Geschlechtsunterschied basierende Belästigung darstellen. Ich denke allerdings nicht, daß Sie aufgrund dieses einmaligen Vorfalls von einer feindseligen Arbeitsatmosphäre sprechen können.«

»Ich verstehe.«

»Leider ist der Vorfall, den Sie beschreiben, bei weitem nicht so eindeutig, wie er klingt. Wenn er eindeutiger wäre, könnte man den zusätzlichen Nachweis einer Belästigung führen, zum Beispiel wenn Sie gefeuert worden wären.«

»Letzten Endes *haben* sie mich doch gefeuert«, sagte Sanders. »Ich muß die Abteilung verlassen und kann nicht von dem Kursgewinn profitieren.«

»Ja, schon. Aber das Angebot der Firma, Sie zu versetzen, macht die Sache komplizierter. Die Firma kann nämlich argumentieren – und zwar sehr erfolgreich, wie ich meine –, daß sie Ihnen nicht mehr schuldig ist als eine solche Versetzung. Daß sie Ihnen nie das goldene Ei in Form eines Spin-offs versprochen hat. Daß ein solcher Spin-off in jedem Fall eine spekulative Angelegenheit ist, die sich irgendwann in der Zukunft zutragen soll, sich unter Umständen jedoch niemals ereignet. Daß die Firma nicht verpflichtet ist, Sie für Ihre Hoffnungen zu entschädigen – für eine vage Erwartung einer möglicherweise niemals Realität werdenden Zukunft. Und deshalb wird die Firma sich auf den Standpunkt stellen, daß eine Versetzung durchaus akzeptabel ist und Sie sich unvernünftig verhalten, wenn Sie das Angebot ablehnen. Daß Sie letzten Endes kündigen und nicht gefeuert werden. Und damit läge die Beweislast wieder bei Ihnen.«

»Das ist doch lächerlich.«

»Nein, ganz und gar nicht. Nehmen wir einmal an, Sie würden herausfinden, daß Sie Krebs im Endstadium haben und in sechs Monaten sterben müssen. Wäre die Firma dann verpflichtet, die Erlöse aus dem Spin-off an Ihre Hinterbliebenen auszuzahlen? Eindeutig nein. Wenn Sie zu dem Zeitpunkt in der Firma arbeiten, zu dem sie ausgegliedert wird, sind Sie dabei. Wenn nicht, dann nicht. Eine weitergehende Verpflichtung besteht für das Unternehmen nicht.«

»Wollen Sie damit sagen, daß ich ebensogut Krebs haben könnte?«

»Nein, ich will damit nur sagen, daß Sie wütend sind und die Ansicht vertreten, die Firma schulde Ihnen etwas, aber das Gericht wird es nicht so sehen. Meiner Erfahrung nach schwingt bei Klagen wegen sexueller Belästigung immer so etwas mit. Die Leute ziehen wütend und gekränkt vor Gericht und glauben, sie hätten Rechte, die sie in Wirklichkeit einfach nicht haben.«

Sanders seufzte auf. »Wäre das anders, wenn ich eine Frau wäre?«

»Im Prinzip nicht. Selbst in den eindeutigsten Situationen –

in den extremsten und empörendsten Situationen – läßt sich sexuelle Belästigung notorisch schwer beweisen. Die meisten Fälle spielen sich so ab wie Ihrer: hinter verschlossenen Türen und ohne Zeugen. Dann steht Aussage gegen Aussage. Unter solchen Umständen, das heißt, wenn keine eindeutige bestätigende Zeugenaussage vorliegt, kommt es häufig zu einem Vorurteil gegen den Mann.«

»Hmm.«

»Dennoch geht ein Viertel aller Klagen wegen sexueller Belästigung von Männern aus. Die meisten dieser Klagen werden gegen männliche Chefs erhoben. Aber immerhin ein Fünftel davon wird gegen Frauen vorgebracht. Und diese Zahl nimmt parallel zu der steigenden Anzahl weiblicher Chefs ständig zu.«

»Das wußte ich nicht.«

»Es wird nicht viel darüber gesprochen«, erklärte sie und warf ihm über ihre Brillengläser hinweg einen Blick zu. »Aber es kommt vor. Und meiner Meinung nach war das auch nicht anders zu erwarten.«

»Warum?«

»Sexuelle Belästigung hat immer etwas mit Macht zu tun, mit der unzulässigen Machtausübung durch eine vorgesetzte Person an einer untergebenen Person. Ich weiß, daß es einen modischen Standpunkt gibt, der besagt, Frauen unterschieden sich grundlegend von Männern und würden eine oder einen Untergebenen niemals belästigen. Aber ich kann aus eigener Erfahrung sagen, daß ich in dieser Hinsicht schon alles erlebt habe. Ich habe alles gesehen und gehört, was Sie sich nur vorstellen können – und vieles, das Sie mir nicht glauben würden, wenn ich es Ihnen erzählte. Dadurch habe ich eine andere Perspektive gewonnen. Ich persönlich kümmere mich nicht sehr um die Theorie, ich muß mich mit den Tatsachen beschäftigen. Und aufgrund der Tatsachen kann ich keinen großen Unterschied zwischen dem Verhalten von Männern und dem von Frauen erkennen. Zumindest keinen Unterschied, auf den man sich wirklich verlassen könnte.«

»Dann glauben Sie mir also?«

»Ob ich Ihnen glaube, steht hier nicht zur Debatte. Wichtig ist jetzt die Frage, ob Sie im Fall eines Prozesses realistische Erfolgsaussichten haben, und des weiteren, was Sie unter den gegebenen Umständen tun sollten. Ich kann Ihnen nur sagen, daß ich das alles schon oft gehört habe. Sie sind nicht der erste Mann, der mich gebeten hat, ihn vor Gericht zu vertreten, verstehen Sie.«

»Was raten Sie mir?«

»Ich kann Ihnen keinen Rat geben«, sagte Fernandez schroff. »Die Entscheidung, vor der Sie jetzt stehen, ist viel zu schwierig. Ich kann Ihnen nur die Situation darlegen.« Sie drückte auf die Taste der Sprechanlage. »Bob, sagen Sie bitte Richard und Eileen, sie sollen den Wagen vorfahren. Ich treffe mich mit ihnen vor dem Haus.« Dann wandte sie sich wieder Sanders zu.

»Ich gebe Ihnen noch einmal einen kurzen Überblick über die Sachlage.« Sie zählte jeden Punkt einzeln an den Fingern ab. »Erstens: Sie behaupten, in eine intime Situation mit einer jüngeren, sehr attraktiven Frau geraten zu sein, sie jedoch zurückgewiesen zu haben. Aufgrund des Fehlens von Zeugen beziehungsweise einer bestätigenden Zeugenaussage wird diese Geschichte den Geschworenen nicht leicht zu verkaufen sein.

Zweitens: Wenn Sie einen Prozeß anstrengen, wird Ihre Firma Sie rausschmeißen. Bis zur Prozeßeröffnung wird es drei Jahre dauern. Sie werden sich überlegen müssen, wie Sie sich in dieser Zeit über Wasser halten und wie Sie die Kosten für Ihr Haus und andere Ausgaben begleichen wollen. Wir könnten ein Erfolgshonorar miteinander vereinbaren, aber für alle

direkten durch den Prozeß entstehenden Kosten müssen Sie aufkommen, und die werden sich auf mindestens 100000 Dollar belaufen. Ich weiß nicht, ob Sie eine Hypothek auf Ihr Haus aufnehmen wollen oder was auch immer. Auf jeden Fall müßten Sie sich darum kümmern.
Drittens: Durch eine Klage wird alles an die Öffentlichkeit gezerrt. Es wird jahrelang, noch bevor der Prozeß überhaupt eröffnet ist, in der Zeitung stehen und in den Abendnachrichten gemeldet werden. Ich kann Ihnen nicht annähernd realitätsgetreu beschreiben, was für eine zermürbende Erfahrung das ist – für Sie wie für Ihre Frau und für Ihre Kinder. Viele Familien überleben nicht einmal die Zeit vor der Prozeßeröffnung intakt. Es kommt zu Scheidungen, zu Suiziden, zu Erkrankungen. Es ist sehr, sehr schwer.
Viertens: Aufgrund des Angebots einer Versetzung ist mir nicht klar, was wir als Schaden anführen wollen. Die Firma wird behaupten, daß Sie nichts vorzubringen haben, und wir müssen das Gegenteil beweisen. Aber selbst bei einem deutlichen Sieg könnte es durchaus sein, daß Sie nach Abzug aller Kosten und Honorare gerade mal mit ein paar 100000 Dollar aus der Sache herauskommen, abgesehen von den drei Jahren Ihres Lebens, die Sie der Sache geopfert haben. Und selbstverständlich ist es immer möglich, daß die Firma in Revision geht, was eine weitere Verzögerung der Zahlung mit sich brächte.
Fünftens: Wenn Sie vor Gericht gehen, werden Sie danach nie mehr in Ihrer Branche arbeiten. Ich weiß, daß es eigentlich nicht so sein darf, aber in der Praxis sieht es so aus, daß Sie nie wieder einen Job bekommen. Das ist nun mal so. Wenn Sie 55 wären, könnte man darüber reden. Aber Sie sind 41, und ich weiß nicht, ob Sie zu diesem Zeitpunkt in Ihrem Leben eine solche Entscheidung treffen wollen.«
»Mein Gott!« Er ließ sich in seinen Stuhl zurückfallen.

»Es tut mir leid, aber das sind nun mal die Fakten, die ein Rechtsstreit mit sich bringt.«
»Aber das ist total ungerecht!«
Fernandez zog ihren Regenmantel an. »Die Rechtsprechung hat leider nichts mit Gerechtigkeit zu tun, Mr. Sanders. Sie stellt nur eine Methode dar, Streit beizulegen. Als System betrachtet, ist das Ganze oberfaul. Es ist geradezu grauenhaft. Aber es ist das einzige, was wir haben.« Sie ließ die Verschlüsse an ihrem Aktenkoffer zuschnappen und hielt Sanders die ausgestreckte Hand hin. »Tut mir leid, Mr. Sanders. Ich wünschte, es wäre anders. Sie können mich jederzeit anrufen, falls Sie weitere Fragen an mich haben.«
Sie eilte aus dem Büro und ließ ihn dort sitzen. Nach einer Weile kam die Sekretärin herein. »Kann ich etwas für Sie tun?«
»Nein«, sagte Sanders, langsam den Kopf schüttelnd. »Nein, ich wollte gerade gehen.«

Während der Fahrt zum Gericht erzählte Louise Fernandez den beiden mit ihr im Wagen sitzenden Juniorpartnern, einem Mann und einer Frau, Sanders' Geschichte. »Das nehmen Sie ihm doch nicht ab, oder?« sagte die junge Anwältin.
»Wer weiß?« erwiderte Fernandez. »Es geschah hinter verschlossenen Türen. Man kann nie wissen.«
Die junge Frau schüttelte den Kopf. »Ich glaube einfach nicht, daß eine Frau so etwas tut, so aggressiv ist.«
»Warum denn nicht?« sagte Fernandez. »Nehmen wir mal an, es handelte sich in diesem Fall nicht um sexuelle Belästigung, sondern um eine stillschweigende Übereinkunft zwischen einem Mann und einer Frau. Der Mann behauptet, hinter

verschlossenen Türen sei ihm ein großer Bonus versprochen worden, was die Frau abstreitet. Würden Sie annehmen, daß der Mann lügt, weil eine Frau sich nicht so verhält?«
»In diesem Fall nicht, nein.«
»In einer solchen Situation würden Sie alles für möglich halten?«
»Aber hier geht es nicht um irgendeinen Vertrag«, gab die Frau zu bedenken. »Hier geht es um sexuelles Verhalten.«
»Sie glauben also, daß Frauen in ihren vertraglichen Vereinbarungen unberechenbar sind, sich in ihren sexuellen Vereinbarungen jedoch stereotyp verhalten?«
»Ich weiß nicht, ob ich das Wort *stereotyp* benutzen würde ...«
»Sie haben eben gesagt, Sie glauben nicht, daß eine Frau in sexueller Hinsicht aggressiv wird. Ist das kein Stereotyp?«
»Nein, überhaupt nicht. Es ist kein Stereotyp, weil es die Wahrheit ist. Wenn es um Sex geht, sind Frauen anders als Männer.«
»Und Schwarze haben Rhythmus im Blut«, sagte Fernandez. »Asiaten sind arbeitswütig, und Latinos beziehen nie einen klaren Standpunkt. Sind nicht auch diese Aussagen wahr?«
»Aber hier geht es doch um etwas anderes. Ich meine, es gibt Studien darüber. Männer und Frauen reden nicht mal in derselben Sprache miteinander.«
»Ach, Sie meinen zum Beispiel diese Studien, in denen aufgezeigt wird, daß Frauen schlechte Geschäftsleute sind und nicht strategisch denken können?«
»Nein. Diese Studien sind falsch.«
»Aha. Diese Studien sind also falsch. Aber die Studien über sexuelle Differenzen sind richtig, ja?«
»Ja doch. Weil Sex nun mal etwas Fundamentales ist, ein Elementartrieb.«
»Ich wüßte nicht, warum. Sex wird doch für alle möglichen

Zwecke eingesetzt. Um Beziehungen zu knüpfen, um den anderen günstig zu stimmen, um zu provozieren, als Angebot, als Waffe, als Drohung. Der Einsatz von Sexualität kann ziemlich komplex sein. Haben Sie diese Erfahrung noch nie gemacht?«

Die junge Frau verschränkte die Arme vor der Brust. »Ich glaube nicht.«

Jetzt ergriff der junge Mann das Wort und sagte: »Und was haben Sie dem Knaben geraten? Nicht zu klagen?«

»Nein. Aber ich habe ihm alle Probleme genannt, die auf ihn zukommen würden.«

»Was sollte er Ihrer Meinung nach tun?«

»Ich weiß es nicht«, antwortete Louise Fernandez. »Aber ich weiß, was er hätte tun sollen.«

»Was denn?«

»Es klingt schrecklich. Aber in dieser Welt, wie sie nun mal ist, ohne Zeugen, ganz allein mit seiner Chefin im Büro? Wahrscheinlich hätte er die Tür absperren und seine Chefin einfach bumsen sollen. Im Augenblick hat der arme Kerl nämlich nicht die geringsten Erfolgsaussichten. Wenn er nicht aufpaßt, ist sein Leben gelaufen.«

Sanders trottete den Hügel zum Pioneer Square hinunter. Es hatte aufgehört zu regnen, aber der Nachmittag blieb feucht und grau. Das nasse Gehsteigpflaster unter seinen Füßen führte steil bergab. Die Spitzen der Wolkenkratzer um ihn herum verschwanden im tiefhängenden kühlen Dunst.

Er wußte nicht genau, was er gehofft hatte, von Louise Fernandez zu hören, aber ganz bestimmt nicht eine Ansammlung von Hiobsbotschaften, wie daß er gefeuert werden würde, sein

Haus beleihen müßte, in den Zeitungen stünde und nie mehr arbeiten dürfte.
Sanders fühlte sich von der plötzlichen Wende, die sein Leben genommen hatte, und dem Bewußtsein, daß seine Existenz bedroht war, völlig überrumpelt. Noch vor zwei Tagen war er ein angesehener leitender Angestellter mit einer sicheren Stellung und vielversprechender Zukunft gewesen. Jetzt sah er sich mit Schande, Demütigung und dem Verlust des Arbeitsplatzes konfrontiert. Es gab nicht die mindeste Sicherheit mehr.
Er dachte über all die Fragen nach, die Fernandez ihm gestellt hatte – Fragen, auf die er selbst nie gekommen wäre. Warum er niemandem von der Sache erzählt habe. Warum er sich keine Notizen gemacht habe. Warum er Meredith nicht klar und deutlich gesagt habe, daß ihre Avancen unerwünscht seien. Fernandez bewegte sich in einer Welt der Regeln und Unterscheidungen, die er nicht verstand, die ihm nie in den Sinn gekommen waren. Und jetzt erwiesen sich diese Unterscheidungen als lebenswichtig.
Ihre Aussichten stehen nicht gut, Mr. Sanders.
Aber wie hätte er das alles verhindern sollen? Was hätte er anders machen sollen? Er ging in Gedanken noch einmal alle Möglichkeiten durch.
Angenommen, er hätte Blackburn gleich nach dem Treffen mit Meredith angerufen und ihm in allen Einzelheiten erzählt, daß Meredith ihn belästigt hatte. Er hätte das Telefongespräch von der Fähre aus führen und ihr mit seiner Beschwerde zuvorkommen können. Wäre dann alles anders gekommen? Was hätte Blackburn dann getan?
Er schüttelte den Kopf. Nein, es erschien ihm unwahrscheinlich, daß ein solches Verhalten seinerseits irgend etwas an der Sache geändert hätte. Denn letzten Endes war Meredith in die Machtstruktur des Unternehmens weit stärker eingebun-

den als er. Meredith gehörte mit Haut und Haaren zum Unternehmen, sie hatte Macht, und sie hatte Verbündete. Das war die Lehre – die allem anderen zugrunde liegende Lehre –, die er aus dieser Situation ziehen mußte. Sanders zählte überhaupt nicht. Er war nur ein Kerl von der Technik, ein kleines Rädchen im großen Firmengetriebe. Seine Aufgabe bestand darin, mit seiner neuen Chefin klarzukommen, und das war ihm nicht gelungen. Was immer er jetzt tat, es lief alles nur auf großes Gejammere hinaus. Oder, noch schlimmer: darauf, die Chefin zu verpfeifen, zu denunzieren. Und Denunzianten kann niemand leiden.

Was also hätte er tun sollen?

Während er so grübelte, fiel ihm ein, daß er Blackburn gleich nach dem Treffen mit Meredith gar nicht hätte anrufen können: Sein Mobiltelefon hatte nicht mehr funktioniert, die Batterie war leer gewesen.

Plötzlich sah er in Gedanken ein Auto vor sich. *Ein Mann und eine Frau in einem Auto. Sie fahren zu einer Party*. Irgend jemand hatte ihm einmal etwas erzählt ... eine Geschichte über Leute in einem Auto.

Es lag ihm auf der Zunge, aber es fiel ihm partout nicht ein.

Für das Ausfallen des Telefons gab es viele mögliche Gründe. Am wahrscheinlichsten war ein Problem mit dem Nicad-Akku. Die neuen Telefone hatten wiederaufladbare Nickel-Cadmium-Batterien; wenn sie zwischen den Gesprächen nicht völlig entladen worden waren, stellten sie sich einfach von selbst auf eine kürzere Nutzdauer ein. Man wußte dann nie, wann sie leer waren. Sanders hatte schon einige Male Batterien auswechseln müssen, weil ihre Speicherkapazität zu klein geworden war.

Er holte sein Telefon hervor und schaltete es ein. Das Lämpchen leuchtete ganz hell. Heute schien die Batterie einwandfrei zu funktionieren.

Aber da war doch etwas gewesen ...
Im Auto unterwegs.
Es gab etwas, an das er nicht gedacht hatte.
Unterwegs zu einer Party.
Er runzelte angestrengt die Stirn, aber es fiel ihm einfach nicht ein. Es war nur ganz verschwommen in seinem Gedächtnis, zu unklar, um es wieder hervorholen zu können.
Aber es brachte ihn auf eine Idee: Vielleicht war ihm noch etwas entgangen. Denn je länger er die Situation überdachte, um so stärker wurde das nagende Gefühl, daß er noch etwas anderes übersehen hatte, etwas, das wohl auch Louise Fernandez entgangen war. Da war etwas, das unter all ihren Fragen an ihn gefehlt hatte. Etwas, das jeder für selbstverständlich hielt, obwohl –
Meredith.
Es hatte mit Meredith zu tun.
Sie hatte ihn der Belästigung beschuldigt. Sie war zu Blackburn gegangen und hatte ihn gleich am nächsten Morgen angeschwärzt. Aber warum? Zweifellos fühlte sie sich schuld an dem, was während des Treffens vorgefallen war. Und vielleicht hatte sie befürchtet, Sanders werde sie verpfeifen, und war ihm deshalb zuvorgekommen. In diesem Licht betrachtet, wurde ihre Anschuldigung verständlich.
Wenn Meredith aber wirklich Macht hatte, dann war es völlig überflüssig, das Thema sexuelle Belästigung überhaupt aufzubringen; dann hätte sie ebensogut zu Blackburn gehen und ihm sagen können: »Hör zu, es funktioniert nicht mit Tom. Ich komme nicht mit ihm zurecht. Wir müssen ihn auswechseln.« Blackburn hätte es sofort getan.
Statt dessen hatte sie ihn beschuldigt, sie sexuell belästigt zu haben, und das mußte ihr peinlich gewesen sein. Denn sexueller Belästigung ging immer ein Autoritätsverlust voraus; in ihrem Fall bedeutete es, daß sie nicht in der Lage gewesen war,

einen ihr Untergebenen während einer geschäftlichen Besprechung unter Kontrolle zu halten. Auch wenn wirklich etwas Unangenehmes passiert war, würde eine vorgesetzte Person dies unter gar keinen Umständen anderen gegenüber erwähnen.

Sexuelle Belästigung hat immer etwas mit Macht zu tun.

Als kleine Sekretärin von einem stärkeren, mächtigen Mann befummelt zu werden, das war eine Sache. Eine andere war es, wenn, wie in diesem Fall, die Frau der Boß war. Meredith hatte die Macht. Warum behauptete sie dann, Sanders habe sie belästigt? Weil feststand, daß Untergebene ihre Chefs nicht belästigten. So etwas gab es einfach nicht. Man mußte regelrecht verrückt sein, um seinen Chef oder seine Chefin sexuell zu belästigen.

Sexuelle Belästigung hat immer etwas mit Macht zu tun, mit der unzulässigen Machtausübung durch eine vorgesetzte Person an einer untergebenen Person.

Wenn sie von sexueller Belästigung sprach, dann gab sie damit ironischerweise zu, daß sie Sanders untergeben war. Und das würde sie nie tun. Ganz im Gegenteil: Meredith war neu in ihrer Stellung und eifrig darauf bedacht, zu beweisen, daß sie alles im Griff hatte. Ihre Anschuldigung war daher völlig unverständlich – es sei denn, sie benützte diese Anschuldigung als bequeme Möglichkeit, ihn fertigzumachen. Sexuelle Belästigung hatte den Vorteil, ein Vergehen zu sein, von dessen Verdacht man sich schwerlich wieder erholte. Solange die eigene Unschuld nicht bewiesen war, galt man als schuldig – und Unschuld nachzuweisen, war eben schwierig. Ein solcher Vorwurf verunglimpfte jeden Menschen, egal wie leichtfertig die Beschuldigung ausgesprochen worden war. In dieser Hinsicht stellte der Vorwurf der sexuellen Belästigung eine äußerst wirksame Waffe dar. Die wirksamste Waffe, deren sie sich bedienen konnte.

Andererseits wollte sie keine Anzeige gegen ihn erstatten.
Und die Frage war –
Warum nicht?
Sanders blieb mitten auf dem Gehweg stehen.
Das war's!
Sie hat mir versichert, daß sie dich nicht anzeigen wird.
Warum wollte Meredith ihn nicht anzeigen?
Als Blackburn ihm das sagte, hatte Sanders keinen Gedanken daran verschwendet. Auch Louise Fernandez war nicht mißtrauisch geworden. Und doch war es eine Tatsache, daß Meredith' Weigerung, Anzeige zu erstatten, überhaupt keinen Sinn ergab. Sie hatte ihn bereits denunziert – warum ihn also nicht auch anzeigen? Warum nicht konsequent handeln?
Wir können die Sache ganz diskret regeln, rein intern. Das wird für alle das beste sein.
Vielleicht hatte Blackburn es ihr ausgeredet. Blackburn war immer so um Äußerlichkeiten besorgt.
Wir können die Sache diskret regeln.
Aber Sanders glaubte nicht, daß es so gewesen war. Denn auch eine formelle Beschuldigung konnte diskret und firmenintern behandelt werden.
Und von Meredith' Standpunkt aus hätte eine formelle Beschuldigung große Vorteile mit sich gebracht: Sanders war unter den Angestellten von DigiCom sehr beliebt. Er gehörte der Firma schon lange an. Wenn sie es sich zum Ziel gesetzt hatte, ihn loszuwerden, ihn nach Texas zu verbannen, warum sollte sie dann nicht das unvermeidliche Betriebsgemurre entschärfen, indem sie die Beschwerde offiziell machte und in aller Ruhe abwartete, bis sie sich ihren Weg durch den Firmenklatsch gebahnt hatte?
Je länger Sanders darüber nachdachte, um so mehr wuchs seine Überzeugung, daß es nur eine einzige Erklärung gab:

Meredith würde ihn nicht anzeigen, weil sie es gar nicht konnte.

Sie konnte es nicht, weil sie irgend etwas daran hinderte.

Irgend etwas anderes, auf das sie Rücksicht nehmen mußte.

Irgend etwas anderes lief da noch.

Wir können die Sache diskret regeln.

Allmählich sah er alles in einem ganz neuen Licht. Bei dem Gespräch vorhin hatte Blackburn ihn in Wahrheit weder abschätzig behandelt noch für unglaubwürdig gehalten: Blackburn war vor ihm gekrochen.

Blackburn hatte Angst.

Wir können die Sache diskret regeln. Das wird für alle das beste sein.

Was sollte das heißen – für alle das beste?

Welches Problem hatte Meredith?

Welches Problem konnte sie haben?

Er zog sein Telefon hervor, rief United Airlines an und buchte drei Rückflugtickets nach Phoenix.

Dann rief er seine Frau an.

»Du verdammtes Arschloch!« zischte Susan. Sie saßen in einer Ecke im *Il* Terrazzo. Es war zwei Uhr nachmittags und das Lokal fast leer. Susan hatte ihn eine halbe Stunde lang angehört, ohne ein einziges Mal zu unterbrechen oder einen Kommentar abzugeben. Er hatte ihr alles über die Vorfälle bei seinem Treffen mit Meredith erzählt und auch alles, was sich an diesem Vormittag zugetragen hatte: die Sitzung mit Conley-White, das Gespräch mit Phil und das mit Louise Fernandez. Jetzt war er mit seiner Geschichte am Ende. Susan starrte ihn an.

»Du bringst es noch so weit, daß ich dich verachte, weißt du

das? Du Arschloch – warum hast du mir nicht erzählt, daß sie deine Exfreundin ist?«
»Ich weiß nicht. Ich wollte nicht darüber reden.«
»Du wolltest nicht darüber reden? Adele und Mary Anne telefonieren den ganzen Tag mit mir und wissen es, und ich nicht! Das ist einfach demütigend, Tom!«
»Na ja«, sagte er kleinlaut, »du weißt doch, daß du dich in letzter Zeit sowieso schon ziemlich viel aufregst, und da –«
»Hör bloß mit diesem Quatsch auf, Tom!« fuhr sie ihn an. »Mit mir hat das nicht das geringste zu tun. Du hast es mir nicht erzählt, weil du es nicht erzählen wolltest.«
»Susan, das ist nicht –«
»Doch, das ist der Grund, Tom. Ich habe dich gestern abend nach ihr gefragt. Du hättest darüber reden können, wenn du nur gewollt hättest. Aber du wolltest ja nicht.« Sie schüttelte den Kopf. »Arschloch! Ich kann einfach nicht fassen, was für ein Arsch du bist! Du hast unglaublichen Mist gebaut. Ist dir überhaupt klar, welchen Mist du da gebaut hast?«
»Ja«, sagte er mit hängendem Kopf.
»Spiel mir jetzt bloß nicht den reuigen Sünder vor, du Arsch!«
»Es tut mir leid.«
»Leid tut es dir? Das kannst du einer anderen erzählen. Mein Gott! Ich fasse es einfach nicht! Du hast die Nacht mit deiner beschissenen *Freundin* verbracht!«
»Ich habe nicht die Nacht mit ihr verbracht. Und meine Freundin ist sie auch nicht.«
»Was soll das heißen? Sie war doch dein großer Schwarm!«
»Sie war nie mein ›großer Schwarm‹.«
»Ach, nein? Und warum hast du mir dann nichts von ihr erzählt?« Sie schüttelte den Kopf. »Beantworte mir nur eine einzige Frage: Hast du's mit ihr getrieben oder nicht?«
»Nein.«

Sie betrachtete ihn eindringlich und rührte dabei hektisch mit dem Löffel in ihrem Kaffee. »Sagst du mir die Wahrheit?«
»Ja.«
»Verschweigst du mir auch nichts? Läßt du nicht vielleicht ein paar lästige Stellen weg?«
»Nein. Nichts.«
»Warum beschuldigt sie dich dann?«
»Wie meinst du das?« fragte er.
»Ich meine, es muß doch einen Grund geben, warum sie dich beschuldigt. Irgend etwas mußt du doch getan haben.«
»Ja – ich habe ihr einen Korb gegeben.«
»Ah ja. Na klar.« Sie sah ihn wütend an. »Weißt du, Tom, hier geht es nicht nur um dich. Hier geht es um deine ganze Familie: um mich und um die Kinder.«
»Ich weiß.«
»Warum hast du es mir nicht erzählt? Wenn du es mir gestern abend erzählt hättest, hätte ich dir helfen können.«
»Dann hilf mir jetzt.«
»Tja, der Zug dürfte abgefahren sein«, sagte Susan mit deutlicher Häme. »Sie war vor dir bei Blackburn, sie hat ihre Beschuldigung als erste angebracht – und du bist jetzt geliefert.«
»Da bin ich mir nicht so sicher.«
»Glaub mir, du hast keine Chance mehr«, sagte Susan. »Wenn du vor Gericht ziehst, wird es mindestens drei Jahre lang die Hölle sein, und ich persönlich halte es für ausgeschlossen, daß du gewinnst. Ein Mann, der gegen eine Frau Anzeige wegen sexueller Belästigung erstattet – die lachen dich doch aus!«
»Kann schon sein.«
»Glaub mir, die lachen dich aus. Vor Gericht kannst du also nicht gehen. Was bleibt dir sonst noch? Nach Austin ziehen ... Mein Gott!«

»Ich denke schon die ganze Zeit darüber nach«, sagte Sanders. »Sie beschuldigt mich der sexuellen Belästigung, aber sie erstattet keine Anzeige gegen mich. Und ich denke die ganze Zeit: Warum zeigt sie mich nicht an?«

»Ist doch scheißegal!« sagte Susan mit einer wegwerfenden Handbewegung. »Dafür kann es Millionen von Gründen geben. Betriebspolitik beispielsweise, oder Phil hat es ihr ausgeredet. Oder Garvin. Ist doch völlig gleichgültig. Tom, du mußt den Tatsachen ins Auge sehen: *Du hast keine Chance*. Jedenfalls jetzt nicht mehr, du Riesenidiot.«

»Susan, würdest du dich bitte wieder beruhigen!«

»Du bist ein Scheißkerl, Tom. Du bist unehrlich und ohne jedes Verantwortungsbewußtsein.«

»Susan –«

»Wir sind nun schon fünf Jahre verheiratet. Ich habe etwas Besseres verdient.«

»Wirst du dich jetzt beruhigen! Ich versuche dir doch etwas klarzumachen: Ich glaube, daß ich sehr wohl eine Chance habe.«

»Du hast keine, Tom!«

»Ich denke, doch. Es handelt sich nämlich um eine sehr gefährliche Situation. Gefährlich für alle.«

»Was soll das heißen?«

»Gehen wir mal davon aus, daß Louise Fernandez mir die Wahrheit über meinen Prozeß erzählt hat.«

»Sie *hat* dir die Wahrheit erzählt. Sie ist eine gute Anwältin.«

»Aber sie hat die Sache nicht vom Standpunkt der Firma aus betrachtet, sondern ausschließlich vom Standpunkt des Klägers aus.«

»Was sonst – du bist nun mal der Kläger.«

»Nein, bin ich nicht«, widersprach Sanders. »Ich bin ein *potentieller* Kläger.«

Susan erwiderte nichts. Beide schwiegen eine Weile.

Susan sah ihn stirnrunzelnd an. Ihre Blicke wanderten über sein Gesicht. Er konnte beobachten, wie sie sich alles zusammenreimte. »Das ist doch nicht dein Ernst!«

»Doch.«

»Du mußt völlig verrückt geworden sein.«

»Nein. Sieh dir mal die Situation genau an: DigiCom befindet sich mitten in einer Fusion mit einem sehr konservativen Unternehmen von der Ostküste – mit einem Unternehmen, das sich schon einmal aus einer Fusion zurückgezogen hat, weil ein kleineres Vergehen eines Angestellten publik geworden war. Dieser Angestellte soll sich einer etwas rüden Sprache befleißigt haben, als er eine Sekretärin rausschmiß – und wegen so einer Kleinigkeit nahm Conley-White das Fusionsvorhaben zurück. Die sind unglaublich etepetete, wenn es um die Öffentlichkeit geht. Und das bedeutet: Das letzte, was DigiCom im Augenblick brauchen kann, ist ein Prozeß, in dem die neue stellvertretende Direktorin der sexuellen Belästigung angeklagt ist.«

»Weißt du, was du da sagst, Tom?«

»Ja.«

»Wenn du das machst, rasten die voll aus. Die werden alles unternehmen, um dich in die Pfanne zu hauen.«

»Ich weiß.«

»Hast du mit Max darüber gesprochen? Vielleicht solltest du das tun.«

»Scheiß auf Max! Der ist ein verrückter alter Mann.«

»Ich würde ihn fragen. In diesen Dingen bist du nämlich nicht besonders gut, Tom. Du warst noch nie eine Kämpfernatur. Ich bin mir nicht sicher, ob du das durchstehen würdest.«

»Ich glaube, daß ich es schaffen kann.«

»Es wird grauenhaft werden. In ein, zwei Tagen wirst du dir wünschen, du hättest den Job in Austin angenommen.«

»Scheiß drauf!«

»Es wird richtig fies werden, Tom. Du wirst deine Freunde verlieren.«
»Scheiß drauf!«
»Du willst es also durchziehen.«
»Genau.« Sanders warf einen Blick auf seine Armbanduhr. »Susan, ich möchte, daß du die Kinder nimmst und für ein paar Tage nach Phoenix zu deiner Mutter fliegst. Wenn du jetzt heimfährst und packst, schaffst du den Flug um 20 Uhr ab Seatac. Ich habe drei Plätze für euch gebucht.«
Sie starrte ihn an, als wäre er ein Fremder. »Du willst es also wirklich tun ...«, sagte sie ganz langsam.
»Ja, das will ich.«
»O Mann!« Sie beugte sich hinab, nahm ihre Handtasche vom Fußboden und holte ihren Terminkalender heraus.
Er sagte: »Ich will nicht, daß ihr, du und die Kinder, mit reingezogen werdet. Niemand soll euch eine Fernsehkamera vors Gesicht halten. Also, beeil dich und fang gleich an zu packen.«
»Na gut. Warte.« Sie fuhr mit dem Zeigefinger die Termine entlang. »Das kann ich verschieben ... Ah, ja ... das auch.« Sie blickte auf. »Ja, ich kann für ein paar Tage weg.« Sie sah kurz auf ihre Armbanduhr und sagte: »Ich gehe gleich nach Hause und packe.«
Er stand auf und verließ mit ihr zusammen das Restaurant. Es regnete; ein graues, trübes Licht hing in den Straßen. Susan hob den Blick zu ihrem Mann und küßte ihn auf die Wange. »Viel Glück, Tom. Sei vorsichtig!«
Er sah ihr an, daß sie Angst hatte. Auf einmal war ihm auch bang.
»Ich schaffe das schon.«
»Ich liebe dich«, sagte sie. Dann ging sie rasch weg, hinaus in den Regen. Er blieb noch kurz stehen, um zu sehen, ob sie sich umdrehen würde, aber sie tat es nicht.

Auf dem Weg zurück in sein Büro wurde ihm plötzlich bewußt, wie einsam er sich fühlte. Susan ging weg. Die Kinder gingen weg. Er war jetzt ganz allein. Er hatte erwartet, Erleichterung zu verspüren, weil er nun ohne Einschränkungen handeln konnte, wie er es für richtig hielt; statt dessen fühlte er sich verlassen und bedroht. Fröstelnd schob er die Hände in die Taschen seines Regenmantels.

Das Gespräch mit Susan hatte er nicht gut hingekriegt. Jetzt flog sie nach Phoenix und grübelte über seine Antworten nach.

Warum hast du mir nichts davon erzählt?

Er hatte diese Frage nicht gut beantwortet. Es war ihm nicht gelungen, die widerstreitenden Gefühle zu beschreiben, die ihn gestern abend beherrscht hatten. Dieses Gefühl, etwas Unsauberes zu tun, dazu das Schuldgefühl und der Eindruck, irgend etwas falsch gemacht zu haben. Obwohl er natürlich gar nichts falsch gemacht hatte.

Du hättest darüber reden können.

Nein, er hatte nichts falsch gemacht. Aber warum hatte er es ihr dann nicht erzählt? Darauf wußte er keine Antwort. Er kam an einem Laden für Zeichenbedarf vorbei und an einem Geschäft für Badezimmereinrichtungen, das Waschbecken und Badewannen aus weißem Porzellan im Schaufenster hatte.

Du hast es mir nicht erzählt, weil du es nicht erzählen wolltest.

Aber das war Unsinn. Warum hätte er es ihr nicht erzählen wollen? Plötzlich wurden seine Gedanken wieder durch Bilder der Vergangenheit unterbrochen: der weiße Strapsgürtel ... eine Schüssel mit Popcorn ... die bunte Glasblume an seiner Wohnungstür.

Hör bloß mit diesem Quatsch auf, Tom! Mit mir hat das nicht das geringste zu tun.

Blut im weißen Waschbecken, Meredith hatte darüber gelacht. Warum lachte sie? Er konnte sich nicht mehr daran erinnern, es war ein aus dem Zusammenhang gerissenes Bild. Eine Stewardeß stellte ein kleines Tablett mit Essen vor ihn hin. Ein Koffer auf dem Bett. Der Ton des Fernsehers abgeschaltet. Die bunte Glasblume, grelles Orangerot und Violett.
Hast du mit Max gesprochen?
Damit hatte sie recht, fand er jetzt. Er mußte mit Max sprechen. Erst Blackburn die schlechte Nachricht überbringen und gleich danach mit Max sprechen.

Um halb drei war Sanders wieder in seinem Büro. Zu seiner Überraschung hatte Blackburn dort auf ihn gewartet. Er stand hinter Sanders' Schreibtisch und telefonierte. Als er Sanders sah, legte er sofort auf. Er wirkte ziemlich schuldbewußt. »Oh, Tom, sehr gut!« Er trat hinter dem Schreibtisch hervor. »Wie hast du dich entschieden?«
»Ich habe sehr gründlich darüber nachgedacht«, sagte Sanders und schloß die Tür zum Gang.
»Und?«
»Ich habe beschlossen, Louise Fernandez von der Kanzlei Perry und Fine mit meiner anwaltlichen Vertretung zu beauftragen.«
Blackburn blickte verwundert drein. »Mit deiner anwaltlichen Vertretung?«
»Ja. Ein Prozeß wird sich nicht vermeiden lassen.«
»Ein Prozeß«, wiederholte Blackburn. »Weswegen willst du denn einen Prozeß anstrengen, Tom?«
»Wegen sexueller Belästigung gemäß Artikel VII.«

»Oh, Tom«, sagte Blackburn mit düsterer Miene, »das wäre unklug. Das wäre sehr, sehr unklug. Ich bitte dich dringend, das noch einmal zu überdenken.«
»Ich habe den ganzen Tag darüber nachgedacht«, erwiderte Sanders. »Aber es bleibt dabei, daß Meredith Johnson mich belästigt hat. Sie hat mir Avancen gemacht, und ich habe sie zurückgewiesen. Jetzt spielt sie die verachtete Frau und will sich an mir rächen. Für den Fall, daß es dazu kommt, bin ich bereit, sie gerichtlich zu belangen.«
»Tom ...«
»Dabei bleibt es, Phil. Genau das wird passieren, wenn ihr mich aus der Abteilung versetzt.«
Blackburn warf die Hände in die Luft. »Was erwartest du eigentlich von uns? Daß wir Meredith versetzen?«
»Ja. Oder daß ihr sie feuert. Das entspräche nämlich der üblichen Vorgehensweise, wenn ein Vorgesetzter einen Untergebenen belästigt.«
»Darf ich dich daran erinnern, daß sie dich ihrerseits der sexuellen Belästigung beschuldigt hat?«
»Sie lügt«, sagte Sanders.
»Aber es gibt keine Zeugen, Tom. Auf beiden Seiten läßt sich nichts beweisen. Du und sie, ihr seid beide unsere Angestellten, denen wir vertrauen. Wie sollen wir denn, deiner Meinung nach, entscheiden, wem zu glauben ist?«
»Das ist euer Problem, Phil. Ich kann nur sagen, daß ich unschuldig bin. Und daß ich bereit bin, vor Gericht zu gehen.«
Blackburn stand in der Mitte des Raums und verzog nachdenklich das Gesicht. »Louise Fernandez ist eine kluge Anwältin. Ich kann mir nicht vorstellen, daß sie dir diese Vorgehensweise nahegelegt hat.«
»Hat sie auch nicht. Es ist allein meine Entscheidung.«
»Dann ist es eine extrem unkluge Entscheidung«, sagte Black-

burn noch einmal. »Du bringst das Unternehmen damit in eine sehr schwierige Lage.«

»Das Unternehmen bringt *mich* in eine sehr schwierige Lage.«

»Ich weiß gar nicht, was ich sagen soll«, erklärte Phil. »Ich kann nur hoffen, daß deine Entscheidung uns nicht zwingt, dir zu kündigen.«

Sanders sah ihn an, hielt seinem Blick ruhig stand. »Das hoffe ich auch«, sagte er. »Aber ich bringe nicht genug Vertrauen auf, zu glauben, daß die Firma meine Beschwerde ernst genommen hat. Ich werde noch heute bei Bill Everts in der Personalabteilung eine formelle Beschuldigung wegen sexueller Belästigung einreichen. Und ich werde Louise bitten, die Dokumente abzufassen, die bei der bundesstaatlichen Menschenrechtskommission eingereicht werden müssen.«

»O mein Gott!«

»Sie soll sie gleich morgen früh einreichen.«

»Warum denn diese Eile?«

»Was heißt da Eile? Es handelt sich nur um eine Einreichung von Schriftstücken, damit die Klage schriftlich niedergelegt ist. Man ist verpflichtet, das zu tun.«

»Aber das ist eine sehr ernste Angelegenheit, Tom.«

»Das weiß ich, Phil.«

»Ich möchte dich um einen Gefallen bitten, dich als meinen Freund.«

»Was denn?«

»Warte mit der formellen Beschuldigung noch ab. Zumindest, was die Menschenrechtskommission betrifft. Gib uns die Möglichkeit, eine betriebsinterne Untersuchung durchzuführen, bevor du die Sache nach draußen läßt.«

»Aber ihr wollt doch keine betriebsinterne Untersuchung durchführen, Phil.«

»Aber ja doch!«

»Du wolltest dir heute morgen nicht einmal meine Version der Geschichte anhören. Du hast mir erklärt, das sei nicht von Belang.«

»Das stimmt nicht«, erwiderte Blackburn. »Das hast du gründlich mißverstanden. Natürlich ist es von Belang. Und ich versichere dir, daß wir uns als Bestandteil unserer Untersuchung deine Geschichte in allen Einzelheiten anhören werden.«

»Ich weiß nicht, Phil«, sagte Sanders. »Ich wüßte nicht, wie die Firma in dieser Sache noch neutral sein könnte. Ich habe den Eindruck, daß sich alle gegen mich verschworen haben. Alle glauben Meredith; mir glaubt keiner.«

»Ich versichere dir, daß dies nicht der Fall ist!«

»Sieht aber ganz so aus. Du hast mir heute vormittag erklärt, über welch gute Beziehungen sie verfügt, wie viele Verbündete sie hat. Das hast du mehrmals erwähnt.«

»Wir werden eine überaus gründliche und unvoreingenommene Untersuchung durchführen. Auf jeden Fall erscheint es mir aber geraten, dich zu bitten, daß du das Ergebnis dieser Untersuchung abwartest, bevor du eine bundesstaatliche Behörde verständigst.«

»Wie lange soll ich warten?«

»30 Tage.«

Sanders lachte auf.

»Aber das ist die übliche Zeitspanne für eine Untersuchung in Sachen sexueller Belästigung!«

»Ihr könntet es an einem einzigen Tag erledigen, wenn ihr nur wolltet.«

»Aber du mußt doch zugeben, Tom, daß wir im Augenblick unglaublich viel zu tun haben – die vielen Fusionsbesprechungen und –«

»Das ist euer Problem, Phil; ich habe ein anderes. Ich werde von meiner Vorgesetzten ungerecht behandelt, und ich finde,

daß ich als langjähriger Angestellter das Recht habe, für eine umgehende Entscheidung über meine Klage zu sorgen.«
Blackburn seufzte tief. »Nun gut. Du hörst von mir.« Mit diesen Worten eilte er aus dem Zimmer.
Sanders ließ sich auf seinen Stuhl fallen und starrte in die Luft.
Es hatte begonnen.

Eine Viertelstunde später traf sich Blackburn mit Garvin im Konferenzraum der Firmenleitung im fünften Stock. Ebenfalls anwesend waren Stephanie Kaplan und Bill Everts, der Personalchef von DigiCom.
Blackburn eröffnete die Sitzung mit den Worten: »Tom Sanders läßt sich außerhalb der Firma anwaltlich vertreten und droht uns mit einem Prozeß gegen Meredith Johnson.«
»O mein Gott!« sagte Garvin.
»Er klagt auf sexuelle Belästigung gemäß Artikel VII.«
Garvin trat vor Wut gegen das Tischbein. »Dieses Arschloch!«
»Was ist denn seiner Behauptung nach passiert?« fragte Stephanie Kaplan.
»Ich kenne noch nicht alle Details«, antwortete Blackburn. »Aber im Prinzip behauptet er, Meredith habe ihm gestern abend in ihrem Büro sexuelle Avancen gemacht; daraufhin habe er sie zurückgewiesen, und jetzt würde sie sich an ihm rächen.«
Garvin stieß einen langgezogenen Seufzer aus. »Scheiße! Genau das sollte nicht passieren! Das könnte eine *Katastrophe* werden!«
»Ich weiß, Bob.«
»Und, hat sie es getan?« warf Stephanie Kaplan trocken ein.

»Mein Gott, wer weiß das schon zu sagen, in einer solchen Situation ... Das läßt sich doch nie aufklären.« Garvin wandte sich an Everts. »War Sanders wegen dieser Sache schon bei dir?«

»Nein, bisher nicht. Aber ich kann mir vorstellen, daß er bald kommen wird.«

»Wir müssen dafür sorgen, daß es innerhalb der Firma bleibt«, erklärte Garvin. »Das ist äußerst wichtig.«

»Äußerst wichtig«, stimmte Kaplan nickend zu. »Dafür muß Phil unbedingt sorgen.«

»Ich werde es versuchen«, sagte Blackburn. »Aber Sanders sagte, er wolle morgen die Menschenrechtskommission verständigen.«

»Das wäre dann eine öffentliche Einreichung?«

»Ja.«

»Wie schnell wird so etwas publik gemacht?«

»Innerhalb von 48 Stunden wahrscheinlich. Es hängt wohl davon ab, wie rasch die Menschenrechtskommission ihren Papierkram erledigt.«

»Meine Güte!« sagte Garvin. »48 Stunden? Was ist nur in ihn gefahren? Ist ihm überhaupt klar, was er da tut?«

»Ich denke schon«, antwortete Blackburn. »Ich glaube, er weiß es ganz genau.«

»Erpressung?«

»Nun ja – sagen wir, er setzt uns unter Druck.«

»Haben Sie schon mit Meredith gesprochen?« fragte Garvin.

»Seit heute morgen nicht mehr, nein.«

»Irgendwer muß mit ihr reden. Ich werde es tun. Aber wie können wir Sanders aufhalten?«

»Ich habe ihn gebeten, unsere Untersuchung abzuwarten und die Einreichung bei der Menschenrechtskommission um 30 Tage zu verschieben«, erklärte Blackburn. »Aber er weigerte sich. Er meint, wir seien in der Lage, die Untersuchung an einem einzigen Tag durchzuführen.«

»Tja, da hat er wohl recht«, sagte Garvin. »Es gibt wahrlich viele Gründe für uns, diese Untersuchung an einem einzigen Tag durchzuführen.«

»Ich weiß nicht, ob das möglich ist, Bob«, gab Blackburn zu bedenken. »Wir stünden dabei unter Beobachtung. Das Unternehmen ist vom Gesetz her verpflichtet, eine gründliche und unvoreingenommene Untersuchung durchzuführen. Wir dürfen nicht den Eindruck erwecken, als hätten wir es eilig oder –«

»Verdammt noch mal, ich habe keine Lust, mir dieses juristische Geraunze und Gejammere anzuhören!« rief Garvin. »Um was geht es hier? Um zwei Leute, richtig? Ohne einen einzigen Zeugen, ja? Also: Es geht gerade mal um zwei Leute. Wie lange dauert es, zwei Leute zu befragen?«

»Also, ganz so einfach dürfte es nicht werden«, meinte Blackburn mit vielsagendem Blick.

»Ich sag' Ihnen mal, was einfach ist«, erwiderte Garvin. »Folgendes ist ganz einfach: Bei Conley-White handelt es sich um ein Unternehmen, das von seinem öffentlichen Image geradezu besessen ist. Die verkaufen Lehrbücher an Schulaufsichtsbehörden, die noch an die Arche Noah glauben, und sie verkaufen Kinderzeitschriften. Sie besitzen eine Vitaminfabrik und eine Biokostfirma, die Babynahrung vermarktet, ›Regenbogenbrei‹ oder irgend so was. Jetzt will Conley-White unser Unternehmen kaufen, und mitten in den Übernahmeverhandlungen wird eine hervorragende leitende Angestellte, die Frau, die innerhalb der nächsten zwei Jahre die Führung der Firma übernehmen soll, beschuldigt, sie habe bei einem verheirateten Mann um seine sexuelle Gunst gebuhlt. Wissen Sie, was die machen, wenn das passiert? Die steigen sofort aus! Ed Nichols sucht doch schon die ganze Zeit nach einem Vorwand, um sich davonschleichen zu können. Für den wäre das ein gefundenes Fressen, verdammt noch mal!«

»Aber Sanders hat unsere Unvoreingenommenheit bereits angezweifelt«, sagte Blackburn. »Und ich kann nicht genau sagen, wie viele Leute über die, äh, vorangegangenen Fragen Bescheid wissen, die wir –«

»Eine ganze Menge«, sagte Stephanie Kaplan. »Und wurde das nicht auch bei einem Treffen der leitenden Angestellten im letzten Jahr angesprochen?«

»Überprüft die Protokolle«, sagte Garvin. »Es wird doch keine rechtlichen Probleme mit derzeitigen leitenden Angestellten geben, oder?«

»Nein«, sagte Blackburn. »Derzeitige leitende Angestellte können in solchen Angelegenheiten weder befragt noch zu Aussagen gezwungen werden.«

»Und im vergangenen Jahr haben wir niemanden verloren, oder? Niemand in Pension gegangen oder umgezogen?«

»Nein.«

»Okay, dann machen wir ihn fertig.« Garvin wandte sich an Everts. »Bill, ich möchte, daß Sie sich die Personalakte von Sanders gründlich durchlesen. Sehen Sie nach, ob er jedes einzelne i mit einem Punkt und jedes einzelne t mit einem Querstrich versehen hat. Wenn nicht, will ich davon unterrichtet werden.«

»In Ordnung«, sagte Everts. »Aber ich tippe darauf, daß er sauber ist.«

»Na gut, nehmen wir an, er ist sauber. Was wird es uns kosten, Sanders zum Abhauen zu bewegen? Was wird er verlangen?«

»Ich glaube, er will einfach seinen Job behalten, Bob«, sagte Blackburn.

»Seinen Job kann er aber nun mal nicht behalten.«

»Nun, genau da liegt das Problem«, erklärte Blackburn.

»Welche Verpflichtungen haben wir denn ihm gegenüber?« schnaubte Garvin. »*Wenn* er denn vor Gericht gehen sollte.«
»Ich glaube nicht, daß er die Vorfälle in Meredith' Büro beweisen kann. Im Fall des Falles würden sich unsere größten Verpflichtungen daraus herleiten, daß wir uns erkennbar nicht an die erforderliche Vorgehensweise halten und keine gründliche Untersuchung durchführen. Allein an diesem Punkt könnte Sanders meiner Meinung nach einen Erfolg erzielen, wenn wir nicht aufpassen. Das will ich einmal ganz deutlich sagen.«
»Dann passen wir eben auf. Gut.«
»Also, Leute«, sagte Blackburn, »ich fühle mich verpflichtet, an dieser Stelle zur Vorsicht zu mahnen. Die Situation ist derart heikel, daß wir an alle Details denken müssen. Wie schon Pascal sagte – ›Gott steckt im Detail.‹ Und im vorliegenden Fall sehe ich mich durch das empfindliche Gleichgewicht der Rechtsansprüche gezwungen zu gestehen, daß ich nicht genau sagen kann, was nun die beste Verfahrensweise für uns –«
»Phil«, fuhr Garvin ihm ins Wort, »hören Sie auf mit diesem Schwachsinn!«
»Mies«, bemerkte Stephanie Kaplan.
»Was?« fragte Blackburn irritiert.
»Mies van der Rohe sagte: ›Gott steckt im Detail.‹«
»Ist doch scheißegal!« rief Garvin und schlug mit der Faust auf den Tisch. »Es geht doch nur darum, daß Sanders zwar nichts beweisen, wohl aber uns unter Druck setzen kann. Und das weiß er auch.«
Blackburn wand sich. »Ganz so würde ich es nun nicht ausdrücken, aber –«
»Aber so stellt sich uns diese beschissene Situation nun mal dar.«
»Ja.«

»Tom ist schlau, wissen Sie«, sagte Kaplan. »Ein bißchen naiv, aber schlau.«

»Sehr schlau sogar«, fügte Garvin hinzu. »Schließlich hat er bei mir gelernt. Alles, was er weiß, habe ich ihm beigebracht. Er wird uns noch eine ganze Menge Schwierigkeiten machen.« Er wandte sich an Blackburn: »Schauen wir uns die Sache doch mal genauer an. Worum geht es? Um Unvoreingenommenheit, richtig?«

»Ja ...«

»Und wir wollen ihn weghaben.«

»Genau.«

»Okay. Meinen Sie, er wäre mit einer Schlichtung einverstanden?«

»Ich weiß nicht. Ich bezweifle es.«

»Warum?«

»Normalerweise kommt es nur dann zu einer Schlichtung, wenn ein Angestellter geht und eine Abfindungssumme ausgehandelt werden muß.«

»Ja und?«

»Ich denke, genau so wird er es sehen.«

»Versuchen können wir es trotzdem. Sagen Sie ihm, es ist unverbindlich, und sehen Sie zu, daß wir ihn dazu bringen, es auf dieser Basis zu akzeptieren. Nennen Sie ihm drei Namen und lassen Sie ihn einen aussuchen. Die Schlichtung leiten Sie am besten gleich morgen ein. Muß ich noch mit ihm sprechen?«

»Wahrscheinlich schon. Ich probiere es mal, dann können Sie gegebenenfalls nachhelfen.«

»Okay.«

»Wenn wir einen Schlichter von außerhalb einschalten, bringen wir allerdings eine gewisse Unberechenbarkeit in die Sache«, wandte Stephanie Kaplan ein.

»Der Schlichter könnte Sanders' Klage stattgeben, meinen

Sie? Dieses Risiko nehme ich auf mich«, erklärte Garvin. »Das Wichtigste ist jetzt, die Sache vom Tisch zu kriegen, und zwar ohne jedes Aufsehen und so schnell wie möglich. Ich will um jeden Preis verhindern, daß Ed Nichols in Sachen Fusion einen Rückzieher macht. Für Freitag mittag ist eine Pressekonferenz angesetzt – bis dahin muß die Sache vollständig bereinigt sein. Ich will Meredith Johnson am Freitag zur neuen Abteilungsleiterin ernennen. Hat jeder hier verstanden, wie vorzugehen ist?«

Alle nickten.

»Dann machen Sie sich an die Arbeit«, sagte Garvin und verließ den Konferenzraum.

Draußen auf dem Gang sagte Garvin zu Blackburn: »Mein Gott, ist das eine Bescherung! Ich bin alles andere als glücklich darüber, das kann ich Ihnen sagen.«

»Ich weiß«, sagte Blackburn düster.

»Sie haben die Sache total vermasselt, Phil. Das hätten Sie wirklich besser deichseln können. Wesentlich besser.«

»Wie denn? Was hätte ich tun sollen? Er sagt, daß sie sich an ihn rangemacht hat, Bob. Die Sache ist ernst. Und wir wissen beide, daß es in der Vergangenheit –«

»Meredith Johnson ist ein herausragendes Führungstalent«, unterbrach ihn Garvin. »Ich werde es nicht zulassen, daß diese lächerlichen Behauptungen ihre Karriere gefährden.«

Blackburn wußte, daß Garvin unerschütterlich auf Meredith' Seite stand. Schon seit Jahren hatte er eine Schwäche für sie. Über die Johnson konnte man mit ihm einfach nicht diskutieren; wenn es um sie ging, war er keinerlei vernünftigen Argumenten zugänglich. Jetzt sah Blackburn sich allerdings gezwungen, es dennoch zu versuchen. »Bob«, sagte er, »Meredith ist auch nur ein Mensch. Ihre Grenzen kennen wir doch beide.«

»Ja«, sagte Garvin. »Sie ist jung, voller Enthusiasmus, durch und durch ehrlich und nicht bereit, sich auf irgendwelche betrieblichen Spielchen einzulassen. Und natürlich ist sie eine Frau. Es stellt offensichtlich wirklich eine Begrenzung dar, Frau zu sein.«

»Aber Bob –«

»Ich sage Ihnen, ich ertrage diese Vorwände einfach nicht mehr. Wir haben hier bei uns in Amerika keine Frauen in leitenden Positionen. Nirgendwo. Die Führungsetagen sind voller Männer. Und jedesmal wenn ich die Möglichkeit zur Sprache bringe, eine Frau an der Spitze einzusetzen, heißt es garantiert: ›Aber Bob!‹ Vergessen Sie's, Phil. Irgendwann muß doch mal ein Anfang gemacht werden.«

»Kein Mensch würde dagegen etwas einzuwenden haben –«

»Sie haben etwas dagegen einzuwenden, Phil. Sie listen mir Gründe auf, warum Meredith sich angeblich nicht eignet. Und wenn ich eine andere Frau genannt hätte, gäbe es andere Scheingründe, die dagegen sprächen, daß sie die geeignete ist. Ich habe es wirklich satt.«

»Wir haben Stephanie. Und Mary Anne«, wandte Blackburn ein.

»Reine Alibifrauen«, sagte Garvin mit einer wegwerfenden Handbewegung. »Gut, unser Leiter Finanzen ist eine Frau. Ein paar Leute in mittleren Positionen sind Frauen. Man wirft den Weibern ein paar Knochen hin. Aber im Grunde bleibt es dabei: Sie können mir nicht erzählen, daß eine intelligente, tüchtige junge Frau, die sich eine Karriere aufbauen will, nicht von Hunderten kleiner Gründe, ach so guter Gründe, daran gehindert wird, befördert zu werden, größere Machtfülle zu erhalten. Aber letztlich basiert das nur auf Vorurteilen. Und

es muß aufhören. Wir müssen diesen intelligenten jungen Frauen eine echte Chance geben.«
»Also«, sagte Blackburn, »ich denke einfach, daß es klug wäre, wenn Sie sich mal anhören, was Meredith zu der Sache zu sagen hat, Bob.«
»Ich werde es mir anhören. Ich werde herausfinden, was da, verdammt noch mal, passiert ist. Sie wird es mir sagen, ich bin mir ganz sicher. Trotzdem – die Sache muß vom Tisch.«
»Ja, Bob.«
»Und ich sage Ihnen in aller Deutlichkeit: Ich erwarte, daß Sie alles Erforderliche unternehmen, damit sie vom Tisch kommt.«
»Okay, Bob.«
»*Alles* Erforderliche. Setzen Sie Sanders unter Druck. Sorgen Sie dafür, daß er den Druck spürt. Rütteln Sie an seinem Käfig, Phil.«
»Okay, Bob.«
»Das mit Meredith regle ich selbst. Sie kümmern sich um Sanders. Rütteln Sie an seinem verdammten Käfig, bis der Kerl grün und blau ist.«

»Bob!« Meredith Johnson hatte an einem der Tische in der Mitte des Konstruktionslabors gestanden und sich mit Mark Lewyn die auseinandermontierten Twinkle-Laufwerke angesehen. Als sie Garvin am anderen Ende des Raums bemerkte, ging sie sofort zu ihm hinüber. »Ich kann Ihnen gar nicht sagen, wie leid mir diese Sache mit Sanders tut!«
»Ja, sie bereitet uns einige Probleme«, sagte Garvin.
»Ich denke ständig darüber nach und überlege mir, was ich hätte tun sollen. Aber er war wütend und völlig außer sich. Er

hatte zuviel getrunken und benahm sich gräßlich. Ich will gar nicht behaupten, daß nicht jeder von uns irgendwann mal so reagiert hat, aber ...« Sie hob die Schultern. »Auf jeden Fall tut es mir sehr leid.«

»Er hat offenbar vor, wegen sexueller Belästigung zu klagen.«

»Das ist sehr bedauerlich«, sagte Meredith. »Aber wahrscheinlich gehört es einfach zu seinem Plan, mich zu demütigen und bei den Leuten in der Abteilung unmöglich zu machen.«

»Das werde ich nicht zulassen«, versicherte ihr Garvin.

»Er hat sich darüber geärgert, daß ich den Job bekam, und konnte es einfach nicht ertragen, daß ich seine Vorgesetzte bin. Also versuchte er, mich in meine Schranken zu weisen. Manche Männer sind eben so.« Sie schüttelte traurig den Kopf. »Trotz des vielen Geredes über die neuen vernünftigen Männer glaube ich, daß es nur sehr wenige Männer wie Sie gibt, Bob.«

»Nun, ich habe die Befürchtung, daß durch seine Klage die Fusion behindert werden könnte, Meredith.«

»Ich wüßte nicht, warum das ein Problem werden sollte«, sagte sie. »Ich denke, wir haben das im Griff.«

»Wenn er vor der bundesstaatlichen Menschenrechtskommission klagt, wird es sehr wohl ein Problem werden.«

»Soll das heißen, daß er die Sache nach *draußen* tragen will?«

»Ja. Genau das soll es heißen.«

Meredith starrte in die Luft. Zum erstenmal schien sie die Fassung zu verlieren. Sie biß sich auf die Unterlippe. »Das könnte äußerst unangenehm werden.«

»Das meine ich auch. Ich habe Phil zu ihm geschickt; er soll ihn fragen, ob er mit einer Schlichtung einverstanden ist – mit einem erfahrenen Schlichter, der nicht der Firma angehört. Jemand wie Richterin Murphy vielleicht. Ich versuche, schon für morgen einen Termin zu bekommen.«

»Gut«, sagte Meredith. »Ich kann morgen ein paar Termine aus meinem Kalender schmeißen. Aber ich weiß nicht, was wir von der Sache erwarten dürfen. Er wird niemals zugeben, was passiert ist, dessen bin ich mir sicher. Und es gibt weder Aufnahmen noch Zeugen.«

»Ich möchte, daß Sie mir in aller Ausführlichkeit erzählen, was gestern abend vorgefallen ist.«

»Ach, Bob«, sagte sie aufseufzend, »jedesmal wenn ich daran denke, mache ich mir solche Vorwürfe ...«

»Das dürfen Sie nicht.«

»Ich weiß, aber es ist eben so. Wenn meine Sekretärin nicht gegangen wäre, um ihre neue Wohnung anzumieten, hätte ich sie reinholen können, dann wäre das alles nicht passiert.«

»Ich denke, Sie erzählen es mir besser, Meredith.«

»Klar, Bob.« Sie trat näher zu ihm hin und sprach mehrere Minuten lang leise und ohne zu stocken auf ihn ein. Garvin schüttelte immer wieder zornig den Kopf, während er lauschte.

Don Cherry plazierte seine Nikes auf Lewyns Schreibtisch. »Ja, und dann? Garvin kommt rein – und was dann?«

»Also, Garvin steht drüben in der Ecke und tritt von einem Fuß auf den anderen, wie er es eben immer macht. Wartet darauf, daß sie ihn endlich wahrnimmt. Er geht nicht zu ihr rüber, sondern wartet, bis sie ihn sieht. Und Meredith unterhält sich mit mir über das Twinkle-Laufwerk, dessen Einzelteile über den ganzen Tisch verstreut liegen, und ich zeige ihr den Defekt, den wir in den Laserköpfen entdeckt haben –«

»Hat sie das überhaupt gecheckt?«

»Ja, glaube ich schon. Sie ist nicht gerade Sanders, aber trotzdem gar nicht schlecht. Kapiert ziemlich schnell.«

»Und hat ein besseres Parfum als Sanders«, bemerkte Cherry.
»Ja, ihr Parfum ist Spitze«, stimmte Lewyn zu. »Jedenfalls –«
»– läßt Sanders' Parfum einiges zu wünschen übrig«, unterbrach Cherry ihn kichernd.
»Ja. Jedenfalls hat Garvin es ziemlich bald satt, so auf der Stelle zu treten. Er hüstelt diskret, und daraufhin bemerkt Meredith ihn und sagt: ›Oh!‹ – mit so einem kleinen Zittern in der Stimme, du weißt schon, so einem kleinen, ruckartigen Luftholen ...«
»He, he, he!« rief Cherry. »Also treiben Sie's doch miteinander, was?«
»Tja, das ist es ja gerade!« sagte Lewyn. »Sie läuft zu ihm, und er hält die Arme auf, und ich sage dir, es sah aus wie ein Werbespot, in dem zwei Liebende in Zeitlupe aufeinander zurennen ...«
»Mann o Mann«, sagte Cherry, »da wird Garvins Frau aber nicht schlecht sauer sein!«
»Aber das ist es ja gerade!« sagte Lewyn noch einmal. »Als sie dann endlich bei ihm war und sie so nebeneinander standen, sah es überhaupt nicht mehr so aus, sondern so, als wollte sie ihn erst noch anmachen. Sie unterhielten sich, und sie säuselte irgendwas und klimperte mit den Wimpern, und er machte ganz auf starker Junge, der das gar nicht mitkriegt, aber gewirkt hat es auf ihn, das kannst du mir glauben ...«
»Und zwar weil sie wirklich süß ist, deshalb«, sagte Cherry. »Ich meine, du mußt doch mal zugeben, daß die Frau über ein exzellent konstruiertes Gehäuse verfügt – in feinster Ausführung und mit großartiger Paßform.«
»Die Sache ist aber die, daß die beiden sich ganz und gar nicht wie ein Pärchen verhalten haben. Ich habe möglichst unauffällig hingeschielt, und ich sage dir, die treiben's nicht miteinander. Das ist irgendwas anderes. Fast so wie Vater und Tochter, Don.«

»Du kannst auch deine Tochter ficken, Mann! Millionen tun das.«

»Nein, weißt du, was ich glaube? Ich glaube, Bob sieht sich selbst in ihr. Er sieht etwas in ihr, das ihn an ihn selbst als junger Mann erinnert. Ihre Energie oder so was. Und ich sage dir, die versteht das für sich auszunutzen, Don. Wenn er seine Arme vor der Brust verschränkt, verschränkt sie ihre vor dem Busen. Wenn er sich an die Wand lehnt, lehnt sie sich an die Wand. Sie macht alles genau wie er. Und aus einer gewissen Entfernung betrachtet, sieht sie ihm sogar ähnlich, Don – ich meine das ganz ernst!«

»Nein!«

»Doch. Denk mal darüber nach.«

»Das muß dann aber aus einer *sehr* großen Entfernung sein«, sagte Cherry. Er schwang seine Füße vom Schreibtisch, stand auf und wandte sich zum Gehen. »Also, was meinst du nun? Versteckter Nepotismus?«

»Ich weiß nicht. Aber Meredith hat einen ganz besonderen Draht zu ihm. Das ist mehr als eine rein berufliche Beziehung.«

»He – nichts ist rein beruflich!« sagte Cherry. »Das habe ich schon vor langer Zeit gelernt.«

Louise Fernandez trat in ihr Büro und ließ ihren Aktenkoffer auf den Boden fallen. Rasch sah sie einen Stapel telefonischer Mitteilungen durch und wandte sich dann Sanders zu. »Was ist los?« fragte sie. »Ich habe heute nachmittag sage und schreibe drei Anrufe von Phil Blackburn erhalten.«

»Ja – weil ich ihm mitgeteilt habe, daß Sie jetzt meine Anwältin sind und daß ich bereit bin zu prozessieren. Und außerdem habe ich ihm gesagt, daß Sie, äh, morgen vormittag die Menschenrechtskommission verständigen werden.«

»Es ist völlig ausgeschlossen, die Klage morgen einzureichen«, sagte sie. »Und ich würde im Augenblick keinesfalls dazu raten. Mr. Sanders, wenn ich eines nicht leiden kann, dann sind es falsche Behauptungen. Unterlassen Sie es in Zukunft, meine Vorgehensweise im vorhinein zu umreißen!«

»Entschuldigung«, sagte er. »Aber es geht jetzt alles so schnell ...«

»Damit wir uns verstehen: Ich mag das nicht, und wenn es noch einmal passiert, müssen Sie sich nach einem anderen Rechtsbeistand umsehen.« Sie war wieder von einer Sekunde auf die andere eiskalt geworden.

»Er hat mich gefragt, ob ich eine Schlichtung will.«

»Kommt nicht in Frage!« sagte Fernandez.

»Warum nicht?«

»Eine Schlichtung würde sich unweigerlich zugunsten der Firma auswirken.«

»Er sagte, es sei ganz unverbindlich.«

»Trotzdem. Es würde bedeuten, daß der gegnerischen Seite noch vor Prozeßbeginn alle für den Rechtsstreit bedeutsamen Tatsachen und Urkunden offengelegt würden. Ich sehe keinen Grund, warum wir das freiwillig zulassen sollten.«

»Und er meinte, Sie könnten dabeisein.«

»Selbstverständlich kann ich dabeisein, Mr. Sanders. Das ist kein Zugeständnis. Ihr Anwalt muß die ganze Zeit hindurch anwesend sein, sonst ist die Schlichtung ungültig.«

»Das sind die drei Namen, die er mir als in Frage kommende Schlichter genannt hat.« Sanders gab ihr die Liste.

Sie warf nur einen kurzen Blick darauf. »Die üblichen Gestalten. Die eine von ihnen ist besser als die beiden anderen. Aber ich denke trotzdem nicht, daß wir –«

»Er will, daß die Schlichtung morgen über die Bühne geht.«

»Morgen?« Fernandez sah ihn an und lehnte sich in ihren Stuhl zurück. »Mr. Sanders, ich bin weiß Gott für einen zügigen Ablauf, aber das ist geradezu lächerlich. Wir können unmöglich bereits morgen soweit sein. Und, wie gesagt, ich empfehle Ihnen die Schlichtung auf keinen Fall. Gibt es da etwas, das ich noch nicht weiß?«
»Ja.«
»Raus damit!«
Er zögerte.
»Jede Ihrer Äußerungen mir gegenüber fällt unter meine Schweigepflicht und wird streng vertraulich behandelt.«
»Na gut. DigiCom wird demnächst von einem New Yorker Unternehmen namens Conley-White aufgekauft.«
»Dann sind diese Gerüchte also wahr ...«
»Ja«, sagte Sanders. »Sie wollen die Fusion am Freitag während einer Pressekonferenz verkünden. Und ebenfalls am Freitag soll Meredith Johnson offiziell zur neuen stellvertretenden Direktorin der Firma ernannt werden.«
»Ich verstehe. Deshalb hat Phil es so eilig.«
»Ja.«
»Ihre Klage stellt für ihn ein unmittelbares und sehr ernstes Problem dar.«
Sanders nickte. »Sagen wir mal so: Meine Klage kommt in einem äußerst heiklen Augenblick.«
Fernandez schwieg eine Weile und musterte ihn über den Rand ihrer Lesebrille hinweg. »Ich habe Sie falsch eingeschätzt, Mr. Sanders. Ich hatte den Eindruck, Sie seien ein zaghafter Mensch.«
»Man zwingt mich, zu tun, was ich jetzt tun werde.«
»Wirklich?« Sie musterte ihn noch einmal. Dann drückte sie auf eine Taste der Sprechanlage. »Bob, lesen Sie mir doch mal bitte meine Termine für morgen vor. Ich muß ein paar streichen. Und sagen Sie Herb und Alan, sie sollen bitte in die

Kanzlei kommen. Sagen Sie ihnen, sie sollen alles stehen- und liegenlassen. Das hier ist jetzt wichtiger.« Sie schob die Papiere auf ihrem Schreibtisch zur Seite. »Stehen alle auf dieser Liste aufgeführten Schlichter zur Verfügung?«

»Ich nehme es an.«

»Ich werde Helen Murphy anfordern. Richterin Murphy. Sie wird Ihnen nicht gefallen, aber sie ist besser als die anderen. Ich werde versuchen, die Schlichtung für den Nachmittag anzuberaumen. Die Zeit bis dahin brauchen wir. Wenn es nicht geht, können wir immer noch dem späten Vormittag zustimmen. Sind Sie sich des Risikos bewußt, das Sie eingehen? Ich denke schon. Sie haben beschlossen, ein äußerst gefährliches Spiel zu spielen.« Sie betätigte noch einmal die Sprechanlage. »Bob? Sagen Sie Roger Rosenberg ab und dann noch den Termin mit Ellen um sechs. Rufen Sie meinen Mann an und sagen Sie ihm, daß ich nicht zum Abendessen heimkomme.« Sie warf Sanders einen Blick zu. »Sie übrigens auch nicht. Wollen Sie Ihre Frau verständigen?«

»Meine Frau und die Kinder fliegen heute abend nach Phoenix.«

Sie hob die Augenbrauen. »Sie haben ihr alles erzählt?«

»Ja.«

»Es ist Ihnen wirklich ernst, was?«

»Ja«, antwortete er. »Es ist mir ernst.«

»Gut. Das wird auch nötig sein. Ich möchte Ihnen ganz offen folgendes sagen, Mr. Sanders: Sie haben sich auf etwas eingelassen, das den Rahmen eines gerichtlichen Verfahrens sprengt. Im Prinzip läuft es darauf hinaus, daß Sie gewaltigen Druck ausüben.«

»Ja, das stimmt.«

»Zwischen heute und Freitag werden Sie sich in einer Position befinden, in der Sie Ihre Firma beträchtlich unter Druck setzen können.«

»Allerdings.«
»Und Ihre Firma Sie, Mr. Sanders. Darauf können Sie Gift nehmen ...«

Wenig später saß Sanders in einem Konferenzraum fünf eifrig mitschreibenden Menschen gegenüber. Rechts neben Fernandez saß eine junge Anwältin namens Eileen, links neben ihr ein junger Anwalt namens Richard. Außerdem befanden sich noch zwei Ermittler im Raum. Alan und Herb – groß und gutaussehend der eine, der andere gedrungen und pockennarbig; Herb trug eine Kamera um den Hals.
Fernandez hatte Sanders gebeten, seine Geschichte noch einmal zu erzählen, und zwar in aller Ausführlichkeit. Sie unterbrach ihn häufig, um ihm Fragen zu stellen und Uhrzeiten, Namen und besondere Details schriftlich festzuhalten.
Die beiden anderen Anwälte sprachen kein Wort, obwohl Sanders den starken Eindruck hatte, daß die junge Frau ihm nicht wohlgesinnt war. Auch die zwei Ermittler schwiegen meist; nur als ganz bestimmte Punkte zur Sprache kamen, stellten sie Zwischenfragen. Als Sanders beispielsweise Meredith' Sekretärin erwähnte, sagte Alan, der Hübschere: »Wie war der Name noch mal?«
»Betsy Ross. Wie die mit der Flagge.«
»Sie arbeitet im fünften Stock?«
»Ja.«
»Um welche Zeit geht sie normalerweise heim?«
»Gestern war es Viertel nach sechs.«
»Vielleicht unterhalte ich mich mal mit ihr. Komme ich ungehindert in den fünften Stock?«

»Nein. Alle Besucher müssen sich an der Rezeption in der Lobby im Erdgeschoß anmelden.«
»Und wenn ich ein Paket abzugeben habe? Würde Betsy ein Paket entgegennehmen?«
»Nein. Pakete werden zentral entgegengenommen.«
»Okay. Wie wäre es mit Blumen? Würden die direkt geliefert werden?«
»Ja, ich glaube schon. Sie meinen Blumen für Meredith oder so?«
»Ja«, sagte Alan.
»Ich glaube, die könnten Sie persönlich abgeben.«
»Sehr gut«, sagte Alan und machte sich eine Notiz.
Ein zweites Mal unterbrachen sie ihn, als er von der Putzfrau sprach, die er beim Verlassen von Meredith' Büro gesehen hatte.
»DigiCom beschäftigt eine Reinigungsfirma?«
»Ja. AMS – American Management Services. Die haben ihren Sitz drüben in der –«
»Wir kennen die Firma. In der Boyle Street. Um welche Zeit betritt der Reinigungstrupp das Gebäude?«
»Normalerweise gegen 19 Uhr.«
»Diese Frau kannten Sie also nicht. Geben Sie uns mal eine Beschreibung von ihr.«
»Ungefähr 40. Schwarz. Sehr schlank, fast hager. Graues Haar, ziemlich stark gelockt.«
»Groß? Klein?«
Sanders zuckte mit den Achseln. »Mittelgroß.«
»Das ist nicht gerade viel«, sagte Herb. »Können Sie uns nicht mehr über sie sagen?«
Sanders zögerte. Er dachte nach. »Nein. Ich habe sie ja gar nicht richtig gesehen.«
»Schließen Sie die Augen!« sagte Fernandez.
Er schloß die Augen.

»Jetzt holen Sie tief Luft, und dann versetzen Sie sich zurück. Es ist jetzt gestern abend. Sie sind in Meredith' Büro gewesen, die Tür war über eine Stunde lang zu, die Vorfälle in diesem Büro liegen hinter Ihnen, jetzt treten Sie aus dem Raum hinaus ... Wie läßt sich die Tür öffnen – nach außen oder nach innen?«

»Nach innen.«

»Sie öffnen also die Tür ... Sie gehen hinaus ... Schnell oder langsam?«

»Ich gehe schnell.«

»Sie betreten das Vorzimmer ... Was sehen Sie dort?«

Durch die Tür, ins Vorzimmer; der Aufzug ist direkt gegenüber. Aufgelöst, fassungslos. Er kann nur hoffen, daß ihn niemand so sieht. Er wirft einen Blick nach rechts auf Betsy Ross' Schreibtisch: sauber aufgeräumt, der Stuhl an die Schreibtischkante geschoben. Notizblock. Plastikhülle über dem Computer. Die Schreibtischlampe brennt noch.

Der Blick schweift nach links; am Schreibtisch der zweiten Sekretärin steht eine Putzfrau, den großen grauen Reinigungswagen dicht neben sich. Die Putzfrau hebt gerade einen Papierkorb, um ihn in den Plastiksack zu entleeren, der an einer Kante des Wagens herabhängt. Die Frau erstarrt inmitten ihrer Bewegung und mustert ihn neugierig. Er fragt sich, wie lange sie wohl schon hier ist und was sie aus dem Inneren des Büros gehört haben könnte. Aus einem winzigen Radio auf dem Reinigungswagen ertönt Musik.

»Dafür mache ich dich kalt, du Schwein!« ruft Meredith ihm nach.

Die Putzfrau hört es. Er wendet verlegen den Blick ab und eilt zum Aufzug. Panik überkommt ihn. Er drückt auf den Knopf.

»Sehen Sie die Frau vor sich?« fragte Fernandez.

»Ja. Aber es ging alles so schnell ... Und ich wollte sie nicht ansehen.« Sanders schüttelte den Kopf.

»Wo sind Sie jetzt? Vor dem Aufzug?«

»Ja.«
»Können Sie die Frau sehen?«
»Nein. Ich wollte sie nicht noch mal ansehen.«
»Gut. Gehen Sie zurück. Nein, nein, lassen Sie die Augen zu! Wir machen es noch einmal. Holen Sie tief Luft, lassen Sie die Luft langsam ausströmen ... Gut. Diesmal werden Sie alles in Zeitlupe sehen, wie in einem Film. So ... Sie kommen jetzt durch die Tür ... Schildern Sie es von dem Moment an, in dem Sie die Frau zum erstenmal sehen.«
Durch die Tür. Alles ganz langsam. Sein Kopf bewegt sich bei jedem Schritt sanft auf und ab. In den Vorraum. Rechts der eine Schreibtisch, aufgeräumt, die Lampe brennt. Links der andere Schreibtisch und die Putzfrau, die gerade den Papierkorb hebt –
»Ich sehe sie.«
»Gut. Lassen Sie das, was Sie sehen, zu einem Standbild erstarren. Betrachten Sie es wie ein Foto.«
»Okay.«
»Sehen Sie sich die Putzfrau an. Sie können Sie jetzt in aller Ruhe betrachten.«
Sie steht da, den Papierkorb in der Hand. Sie starrt ihn mit ausdrucksloser Miene an. Sie ist ungefähr 40. Kurzes Haar, Locken. Blauer Kittel, wie ein Zimmermädchen in einem Hotel. Um den Hals trägt sie ein Silberkettchen – nein, es ist eine herabhängende Brille.
»Sie trägt eine Brille um den Hals, an einer Metallkette.«
»Gut. Lassen Sie sich Zeit. Wir haben es nicht eilig. Betrachten Sie die Frau von Kopf bis Fuß.«
»Ich sehe noch immer ihr Gesicht ...«
Sie starrt ihn mit ausdrucksloser Miene an.
»Wenden Sie den Blick langsam von ihrem Gesicht ab. Betrachten Sie ihren Körper von oben bis unten.«
Der Kittel. An der Hüfte ist eine Spraydose befestigt. Knielanger blauer Rock. Weiße Schuhe. Wie eine Krankenschwester. Nein,

es sind Turnschuhe. Nein, sie sind dicker – es sind Joggingschuhe. Dicke Sohlen. Dunkle Schnürsenkel. Mit den Schnürsenkeln ist irgend etwas.

»Sie trägt ... Joggingschuhe oder so. Niedliche Joggingschuhe für nette ältere Damen.«

»Gut.«

»Die Schnürsenkel sind irgendwie komisch.«

»Können Sie sehen, was an ihnen so komisch ist?«

»Nein. Sie sind dunkel. Irgendwie sonderbar. Ich ... kann es nicht sagen.«

»In Ordnung. Öffnen Sie die Augen!«

Er sah die fünf Menschen, die ihm gegenübersaßen. Er war wieder in dem Konferenzraum. »Das war reichlich seltsam«, sagte er.

»Wenn wir Zeit hätten«, sagte Fernandez, »würde ich einen professionellen Hypnotiseur damit beauftragen, Sie noch einmal durch den ganzen Abend zu führen. Ich habe die Erfahrung gemacht, daß so etwas sehr nützlich sein kann. Aber wir haben keine Zeit. Jungs? Es ist jetzt 17 Uhr – ihr macht euch besser an die Arbeit.«

Die beiden Ermittler steckten ihre Notizblöcke ein und gingen.

»Was machen die jetzt?«

»Wenn wir die Sache auf dem Prozeßweg verfolgen würden«, erklärte Fernandez, »hätten wir das Recht, potentielle Zeugen zu befragen, das heißt, wir dürften uns mit Angestellten von DigiCom unterhalten, von denen anzunehmen ist, daß sie Dinge wissen, die für den Fall relevant sind. Unter den gegenwärtigen Umständen haben wir jedoch kein Recht, irgend jemanden zu befragen, da es sich hier um ein nichtöffentliches Schlichtungsverfahren handelt. Sollte allerdings eine der DigiCom-Sekretärinnen Lust dazu haben, sich nach Dienstschluß von einem gutaussehenden Lieferanten zu einem Drink einladen zu lassen, und sollte im Verlauf des Abends das Gespräch rein zufällig auf das Thema Sex im Büro kommen – nun, dann kann man natürlich nichts machen.«

»Und solche Informationen dürften wir tatsächlich verwenden?«

Fernandez lächelte. »Warten wir erst mal ab, was wir überhaupt herausfinden. So, ich möchte jetzt nochmals über einige Punkte in Ihrer Geschichte sprechen, vor allem von dem Augenblick an, in dem Sie beschlossen, doch keinen Geschlechtsverkehr mit Ms. Johnson zu haben.«

»Noch mal?«

»Ja. Aber erst muß ich ein paar andere Dinge erledigen. Ich muß Phil Blackburn anrufen und die morgigen Termine mit ihm vereinbaren; außerdem sind noch einige andere Punkte abzuklären. Wir unterbrechen jetzt und treffen uns in zwei Stunden wieder. Haben Sie eigentlich schon Ihr Büro geräumt?«

»Nein.«

»Dann tun Sie es so schnell wie möglich. Alles Private und potentiell Belastende muß raus. Sie müssen von jetzt an damit rechnen, daß Ihre Schreibtischschubladen durchsucht, Ihre Akten durchschnüffelt, Ihre Post gelesen und telefonische Nachrichten an Sie abgefangen werden. Jeder Aspekt Ihres Lebens ist von jetzt an öffentlich.«

»Okay.«

»Also, gehen Sie Ihren ganzen Schreibtisch und sämtliche Akten durch und entfernen Sie alles, was privater Natur ist.«

»Okay.«

»Wenn Sie für Ihren Bürocomputer Codewörter haben, verändern Sie sie. Und auch aus den elektronischen Dateien muß alles Private raus.«

»Okay.«

»Aber nicht einfach nur entfernen, sondern dafür sorgen, daß es gelöscht wird und nicht zurückgeholt werden kann!«

»Okay.«

»Es empfiehlt sich, das gleiche auch daheim zu tun. Ihre Schubladen und Aktenordner und Computer.«

»Okay.« Daheim? dachte er. Würden sie wirklich in sein Haus einbrechen?

»Wenn Sie heikles Material haben, das Sie unbedingt speichern wollen, bringen Sie es hierher und geben Sie es Richard«, sagte Fernandez und deutete auf den jungen Anwalt. »Er wird es in einem Safe für Sie aufbewahren. Erzählen Sie mir nicht, was es ist. Ich will nichts darüber wissen.«

»Okay.«

»So. Jetzt zum Telefon. Von nun an benützen Sie für heikle Anrufe weder den Geschäftsapparat noch Ihr Handy noch Ihr Privattelefon daheim. Führen Sie alle Gespräche von öffentlichen Fernsprechern aus und lassen Sie die Gebühr nicht über eine Kundenkreditkarte Ihrer Telefongesellschaft abbuchen, auch nicht über Ihre private Karte. Besorgen Sie sich eine Rolle Vierteldollarmünzen und zahlen Sie bar.«

»Halten Sie das wirklich für notwendig?«

»Ich weiß, daß es notwendig ist. So, und jetzt zu etwas anderem. Haben Sie jemals, seit Sie bei dieser Firma angestellt sind, irgend etwas gesagt oder getan, das man als nicht ganz sauber bezeichnen könnte?« Sie sah ihm über die Brillengläser hinweg in die Augen.

Er zuckte die Achseln. »Ich glaube nicht ...«

»Irgend etwas? Haben Sie vielleicht bei Ihrer Bewerbung in der Beschreibung Ihrer Qualifikation übertrieben? Haben Sie mal einen Angestellten von einem Tag auf den anderen gefeuert? Gab es jemals irgendwelche Untersuchungen hinsichtlich Ihres Verhaltens oder Ihrer Entscheidungen? Waren Sie jemals Objekt einer innerbetrieblichen Untersuchung?

Und selbst wenn dies nie der Fall war: Haben Sie, Ihres Wissens nach, jemals irgend etwas nicht den Vorschriften Entsprechendes getan, egal wie geringfügig oder scheinbar belanglos es gewesen sein mag?«

»Meine Güte, es waren zwölf Jahre insgesamt!«

»Denken Sie darüber nach, während Sie in Ihrem Büro aufräumen. Ich muß alles wissen, was die Firma zu Ihren Ungunsten ausgraben könnte. Denn wenn sie es können, dann werden sie es auch tun.«

»Okay.«

»Und noch etwas: Ihrer Erzählung entnehme ich, daß niemand in der Firma genau weiß, warum Meredith Johnson einen so bemerkenswerten und rasanten Aufstieg in die Führungsspitze genommen hat.«

»Ja, das stimmt.«

»Finden Sie's raus!«

»Das wird nicht einfach sein«, sagte Sanders. »Alle reden darüber, aber keiner scheint etwas zu wissen.«

»Für alle anderen ist das nur Klatsch«, sagte Louise Fernandez, »aber für Sie ist es lebenswichtig. Wir müssen herausfinden, welche Beziehungen sie hat und warum sie diese Beziehungen knüpfen konnte. Wenn wir das wissen, können wir es schaffen. Wenn nicht, dann werden sie uns wahrscheinlich in der Luft zerreißen, Mr. Sanders.«

Um 18 Uhr war er wieder im DigiCom-Gebäude. Cindy räumte gerade ihren Schreibtisch auf, um dann nach Hause zu gehen.

»Irgendwelche Anrufe?« fragte er, als er sein Büro betrat.

»Nur einer.« Ihre Stimme klang gepreßt.

»Von wem?«

»Von John Levin. Er sagte, es sei wichtig.« Levin war leitender Angestellter einer Zulieferfirma für Festplatten. Was immer Levin von ihm wollte, es konnte warten.
Sanders sah Cindy an. Sie wirkte angespannt, schien kurz davor, in Tränen auszubrechen.
»Stimmt irgendwas nicht?«
»Nein. War ein langer Tag.« Ein Achselzucken; demonstrative Gleichgültigkeit.
»Gibt es irgendwas, das ich wissen sollte?«
»Nein. Es war ruhig heute. Außer dem einen kam kein einziger Anruf für Sie.« Sie zögerte. »Tom, Sie sollen wissen, daß ich nicht glaube, was sie alle sagen!«
»Was sagen denn alle?«
»Das mit Meredith Johnson.«
»Was ist mit ihr?«
»Daß Sie sie sexuell belästigt haben.«
Kaum war der Satz draußen, verstummte sie. Ihre Blicke tasteten sich über sein Gesicht. Sanders spürte ihre Unsicherheit, und ihr Unbehagen übertrug sich auf ihn, als ihm bewußt wurde, daß diese Frau, mit der er viele Jahre zusammengearbeitet hatte, jetzt unverhohlen zeigte, wie wenig Vertrauen sie in ihn setzte.
»Es ist nicht wahr, Cindy«, sagte er mit fester Stimme.
»Okay. Ich habe es nicht geglaubt. Andererseits sagen alle –«
»Es ist nicht mal ein Körnchen Wahrheit daran.«
»Okay. Gut.« Sie nickte und legte den Terminkalender in die Schreibtischschublade. Sie schien es eilig zu haben. »Brauchen Sie mich hier noch?«
»Nein.«
»Gute Nacht, Tom.«
»Gute Nacht, Cindy.«
Er ging in sein Büro, schloß die Tür und setzte sich an den Schreibtisch. Er sah ihn sich genauer an; nichts schien be-

rührt worden zu sein. Schließlich schaltete er den Bildschirm ein und begann die Schubladen zu durchstöbern, um zu entscheiden, was er herausnehmen sollte. Als er einen Blick auf den Bildschirm warf, sah er das E-Mail-Symbol blinken. Er klickte es an.

ANZAHL DER PRIVATEN MITTEILUNGEN:
3. WOLLEN SIE DIE MITTEILUNGEN JETZT LESEN?

Er betätigte die entsprechende Taste. Sofort erschien die erste Mitteilung.

EINGESCHWEISSTE TWINKLE-LAUFWERKE SIND SEIT HEUTE PER DHL UNTERWEGS ZU EUCH. MÜSSTEN MORGEN EINTREFFEN. HOFFENTLICH FINDET IHR WAS ... JAFAR IST NOCH IMMER SCHWER KRANK. ES HEISST, ER IST IN LEBENSGEFAHR.

ARTHUR KAHN

Er drückte wieder auf die Taste, und die zweite Mitteilung erschien.

DIESE IDIOTEN SIND IMMER NOCH HIER.
IRGENDWAS NEUES GEHÖRT?

EDDIE

Sanders hatte jetzt keine Zeit, sich für Eddie den Kopf zu zerbrechen. Er drückte auf die Taste und las die dritte Mitteilung.

BESTIMMT HABEN SIE DIE ALTEN NUMMERN VON COMLINE NICHT GELESEN. FANGEN SIE MIT DEN AUSGABEN VON VOR VIER JAHREN AN.

A. FRIEND

Sanders starrte auf den Bildschirm. ComLine war das Betriebsmagazin von DigiCom – eine achtseitige Monatszeitschrift mit geschwätzigen Berichten über Einstellungen und Beförderungen, über Geburten, über die Sommertermine des Softball-Teams und dergleichen Dinge. Sanders hatte in das Magazin kaum je einen Blick geworfen und konnte sich nicht vorstellen, warum er es jetzt tun sollte.

Und wer war »A. Friend«?

Er klickte das ANTWORT-Feld auf dem Bildschirm an.

ANTWORT NICHT MÖGLICH –
ABSENDERADRESSE NICHT VERFÜGBAR.

Er klickte das Feld ABSENDER-INFO an. Nun sollten eigentlich der Name und die Adresse der Person erscheinen, die ihm die E-Mail-Mitteilung hatte zukommen lassen. Statt dessen sah er einen engzeilig geschriebenen Text:

VON UU5. PSI. COM. UWA. PCM. COM. EDU!
CHARON DIE, 16. JUN 04:43:31 REMOTE VON DCCSYS
EMPFANGEN: VON UUPSI5 DURCH DCCSYS.DCC.COM
IDAA02599; DIE, 16. JUN 4:42:19 PST
EMPFANGEN: VON UWA.PCM.COM.EDU DURCH
UU5.PSI.COM (5.65B/4.0. 071791-PSI/PSINET)
ID AA28153; DIE, 16. JUN 04:24:58 - 0500
EMPFANGEN: VON FLUSS STYX. PCM.COM.EDU
DURCH UWA. PCM.COM.EDU (4.1/SMI-4.1)
ID AA 15969; DIE, 16. JUN 04:24:56 PST
EMPFANGEN: DURCH FLUSS STYX. PCM.COM.EDU
(920330.SGI/5.6)
ID AA00448; DIE, 16. JUN 04:24:56-0500
DATUM: DIE, 16. JUN 04:24:56-0500
VON: CHARON @ UWA. PCM.COM.EDU (A. FRIEND)
NACHRICHT – ID: >9212220924.AA90448 @
FLUSS STYX.PCM.COM.EDU<
AN: TSANDERS@DCC.COM

Sanders stierte auf die Zeichen. Die Mitteilung war nicht von innerhalb der Firma zu ihm gelangt. Es handelte sich um einen

Internet-Leitweg. Internet war das große, landesweite Computernetz, das Universitäten, Firmen, Regierungsbehörden und private Anwender miteinander verband. Sanders kannte sich mit Internet nicht aus, aber offenbar stammte die Mitteilung von »A. Friend«, dessen Netzname CHARON lautete, aus UWA.PCM.COM.EDU., wo immer das auch war. Dem Kürzel EDU – für »Education« – zufolge wohl irgendeine Ausbildungseinrichtung. Er drückte auf die Taste BILDSCHIRMINHALT DRUCKEN und nahm sich vor, Bosak die Mitteilung zu zeigen. Mit Bosak mußte er ohnehin noch reden.
Er ging den Gang hinunter und nahm das Blatt an sich, sobald es aus dem Drucker kam. Dann kehrte er in sein Büro zurück, starrte wieder eine Zeitlang auf den Bildschirm und beschloß endlich, es mit einer Antwort an diese Person wenigstens zu versuchen.

VON: TSANDERS@DCC.COM
AN: CHARON@UWA.PCM.COM.EDU
HILFE JEDER ART SEHR WILLKOMMEN.

SANDERS

Er drückte die Taste SENDEN. Dann löschte er sowohl die erste Mitteilung als auch seine Antwort.

DIESE NACHRICHT KANN NICHT GELÖSCHT WERDEN.

Manchmal war die E-Mail vorsichtshalber mit einem Löschschutz versehen.

Er gab ein: MAIL ENTSICHERN.
MAIL IST NICHT GESCHÜTZT.
Er gab ein: MITTEILUNGEN LÖSCHEN.
DIESE MITTEILUNG KANN NICHT GELÖSCHT WERDEN.

Was zum Teufel soll das, dachte er. Das System hatte sich aufgehängt. Vielleicht wurde es von der Internet-Adresse blockiert. Er beschloß, die Mitteilungen auf der Systemebene aus dem System zu löschen.

Er gab ein: SYSTEM.
WELCHE EBENE?
Er gab ein: SYSOP.
IHRE ZUGRIFFSRECHTE BEINHALTEN
NICHT DEN ZUGRIFF AUF SYSOP

»Mein Gott!« Sie hatten ins System eingegriffen und ihm seine Zugriffsrechte genommen. Er konnte es kaum fassen.

Er gab ein: ZEIGE ZUGRIFFSRECHTE AN.
SANDERS, THOMAS L.
FRÜHERE BENUTZEREBENE: 5 (SYSOP)
WECHSEL DER BENUTZEREBENE:
DIE, 16. JUNI 16.50 PACIFIC STANDARD TIME
GEGENWÄRTIGE BENUTZEREBENE: 0 (ZUGANG)
KEINE WEITEREN ÄNDERUNGEN

Das also war es: Sie hatten ihn vom System ausgeschlossen. Benutzerebene 0 war die Stufe, die man bei DigiCom den Sekretärinnen zuwies.
Sanders ließ sich in seinen Stuhl zurückfallen. Für ihn war das, als hätten sie ihn gefeuert. Zum erstenmal wurde ihm klar, was auf ihn zukommen würde.
Er hatte wahrlich keine Zeit zu verlieren. Er öffnete seine Schreibtischschublade und sah sofort, daß die Kugelschreiber und Bleistifte säuberlich in Reih und Glied geordnet dalagen. Man war schon dagewesen. Er zog den Kasten mit den Hängekarteien auf. Nur etwa ein halbes Dutzend Karteimappen waren da; alle anderen fehlten.
Sie hatten seinen Schreibtisch durchstöbert.
Hastig stand er auf und ging zu den großen Aktenschränken hinter Cindys Arbeitsplatz. Diese Schränke waren abgesperrt,

aber er wußte, daß Cindy den Schlüssel in ihrem Schreibtisch aufbewahrte. Er fand den Schlüssel und öffnete den Schrank mit den Akten des laufenden Jahres.
Der Schrank war leer. Nicht ein einziger Ordner befand sich mehr darin. Sie hatten alles mitgenommen.
Er öffnete den Schrank für die Akten des vorangegangenen Jahres. Leer.
Das Jahr davor: leer.
Alle anderen Jahre: leer.
Teufel noch mal, dachte er. Kein Wunder, daß Cindy so kühl gewesen war. Wahrscheinlich hatte eine ganze Schar von Arbeitern den ganzen Nachmittag hindurch alles durchstöbert und weggekarrt.
Sanders schloß die Aktenschränke wieder ab, legte den Schlüssel zurück in Cindys Schreibtisch und lief nach unten.

Die Pressestelle lag im dritten Stock. Außer einer Sekretärin, die gerade nach Hause gehen wollte, war niemand mehr da. »Oh, Mr. Sanders! Ich wollte gerade Schluß machen.«
»Sie müssen nicht bleiben. Ich wollte nur etwas nachsehen. Wo bewahren Sie die alten Ausgaben von ComLine auf?«
»Die liegen alle in dem Regal dort drüben.« Sie deutete auf mehrere Zeitschriftenstapel. »Suchen Sie etwas Bestimmtes?«
»Nein, nein. Gehen Sie ruhig nach Hause.«
Etwas widerwillig griff die Sekretärin nach ihrer Handtasche und verließ den Raum. Sanders trat an das Regal. Die Ausgaben waren in Stapeln zu jeweils sechs Monaten angeordnet. Um sicherzugehen, begann er mit dem zehnten Stapel – fünf Jahre waren diese Exemplare alt.

Er blätterte darin herum, überflog die in endlosen Details geschilderten Sportereignisse und die Pressemitteilungen über Produktionszahlen. Schon nach wenigen Minuten fiel es ihm schwer, sich zu konzentrieren. Obendrein wußte er nicht einmal, was er eigentlich suchte – wenngleich er vermutete, daß es etwas über Meredith Johnson war.
Durch zwei Stapel mußte er sich arbeiten, bevor er den ersten Artikel über sie fand.

NEUE VIZEDIREKTORIN FÜR
MARKETING ERNANNT

Cupertino, 10. Mai: DigiCom-Direktor Bob Garvin gab heute die Ernennung von Meredith Johnson zur stellvertretenden Direktorin (unter Howard Gottfried) für Marketing und Promotion im Bereich Telekommunikation bekannt. Ms. Johnson ist 30 Jahre alt und war vor ihrem Eintritt bei DigiCom Vizedirektorin im Bereich Marketing bei Conrad Computer Systems in Sunnyvale. Davor hat sie als leitende Sachbearbeiterin bei der Novell Network Division in Mountain View gearbeitet.
Ms. Johnson, die das Vassar College sowie die Stanford Business School besuchte, hat sich vor kurzem mit Gary Henley, einem Marketingleiter bei CoStar, verheiratet. Herzlichen Glückwunsch! Als Neuzugang bei DigiCom bringt Ms. Johnson ihren beträchtlichen geschäftlichen Scharfsinn, zündenden Humor sowie eine brillante Wurftechnik beim Softball mit. Durch sie erfährt das DigiCom-Team eine grandiose Verstärkung! Herzlich willkommen, Meredith!

Er las den Artikel nicht bis zum Ende; der Rest war reine PR-Soße. Das abgedruckte Foto zeigte eine typische Betriebswirtschaftsstudentin nach dem Examen: Vor einem grauen Hintergrund stand, von hinten über eine Schulter hinweg beleuchtet, eine junge Frau mit schulterlangem, leicht gelocktem Pagenkopf, offenem, geschäftsmäßigem, beinahe strengem Blick und einem entschlossenen Zug um den Mund. Allerdings sah sie um einiges jünger aus als jetzt.

Sanders ging Ausgabe für Ausgabe durch. Als er einen Blick auf seine Armbanduhr warf, war es fast 19 Uhr. Er mußte Bosak anrufen. Mittlerweile hatte er das Jahresende erreicht, auf den Seiten stand nur mehr irgendwelcher Weihnachtsschrott. Ein Foto mit Garvin und seiner Familie (»Der Chef wünscht fröhliche Weihnachten! Ho ho ho!«) ließ ihn innehalten, denn es zeigte Bob mit seiner früheren Frau. Drei Kinder im Collegealter standen um einen großen Weihnachtsbaum herum.

War Garvin damals schon mit Emily befreundet gewesen? Niemand hatte das jemals erfahren. Garvin war gerissen. Man wußte nie, was er vorhatte.

Sanders nahm sich den Stapel mit dem folgenden Jahr vor. Die Verkaufsprognosen für Januar (»Packen wir's an – lassen wir es Wirklichkeit werden!«). Die Eröffnung der Fabrik für die Produktion von Mobiltelefonen in Austin, Texas – ein Foto von Garvin in grellem Sonnenlicht, die Schere am Band. Ein kurzes Porträt von Mary Anne Hunter, das folgendermaßen begann: »Die muntere, sportliche Mary Anne Hunter weiß, was sie vom Leben will...« Noch Wochen danach hatte man sie in der Firma »unsere Muntere« genannt, bis Mary Anne fast auf Knien bat, damit aufzuhören.

Sanders überflog die Seiten. Vertrag mit Irland über den Bau einer Fabrik in Cork. Die Verkaufszahlen für das zweite Quartal. Das Ergebnis des Basketballspiels gegen Aldus. Dann ein Text in schwarzer Umrandung:

JENNIFER GARVIN

Jennifer Garvin, die im dritten Jahr Jura an der Boalt Hall School of Law in Berkeley studierte, starb am 5. März bei einem Auto-

unfall in San Francisco. Sie wurde 24 Jahre alt. Jennifer hatte für die Zeit nach ihrem Studienabschluß bereits eine Anstellung bei der Kanzlei Conley, Wayne und Myers. An dem Gedenkgottesdienst in der Presbyterianerkirche von Palo Alto nahmen Freunde und Verwandte sowie zahlreiche Studienkollegen von Jennifer teil. Statt Blumen werden Spenden an den Verein »Mütter gegen Trunkenheit am Steuer« erbeten. Alle Mitarbeiter von Digital Communications bekunden der Familie Garvin ihr aufrichtiges Beileid.

Sanders erinnerte sich, wie schwierig diese Zeit für alle gewesen war. Garvin war damals ständig mürrisch und sehr unzugänglich, er trank zuviel und erschien häufig nicht zur Arbeit. Kurz darauf wurden seine Eheprobleme bekannt; zwei Jahre später war er geschieden und wenig später mit Emily Chen verheiratet, einer jungen leitenden Angestellten Mitte 20. Aber auch so manches andere hatte sich verändert. Alle waren sich einig: Seit dem Tod seiner Tochter war Garvin nicht mehr derselbe Chef.

Garvin war immer ein Draufgänger gewesen; jetzt aber war er vorsichtiger geworden, hatte seinen skrupellosen Ehrgeiz verloren. Einige meinten auch, ihm sei seine berühmte Spürnase abhanden gekommen, aber das war es nicht. Die Willkürlichkeit des Lebens war ihm einfach wieder bewußt geworden, und das führte dazu, daß er alles viel stärker unter Kontrolle haben wollte als zuvor. Garvin war immer Mr. Evolution gewesen: Setz das Küken irgendwo in der Wildnis aus und warte ab, ob es frißt oder stirbt. Diese Einstellung hatte einerseits einen knallharten Geschäftsmann, andererseits aber auch einen ungewöhnlich fairen Chef aus ihm gemacht. Wenn man ordentlich arbeitete, erkannte er das an; wenn man nichts brachte, war man weg vom Fenster. Jeder kannte die Regeln. Aber nach Jennifers Tod wurde alles anders. Plötzlich hatte Garvin offenkundige Lieblingsangestellte und Lieblingsprojekte, und diese Lieblinge zog er sich heran, während er alles andere mißachtete, auch wenn das Gegenteil richtig gewesen wäre. Immer unberechenbarer waren seine geschäftlichen Entscheidungen geworden. Garvin wollte, daß alles so geschah, wie er es sich vorstellte. Dieser Drang erfüllte ihn mit neuem Elan, mit neuen Visionen über die Entwicklung der Firma, doch die wurde dadurch auch zu einem anstrengenderen Arbeitsplatz – zu einem Arbeitsplatz, an dem Taktik und Berechnung viel mehr zählten als früher.

Diesen Trend hatte Sanders vollständig ignoriert. Er verhielt sich, als arbeitete er noch für die alte DigiCom – für die Firma, in der nur die Resultate zählten. Daß es diese Firma nicht mehr gab, war jedoch offensichtlich.

Sanders blätterte weiter. Artikel über erste Verhandlungen über eine Fabrik in Malaysia. Ein Foto von Phil Blackburn in Irland, aufgenommen im Moment der Unterzeichnung eines Abkommens mit der Stadt Cork. Neue Produktionszahlen für die Fabrik in Austin. Produktionsbeginn des A22-Cellularmodells. Geburten, Todesfälle, Beförderungen. Und noch mehr DigiCom-Baseballergebnisse.

JOHNSON ÜBERNIMMT POSTEN
IN DER UNTERNEHMENSPLANUNG

Cupertino, 20. Oktober: Meredith Johnson wurde zur neuen stellvertretenden Leiterin der Abteilung Unternehmensplanung in Cupertino ernannt, wo sie den beliebten Harry Warner ablöst, der nach 15 Dienstjahren in den Ruhestand geht. Bedingt durch den Wechsel in die Unternehmensplanung, verläßt Johnson die Marketingabteilung, wo sie im vergangenen Jahr seit ihrem Eintritt in die Firma sehr erfolgreich tätig war. In ihrer neuen Position wird sie im Bereich internationale Unternehmensplanung für DigiCom eng mit Bob Garvin zusammenarbeiten.

Weit mehr als der Text selbst zog das daneben abgedruckte Foto Sanders' Aufmerksamkeit auf sich. Auch diesmal handelte es sich um eine formell gehaltene Porträtaufnahme, aber Meredith Johnson sah darauf völlig anders aus. Ihr Haar war plötzlich hellblond. Aus dem braven Pagenkopf war ein lokkiger, flotter Kurzhaarschnitt geworden. Außerdem war sie wesentlich dezenter geschminkt und lächelte fröhlich in die Kamera. Insgesamt sah sie jugendlicher, offener und unschuldiger aus als auf dem ersten Foto.

Sanders überlegte. Dann blätterte er rasch alle Ausgaben durch, die er bereits gesichtet hatte. Ging den Stapel davor durch, die Ausgabe mit den Weihnachtsfotos: »Der Chef wünscht fröhliche Weihnachten! Ho, ho, ho!«

Er sah sich das zugehörige Bild noch einmal an. Garvin hinter seinen drei Kindern; zwei Söhne und eine Tochter, das mußte Jennifer sein. Seine Frau Harriet stand auf der anderen Seite. Garvin lächelte, und seine Hand ruhte auf der Schulter seiner Tochter. Jennifer war ein großgewachsenes, sportlich wirkendes Mädchen mit kurzgeschnittenem hellblondem, gelocktem Haar.

»Das darf doch nicht wahr sein!« sagte er laut.

Hastig suchte er den ersten Artikel über Meredith Johnson, um das daneben abgedruckte Foto zu betrachten, und verglich es mit dem späteren. Es gab keinen Zweifel, was sie bezweckt hatte. Jetzt las er den Artikel doch zu Ende.

Als Neuzugang bei DigiCom bringt Ms. Johnson ihren beträchtlichen geschäftlichen Scharfsinn, zündenden Humor sowie eine brillante Wurftechnik beim Softball mit. Durch sie erfährt das DigiCom-Team eine grandiose Verstärkung! Herzlich willkommen, Meredith!

Ihre Freunde und Bewunderer wird es nicht überraschen, wenn sie erfahren, daß Meredith einmal Finalistin im Schönheitswettbewerb um den Titel der Miß Teen Connecticut war. In ihrer Studienzeit in Vassar gehörte Meredith sowohl dem Tennisteam als auch dem Debattierklub an und war hier ebenso geschätztes Mitglied wie bei der Studentenvereinigung Phi Beta Kappa. Sie studierte im Hauptfach Psychologie und im Nebenfach Psychopathologie. Hoffentlich werden Sie das bei uns nicht brauchen, Meredith! In Stanford erlangte sie das Diplom in Betriebswirtschaft mit Auszeichnung – sie gehörte zu den Besten ihres Jahrgangs. Meredith sagte uns: »Ich bin glücklich, bei DigiCom arbeiten zu dürfen, und blicke mit Freude einem aufregenden beruflichen Werdegang innerhalb dieses zukunftsweisenden Unternehmens entgegen.« Besser hätten auch wir es nicht ausdrücken können, Ms. Johnson!

»Scheiße!« Er hatte das alles nicht gewußt. Meredith war von Anfang an in Cupertino gewesen; Sanders hatte sie bloß nie gesehen. Das eine Mal, als sie sich begegneten, war kurz nach ihrer Einstellung gewesen, noch bevor sie ihre Frisur geändert hatte. Ihre Frisur – und was noch? Er betrachtete aufmerksam beide Fotos. Es gab noch eine, kaum wahrnehmbare Veränderung. Hatte sie sich einer Gesichtsoperation unterzogen? Er konnte es nicht mit Sicherheit sagen. Jedenfalls hatte sich ihr Äußeres zwischen den beiden Porträts beträchtlich verändert. Er blätterte die restlichen Ausgaben des Magazins sehr rasch durch, denn er war überzeugt, das, worauf es ankam, gesehen zu haben. Jetzt überflog er nur mehr die Überschriften:

GARVIN SCHICKT JOHNSON NACH TEXAS

JOHNSON ZUKÜNFTIGE LEITERIN DER NEUEN ABTEILUNG FÜR DIE REVISION DER UNTERNEHMENSPLANUNG

JOHNSON ZUR VIZEDIREKTORIN ERNANNT
WIRD DIREKT UNTER GARVIN TÄTIG SEIN

JOHNSON: TRIUMPH IN MALAYSIA
ARBEITSKONFLIKT BEIGELEGT

MEREDITH JOHNSON – UNSER KOMMENDER STAR
EINE HERAUSRAGENDE MANAGERIN
MIT GROSSEM GESCHICK
AUF TECHNISCHEM GEBIET

Bei der allerletzten Überschrift handelte es sich um den Titel eines längeren Porträts von Meredith Johnson, das man besonders günstig, nämlich auf der zweiten Seite, plaziert hatte. Es war nur zwei Ausgaben zuvor im ComLine-Magazin erschienen.

Schon nach den ersten Sätzen wurde Sanders schlagartig bewußt, daß man mit dem Artikel in erster Linie unternehmenspolitische Zwecke hatte erfüllen wollen – durch ihn sollte der Brückenkopf für die Landung im Juni erkämpft werden. Dieser Artikel war ein Versuchsballon, den Cupertino hatte aufsteigen lassen, um herauszufinden, ob Meredith als Leiterin der technischen Abteilungen in Seattle akzeptiert werden würde. Das Problem war nur, daß Sanders dieses Porträt nie gelesen und daß niemand es ihm gegenüber je erwähnt hatte.

Der Artikel betonte das technische Wissen, das Johnson sich im Lauf der Jahre bei DigiCom erworben hatte, und zitierte sie mit folgenden Worten: »Meine berufliche Laufbahn nahm damals bei Novell ihren Anfang in technischen Bereichen. Meine erste Liebe galt dem technischen Bereich, und mein größter Wunsch wäre, dorthin zurückzukehren. Leistungsstarke Innovation ist schließlich das Herz eines zukunftsweisenden Unternehmens wie DigiCom. Jeder gute Manager in diesem Unternehmen muß in der Lage sein, technische Abteilungen zu leiten.«

Da war es.
Er sah auf das Datum: 2. Mai. Vor sechs Wochen erschienen. Und der Artikel war mindestens zwei Wochen zuvor verfaßt worden.
Mark Lewyn hatte es bereits geahnt: Meredith Johnson wußte schon seit mindestens zwei Monaten, daß sie die Leitung der Advanced Products Group übernehmen würde. Und das wiederum bedeutete, daß Sanders für den Job als Abteilungsleiter nie in Betracht gekommen war. Er hatte von Anfang an keine Chance gehabt.
Es war von Anfang an beschlossene Sache gewesen.
Schon seit Monaten.
Er fluchte, trug die Artikel zum Kopiergerät, kopierte sie, legte die Stapel ins Regal zurück und verließ die Pressestelle.

Als Sanders den Aufzug betrat, stand Mark Lewyn darin. Sanders sagte: »Hi, Mark.« Lewyn antwortete nicht. Sanders drückte den Knopf neben dem Schild »Erdgeschoß«.
Die Tür schloß sich.
»Ich hoffe nur, daß du weißt, was du tust, du Idiot«, sagte Lewyn wütend.
»Ich denke schon, daß ich das weiß.«
»Du könntest es nämlich uns allen vermasseln. Ist dir das klar?«
»Was könnte ich vermasseln?«
»Daß dein Kopf in der Schlinge steckt, ist wirklich nicht unser Problem!«
»Das hat auch niemand behauptet.«
»Ich weiß nicht, was mit dir los ist, Tom«, sagte Lewyn. »Du kommst zu spät zur Arbeit, du rufst mich nicht an, obwohl du

es angekündigt hast ... Was ist eigentlich los, hast du Zoff daheim? Stunk mit Susan?«

»Mit Susan hat das überhaupt nichts zu tun.«

»Ach, wirklich? Das sehe ich aber anders. Du bist zwei Tage hintereinander zu spät gekommen, und wenn du mal hier bist, schleichst du herum, als würdest du träumen. Trägst den Kopf in den Wolken, verdammt noch mal! Und überhaupt – was hattest du eigentlich abends in Meredith' Büro zu suchen?«

»Sie bat mich, in ihr Büro zu kommen. Sie ist die Chefin. Willst du mir sagen, ich hätte nicht hingehen sollen?«

Lewyn schüttelte angewidert den Kopf. »Dieses Unschuldsgehabe ist eine einzige Scheiße, Tom. Übernimmst du eigentlich nie die Verantwortung für etwas?«

»Was fällt dir –«

»Paß mal auf, Tom! Jeder hier im Betrieb weiß, daß Meredith der reinste Hai ist. Die Männermordende – manche nennen sie so. Meredith, das männermordende Monster. Der große weiße Hai. Außerdem weiß jeder, daß Garvin sie protegiert und daß sie tun kann, was sie will. Und was sie will, das ist mit niedlichen kleinen Jungs rumspielen, die nach der Arbeit in ihrem Büro aufkreuzen. Sie trinkt ein paar Gläser Wein, wird ein bißchen rot im Gesicht, und dann will sie bedient werden. Ein Lieferjunge, ein Praktikant, ein süßer kleiner Buchhalter – völlig egal. Und niemand darf etwas dagegen sagen, weil Garvin glaubt, daß sie kein Wässerchen trüben kann. Also: Wie kommt es, daß alle anderen in der Firma darüber Bescheid wissen, nur du nicht?«

Sanders war so verblüfft, daß er nichts zu erwidern wußte. Er starrte Lewyn an, der, mit vorgebeugtem Oberkörper, die Hände in den Hosentaschen, ganz nahe bei ihm stand. Er spürte Lewyns Atem auf seinem Gesicht. Aber was er sagte, konnte er kaum verstehen. Es war, als käme es aus weiter Ferne.

»He, Tom! Du gehst die gleichen Gänge entlang und atmest die gleiche Luft wie wir anderen auch. Du weißt doch, wer hier was tut. Wenn du in ihr Büro hinaufstapfst, muß dir doch klar sein, was dich dort erwartet, verdammt noch mal! Meredith ist gerade noch davor zurückgeschreckt, öffentlich zu verkünden, daß sie Lust darauf hat, dir einen zu blasen. Den ganzen Tag hindurch hat sie dich an den Arm gefaßt und dir diese *vielsagenden* kleinen Blicke und Knüffe zukommen lassen. O *Tom!* Es ist so *schön*, dich wiederzusehen! Und du willst mir weismachen, du hättest nicht gewußt, was in diesem Büro auf dich zukommt? *Scheiße*, Tom. Du bist ein echtes Arschloch.«
Die Aufzugtür öffnete sich. Vor ihnen lag die Hauptlobby, menschenleer und schon halb dunkel im schwindenden Licht dieses Juniabends. Draußen fiel leichter Regen. Lewyn schritt auf den Ausgang zu, drehte sich aber kurz davor noch einmal um. Seine Stimme hallte in der großen Lobby wider.
»Ist dir eigentlich klar, daß du dich in dieser Sache wie eine von diesen dummen Tussis verhältst? So reden die doch immer daher: ›Wer, ich? Das habe ich nie gewollt!‹ Und dann heißt es immer: ›Ach, aber da kann *ich* doch nichts dafür! Ich hätte es nie für möglich gehalten, daß, wenn ich mich betrinken und ihn küssen und in sein Zimmer gehen und mich auf sein Bett legen würde, daß er mich dann bumsen würde! Wirklich, das hätte ich nie gedacht!‹ Das ist dummes Gerede, Tom. Unverantwortliches Gerede. Und du tust gut daran, mal über das nachzudenken, was ich dir gerade gesagt habe. Es gibt hier nämlich ziemlich viele, die in dieser Firma ganz genauso hart gearbeitet haben wie du, und wir haben keine Lust, uns von dir diese Fusion und den Spin-off vermasseln zu lassen. Wenn du so tun willst, als könntest du es nicht erkennen, wenn eine Frau auf dich scharf ist – okay. Wenn du dein Leben verpfuschen willst – deine Entscheidung. Aber wenn du mir

meines verpfuschst, kannst du dich auf einiges gefaßt machen!«
Lewyn marschierte hinaus. Die Aufzugtür schloß sich langsam hinter ihm. Sanders streckte die Hand, in den schmaler werdenden Spalt, drückte die Tür noch einmal auseinander. Dann lief er in die Lobby, hinter Lewyn her.
Er packte Lewyn an der Schulter. »Warte, Mark, hör mir zu –«
»Ich habe dir nichts mehr zu sagen. Ich habe Kinder, ich habe eine Verantwortung. Du bist ein Arschloch!«
Er schüttelte Sanders' Hand ab, stieß die Eingangstür auf, trat hinaus auf die Straße und eilte davon.
Als die Glastür zurückschwang, sah Sanders eine blonde Gestalt, die sich darin spiegelte. Er drehte sich um.
»Ich fand das ein wenig unfair«, sagte Meredith Johnson. Sie stand etwa fünf Meter hinter ihm, bei den Aufzügen. Sie trug Sportkleidung – dunkelblaue Leggings und ein Sweatshirt – und hatte eine Sporttasche bei sich. Sanders spürte, wie er verlegen wurde: Sie sah sehr schön aus und ziemlich sexy, auf eine ziemlich demonstrative Weise. Außer ihnen war kein Mensch in der Lobby. Sie waren ganz allein.
»Ja«, sagte Sanders, »ich fand es auch unfair.«
»Den Frauen gegenüber, meine ich.« Meredith schwang sich die Sporttasche über die Schulter, wodurch das Sweatshirt so nach oben gezogen wurde, daß ihr nackter Bauch über den Leggings zu sehen war. Sie schüttelte den Kopf und strich sich das blonde Haar aus dem Gesicht. »Ich möchte dir sagen, daß mir das alles sehr leid tut«, sagte sie und ging langsam und sehr selbstbewußt, beinahe stolzierend auf ihn zu. Sie sprach ganz leise. »Ich habe das alles nicht gewollt, Tom.« Sie kam noch näher, ganz bedächtig, als wäre er ein Tier, das leicht verscheucht werden konnte. »Ich hege die allerwärmsten Gefühle für dich.« Noch ein wenig näher. »Nur die allerwärmsten.« Näher. »Ich kann nichts dafür, daß ich noch immer Lust auf

dich habe.« Näher. »Wenn ich dich in irgendeiner Weise gekränkt habe, möchte ich mich dafür entschuldigen.« Sie war jetzt ganz nah bei ihm, so nah, daß ihr Körper den seinen fast berührte; ihre Brüste waren nur mehr wenige Zentimeter von seinem Arm entfernt. »Es tut mir wirklich leid, Tom«, sagte sie leise. Sie schien fast überzuquellen vor Gefühlen. Ihre Brüste hoben und senkten sich. Ihre Augen schimmerten feucht und flehend, als sie zu ihm aufblickte. »Kannst du mir verzeihen? Bitte! Du weißt doch, wie ich dir gegenüber empfinde.«

Er spürte sofort wieder dieses erotische Kribbeln von damals. Er biß die Zähne aufeinander. »Was vorbei ist, ist vorbei, Meredith. Hör auf damit, ja?«

Sie veränderte sofort den Tonfall und deutete auf die Straße. »Hör zu, mein Wagen steht gleich vor dem Eingang. Kann ich dich irgendwohin bringen?«

»Nein, danke.«

»Es regnet. Ich dachte, du würdest dich vielleicht freuen, wenn ich dich mitnehme.«

»Ich halte das nicht für eine gute Idee.«

»Ich meine doch nur, weil es regnet.«

»Wir sind hier in Seattle«, sagte er. »Hier regnet es ständig.«

Sie zuckte mit den Achseln, ging zur Tür und lehnte sich, Hüfte voraus, mit ihrem Gewicht dagegen. Dann warf sie einen Blick zurück und lächelte Sanders an. »Erinnere mich bitte daran, daß ich in deiner Gegenwart nie mehr Leggings anziehe. Es ist wirklich peinlich – du machst mich feucht.«

Dann wandte sie sich ab, ging durch die Tür, schritt zu dem wartenden Wagen und stieg hinten ein. Sie schlug die Tür zu, sah Sanders noch einmal an und winkte fröhlich. Der Wagen fuhr weg.

Sanders öffnete die Fäuste. Er holte tief Luft und ließ sie langsam ausströmen. Sein ganzer Körper war verspannt. Er

wartete, bis der Wagen fort war, dann ging auch er hinaus. Er spürte den Regen auf seinem Gesicht und den kühlen Abendwind.
Er rief ein Taxi herbei. »Zum *Four Seasons Hotel.*«

Im Taxi starrte er aus dem Fenster und atmete tief durch. Er hatte das Gefühl, keine Luft zu bekommen. Die Begegnung mit Meredith hatte ihm schwer zugesetzt, um so mehr, als sie unmittelbar auf das Gespräch mit Lewyn gefolgt war.
Was Lewyn gesagt hatte, beunruhigte Sanders sehr; andererseits durfte man Mark nicht allzu ernst nehmen. Er war ein genialer Hitzkopf, der seiner kreativitätsbedingten Spannungen durch Zornausbrüche Herr zu werden pflegte. Eigentlich war er ständig wegen irgend etwas sauer; er genoß es, wütend zu sein. Sanders kannte Lewyn nun schon sehr lange und hatte nie verstehen können, wie Adele, Marks Frau, damit zurechtkam. Adele war eine dieser wunderbar ruhigen, fast phlegmatischen Frauen, die seelenruhig telefonieren konnten, während ihre beiden Kinder über sie krabbelten, an ihr herumzupften und ihr eine Frage nach der anderen stellten. Auf ähnliche Weise ließ sie Lewyn vor sich hin wüten, während sie sich mit anderen Dingen beschäftigte. Im Grunde ließ jeder Lewyn einfach vor sich hin wüten, denn alle wußten, daß es letztlich nichts zu bedeuten hatte.
Andererseits wiederum besaß Lewyn einen Instinkt für die Wahrnehmungen anderer und für bestimmte Trends. Darauf gründete sein Erfolg als Designer. Lewyn plädierte beispielsweise für Pastellfarben, und alle stöhnten und fanden, die neuen Designfarben sähen einfach beschissen aus. Aber zwei Jahre später, wenn die Produkte vom Fließband kamen, waren

Pastellfarben garantiert der absolute Renner und genau das, was alle haben wollten. Sanders mußte sich also eingestehen, daß das, was Lewyn über ihn gesagt hatte, bestimmt auch andere bald sagen würden. Lewyn hatte den Standpunkt vorgegeben, den bald alle übernehmen würden, und dieser Standpunkt lautete: Sanders vermasselt allen anderen die Chancen.

Na und – dann vermassle ich ihnen eben alles, dachte er.

Und was Meredith betraf ... Er hatte das sichere Gefühl, daß sie vorhin in der Lobby ein Spiel mit ihm gespielt hatte. Sie hatte ihn verhöhnt, ihren Spott mit ihm getrieben. Er verstand nicht, woher sie ihre Selbstsicherheit nahm. Immerhin hatte Sanders eine sehr schwerwiegende Anschuldigung gegen sie gerichtet. Sie aber benahm sich, als wäre das nicht im geringsten bedrohlich für sie. Diese Unempfindlichkeit, dieser Gleichmut bereiteten Sanders tiefes Unbehagen. Ihr Benehmen konnte nur bedeuten, daß sie sich Garvins Rückhalt völlig sicher war.

Das Taxi fuhr vor dem Hotel vor und hielt hinter einem Wagen, den Sanders sofort als den von Meredith erkannte. Im selben Moment drehte sie sich um und sah Sanders.

Es blieb ihm nichts anderes übrig, als auszusteigen und auf den Hoteleingang zuzugehen.

»Verfolgst du mich?« fragte sie grinsend.

»Nein.«

»Bestimmt nicht?«

»Nein, ganz bestimmt nicht, Meredith.«

Sie fuhren mit der Rolltreppe von der Straße in die Hotelhalle. Sanders stand hinter ihr. Sie drehte sich zu ihm um. »Es würde mir aber sehr gefallen.«

»Tja, damit kann ich leider nicht dienen.«

»Es wäre wirklich schön gewesen«, sagte sie und schenkte ihm ein verführerisches Lächeln.

Er wußte nicht, was er sagen sollte, und schüttelte nur den Kopf. Schweigend fuhren sie weiter bis in die hohe, prunkvolle Lobby.

Schließlich sagte Meredith: »Ich wohne in Zimmer 423. Du kannst mich jederzeit besuchen. Jederzeit.« Dann ging sie in Richtung Aufzüge.

Sanders durchschritt die Lobby und wandte sich links zum Hotelrestaurant. Vom Eingang aus sah er Dorfman an einem Ecktisch sitzen; er aß mit Garvin und Stephanie Kaplan zu Abend. Max schwang wieder einmal große Reden, die er mit zackigen Handbewegungen unterstrich. Garvin und Kaplan hatten sich vorgebeugt und lauschten aufmerksam. Sanders fiel ein, daß Dorfman früher einmal Mitglied des Verwaltungsrates von DigiCom gewesen war – ein sehr mächtiges Mitglied, wie man sich erzählte. Dorfman war es gewesen, der Garvin überredet hatte, mehr als nur Modems herzustellen und auf den Markt für Mobiltelefone und drahtlose Kommunikationsmittel zu expandieren – damals, als noch kein Mensch eine mögliche Verbindung zwischen Computern und Telefonen erkannte. Heutzutage lag diese Verbindung auf der Hand, nicht aber in den frühen 80er Jahren, als Dorfman zu Garvin gesagt hatte: »Ihre Zukunft liegt nicht in der Hardware. Ihre Zukunft liegt auf dem Gebiet der Kommunikationsmittel. Zugang zu Informationen – das ist es, worauf es ankommt.«

Auch auf die personelle Zusammensetzung der Firma hatte Dorfman großen Einfluß gehabt. So verdankte Stephanie Kaplan ihre Position angeblich vor allem seiner bedingungslosen Unterstützung, Sanders selbst hatte man auf Dorfmans Empfehlung hin nach Seattle geholt, und Mark Lewyn war mit seiner Vermittlung eingestellt worden. Andererseits waren nicht wenige Vizedirektoren im Lauf der Jahre gegangen, weil Dorfman ihre visionäre Kraft und ihr Durchhaltevermö-

gen nicht für ausreichend erachtete. Er war ein mächtiger Verbündeter und ein tödlicher Gegner.
Und jetzt, kurz vor der Fusion, war seine Position stark wie eh und je. Dorfman hatte sich zwar schon vor Jahren aus dem Verwaltungsrat zurückgezogen, besaß aber noch einen großen Anteil an DigiCom-Aktien. Garvin hörte noch immer auf ihn. Und in den entsprechenden Geschäfts- und Finanzkreisen verfügte er noch über die Kontakte und das Prestige, mit deren Hilfe eine solche Fusion sehr viel einfacher zu bewerkstelligen war. Wenn Dorfman den Konditionen der Fusion zustimmte, würden seine Bewunderer bei Goldman und Sachs und bei der First Boston das Geld problemlos lockermachen. Sollte Dorfman jedoch Mißfallen zeigen, sollte er auch nur andeuten, daß er die Fusion der beiden Firmen nicht für sinnvoll hielt, dann war es durchaus möglich, daß der Unternehmenszusammenschluß nicht zustande kam. Alle wußten das. Alle kannten den Einfluß, den er ausübte – ganz besonders Dorfman selbst.
Sanders blieb am Eingang zum Hotelrestaurant stehen und versuchte, Max' Aufmerksamkeit auf sich zu lenken. Nach einer Weile hob Max den Blick und sah ihn. Weiterdozierend, schüttelte er einige Male ruckartig den Kopf: *Nein.* Dann klopfte er, während er auf seine Tischnachbarn einredete, kaum merklich auf seine Armbanduhr. Sanders nickte, ging in die Lobby zurück und setzte sich. Er sah den Stapel mit den ComLine-Kopien noch einmal durch, studierte die Veränderungen, die Meredith ihrem Äußeren hatte angedeihen lassen.
Wenige Minuten später kam Dorfman in seinem Rollstuhl auf ihn zu. »Na, Thomas. Ich bin froh, daß Sie ein so wenig langweiliges Leben führen!«
»Was soll das heißen?«
Dorfman lachte auf und machte eine Handbewegung zum

Restaurant hin. »Da drin reden sie von nichts anderem. Das einzige Thema des Abends sind Sie und Meredith. Alle sind sehr aufgeregt. Und so *besorgt*.«

»Bob auch?«

»Ja, selbstverständlich, Bob auch.« Er rollte näher an Sanders heran. »Ich kann jetzt nicht mit Ihnen reden. Geht es um etwas Besonderes?«

»Ich dachte, Sie sollten sich das hier mal ansehen«, sagte Sanders und reichte Dorfman die Kopien. Er wollte, daß Dorfman diese Fotos Garvin zeigte, daß er Garvin klarmachte, was wirklich gespielt wurde.

Eine Weile betrachtete Dorfman die Fotos schweigend. »Eine wunderbare Frau«, sagte er schließlich. »So wunderschön ...«

»Achten Sie doch mal auf den Unterschied, Max! Sehen Sie doch nur, was sie mit sich gemacht hat!«

Dorfman zuckte mit den Achseln. »Sie hat ihre Frisur verändert. Steht ihr ausgezeichnet. Na und?«

»Ich glaube, sie hat sich auch das Gesicht operieren lassen.«

»Das würde mich nicht überraschen«, erklärte Dorfman. »Heutzutage machen das viele Frauen. Für sie ist es fast das gleiche, wie sich die Zähne zu putzen.«

»Mir jagt es Schauder den Rücken hinunter.«

»Warum denn?«

»Weil es hinterhältig ist, deswegen.«

»Was soll daran hinterhältig sein?« fragte Dorfman mit einem Achselzucken. »Sie läßt sich eben etwas einfallen. Gut für sie.«

»Ich gehe jede Wette ein, daß Garvin keine Ahnung hat, was sie mit ihm macht«, sagte Sanders.

Dorfman schüttelte den Kopf. »Um Garvin sorge ich mich nicht. Aber um Sie, Thomas. Und zwar wegen der Wut, die Sie an den Tag legen. Oder?«

»Ich sage Ihnen, warum ich so wütend bin«, fauchte Sanders.

»Weil das genau die Art von widerlicher Heimtücke ist, die eine Frau bringen kann, ein Mann aber nicht. Sie verändert ihr Aussehen, sie kleidet und benimmt sich wie Garvins Tochter und schafft sich dadurch einen Vorteil. *Ich* kann nämlich tun, was ich will – Garvins Tochter werde ich nie ähnlich sein!«

Dorfman stieß einen langen Seufzer aus und schüttelte den Kopf. »Thomas, Thomas ...«

»Oder kann ich das auch? Kann ich das auch?«

»Genießen Sie das eigentlich? Ich habe den Eindruck, Sie genießen diesen Ausbruch.«

»Nein, ich genieße ihn nicht.«

»Dann hören Sie endlich damit auf!« Dorfman drehte seinen Rollstuhl so, daß er Sanders direkt ins Gesicht sehen konnte. »Hören Sie auf, solchen Unsinn daherzureden, und blicken Sie der Wahrheit ins Auge. Junge Menschen in Unternehmen machen Karriere mit Hilfe von mächtigen älteren Verbündeten. Richtig?«

»Ja ...«

»Das war schon immer so. Früher waren diese Bündnisse formell – ein Lehrling und sein Meister oder ein Schüler und sein Lehrer. So etwas arrangierte man eben, nicht wahr? Heute ist das alles weniger formell. Heute sprechen wir von Mentoren. Junge Menschen in der Geschäftswelt haben Mentoren. Richtig?«

»Okay ...«

»Nun – und wie nehmen junge Menschen Kontakt zu einem Mentor auf? Wie geht das vor sich? Zunächst einmal, indem sie sich als gefällig erweisen, indem sie der älteren Person gegenüber hilfsbereit sind und Aufgaben erledigen, die erledigt werden müssen. Aber auch, indem sie sich für die ältere Person anziehend machen – indem sie, beispielsweise, deren Ansichten und geschmackliche Vorlieben für sich übernehmen. Und drittens, indem sie in geschäftlichen Dingen genauso vorgehen wie ihre zukünftigen Mentoren.«

»Schön und gut«, sagte Sanders. »Aber was hat das alles mit plastischer Chirurgie zu tun?«

»Erinnern Sie sich an die Zeit, als Sie bei DigiCom in Cupertino anfingen?«

»Ja.«

»Sie kamen damals von DEC. Das war 1980, nicht wahr?«

»Ja.«

»Bei DEC trugen Sie jeden Tag Jackett und Krawatte. Aber als Sie zu DigiCom kamen, sahen Sie, daß Garvin Jeans trug. Und bald trugen auch Sie Jeans.«

»Klar. Das war eben der Stil dieser Firma.«

»Garvin liebte die Giants. Da gingen auch Sie plötzlich in den Candlestick Park und sahen sich die Spiele an.«

»Er war der Chef, verdammt noch mal!«

»Und Garvin liebte Golf. Da begannen auch Sie, Golf zu lernen, obwohl Sie es haßten. Ich erinnere mich, daß Sie mir gegenüber einmal klagten, wie sehr Sie es verabscheuten, immer diesen dummen kleinen weißen Ball in der Gegend herumzuschlagen ...«

»Aber ich habe mich nicht operieren lassen, um seinem Kind ähnlich zu sehen!«

»*Weil Sie es nicht tun mußten*, Thomas«, erwiderte Dorfman und hob verärgert die Hände. »Verstehen Sie das denn nicht? Garvin mochte draufgängerische, aggressive junge Männer, die Bier tranken, fluchten und hinter den Frauen her waren. Und all das haben Sie damals repräsentiert.«

»Damals war ich jung. Junge Männer machen so was eben.«

»Nein, Thomas. Es war das, was Garvin von jungen Männern erwartete.« Dorfman schüttelte den Kopf. »In dieser Hinsicht läuft so vieles völlig unbewußt ab. Der Bezug zu einem Menschen ist eben unbewußt, Thomas. Aber wie ein solcher Bezug

aufgebaut wird, hängt davon ab, ob man demselben Geschlecht angehört wie dieser Mensch oder nicht. Wenn Ihr Mentor männlich ist, verhalten Sie sich vielleicht wie sein Sohn oder sein Bruder oder sein Vater. Möglicherweise benehmen Sie sich auch so wie dieser Mann, als er jung war – dann fühlt er sich durch Sie an sich selbst erinnert. Richtig? Ja, das verstehen Sie jetzt. Sehr gut.
Wenn Sie dagegen eine Frau sind, stellt sich das alles ganz anders dar. Dann müssen Sie nämlich sein wie die Tochter oder die Geliebte oder die Ehefrau Ihres Mentors. Oder wie seine Schwester möglicherweise. Auf jeden Fall gänzlich anders.«
Sanders blickte skeptisch drein.
»Ich bemerke das häufig, jetzt, da immer mehr Männer Frauen als Vorgesetzte haben. Die Männer können die Beziehung zu ihrer Chefin oft nicht strukturieren, weil sie nicht wissen, wie sie sich als Untergebene einer Frau verhalten sollen. Jedenfalls fällt es den meisten sehr schwer. Andere wiederum schlüpfen mühelos in die entsprechende Rolle. Dann sind sie der pflichtbewußte Sohn oder der Ersatzliebhaber oder Ersatzehemann. Und wenn sie ihre Sache gut machen, erregen sie den Zorn der weiblichen Angestellten, denn die wissen genau, daß sie als Sohn, Liebhaber oder Ehemann der Chefin nicht mithalten können, und das gibt ihnen das Gefühl, der Mann habe einen Vorteil vor ihnen.«
Sanders schwieg.
»Verstehen Sie das?« fragte Dorfman.
»Sie wollen sagen, daß es, je nach den Umständen, beide Geschlechter betrifft.«
»Ja, Thomas. Das läßt sich nicht vermeiden. So läuft es eben ab.«
»Also, bitte, Max! Mit Unvermeidlichkeit hat das hier doch nichts zu tun. Als Garvins Tochter starb, war das eine private

Tragödie. Er war am Boden zerstört, und daraus hat Meredith ihren Vorteil gezogen!«

»Stop!« rief Dorfman gereizt. »Wollen Sie etwa die Natur des Menschen verändern? Tragödien gibt es immer wieder. Und immer wieder ziehen Menschen ihren Vorteil daraus. Das ist doch nichts Neues. Meredith ist intelligent. Es ist eine wahre Freude, eine so intelligente, begabte Frau zu sehen, die obendrein schön ist. Eine solche Frau ist ein Geschenk Gottes, eine reine Freude. Und genau das ist Ihr Problem, Thomas. Ein Problem, das Sie schon vor langer Zeit hätten voraussehen können.«

»Was hat das mit –«

»Und anstatt sich mit diesem Problem auseinanderzusetzen, verschwenden Sie Ihre Zeit mit derartigen ... *Banalitäten*«. Er gab ihm die Fotos zurück. »Das hier ist völlig unwichtig, Thomas.«

»Max –«

»Innerbetriebliche Mechanismen haben Sie noch nie begriffen, Thomas. Das war nie Ihre Stärke. Ihre Stärke war, daß Sie ein technisches Problem erfassen und angehen konnten, daß Sie es schafften, die Techniker bei der Stange zu halten, sie zu motivieren und zu drängen und das Problem schließlich zu lösen. Sie haben immer dazu beigetragen, daß der Laden lief. Oder sehen Sie das anders?«

Sanders schüttelte den Kopf.

»Jetzt aber lassen Sie Ihre Stärken ungenutzt und spielen stattdessen ein Spiel, das nicht zu Ihnen paßt.«

»Was soll das heißen?«

»Sie glauben, durch die Androhung eines Prozesses Druck auf Meredith und die Firma ausüben zu können. In Wirklichkeit haben Sie ihr damit in die Hände gespielt. Sie haben es ihr ermöglicht, das Spiel zu gestalten, Thomas.«

»Irgend etwas mußte ich tun. Sie hat das Gesetz gebrochen.«

»Sie hat das Gesetz gebrochen«, äffte Dorfman ihn in sarkastischem Quengelton nach. »Ach, Sie Armer! Sie sind ja so wehrlos. Ich bin untröstlich über Ihre entsetzliche Notlage!«
»Es ist tatsächlich nicht einfach. Sie hat Beziehungen, hat einflußreiche Förderer.«
»Ach, wirklich? Jede Führungspersönlichkeit, die von vielen gefördert wird, wird auch von vielen verleumdet. Und Meredith wird weiß Gott von einigen verleumdet.«
»Max, ich sage Ihnen, sie ist gefährlich! Sie gehört zu diesen typischen Betriebswirten, denen es ausschließlich ums Image geht, immer nur ums Image, ohne daß irgend etwas Substantielles dahintersteckt.«
»Ja«, stimmte Dorfman nickend zu. »Wie so viele Führungskräfte heutzutage. Alle wissen sie sehr gut mit ihrem Image umzugehen. Alle sind sie sehr daran interessiert, die Realität zu manipulieren. Ein faszinierender Trend.«
»Ich halte Meredith nicht für fähig, diese Abteilung zu leiten.«
»Und was, wenn sie dazu wirklich nicht fähig ist?« fragte Dorfman bissig. »Was geht das Sie an? Wenn sie sich als inkompetent erweist, wird Garvin das irgendwann einsehen und den Job jemand anderem geben. Aber dann werden Sie schon lange nicht mehr dasein. Sie werden nämlich Ihr Spiel mit Meredith verlieren, Thomas. Sie ist die bessere Taktikerin von euch beiden, war es von Anfang an.«
Sanders nickte. »Sie ist skrupellos.«
»Skrupellos, skrupellos – sie ist *geschickt*. Sie hat einen ausgeprägten Instinkt, der Ihnen völlig abgeht. Wenn Sie so weitermachen, werden Sie alles verlieren. Und wenn es so kommt, dann haben Sie Ihr Schicksal verdient, weil Sie sich wie ein Narr benommen haben.«
Sanders schwieg eine Zeitlang. »Was raten Sie mir zu tun?«
»Ah – jetzt wollen Sie also einen Ratschlag?«

»Ja.«
»Wollen Sie ihn wirklich?« Er lächelte. »Ich bezweifle es.«
»Doch, Max.«
»Nun gut, ich werde Ihnen einen Rat geben. Gehen Sie zu Meredith und entschuldigen Sie sich bei ihr; entschuldigen Sie sich bei Garvin und setzen Sie Ihre Arbeit fort.«
»Das kann ich nicht.«
»Zu stolz?«
»Nein, aber –«
»Sie sind ja völlig verblendet in Ihrem Zorn. Wie kann es diese Frau bloß wagen, sich so zu benehmen! Sie hat das Gesetz gebrochen, sie muß vor Gericht gezerrt werden. Sie ist gefährlich, sie muß aufgehalten werden. Sie sind bis obenhin voll mit der köstlichsten, selbstgerechtesten Entrüstung, was?«
»Verdammt noch mal, Max – ich kann es einfach nicht tun, das ist alles.«
»Natürlich können Sie es tun. Sie meinen, Sie *wollen* es nicht tun.«
»Na gut, dann will ich es eben nicht tun.«
Dorfman hob die Schultern. »Was wollen Sie dann eigentlich von mir? Sie kommen und bitten mich um Rat, um ihn dann nicht anzunehmen? Das ist noch längst nicht alles.« Er grinste. »Ich habe eine Menge weiterer Ratschläge, die Sie auch nicht annehmen würden.«
»Was denn, zum Beispiel?«
»Was interessiert es Sie, wenn Sie den Rat sowieso nicht befolgen?«
»Kommen Sie schon, Max!«
»Es ist mir ernst. Sie werden meinen Rat nicht annehmen. Wir verschwenden nur unsere Zeit. Gehen Sie!«
»Sagen Sie es mir bitte, ja?«
Dorfman seufzte. »Aber nur, weil ich noch Erinnerungen an

Sie habe, die aus einer Zeit stammen, als Sie vernünftig waren. Erstens – hören Sie überhaupt zu?«

»Ja, Max, ich höre zu.«

»Erstens: Sie wissen alles, was Sie über Meredith Johnson wissen müssen. Sie können sie jetzt vergessen. Sie ist nicht von Interesse für Sie.«

»Was soll das heißen?«

»Das soll heißen: Lösen Sie das Problem!«

»Welches Problem? Den Prozeß?«

Dorfman schnaubte verächtlich und hob die Hände in die Höhe. »Sie sind wirklich unmöglich. Ich verschwende hier nur meine Zeit.«

»Sie meinen, ich soll die Klage zurückziehen?«

»Verstehen Sie kein Englisch, Mann? *Lösen Sie das Problem.* Tun Sie das, was Sie gut können: Tun Sie Ihre Arbeit. Und gehen Sie jetzt endlich!«

»Aber Max –«

»Ich kann nichts für Sie tun«, sagte Dorfman. »Es ist *Ihr* Leben. Sie müssen Ihre Fehler schon selbst machen. Und ich muß jetzt zurück zu meinen Gästen. Aber versuchen Sie, die Augen offenzuhalten, Thomas. Verschlafen Sie die Sache nicht! Und denken Sie daran: Jedes menschliche Verhalten hat einen Grund. Jedes Verhalten dient dazu, ein Problem zu lösen. Selbst *Ihr* Verhalten, Thomas.«

Er drehte mit einem Ruck den Rollstuhl herum und fuhr zurück ins Restaurant.

Scheiß-Max! dachte er, als er in der feuchten Abendluft die Third Avenue hinunterging. Es brachte ihn zur Weißglut, daß Max nie das sagte, was er meinte.

Das ist Ihr Problem, Thomas. Ein Problem, das Sie schon vor langer Zeit hätten voraussehen können.

Was, zum Teufel, sollte das heißen?

Scheiß-Max! Er hatte ihn immer schon wütend gemacht, hatte ihn genervt und frustriert. Daran konnte sich Sanders besonders gut erinnern, wenn er an die Gespräche mit Max zurückdachte, damals, als Max noch im Verwaltungsrat von DigiCom saß. Immer war Sanders danach völlig ausgelaugt gewesen. Damals, in Cupertino, hatten die jungen Führungskräfte Dorfman immer den »großen Rätselonkel« genannt.

Jedes menschliche Verhalten dient dazu, ein Problem zu lösen. Selbst Ihr Verhalten, Thomas.

Sanders schüttelte den Kopf. Das alles ergab nicht den geringsten Sinn. Aber er mußte jetzt einige Dinge erledigen. Er betrat eine Telefonzelle am Ende der Straße und wählte Gary Bosaks Nummer. Es war sieben Uhr abends. Bosak war bestimmt zu Hause, gerade aufgestanden und trank Kaffee, um seinen »Arbeitstag« einzuleiten. In dieser Sekunde würde Bosak gähnend vor einem halben Dutzend Modems und Computerbildschirmen hocken und anfangen, sich in alle möglichen Datenbanken einzuschleichen.

Das Telefon klingelte, dann ertönte ein Anrufbeantworter: »Sie sind mit NE Productions verbunden. Bitte hinterlassen Sie eine Nachricht.« Ein Pfeifton erklang.

»Gary, hier spricht Tom Sanders. Ich weiß, daß du da bist, bitte nimm den Hörer ab!«

Sanders hörte ein Klicken und gleich darauf Bosaks Stimme: »Hi! Du bist wirklich der letzte, von dem ich einen Anruf erwartet habe. Von wo rufst du an?«

»Von einer Telefonzelle aus.«
»Gut. Wie geht's dir denn, Tom?«
»Gary, ich brauche ein paar Sachen. Du mußt einige Daten für mich nachsehen.«
»Äh ... ist das jetzt für die Firma oder Privatsache?«
»Privat.«
»Äh, Tom, ich bin zur Zeit ziemlich schwer beschäftigt. Können wir uns Anfang nächster Woche noch mal darüber unterhalten?«
»Das ist zu spät.«
»Aber die Sache ist die, daß ich eben im Augenblick ziemlich zu tun habe.«
»Was ist los, Gary?«
»Also bitte, Tom! Du weißt genau, was los ist.«
»Ich brauche Hilfe, Gary.«
»Ich würde nichts lieber tun, als dir zu helfen, Mann. Aber Blackburn hat mich gerade angerufen und gesagt, wenn ich irgendwas für dich mache, ganz egal, was, darf ich damit rechnen, daß morgen früh um sechs das FBI bei mir auf der Matte steht.«
»Um Gottes willen! Wann hat er angerufen?«
»Vor zwei Stunden ungefähr.«
Vor zwei Stunden. Blackburn war ihm weit voraus. »Gary ...«
»He, du weißt, daß ich dich mag, Tom. Aber diesmal geht's wirklich nicht. Okay? Ich muß jetzt auflegen.«
Klick.

Das alles überrascht mich, ehrlich gesagt, nicht im geringsten«, sagte Louise Fernandez und schob den Pappteller zur Seite. Sanders und sie hatten in Fernandez' Büro Sandwiches gegessen. Es war 21 Uhr. In den umliegenden Büros herrschte Stille, aber das Gespräch wurde

häufig durch das Klingeln von Fernandez' Telefon unterbrochen. Es hatte wieder zu regnen begonnen. Donnergrollen war zu hören, und wenn Sanders aus dem Fenster blickte, sah er hin und wieder Blitze über den Himmel zucken.
Auf einmal überkam ihn in der menschenleeren Kanzlei das Gefühl, als gäbe es auf der Welt nur mehr ihn, Fernandez und die einbrechende Dunkelheit. Alles ging so schnell: Diese Frau, die er heute zum erstenmal in seinem Leben gesehen hatte, war in kürzester Zeit zu einer Art Rettungsanker für ihn geworden. Er ertappte sich dabei, daß er sich an jedes ihrer Worte klammerte.
»Bevor wir weitermachen, möchte ich auf eines hinweisen«, sagte sie. »Sie taten gut daran, nicht zu Johnson ins Auto zu steigen. Sie dürfen sich nie wieder in eine Situation begeben, in der Sie mit ihr allein sind, nicht einmal für wenige Augenblicke. Niemals. Unter gar keinen Umständen. Ist das klar?«
»Ja.«
»Wenn Sie es tun, ist Ihre Sache verloren.«
»Ich werde es nicht tun.«
»Gut. Also. Ich hatte eine lange Unterredung mit Blackburn. Wie Sie bereits vermuteten, steht er unter unglaublichem Druck, diese Sache zu bereinigen. Ich habe versucht, die Schlichtungssitzung auf den Nachmittag festzusetzen, woraufhin er mir zu verstehen gab, daß die Firma bereit ist zu verhandeln und sofort loslegen wollte. Er macht sich Sorgen, die Verhandlungen könnten zu lange dauern. Deshalb will er morgen früh um neun anfangen.«
»Okay.«
»Herb und Alan haben bereits einiges in Erfahrung gebracht. Ich denke, daß wir von dieser Seite morgen einige Unterstützung erwarten dürfen. Und auch diese Artikel über Johnson könnten sich als nützlich erweisen«, sagte sie mit einem Seitenblick auf die Kopien der ComLine-Artikel.

»Warum denn? Dorfman sagt, sie seien völlig unwichtig.«

»Ja, aber sie dokumentieren Johnsons Werdegang in der Firma, und das gibt uns einen Vorsprung. Auf so etwas kann man aufbauen. Das gleiche gilt übrigens für diese E-Mail von ›A. Friend‹.« Sie betrachtete mit gerunzelter Stirn den Papierausdruck. »Das ist eine Internet-Adresse.«

»Ja«, sagte Sanders, der überrascht war, daß sie es erkannt hatte.

»Wir arbeiten viel für High-Tech-Unternehmen«, erklärte sie. »Ich werde jemanden bitten, Genaueres darüber herauszufinden.« Sie legte das Blatt zur Seite. »Jetzt möchte ich kurz Zwischenbilanz ziehen«, sagte sie. »Ihren Schreibtisch konnten Sie nicht ausräumen, weil man Ihnen zuvorgekommen war.«

»So ist es.«

»Und Ihre Computerdateien wollten Sie löschen, aber man hat Sie vom System ausgeschlossen.«

»Ja.«

»Bedeutet das, daß Sie nichts mehr verändern können?«

»Ja, genau. Ich kann gar nichts mehr machen. Ich habe in dieser Hinsicht nicht mehr Befugnisse als eine Sekretärin.«

»Hätten Sie denn irgendwelche Dateien geändert?«

Er zögerte. »Nein. Aber ich hätte mich, sagen wir mal, ein bißchen umgesehen.«

»Sie hatten nichts Spezielles im Sinn?«

»Nein.«

»Mr. Sanders, ich möchte Sie darauf hinweisen, daß ich nicht in der Lage bin, diese Dinge zu beurteilen. Ich versuche nur, mich auf das vorzubereiten, was morgen geschehen kann. Ich möchte wissen, welche Überraschungen die Gegenpartei auf Lager hat.«

Sanders schüttelte den Kopf. »In den Dateien ist nichts, was mich kompromittieren könnte.«

»Haben Sie gründlich darüber nachgedacht?«
»Ja.«
»Gut«, sagte sie. »In Anbetracht des zeitigen Beginns sollten Sie jetzt versuchen zu schlafen. Ich will, daß Sie morgen topfit sind. Glauben Sie, daß Sie schlafen können?«
»Tja, ich weiß nicht ...«
»Wenn es sein muß, nehmen Sie eben eine Schlaftablette.«
»Wird schon ohne gehen.«
»Dann fahren Sie jetzt heim und legen sich ins Bett, Mr. Sanders. Wir sehen uns morgen früh. Kommen Sie bitte mit Jackett und Krawatte. Haben Sie irgendein blaues Jackett?«
»Einen Blazer.«
»Gut. Wählen Sie bitte eine konservative Krawatte und tragen Sie ein weißes Hemd. Und kein After-shave, wenn ich bitten darf.«
»Fürs Büro ziehe ich mich nie so an.«
»Sie sind morgen nicht im Büro, Mr. Sanders. Das ist der springende Punkt.« Sie erhob sich und schüttelte ihm die Hand. »Versuchen Sie zu schlafen. Und machen Sie sich nicht zu viele Gedanken. Ich bin mir sicher, daß alles gut ausgehen wird.«
»Das sagen Sie bestimmt zu jedem Klienten.«
»Ja, da haben Sie recht«, sagte sie. »Aber meistens liege ich damit richtig. Versuchen Sie zu schlafen, Tom. Wir sehen uns morgen.«

Das Haus war dunkel und menschenleer, als er heimkam. Elizas Barbiepuppen lagen in einem chaotischen Haufen auf der Küchentheke, und neben dem Spülbecken sah er ein mit grüner Babynahrung beschmutztes Lätzchen seines Sohnes. Er bereitete die Kaffee-

maschine für den nächsten Morgen vor und ging nach oben. Das Lämpchen am Anrufbeantworter blinkte, aber er ging achtlos vorüber.
Als er sich im Bad auszog, sah er, daß Susan einen Zettel an den Spiegel geklebt hatte: »Was ich beim Mittagessen gesagt habe, tut mir leid. Ich glaube dir. Ich liebe dich. S.«
Typisch Susan – erst auszurasten und sich dann zu entschuldigen. Dennoch freute er sich über die Mitteilung und überlegte, ob er Susan nicht anrufen sollte. Aber in Phoenix war es eine Stunde später, und das war zu spät. Sie schlief sicher schon.
Als er darüber nachdachte, wurde ihm plötzlich bewußt, daß er sie eigentlich gar nicht anrufen wollte. Sie hatte es heute mittag in dem Restaurant selbst gesagt: Diese Sache hatte nichts mit ihr zu tun. In dieser Angelegenheit war er ganz auf sich gestellt, und er würde es auch ganz allein hinter sich bringen.
Nur mehr mit Boxershorts bekleidet, schlurfte er in sein kleines Arbeitszimmer. Kein einziges Fax. Er schaltete den Computer ein und wartete.
Das E-Mail-Symbol blinkte. Er klickte es an.

TRAU KEINEM.
A. FRIEND

Sanders schaltete den Computer aus und ging zu Bett.

MITTWOCH

Am nächsten Morgen stürzte er sich in die Alltagsroutine, um ruhiger zu werden. Während die Fernsehnachrichten liefen, zog er sich rasch an; den Ton hatte er extra laut gestellt, um das leere Haus mit Geräuschen zu füllen. Um halb sieben fuhr er dann in die Stadt und kaufte, bevor er an Bord der Fähre ging, in der Bainbridge Bakery noch rasch ein Hörnchen und einen Cappuccino.

Als die Fähre von Winslow ablegte, setzte er sich auf die Heckseite, um sich den Anblick des näherkommenden Seattle zu ersparen. Gedankenverloren starrte er aus dem Fenster auf die grauen Wolken, die tief über dem dunklen Wasser der Bucht hingen. Es sah ganz danach aus, als würde es auch heute wieder regnen.

»Mieser Tag, was?« sagte plötzlich eine Frauenstimme.

Er hob den Blick und sah die hübsche, zierliche Mary Anne Hunter vor sich stehen. Sie hatte eine Hand in die Hüften gestemmt und betrachtete ihn besorgt.

Mary Anne wohnte auch auf Bainbridge Island. Ihr Mann war Meeresbiologe an der Universität. Susan und sie waren gute Freundinnen und joggten oft gemeinsam, aber auf der Fähre traf Sanders seine Kollegin nicht oft, weil sie normalerweise früher fuhr als er.

»Guten Morgen, Mary Anne.«

»Ich frage mich nur, wie die es spitzbekommen haben«, sagte sie.

»Was spitzbekommen?«

»Soll das heißen, daß du es noch nicht gelesen hast? Mein

Gott! Du stehst in der Zeitung, Tom!« Sie reichte ihm die Zeitung, die sie sich unter den Arm geklemmt hatte.
»Das ist nicht dein Ernst!«
»Aber ja. Connie Walsh schlägt wieder zu.«
Sanders überflog die Titelseite, konnte aber nichts entdekken. Hastig begann er die Zeitung durchzublättern.
»Es steht auf der Lokalseite«, erklärte Mary Anne. »Der Kommentar erste Spalte links. Wenn du es liest, werden dir die Tränen kommen. Ich hole uns Kaffee.« Sie ging.
Sanders schlug die Lokalseite auf.

WIE ICH ES SEHE

von Constance Walsh

MR. PIGGY BEI DER ARBEIT

Die Macht des Patriarchats hat sich wieder einmal selbst entlarvt, diesmal in einem ortsansässigen High-Tech-Unternehmen, das ich hier als Firma X bezeichne. Diese Firma besetzte eine hohe Stelle in der Führungsspitze mit einer qualifizierten und kompetenten Frau. Aber viele Männer in dieser Firma setzen jetzt alle Hebel in Bewegung, um diese Frau loszuwerden.
Ein Mann, nennen wir ihn Mr. Piggy, hat sich dabei als ganz besonders rachsüchtig erwiesen. Mr. Piggy erträgt es nicht, eine Frau als Chef zu haben, und leitet innerhalb des Betriebs wochenlang eine mit Unterstellungen gespickte knallharte Kampagne, um zu verhindern, daß es soweit kam. Als diese Kampagne ihre Wirkung verfehlt, behauptet Mr. Piggy, seine neue Chefin habe ihn in ihrem Büro sexuell belästigt und beinahe vergewaltigt. Die eklatante Bösartigkeit seiner Behauptung wird nur noch von ihrer Absurdität übertroffen.
Einige von Ihnen werden sich fragen, wie es möglich sein soll, daß eine Frau einen Mann vergewaltigt. Die Antwort lautet selbstverständlich: So etwas geht gar nicht. Vergewaltigung ist ein Gewaltverbrechen, ein ausschließlich von Männern begangenes

Verbrechen. Männer bedienen sich mit erschreckender Häufigkeit der Notzucht, um Frauen in ihre Schranken zu verweisen. Das ist der wahre Kern unserer Gesellschaft und aller Gesellschaften davor.

Was dagegen die Frauen betrifft, so unterdrücken sie die Männer nicht, und wenn sie es wollten, wären sie der körperlichen Kraft eines Mannes gegenüber machtlos. Die Behauptung, eine Frau habe eine Vergewaltigung begangen, ist daher völlig absurd. Was Mr. Piggy, der nur daran interessiert ist, seine neue Vorgesetzte fertigzumachen, allerdings nicht daran gehindert hat, ebendiese Behauptung aufzustellen. Jetzt will er sie sogar wegen sexueller Belästigung verklagen!

Um es kurz zu machen: Mr. Piggy legt die üblen Angewohnheiten eines typischen Vertreters des Patriarchats an den Tag. Wie Sie sich denken können, ist sein ganzes Leben von diesen Gewohnheiten durchdrungen. Obwohl die Ehefrau von Mr. Piggy eine hervorragende Anwältin ist, drängt er sie, ihren Beruf aufzugeben und daheim bei den Kindern zu bleiben. Mr. Piggy will eben nicht, daß seine Frau sich in der Geschäftswelt bewegt, wo ihr seine Affären mit jungen Frauen und sein exzessiver Alkoholkonsum zu Ohren kommen könnten. Wahrscheinlich ahnt er, daß das auch seiner neuen Chefin nicht gefallen würde. Es könnte ja sein, daß sie ihm nicht erlauben wird, zu spät zur Arbeit zu erscheinen, was bei ihm häufig der Fall ist.

Mr. Piggy hat also mit seinem hinterhältigen Spiel begonnen, und schon ist die Karriere einer weiteren hochtalentierten Geschäftsfrau ohne deren eigenes Verschulden gefährdet. Wird es ihr gelingen, die Schweine der Firma X in ihrem Verschlag zu halten? Bleiben Sie dran – ich halte Sie auf dem laufenden.

»Gütiger Himmel!« sagte Sanders. Dann las er den Kommentar noch einmal.

Mary Anne Hunter kam mit zwei Cappuccinos zurück und

setzte sich. Einen der Pappbecher schob sie Sanders hin. »Da. Siehst aus, als könntest du ihn brauchen.«
»Wie sind die an die Geschichte gekommen?«
Hunter schüttelte den Kopf. »Ich weiß es nicht. Aber ich nehme an, daß es innerhalb der Firma eine undichte Stelle gibt.«
»Aber wer nur?« Sanders überlegte. Um noch in dieser Ausgabe erscheinen zu können, mußte die Geschichte am Nachmittag des Vortags gegen 15, 16 Uhr durchgesickert sein. Wer in der Firma hatte zu diesem Zeitpunkt wissen können, daß er mit dem Gedanken einer Klage spielte?
»Ich kann mir einfach nicht vorstellen, wer es gewesen sein könnte«, sagte Hunter. »Aber ich höre mich mal um.«
»Und wer ist diese Constance Walsh?«
»Sie hat eine eigene Kolumne im *Post-Intelligencer*«, erklärte ihm Hunter. »Feministische Perspektiven, so was in der Art.« Sie schüttelte den Kopf. »Wie geht es Susan? Ich wollte sie heute morgen anrufen, aber bei euch hat niemand abgehoben.«
»Susan ist für ein paar Tage weggeflogen. Mit den Kindern.«
Hunter nickte langsam. »Das ist wahrscheinlich eine gute Idee gewesen.«
»Fanden wir zumindest.«
»Weiß sie von der Sache?«
»Ja.«
»Und, ist es wahr? Klagst du wegen Belästigung?«
»Ja.«
»Meine Güte!«
»Ja«, sagte er noch einmal, nickend.
Sie blieb lange schweigend neben ihm sitzen. Schließlich sagte sie: »Ich kenne dich schon sehr lange. Ich hoffe, daß es gut für dich ausgeht.«
»Das hoffe ich auch.«

Wieder fielen beide in Schweigen. Nach einer Weile schob Mary Anne ihren Stuhl zurück und stand auf.
»Bis später, Tom.«
»Bis später, Mary Anne.«
Er wußte, wie ihr zumute war. So war ihm selbst zumute gewesen, wenn jemand in der Firma der Belästigung beschuldigt worden war. Plötzlich gab es da eine Distanz. Egal, wie lange man den Menschen schon kannte, egal, ob man mit ihm befreundet war oder nicht. Wenn die Beschuldigung einmal ausgesprochen war, zogen sich alle zurück. Denn niemand wußte mit Sicherheit, was sich wirklich abgespielt hatte. Und man konnte es sich nicht leisten, eine bestimmte Seite zu unterstützen – nicht einmal die eines Freundes.
Er sah ihr nach, dieser schlanken, durchtrainierten Frau im Jogginganzug, mit dem Aktenkoffer aus Leder in der Hand. Sie war kaum 1 Meter 50 groß, und alle Männer auf der Fähre wirkten auf geradezu groteske Weise viel größer und breiter. Ihm fiel ein, daß Mary Anne Susan einmal erzählt hatte, sie habe mit dem Joggen begonnen, weil sie sich so vor einer Vergewaltigung fürchtete. »Ich laufe dem Kerl einfach davon«, hatte sie gesagt. Und in der Tat waren diese Dinge Männern völlig fremd. Solche Ängste konnten sie nicht verstehen.
Aber es gab eine andere Angst, eine, die nur Männer empfanden. Mit wachsendem Widerwillen betrachtete er die Zeitungskolumne. Schlagwörter und einzelne Phrasen sprangen ihm entgegen.
Rachsüchtig ... knallhart ... erträgt es nicht, eine Frau ... eklatante Bösartigkeit ... Vergewaltigung ... von Männern begangenes Verbrechen ... seine Chefin fertigmachen ... ohne eigenes Verschulden gefährdet ... Schweine in ihrem Verschlag.
Diese Kennzeichnungen waren mehr als nur unrichtig, mehr als nur unerfreulich. Sie waren gefährlich. Ein gutes Beispiel

dafür war das, was John Masters zugestoßen war – eine Geschichte, die vor allem unter den älteren Männern von Seattle lange das Gesprächsthema Nummer eins gebildet hatte.

Masters war 50 und Marketingmanager bei Microsoft. Ein solider Kerl und braver Bürger, seit 25 Jahren verheiratet, zwei Kinder. Die ältere Tochter geht aufs College, die jüngere besucht die dritte Klasse der High-School. Nun bekommt die jüngere Tochter plötzlich Schwierigkeiten in der Schule, ihre Noten werden schlecht. Also schicken die Eltern sie zu einer Psychologin. Die Psychologin hört der Tochter zu und sagt dann: Weißt du, das ist die typische Geschichte eines mißbrauchten Kindes. Ist jemals etwas in dieser Art bei dir vorgekommen?

Ach du lieber Himmel! sagt das Mädchen. Nein, ich glaube nicht.

Versuch dich zu erinnern, sagt die Psychologin.

Zuerst weigert sich das Mädchen, aber die Psychologin drängt sie: Versuch dich zu erinnern! Und nach einiger Zeit beginnt das Mädchen sich vage zu erinnern. Es ist nichts Besonderes, aber sie hält es plötzlich für möglich. Vielleicht hat Daddy damals tatsächlich was Unrechtes getan!

Die Psychologin erzählt der Ehefrau von ihrem Verdacht. Nach 25 gemeinsamen Jahren kommt es zwischen Masters und ihr erstmals zu einem schweren Konflikt. Denn die Frau geht zu Masters und sagt: Gib zu, was du getan hast!

Masters ist völlig von den Socken. Er kann es nicht fassen. Er streitet alles ab. Die Frau sagt: Du lügst, ich will dich nicht mehr sehen. Sie zwingt ihn auszuziehen.

Die ältere Tochter eilt vom College nach Hause und sagt zu

ihrer Mutter: Was soll dieser Wahnsinn? Du weißt doch, daß Daddy nichts getan hat. Komm endlich wieder zur Vernunft! Aber die Frau ist wütend. Die Tochter ist jetzt auch wütend. Und was einmal ins Rollen gekommen ist, läßt sich nun nicht mehr aufhalten.

Die Gesetze des Bundesstaates schreiben der Psychologin vor, jeden Verdacht auf Mißbrauch zu melden. Also benachrichtigt sie die bundesstaatliche Jugendbehorde von ihrem Verdacht gegen Masters. Der Staat ist verpflichtet, eine Untersuchung durchzuführen. Jetzt unterhält sich eine Sozialarbeiterin mit der Tochter, der Ehefrau und mit Masters selbst, mit dem Hausarzt der Familie und mit der Schulärztin. Bald weiß es jeder.

Auch Microsoft kommen die Anschuldigungen zu Ohren. Die Firma suspendiert Masters und macht ihr weiteres Vorgehen davon abhängig, wie die Sache endet. Und es heißt, man wolle jedes Aufsehen in der Öffentlichkeit vermeiden.

Masters sieht sein Leben in sich zusammenbrechen. Seine jüngere Tochter spricht nicht mehr mit ihm. Seine Frau spricht nicht mehr mit ihm. Er lebt allein in einem Apartment. Er hat finanzielle Probleme. Geschäftspartner gehen ihm aus dem Weg. Wohin er sich auch wendet, er sieht nur anklagende Mienen. Man rät ihm, sich einen Anwalt zu nehmen. Und er ist so erschüttert, so verunsichert, daß er nun seinerseits einen Therapeuten aufsucht.

Sein Anwalt geht der Sache nach und erfährt peinliche Einzelheiten. Es stellt sich nämlich heraus, daß diese bestimmte Psychologin einen sehr hohen Prozentsatz an Kindesmißbrauch konstatiert. Sie hat bereits so viele Fälle gemeldet, daß die bundesstaatliche Jugendbehörde seit einiger Zeit den Verdacht der Voreingenommenheit hegt. Aber das Jugendamt kann nichts unternehmen: Das Gesetz fordert nun einmal, daß jeder Fall untersucht wird. Die zuständige Sozialarbeiterin wiederum ist aktives Mitglied einer Lesbierinnenorganisation. Sie ist in der Vergangenheit bereits wegen ihres übertriebenen Eifers bei der Verfolgung zweifelhafter Fälle gerügt worden und wird von vielen für inkompetent gehalten. Aber aus den üblichen Gründen kann der Bundesstaat sie nicht entlassen.

Der konkrete – offiziell aber nie vorgebrachte – Vorwurf lautet, Masters habe seine Tochter in dem Sommer belästigt, als sie in der dritten Klasse der Grundschule war. Masters denkt an diese Zeit zurück, und plötzlich hat er eine Idee. Er sieht in seinen alten Kontoauszügen und seinen Terminkalendern nach und findet heraus, daß seine Tochter den ganzen Sommer ihres dritten Schuljahres in einem Feriencamp in Montana verbrachte. Als sie im August heimkam, befand Masters sich gerade auf Geschäftsreise in Deutschland, und von dieser Reise kehrte er erst nach Schulbeginn zurück.

Er hatte seine Tochter in jenem Sommer überhaupt nicht gesehen.

Masters' Analytiker hält es für auffällig, daß seine Tochter den Mißbrauch zu einem Zeitpunkt ansetzte, zu dem der Mißbrauch unmöglich hatte stattfinden können. Der Analytiker schließt daraus, daß die Tochter sich allein gelassen fühlte und dieses Gefühl unbewußt in eine Erinnerung an Mißbrauch umwandelte. Masters erzählt das seiner Frau und seiner Tochter. Sie hören sich an, was er an Beweisen vorzubringen hat, geben zu, sich im Datum geirrt zu haben, bleiben jedoch eisern bei ihrer Ansicht, daß ein Mißbrauch stattgefunden hat.

Aber die Tatsachen in bezug auf Masters' Termine in jenem Sommer führen dazu, daß der Staat die Untersuchung abbricht und Microsoft Masters wieder einstellt. In der Zwischenzeit hat er jedoch eine Beförderungsrunde verpaßt, und seine beruflichen Fähigkeiten werden insgeheim angezweifelt. Seine Karriere ist auf irreparable Weise geschädigt. Seiner

Frau gelingt es nicht, sich je wieder mit ihm zu versöhnen, schließlich reicht sie die Scheidung ein. Seine jüngere Tochter sieht er nie wieder. Seine ältere Tochter ist zwischen den sich bekriegenden Seiten ihrer Familie hin und her gerissen und trifft sich im Lauf der Zeit immer seltener mit ihrem Vater. Masters lebt allein, arbeitet hart, um sich ein neues Leben aufzubauen, und erleidet einen beinahe tödlich verlaufenden Herzinfarkt. Nach seiner Genesung trifft er sich hin und wieder mit ein paar Freunden, aber er ist jetzt depressiv und trinkt zuviel – ein schlechter Kumpel. Andere Männer meiden ihn. Niemand kann ihm eine Antwort auf die Frage geben, die er ständig stellt: Was habe ich falsch gemacht? Was hätte ich anders machen sollen? Wie hätte ich das alles verhindern können?

Denn natürlich hätte er es nicht verhindern können. Zumindest nicht in dem gegenwärtig herrschenden gesellschaftlichen Klima, in dem Männer als schuldig gelten, ganz egal, was man ihnen vorwirft.

Und die Konsequenzen? überlegte Sanders. Untereinander sprachen die Männer manchmal darüber, Frauen wegen falscher Beschuldigungen anzuzeigen. Sie sprachen über Geldstrafen, die im Ausgleich für den durch solche Beschuldigungen entstandenen Schaden gezahlt werden müßten. Aber das war nur so dahingesagt. Vor allem aber begannen sie alle, ihr Verhalten zu ändern. Jetzt galten neue Regeln, und jeder Mann kannte sie:

Lächle niemals auf der Straße ein Kind an, außer wenn deine Frau dabei ist. Berühre niemals ein fremdes Kind. Bleib niemals allein mit einem fremden Kind, nicht einmal für wenige Sekunden. Wenn dich ein Kind in sein Zimmer einlädt, geh unter keinen Umständen mit, es sei denn, ein anderer Erwachsener, vorzugsweise eine Frau, ist anwesend. Laß bei einer Party niemals ein kleines Mädchen auf deinem Schoß sitzen. Wenn das Mädchen auf deinen Schoß will, dann schieb es sanft zur Seite. Solltest du jemals zufällig ein nacktes Kind, Junge oder Mädchen, sehen, wende deinen Blick sofort ab. Am besten ist es, wenn du sofort weggehst.

Und es war ratsam, auch im Umgang mit den eigenen Kindern Vorsicht walten zu lassen, denn wenn die Ehe schiefging, bestand die Möglichkeit, daß die eigene Frau einen beschuldigte. Und dann würde das Verhalten in der Vergangenheit plötzlich in einem ungünstigen Licht gesehen: »Ach, er war ein so zärtlicher Vater ... vielleicht sogar ein bißchen *zu* zärtlich.« Oder: »Er verbrachte ja soviel Zeit mit den Kindern ... Er war ja so oft daheim ...«

Diese Welt war eine Welt der Regeln und Strafen, eine den Frauen gänzlich unbekannte Welt. Wenn Susan auf der Straße ein Kind sah, das weinte, weil es hingefallen war, hob sie es auf. Sie tat das ganz automatisch, ohne darüber nachzudenken. Sanders würde das niemals wagen. Nicht in Zeiten wie diesen.

Und natürlich galten jetzt auch im Geschäftsleben neue Regeln. Sanders kannte Männer, die keine Geschäftsreisen mit einer Frau antraten, die sich im Flugzeug niemals neben eine Kollegin setzen und sich unter keinen Umständen mit einer Frau auf einen Drink in einer Bar treffen würden, wenn nicht noch eine dritte Person dabei war. Sanders hatte solche Vorsichtsmaßnahmen immer für übertrieben, ja für paranoid gehalten. Jetzt war er sich nicht mehr so sicher.

Das Tuten der Fähre schreckte ihn aus seinen Gedanken auf. Er hob den Blick und sah das schwarze Pfahlwerk des Coleman Docks direkt vor sich. Die Wolken waren noch immer dunkel, regenschwer. Sanders stand auf, schloß den Gürtel seines Regenmantels und eilte unter Deck zu seinem Wagen.

Bevor er sich auf den Weg zum Schlichtungszentrum begab, machte Sanders einen Abstecher ins Büro, um einige Schriftstücke mitzunehmen. Sie enthielten Hintergrundinformation über das Twinkle-Laufwerk und würden sich möglicherweise im Verlauf der Schlichtungssitzung als nützlich erweisen. Zu seiner Überraschung traf er in seinem Büro John Conley an, der sich gerade mit Cindy unterhielt. Es war Viertel nach acht.

»Ah, Tom«, sagte Conley, »ich habe mich gerade um einen Termin bei Ihnen bemüht, aber Cindy sagt, Sie hätten einen randvollen Terminkalender und sind möglicherweise den ganzen Tag außer Haus.«

Sanders warf Cindy einen Blick zu. Sie wirkte sehr angespannt. »Ja«, sagte er, »zumindest den Vormittag über.«

»Also, ich bräuchte nur ein paar Minuten ...«

Sanders winkte ihn in sein Büro. Conley trat ein und Sanders schloß die Tür.

»Ich freue mich schon auf das morgige Briefing für John Marden, unseren Geschäftsführer«, begann Conley. »Wie ich höre, werden Sie bei dieser Gelegenheit ja auch das Wort ergreifen ...«

Sanders nickte gedankenverloren. Er hatte nichts von einem Briefing gehört. Und morgen – das erschien ihm sehr weit weg. Es kostete ihn Mühe, sich auf Conleys Worte zu konzentrieren.

»Natürlich wird von uns allen erwartet, zu einigen dieser Tagesordnungspunkte Stellung zu beziehen«, fuhr Conley fort. »Und ganz besondere Sorge bereitet mir in diesem Zusammenhang Austin.«

»Austin?«

»Ich meine den Verkauf der Anlage in Austin.«

»Ah ja«, sagte Sanders. Es war also doch wahr.

»Wie Sie wissen, hat sich Meredith Johnson zu einem frühen

Zeitpunkt und mit großem Engagement für den Verkauf ausgesprochen«, sagte Conley. »Es war dies eine der ersten Empfehlungen, die sie uns gab – noch in einer frühen Phase der Fusionsberatungen. Marden sorgt sich um den Cash-flow nach dem Ankauf; die Sache wird uns Schulden einbringen. Außerdem macht Marden sich Gedanken über die Finanzierung der Weiterentwicklung auf dem High-Tech-Sektor. Johnson schlug vor, die Schuldenlast durch den Verkauf von Austin zu verringern. Ich selbst fühle mich nicht kompetent, das Für und Wider dieses Vorschlags zu beurteilen, daher wollte ich Sie um Ihre Meinung dazu bitten.«

»Meine Meinung über den Verkauf der Fabrik in Austin?«

»Ja. Offenbar haben sich Hitachi und Motorola bereits an einem Kauf interessiert gezeigt. Es besteht also durchaus die Möglichkeit einer zügigen Abwicklung. Ich denke, genau darum geht es Meredith. Hat sie das bereits mit Ihnen besprochen?«

»Nein.«

»Sie hat zur Zeit wohl sehr viel zu tun, ich denke, sie muß sich in ihren neuen Job einarbeiten«, sagte Conley und sah, während er sprach, Sanders aufmerksam an. »Was halten Sie also von einem Verkauf?«

»Ich sehe keinen zwingenden Grund dafür«, antwortete Sanders.

»Vom Thema Cash-flow einmal abgesehen, lautet Meredith' Argument, der Markt für Mobiltelefone sei gesättigt«, erwiderte Conley. »Als Technologie habe diese Fabrikation die Phase des exponentiellen Wachstums durchschritten und werde bald ein Massenprodukt sein. Die großen Profite gehörten, so meint sie, der Vergangenheit an. Von jetzt an werde es bei starker und wachsender ausländischer Konkurrenz nur geringe Absatzsteigerungen geben. Telefone werden also, ihrer Ansicht nach, in Zukunft wahrscheinlich keine große

Ertragsquelle bilden. Und obendrein stellt sich natürlich die Frage, ob wir überhaupt in den Staaten produzieren sollen. Bei DigiCom befindet sich ja bereits ein großer Teil der Fertigung im Ausland.«

»Das ist alles richtig«, erwiderte Sanders. »Aber es trifft nicht das eigentliche Problem. Es ist zwar erstens sehr wohl möglich, daß Mobiltelefone die Grenze zur Marktsättigung erreicht haben, aber der Bereich drahtlose Kommunikation im allgemeinen steckt noch in den Kinderschuhen. Es wird künftig immer mehr drahtlose Büronetze und drahtlose Außendienstverbindungen geben. Der Markt expandiert also weiter, auch wenn das auf den Telefonsektor als solchen nicht mehr zutrifft. Zweitens gebe ich zu bedenken, daß die drahtlose Kommunikation einen großen Bestandteil der zukünftigen Interessen unseres Unternehmens bildet, und eine Möglichkeit, wettbewerbsfähig zu bleiben, besteht nun einmal darin, weiterhin Produkte herzustellen und zu verkaufen. Das zwingt uns, mit den Verbrauchern in Kontakt zu bleiben und uns über die künftigen Vorlieben der Menschen zu informieren. Ich würde jetzt nicht aussteigen. Wenn Hitachi und Motorola sich auf diesem Gebiet gute Geschäfte ausrechnen, warum tun wir das nicht auch? Drittens finde ich, daß wir eine Verpflichtung haben – eine soziale Verpflichtung, wenn Sie so wollen –, die darin besteht, hochbezahlte Facharbeiterjobs in den Vereinigten Staaten zu erhalten. Andere Länder exportieren ja auch keine guten Jobs. Warum sollten wir das also tun? Unsere Entscheidungen zugunsten von Produktion im Ausland hatten allesamt einen triftigen Grund, und ich persönlich hoffe, daß wir diese Produktion bald wieder hierher zurückholen. Bei der Auslandsfertigung entstehen nämlich versteckte Kosten in großer Höhe. Das Wichtigste ist jedoch, daß wir, obwohl wir vorrangig ein Entwicklungsunternehmen sind, das neue Produkte kreiert, die Produktion unbedingt brauchen. Wenn uns die letzten 20 Jahre etwas gezeigt haben, dann die Erkenntnis, daß Konstruktion und Produktion eng miteinander verbunden sind: Das Ganze ist ein durchgängiger Prozeß. Wenn Sie beginnen, die Konstrukteure von den für die Produktion Verantwortlichen zu trennen, werden Sie bald nur mehr schlecht konstruierte Produkte haben. Dann enden Sie wie General Motors. Und die Japaner verspeisen Sie zum Lunch.«

Er machte eine Pause. Beide schwiegen. Sanders hatte gar nicht vorgehabt, sich derart auszulassen, es war einfach aus ihm herausgesprudelt. Aber Conley nickte nachdenklich vor sich hin. »Sie glauben also, daß der Verkauf von Austin die Produktentwicklung beeinträchtigen würde?«

»Ohne jeden Zweifel. Die Produktion ist letzten Endes ein wichtiger Teilbereich.«

Conley veränderte seine Sitzhaltung. »Und wie denkt, Ihrer Ansicht nach, Meredith über diese Dinge?«

»Das weiß ich nicht.«

»Der ganze Komplex wirft nämlich eine damit zusammenhängende Frage auf«, sagte Conley, »eine Frage, die etwas mit der Fähigkeit zu tun hat, die richtigen geschäftlichen Entscheidungen zu treffen. Um ganz offen zu sein, ich habe in der Abteilung bezüglich Johnsons Ernennung ein leises Poltern vernommen. Es ging dabei um die Frage, ob ihr Sachverstand wirklich ausreicht, um eine technische Abteilung zu leiten.«

Sanders spreizte abwehrend die Finger beider Hände. »Dazu sage ich lieber nichts.«

»Darum bitte ich Sie auch gar nicht«, erklärte Conley. »Ich nehme an, daß sie von Garvin gefördert wird.«

»Ja, das stimmt.«

»Womit wir durchaus einverstanden sind. Aber Sie wissen, auf was ich hinauswill. Das klassische Problem bei Firmenübernahmen besteht darin, daß das kaufende Unternehmen im Grunde gar nicht weiß, was es da kauft, und schließlich die Gans, die goldene Eier legt, schlachtet. Das liegt natürlich nicht in der Absicht des Käufers, aber er tut es und zerstört genau das, was er eigentlich erwerben wollte. Und ich bin nun besorgt, daß Conley-White einen solchen Fehler begehen könnte.«

»Aha.«

»Ganz im Vertrauen: Wenn dieses Thema in der Sitzung morgen zur Sprache kommen sollte, würden Sie dann dieselbe Haltung einnehmen, die Sie gerade eben vertraten?«

»Gegen Johnson?« Sanders zuckte mit den Achseln. »Das könnte schwierig werden.« Er dachte, daß er an der Besprechung morgen wahrscheinlich sowieso nicht teilnehmen würde. Aber das konnte er Conley nicht sagen.

»Also«, sagte Conley und streckte Sanders die Hand entgegen, »dann bedanke ich mich für Ihre Offenheit. Ich weiß das sehr zu schätzen.« Er wandte sich zur Tür. »Eines noch: Es wäre sehr gut, wenn das Twinkle-Problem bis morgen gelöst sein könnte.«

»Ich weiß. Glauben Sie mir, wir arbeiten daran.«

»Gut.«

Conley drehte sich um und ging. Cindy kam herein. »Wie geht es Ihnen?«

»Ich bin nervös.«

»Kann ich etwas für Sie tun?«

»Holen Sie die Unterlagen für die Twinkle-Laufwerke heraus. Ich will Kopien von allen Dokumenten, die ich vorgestern abend zu Meredith mitgenommen habe.«

»Liegt alles auf Ihrem Schreibtisch.«

Sanders stapelte sich ein paar Aktenmappen auf den Arm. Obenauf lag eine kleine DAT-Kassette. »Was ist das?«

»Das ist die Aufzeichnung Ihres Videogesprächs mit Arthur von vorgestern abend.«

Sanders zuckte mit den Achseln und warf die Kassette in seinen Aktenkoffer.
»Sonst noch irgendwas?« fragte Cindy.
»Nein.« Er blickte auf seine Armbanduhr. »Ich bin spät dran.«
»Viel Glück, Tom!«
Er dankte ihr und verließ das Büro.

Während er sich durch den morgendlichen Berufsverkehr quälte, wurde ihm bewußt, daß das einzige Überraschende an seiner Begegnung mit John Conley für ihn die Erkenntnis gewesen war, um welch intelligenten Mann es sich bei dem jungen Anwalt handelte. Was dagegen Meredith anging, so überraschte ihr Verhalten Sanders nicht im geringsten. Gegen diese Betriebswirtschaftlermentalität, wie sie Meredith in Reinkultur vertrat, kämpfte er schon seit Jahren an. Er hatte diese Sorte Uniabsolventen kommen und gehen sehen und war schließlich zu der Ansicht gelangt, daß es in ihrer Ausbildung einen fundamentalen Fehler gab: Man hatte ihnen eingeredet zu glauben, sie hätten das Zeug dazu, alles zu managen. Aber generell einsetzbare Managerfähigkeiten und -arbeitsmethoden existierten nun einmal nicht. Letztlich handelte es sich immer um spezifische Probleme, die mit spezifischen Industriezweigen und spezifischen Arbeitskräften zusammenhingen. Spezifische Probleme mit allgemeinen Mitteln lösen zu wollen – das war unweigerlich zum Scheitern verurteilt. Man mußte den Markt kennen, man mußte die Kunden kennen, man mußte um die Grenzen der Produktionsmöglichkeiten und um die Grenzen der Kreativität im eigenen Team wissen. Nichts von alledem lag offen zutage. Meredith sah einfach nicht, daß Don Cherry

und Mark Lewyn als Konstrukteure ein Feedback aus der Produktion brauchten. Und wenn Sanders hin und wieder ein Prototyp eines Gerätes gezeigt worden war, dann hatte er die alles entscheidende Frage gestellt: Sieht gut aus, aber könnt ihr es auch an einem Montageband herstellen? Könnt ihr es zuverlässig und rasch und zu einem vernünftigen Preis bauen? Manchmal konnten sie es nämlich, und manchmal konnten sie es nicht. Wenn man diese Frage nicht stellte, veränderte man die gesamte Organisation. Und zwar nicht zum Besseren. Conley war klug genug, das Problem zu erkennen. Und klug genug, sich umzuhören. Sanders überlegte, was Conley wohl sonst noch wußte, in der Unterredung jedoch nicht angesprochen hatte. War er auch über die Belästigungsklage informiert? Möglich war das auf jeden Fall.
Himmel – Meredith wollte Austin verkaufen! Eddie hatte von Anfang an recht gehabt. Sanders spielte mit dem Gedanken, es ihm mitzuteilen, aber es ging vorerst nicht. Außerdem mußte er sich jetzt weitaus dringenderen Problemen widmen. Vor ihm tauchte ein Schild auf, das den Weg zum Magnuson-Schlichtungszentrum wies. Er bog ab und fuhr, nervös seinen Krawattenknoten zurechtschiebend, auf den Parkplatz.

Das Magnuson-Schlichtungszentrum lag etwas außerhalb von Seattle auf einer Anhöhe mit Blick auf die Stadt. Es bestand aus drei niedrigen Gebäuden, die um einen Hof mit Brunnenbecken und Fontänen gruppiert waren. Das Ganze sollte friedlich und entspannend wirken, aber als Sanders vom Parkplatz auf das Zentrum zueilte, vor dem er Fernandez auf und ab gehen sah, war er sehr angespannt.
»Heute schon Zeitung gelesen?« fragte sie.

»Ja, ich habe es gesehen.«
»Lassen Sie sich davon nicht aus der Ruhe bringen. Das ist ein sehr schlechter taktischer Zug der Gegenpartei«, erklärte sie. »Kennen Sie Connie Walsh?«
»Nein.«
»Ein schreckliches Weib«, sagte Fernandez knapp. »Äußerst unangenehm und äußerst fähig. Ich nehme jedoch an, daß die Richterin im Verlauf der Sitzung eine eindeutige Stellungnahme zu der Sache abgeben wird. Passen Sie auf, ich habe folgendes mit Phil Blackburn vereinbart: Wir beginnen mit Ihrer Darstellung der Geschehnisse vom Montagabend. Danach wird uns Johnson ihre Version erzählen.«
»Augenblick, bitte. Warum soll ich denn anfangen? Wenn ich anfange, hat sie den Vorteil, zu hören, was ich –«
»Sie sind derjenige, der hier einen Anspruch geltend macht, deshalb sind Sie verpflichtet, den Vorfall als erster zu schildern. Aber ich denke, daß sich das zu unserem Vorteil auswirken wird«, erklärte Fernandez, »weil Johnson dadurch als letzte vor dem Mittagessen an der Reihe ist.« Sie gingen auf das Gebäude zu. »Hören Sie: Sobald wir da drin sind, müssen Sie zweierlei beachten. Erstens: Sagen Sie stets die Wahrheit. Egal, was passiert – immer die Wahrheit sagen. Erzählen Sie alles genau so, wie Sie es erinnern, auch wenn Sie meinen, es könnte Ihrer Sache schaden. Okay?«
»Okay.«
»Und zweitens: Rasten Sie nicht aus. Johnsons Anwalt wird versuchen, Sie wütend zu machen und damit in die Falle zu locken. Fallen Sie nicht darauf herein! Wenn Sie sich beleidigt fühlen oder merken, daß Sie wütend werden, erbitten Sie eine Pause, um sich mit mir besprechen zu können. Sie sind jederzeit berechtigt, das zu tun. Dann gehen wir hinaus, und Sie können sich wieder beruhigen. Aber was immer Sie tun, bleiben Sie cool, Mr. Sanders.«

»In Ordnung.«

»Gut.« Fernandez drückte die Tür auf. »Bringen wir's hinter uns.«

Das Schlichtungszimmer war holzgetäfelt und sehr spärlich möbliert: Sanders sah einen Tisch aus poliertem Holz mit einem Krug Wasser, Gläsern und einigen Notizblöcken sowie ein Sideboard in der Ecke, auf dem eine Kanne Kaffee und ein Teller mit Gebäck standen. Aus dem Fenster blickte man auf ein kleines Atrium mit einem Brunnen, in dem leise Wasser plätscherte.

Die Vertreter von DigiCom waren bereits da; sie saßen nebeneinander an einer Seite des Tisches. Phil Blackburn, Meredith Johnson, ein Anwalt namens Ben Heller, den Sanders vom Sehen kannte, sowie zwei grimmig dreinblickende Anwältinnen. Jede der Frauen hatte einen beeindruckenden Stapel fotokopierter Schriftstücke vor sich auf dem Tisch liegen.

Fernandez stellte sich Meredith vor; die beiden Frauen gaben einander die Hand. Dann wurde Sanders per Handschlag von Ben Heller begrüßt. Heller, ein rotgesichtiger, bulliger Mann mit silbrigem Haar und tiefer Stimme, war bekannt für seine glänzenden Beziehungen in Seattle. Auf Sanders wirkte er eher wie ein Politiker. Heller machte ihn nun mit den zwei Anwältinnen bekannt, deren Namen Sanders jedoch sofort vergaß.

»Hallo, Tom!« sagte Meredith.

»Meredith.«

Er konnte nur staunen, wie schön sie aussah. Sie trug ein blaues Kostüm mit einer cremefarbenen Bluse. Die Brille und das zurückgesteckte Haar ließen sie wie ein reizendes, wißbe-

gieriges Schulmädchen wirken. Heller tätschelte ihr sofort beruhigend die Hand, als wäre schon der kurze Wortwechsel mit Sanders für Meredith eine schreckliche Tortur gewesen. Sanders und Fernandez nahmen Johnson und Heller gegenüber Platz. Alle holten irgendwelche Papiere und Notizen hervor. Peinliche Stille senkte sich über den Raum, bis Heller eine Frage an Fernandez richtete: »Wie ist eigentlich die King-Power-Sache ausgegangen?«
»Zu unserer Zufriedenheit«, antwortete Fernandez.
»Ist die Summe schon festgesetzt?«
»Nächste Woche, Ben.«
»Wieviel wollen Sie denn?«
»Zwei Millionen.«
»Zwei *Millionen*?«
»Sexuelle Belästigung ist eine sehr ernste Angelegenheit, Ben. Die Entschädigungssummen werden immer größer. Vor allem, wenn sich eine Firma derart schäbig verhält.«
In der gegenüberliegenden Wand wurde eine Tür geöffnet, und eine Frau Mitte 50 betrat den Raum. Sie wirkte sehr bestimmt und hielt sich auffallend gerade. Gekleidet war sie in ein dunkelblaues Kostüm, das sich kaum von dem Meredith' unterschied.
»Guten Morgen«, sagte sie. »Ich bin Barbara Murphy. Bitte sprechen Sie mich mit Judge Murphy oder Ms. Murphy an.« Sie ging herum und schüttelte jedem die Hand; dann setzte sie sich auf den Stuhl an der Schmalseite des Tisches, öffnete ihren Aktenkoffer und holte ihre Unterlagen heraus.
»Ich möchte Ihnen die Regeln erläutern, die für unsere Sitzungen gelten«, sagte Judge Murphy. »Dies ist keine Gerichtsverhandlung, das Verfahren wird nicht protokolliert. Ich bitte alle Anwesenden, sich eines angemessenen, höflichen Tons zu befleißigen. Wir sind nicht hier, um mit Anschuldigungen wild um uns zu werfen oder einander die

Schuld zuzuschieben. Unser Ziel ist es, die grundlegenden Fakten des zwischen den Parteien bestehenden Streits zu bestimmen und herauszufinden, wie dieser Streit am besten geschlichtet werden kann.
Ich möchte alle Anwesenden daran erinnern, daß die von beiden Seiten erhobenen Vorwürfe äußerst schwerwiegend sind und für die jeweiligen Parteien juristische Konsequenzen nach sich ziehen können. Ich bitte Sie dringend, diese Sitzungen vertraulich zu behandeln. Ganz besonders möchte ich Sie davor warnen, das, was hier besprochen wird, an irgendeine außenstehende Person oder an die Presse weiterzugeben. Ich habe mir die Freiheit genommen, mich privat mit Mr. Donadio, dem Herausgeber des *Post-Intelligencer*, über den Artikel von Ms. Walsh zu unterhalten, der heute erschienen ist. Ich habe Mr. Donadio daran erinnert, daß es sich bei beiden Parteien im ›Unternehmen X‹ um einzelne Privatpersonen handelt und bei Ms. Walsh um eine bezahlte Angestellte der Zeitung. Das Risiko einer Verleumdungsklage gegen den *Post-Intelligencer* ist somit sehr real. Mr. Donadio schien in diesem Punkt ganz einer Meinung mit mir zu sein.«
Sie beugte sich vor und stützte die Ellbogen auf den Tisch. »Nun gut. Die Parteien haben vereinbart, daß Mr. Sanders als erster spricht und dann von Mr. Heller befragt wird. Dann spricht Ms. Johnson und wird von Ms. Fernandez befragt. Um die Sache nicht unnötig in die Länge zu ziehen, habe nur ich das Recht, während der Aussagen der Hauptzeugen Zwischenfragen zu stellen; außerdem kann ich die Befragung durch die gegnerischen Anwälte einschränken. Gegen kurze Diskussionen habe ich nichts einzuwenden, ich bitte Sie jedoch, mir bei der Ausübung meines Richteramtes behilflich zu sein und dazu beizutragen, daß wir vorankommen. Bevor wir anfangen – gibt es irgendwelche Fragen?«
Niemand hatte eine Frage.

»Gut. Dann beginnen wir jetzt. Mr. Sanders, würden Sie uns bitte erzählen, was sich aus Ihrer Sicht vorgesteren abend ereignet hat?«

Die nächste halbe Stunde hindurch berichtete Sanders mit ruhiger Stimme. Er begann mit dem Gespräch, in dessen Verlauf Blackburn ihm mitgeteilt hatte, daß Meredith die neue Vizedirektorin werden solle. Dann erzählte er von der kurzen Unterhaltung mit Meredith nach deren Präsentation und von ihrem Vorschlag, sich wegen des Twinkle-Laufwerks zu treffen. Was sich bei dem Treffen um 18 Uhr ereignete, stellte er sehr ausführlich dar. Während er sprach, wurde ihm klar, warum Fernandez tags zuvor darauf bestanden hatte, daß er ihr seine Geschichte wieder und wieder erzählte. Es bereitete ihm jetzt keine Mühe mehr, den Gang der Ereignisse zu schildern, selbst über Penisse und Vaginas konnte er sprechen, ohne zu stocken. Trotzdem empfand er es als eine große Anstrengung; als seine Schilderung den Punkt erreichte, an dem er das Büro verlassen und die Putzfrau gesehen hatte, war er sehr erschöpft.

Er berichtete noch von dem Anruf bei seiner Frau, von der vorgezogenen Sitzung am nächsten Morgen, seinem daran anschließenden Gespräch mit Blackburn und von seinem Entschluß, Klage zu erheben.

»Das war so ziemlich alles«, sagte er zum Schluß.

»Bevor wir weitermachen, habe ich einige Fragen«, sagte Judge Murphy. »Mr. Sanders, Sie erwähnten, daß während des Treffens Wein getrunken wurde.«

»Ja.«

»Wieviel Wein tranken Sie, Ihrer Schätzung nach?«

»Weniger als ein Glas.«

»Und Ms. Johnson? Wieviel trank sie, was würden Sie sagen?«
»Mindestens drei Gläser.«
»Gut.« Sie notierte sich etwas. »Mr. Sanders, haben Sie einen Arbeitsvertrag mit der Firma?«
»Ja.«
»Was besagt dieser Vertrag, Ihrem Verständnis nach, in bezug auf eine mögliche Versetzung oder Entlassung?«
»Ohne triftigen Grund kann ich nicht entlassen werden«, antwortete Sanders. »Was über eine Versetzung darin steht, weiß ich nicht. Aber ich will ja gerade zeigen, daß sie mich, wenn sie mich versetzen, genausogut entlassen können –«
»Ich weiß, was Sie zeigen wollen«, unterbrach ihn Judge Murphy. »Ich hatte nach Ihrem Vertrag gefragt. Mr. Blackburn?«
»In der entsprechenden Klausel ist von ›Versetzung an eine gleichwertige Position‹ die Rede.«
»Ich verstehe. Darüber ließe sich diskutieren. Gut. Machen wir weiter. Mr. Heller? Ihre Fragen an Mr. Sanders, bitte.«
Ben Heller klopfte seine Papiere zu einem ordentlichen Stapel zurecht und räusperte sich. »Mr. Sanders, wünschen Sie eine Pause?«
»Nein, ich brauche keine Pause.«
»In Ordnung. Also, Mr. Sanders. Sie erwähnten, daß Sie überrascht waren, als Mr. Blackburn Ihnen am Montag vormittag mitteilte, daß Ms. Johnson die neue Abteilungsleiterin werden würde.«
»Ja.«
»Wer, glaubten Sie, hätte denn der neue Abteilungsleiter werden sollen?«
»Näheres wußte ich nicht. Aber, ehrlich gesagt, dachte ich, daß möglicherweise ich selbst damit an der Reihe war.«
»Wie kamen Sie dazu, das zu denken?«
»Ich nahm es einfach an.«

»Hatte irgend jemand in der Firma, Mr. Blackburn oder sonst jemand, Ihnen Anlaß zu der Erwartung gegeben, Sie würden den Job bekommen?«
»Nein.«
»Existierte irgend etwas Schriftliches, aus dem hervorging, daß Sie den Job bekommen würden?«
»Nein.«
»Dann zogen Sie also eine Schlußfolgerung aus der allgemeinen Stimmung innerhalb der Firma, so wie Sie sie wahrnahmen?«
»Ja.«
»Diese Schlußfolgerung basierte nicht auf irgendwelchen realen Voraussetzungen?«
»Nein.«
»In Ordnung. Nun haben Sie gesagt, daß Mr. Blackburn, als er Ihnen mitteilte, daß Ms. Johnson den Job bekommen werde, Ihnen auch mitteilte, daß Ms. Johnson, wenn sie wollte, neue Unterabteilungsleiter einstellen könnte, woraufhin Sie ihm sagten, für Sie heiße das, daß Ms. Johnson die Möglichkeit habe, Sie zu entlassen.«
»Ja, das ist richtig.«
»Hat er das in irgendeiner Weise näher bestimmt? Hat er, zum Beispiel, gesagt, daß eine Entlassung eher wahrscheinlich oder eher unwahrscheinlich sei?«
»Er sagte, sie sei unwahrscheinlich.«
»Und haben Sie ihm geglaubt?«
»Zum damaligen Zeitpunkt wußte ich nicht genau, was ich glauben sollte.«
»Ist auf Mr. Blackburns Urteil in betrieblichen Angelegenheiten Verlaß?«
»Normalerweise schon.«
»Auf jeden Fall aber hat Mr. Blackburn gesagt, Ms. Johnson habe das Recht, Sie zu entlassen?«

»Ja.«

»Hat Ms. Johnson in dieser Hinsicht jemals etwas zu Ihnen gesagt?«

»Nein.«

»Sie hat niemals eine Bemerkung gemacht, die als ein von Ihren Leistungen, inklusive Ihren sexuellen Leistungen, abhängiges Angebot interpretiert werden konnte?«

»Nein.«

»Wenn Sie also sagen, daß Sie während des Treffens den Eindruck hatten, Ihr Job stünde auf dem Spiel, so bildete nichts, was Ms. Johnson tatsächlich gesagt oder getan hatte, den Grund für diesen Eindruck?«

»Nein«, sagte Sanders. »Aber es lag in der Luft.«

»Ihrer *Wahrnehmung* nach lag es in der Luft.«

»Ja.«

»Genauso, wie Sie zuvor wahrgenommen zu haben glaubten, daß Sie für eine Beförderung anstünden, obwohl das nicht den Tatsachen entsprach? Und zwar für eben jene Beförderung, die dann Ms. Johnson zuteil wurde?«

»Jetzt komme ich nicht mehr mit.«

»Ich stelle nur fest«, erklärte Heller, »daß Wahrnehmungen subjektiv sind und nicht die Wertigkeit von Tatsachen haben.«

»Einspruch!« sagte Fernandez. »Die Wahrnehmungen von Angestellten sind durchaus zulässig im Zusammenhang mit angemessenen Erwartungen –«

»Ms. Fernandez«, schaltete Murphy sich ein, »Mr. Heller hat die Gültigkeit der Wahrnehmungen Ihres Klienten nicht angetastet. Er hat nur ihre Richtigkeit bezweifelt.«

»Aber sie sind ganz sicher richtig. Schließlich war Ms. Johnson seine Vorgesetzte und konnte ihn entlassen, wenn sie wollte.«

»Das ist unstrittig. Mr. Heller möchte jedoch herausfinden,

ob Mr. Sanders dazu neigt, unangemessene Erwartungen aufzubauen. Und das scheint mir durchaus wichtig zu sein.«
»Bei allem Respekt, Euer Ehren –«
»Ms. Fernandez!« sagte Murphy. »Wir sind hier, um diesen Streit zu klären. Ich werde Mr. Heller die Befragung jetzt fortführen lassen. Mr. Heller?«
»Danke, Euer Ehren. Mr. Sanders, ich fasse zusammen: Sie hatten zwar das Gefühl, daß Ihr Job auf dem Spiel stand, dieses Gefühl war jedoch nicht durch Ms. Johnson hervorgerufen worden.«
»Nein.«
»Auch nicht von Mr. Blackburn?«
»Nein.«
»Oder von irgend jemandem sonst?«
»Nein.«
»In Ordnung. Jetzt zu einem anderen Punkt. Wie kam es dazu, daß bei einem Treffen, das um 18 Uhr stattfand, Wein getrunken wurde?«
»Ms. Johnson sagte, sie würde eine Flasche Wein besorgen.«
»Sie hatten sie nicht darum gebeten?«
»Nein. Sie bot es von sich aus an.«
»Und wie reagierten Sie darauf?«
»Ich weiß nicht.« Er hob die Schultern. »Eigentlich gar nicht.«
»Freuten Sie sich?«
»Ich hatte weder eine positive noch eine negative Meinung dazu.«
»Ich drücke es einmal anders aus, Mr. Sanders. Als Sie hörten, daß eine attraktive Frau wie Ms. Johnson beabsichtigte, sich mit Ihnen nach der Arbeit auf einen Drink zu treffen, was ging Ihnen da durch den Kopf?«
»Ich dachte mir, daß ich besser hinginge. Schließlich ist sie meine Chefin.«

»Das war alles, was Sie sich dachten?«
»Ja.«
»Haben Sie irgend jemandem gegenüber erwähnt, daß Sie mit Ms. Johnson in einer romantischen Umgebung allein sein wollten?«
Sanders beugte sich verdutzt vor. »Nein!«
»Sind Sie sich dessen ganz sicher?«
»Ja.« Er schüttelte den Kopf. »Ich weiß nicht, worauf Sie hinauswollen.«
»Ist Ms. Johnson nicht Ihre ehemalige Geliebte?«
»Doch.«
»Und wollten Sie Ihre intime Beziehung nicht wiederaufnehmen?«
»Nein, das wollte ich nicht. Ich hoffte nur, daß wir es irgendwie schaffen würden, zusammenzuarbeiten.«
»Ist das so schwierig? Ich hätte eher gedacht, daß die Zusammenarbeit einfach sein müßte – schließlich hatten Sie einander ja einmal sehr gut gekannt.«
»Es ist aber nicht einfach, sondern eher peinlich.«
»Wirklich? Wieso das denn?«
»Es ist eben so. Ich hatte noch nie mit ihr zusammengearbeitet. Ich kannte sie aus völlig anderen Zusammenhängen, und es war mir einfach peinlich.«
»Wie ging Ihre frühere Beziehung mit Ms. Johnson denn zu Ende, Mr. Sanders?«
»Wir hatten uns … sozusagen auseinandergelebt.«
»Lebten Sie damals zusammen?«
»Ja. Und es gab Höhen und Tiefen, wie in allen Beziehungen. Aber letzten Endes funktionierte es eben nicht, und wir trennten uns.«
»Kein böses Blut?«
»Nein.«
»Wer verließ wen?«

»Es beruhte auf Gegenseitigkeit, wenn ich mich recht erinnere.«
»Wer hatte die Idee, auszuziehen?«
»Ich glaube ... Ich kann mich nicht genau erinnern. Ich glaube, es war meine Idee.«
»Es gab also keine Bitterkeit oder Spannungen in bezug auf die Trennung vor zehn Jahren?«
»Nein.«
»Und trotzdem fühlten Sie sich jetzt peinlich berührt?«
»Sicher«, sagte Sanders. »Schließlich hatten wir damals eine bestimmte Beziehung, und nun sollten wir eine völlig andersartige Beziehung zueinander aufbauen.«
»Jetzt sollte Ms. Johnson Ihre Chefin werden – meinen Sie das?«
»Ja.«
»Waren Sie nicht sauer deswegen? Wegen ihrer Ernennung?«
»Ein bißchen schon, glaube ich.«
»Nur ein bißchen? Oder vielleicht doch ein bißchen mehr als nur ein bißchen?«
Fernandez beugte sich vor und setzte zum Protest an, aber Murphy schoß ihr einen warnenden Blick zu. Fernandez ballte die Fäuste unter dem Kinn und schwieg.
»Es waren verschiedene Empfindungen auf einmal«, sprach Sanders. »Ich war wütend und enttäuscht und durcheinander und ängstlich.«
»Und trotz dieser vielen verschiedenen und wirren Gefühle sind Sie sicher, daß Sie auf keinen Fall daran gedacht haben, an jenem Abend mit Ms. Johnson zu schlafen?«
»Nein.«
»Sie haben keinen Moment lang daran gedacht?«
»Nein.«
Heller schwieg einige Sekunden, ordnete seine Unterlagen,

hob dann den Blick. »Sie sind verheiratet, Mr. Sanders, ist das richtig?«
»Ja.«
»Riefen Sie Ihre Frau an, um ihr zu sagen, daß Sie noch einen späten Termin hatten?«
»Ja.«
»Sagten Sie ihr, mit wem Sie sich treffen würden?«
»Nein.«
»Warum nicht?«
»Meine Frau ist manchmal eifersüchtig auf meine früheren Freundinnen. Es gab keinen Grund, sie zu verärgern oder zu beunruhigen.«
»Sie meinen, wenn Sie ihr erzählt hätten, daß Sie sich nach der Arbeit mit Ms. Johnson treffen würden, hätte Ihre Frau geglaubt, Sie wollten Ihre sexuelle Beziehung wiederaufnehmen?«
»Ich weiß nicht, was Sie dann geglaubt hätte«, sagte Sanders.
»Jedenfalls haben Sie ihr nichts von Ms. Johnson gesagt.«
»Nein.«
»Was haben Sie ihr denn gesagt?«
»Ich sagte ihr, daß ich noch eine Besprechung hätte und spät nach Hause kommen würde.«
»Wie spät?«
»Ich sagte ihr, daß ich vielleicht erst zum Abendessen oder noch später daheim sein würde.«
»Aha. Hatte Ms. Johnson Ihnen vorgeschlagen, gemeinsam zu Abend zu essen?«
»Nein.«
»Als Sie Ihre Frau anriefen, gingen Sie also davon aus, daß die Besprechung mit Ms. Johnson lange dauern würde.«
»Nein«, sagte Sanders, »davon ging ich nicht aus. Aber ich wußte eben nicht genau, wie lange es dauern würde. Und meine Frau mag es nicht, wenn ich anrufe und sage, daß ich

eine Stunde später heimkomme, und dann noch mal anrufe und sage, daß es zwei Stunden dauern wird. Das ärgert sie. Für sie ist es besser, wenn ich ihr einfach sage, daß ich wahrscheinlich erst nach dem Abendessen komme. Dann rechnet sie nicht mit mir und wartet nicht auf mich; und sollte ich doch früher heimkommen, freut sie sich um so mehr.«

»So halten Sie es also gewöhnlich mit Ihrer Frau?«

»Ja.«

»Das ist gar nichts Besonderes für Sie?«

»Nein.«

»Anders gesagt: Normalerweise pflegen Sie Ihre Frau in bezug auf Bürotermine anzulügen, weil sie Ihrer Meinung nach die Wahrheit nicht erträgt.«

»Einspruch!« rief Fernandez. »In welcher Hinsicht soll das relevant sein?«

»Das stimmt überhaupt nicht!« warf Sanders wütend ein.

»Wie ist es denn dann, Mr. Sanders?«

»Hören Sie, jedes Ehepaar hat seine eigene Methode, miteinander zurechtzukommen, und das ist nun einmal unsere Methode. Sie vereinfacht die Dinge, das ist alles. Und es geht dabei um die private Tageseinteilung und nicht ums Lügen!«

»Aber würden Sie nicht selbst sagen, daß Sie logen, als Sie Ihrer Frau das Treffen mit Ms. Johnson an jenem Abend verschwiegen?«

»Einspruch!«

Murphy schaltete sich wieder ein: »Ich denke, das reicht nun wirklich, Mr. Heller!«

»Euer Ehren, ich versuche nur zu zeigen, daß Mr. Sanders die Absicht hatte, mit Ms. Johnson sexuell zu verkehren, und daß sein gesamtes Verhalten dieser Absicht entsprach. Zusätzlich will ich zeigen, daß er es gewohnt ist, Frauen mit Geringschätzung zu begegnen.«

»Es ist Ihnen aber nicht gelungen, uns das zu zeigen, nicht

einmal ansatzweise, Mr. Heller«, erklärte Murphy. »Mr. Sanders hat seine Beweggründe dargelegt, die ich in Ermangelung gegenteiliger Beweise akzeptiere. Oder können Sie gegenteilige Beweise vorlegen?«

»Nein, Euer Ehren.«

»Nun gut. Bitte denken Sie daran, daß aufreizende Darstellungen, die jeder Grundlage entbehren, unserem gemeinsamen Bemühen um eine Schlichtung nicht dienlich sind!«

»Jawohl, Euer Ehren.«

»Jeder und jede der hier Anwesenden muß sich darüber im klaren sein, daß dieses Verfahren beiden Parteien potentiell schaden kann – nicht nur im Ergebnis, sondern auch während der Sitzungen selbst. Je nachdem, wie das Verfahren ausgehen wird, ist es durchaus möglich, daß Ms. Johnson und Mr. Sanders in Zukunft beruflich zusammenarbeiten müssen. Ich werde nicht zulassen, daß dieses Verfahren eine solche denkbare zukünftige Arbeitsbeziehung unnötigerweise vergiftet. Jede weitere ungerechtfertigte Anschuldigung wird mich veranlassen, dieses Verfahren abzubrechen. Gibt es irgendwelche Fragen bezüglich des eben Gesagten?«

Niemand hatte eine Frage.

»Nun gut. Mr. Heller?«

Heller lehnte sich zurück. »Keine weiteren Fragen, Euer Ehren.«

»Gut«, sagte Judge Murphy. »Wir unterbrechen für fünf Minuten und hören uns dann Ms. Johnsons Darstellung an.«

Sie halten sich gut«, sagte Fernandez. »Sehr gut sogar. Ihre Stimme war fest, und Sie haben klar und widerspruchsfrei gesprochen. Das hat Murphy beeindruckt. Wirklich, Sie machen Ihre Sache sehr gut.« Sie standen draußen bei den Brunnen im Hof. Sanders kam sich vor wie ein Boxer, der zwischen zwei Runden von seinem Trainer aufgemöbelt wird. »Wie fühlen Sie sich?« fragte sie ihn. »Sind Sie müde?«

»Ein bißchen. Aber es geht schon.«

»Wollen Sie Kaffee?«

»Nein danke.«

»Gut. Der schwierige Teil steht Ihnen nämlich noch bevor. Sie werden sich sehr zurückhalten müssen, wenn sie ihre Version erzählt – die wird Ihnen nämlich nicht gefallen. Aber es ist sehr wichtig, daß Sie ganz ruhig bleiben.«

»Okay.«

Sie legte ihm die Hand auf die Schulter. »Übrigens, ganz unter uns: Wie ist die Beziehung denn nun wirklich zu Ende gegangen?«

»Um die Wahrheit zu sagen: Ich kann mich nicht mehr genau daran erinnern.«

Fernandez blickte ungläubig drein. »Aber das muß doch ein wichtiges Ereignis gewesen sein ...«

»Es ist fast zehn Jahre her. Für mich ist das jetzt, als wäre es in einem völlig anderen Leben passiert.«

Fernandez wirkte noch immer ziemlich skeptisch.

»Passen Sie auf«, sagte Sanders. »Wir befinden uns in der zweiten Juniwoche. Was spielte sich in Ihrem Liebesleben in der zweiten Juniwoche vor zehn Jahren ab? Können Sie mir das sagen?«

Fernandez runzelte die Stirn.

»Waren Sie damals verheiratet?« Sanders versuchte ihr zu helfen.

»Nein.«
»Hatten Sie Ihren späteren Mann bereits zu dieser Zeit kennengelernt?«
»Also, warten Sie mal ... Nein, nein, ich muß meinen Mann ... etwa ein Jahr später kennengelernt haben – ja.«
»Okay. Erinnern Sie sich, mit wem Sie vor ihm befreundet waren?«
Fernandez dachte schweigend nach.
»Können Sie sich überhaupt noch an *irgend etwas* von dem erinnern, was sich im Juni vor zehn Jahren zwischen Ihnen und Ihrem damaligen Freund abspielte?«
Sie schwieg.
»Verstehen Sie jetzt, was ich meine?« fragte Sanders. »Zehn Jahre sind eine lange Zeit. Natürlich kann ich mich an die Beziehung mit Meredith erinnern, aber an die letzten Wochen leider nur sehr vage. Ich weiß einfach nicht mehr, wie unsere Freundschaft genau endete.«
»An was können Sie sich noch erinnern?«
Sanders zuckte mit den Achseln. »Ich weiß noch, daß wir immer häufiger stritten und uns anschrien. Wir wohnten noch zusammen, aber wir begannen, unsere Termine so zu legen, daß wir uns nie sahen. Sie wissen ja, wie das ist. Denn wenn wir uns sahen, gab es jedesmal Streit.
Und eines Abends kam es zu einem Riesenkrach, während wir uns für eine Feier umzogen. Irgendeine formelle Dinner Party, die von DigiCom ausgerichtet wurde. Ich weiß noch, daß ich einen Smoking anziehen mußte. Ich warf mit meinen Manschettenknöpfen nach ihr und fand sie dann nicht mehr. Ich mußte auf dem Boden umherkriechen und sie suchen. Aber als wir dann zu der Party fuhren, beruhigten wir uns wieder und begannen darüber zu reden, wie es wäre, Schluß zu machen. Es war plötzlich ganz einfach, und wir waren beide plötzlich ganz vernünftig. Es kam einfach so. Wir brüllten

nicht mehr. Und schließlich fanden wir beide, daß es besser wäre, Schluß zu machen.«
Fernandez sah ihn nachdenklich an. »Das war alles?«
»Ja.« Er zuckte mit den Achseln. »Allerdings kamen wir nie zu dieser Dinner Party.«
Irgend etwas war da noch, ganz tief in seinem Gedächtnis vergraben. *Ein Paar im Auto, unterwegs zu einer Party. Irgend etwas mit einem Mobiltelefon. Elegant gekleidet, unterwegs zu einer Party, sie wollen jemanden anrufen und –*
Er bekam es nicht zu fassen. Es war in seinem Gedächtnis, gleich würde er sich erinnern …
Die Frau rief mit dem Mobiltelefon jemanden an, und dann … danach geschah irgend etwas Peinliches …
»Tom?« Fernandez legte die Hand auf seine Schulter. »Ich glaube, die Pause ist fast vorüber. Können wir wieder reingehen?«
»Ich bin bereit«, sagte er.
Auf dem Weg zum Schlichtungszimmer kam Ben Heller auf sie zu. Sanders schenkte er ein schmieriges Lächeln und wandte sich dann an Fernandez: »Frau Anwältin, ich denke, es ist an der Zeit, sich über einen Vergleich zu unterhalten«, sagte er.
»Über einen Vergleich?« fragte Fernandez mit betont erstaunter Miene. »Aber wieso denn?«
»Nun, das Verfahren entwickelt sich deutlich zuungunsten Ihres Klienten, und –«
»Das Verfahren entwickelt sich durchaus *zugunsten* meines Klienten.«
»– und diese Befragung wird für ihn doch immer peinlicher und unangenehmer, je länger sie andauert –«
»Mein Klient empfindet nicht die geringste Peinlichkeit.«
»– und vielleicht gereicht es doch allen Beteiligten zum Vorteil, das Verfahren an diesem Punkt zu beenden.«

Fernandez lächelte. »Ich glaube zwar nicht, daß dies dem Wunsch meines Klienten entspricht, Ben, aber wenn Sie ein Angebot unterbreiten, werden wir selbstverständlich darüber nachdenken.«

»Ja, ich habe ein Angebot.«

»Nur zu!«

Heller räusperte sich. »In Anbetracht der für Mr. Sanders derzeitig geltenden Abfindungssumme und der damit verbundenen Sozialversorgung sowie der Tatsache, daß er dem Unternehmen bereits seit langer Zeit angehört, wären wir mit der Zahlung einer Abfindung in Höhe einer Ausgleichszahlung für mehrere Jahre einverstanden. Zusätzlich würden wir Ihnen einen Zuschuß zu den Ihnen entstandenen Kosten sowie für diverse durch die Kündigung bedingte Ausgaben zahlen, wir würden die Kosten für einen Headhunter übernehmen, mit dessen Hilfe eine neue Stellung gefunden werden kann, und auch die Kosten, die durch einen etwaigen Umzug entstehen. Alles in allem wären das etwa 400000 Dollar. Ich halte das für ein überaus großzügiges Angebot.«

»Ich werde meinen Klienten fragen, was er darüber denkt«, sagte Fernandez. Sie packte Sanders am Arm und führte ihn einige Meter zur Seite. »Nun?«

»Nein«, sagte Sanders.

»Nicht so hastig! Das ist ein ziemlich vernünftiges Angebot – ungefähr so viel würden Sie auch vor Gericht erstreiten können, aber jetzt bekämen Sie es ohne Verzögerung und zusätzliche Kosten.«

»Nein.«

»Wollen Sie handeln?«

»Nein. Ich scheiß' auf das Geld.«

»Ich finde, wir sollten das Angebot in die Höhe treiben.«

»Ich scheiß' drauf.«

Fernandez schüttelte den Kopf. »Seien Sie nicht dumm, zähmen Sie Ihre Wut. Was erhoffen Sie sich denn davon, Tom? Es muß doch eine Summe geben, mit der Sie zufrieden wären.«

»Ich will das, was ich bekäme, wenn das Unternehmen an die Börse geht«, sagte Sanders. »Und das ist eine Summe zwischen fünf und zwölf Millionen.«

»Das erhoffen Sie sich. Es handelt sich dabei aber um die rein spekulative Einschätzung eines in der Zukunft liegenden Ereignisses.«

»Genau so wird es sein, glauben Sie mir.«

Fernandez musterte ihn aufmerksam. »Wären Sie mit fünf Millionen – jetzt sofort – einverstanden?«

»Ja.«

»Würden Sie, als Alternative, die Abfindungszahlungen, von denen er eben gesprochen hat, plus das Bezugsrecht auf die neuen Aktien, das Ihnen zum Zeitpunkt der Emission zustünde, annehmen?«

Sanders überlegte. »Ja.«

»Gut. Ich sage es ihm.«

Sie ging quer über den Hof auf Heller zu. Die beiden sprachen nur kurz miteinander. Schon nach wenigen Sekunden machte Heller auf dem Absatz kehrt und stolzierte weg.

Grinsend kehrte Fernandez zu Sanders zurück. »Er ist nicht darauf eingegangen«, sagte sie, während sie zum Schlichtungsraum eilten. »Aber ich sage Ihnen: Das ist ein gutes Zeichen.«

»Wirklich?«

»Ja. Wenn sie einen Vergleich anstreben, bevor Johnson ihre Aussage gemacht hat, ist das ein sehr gutes Zeichen.«

Im Hinblick auf die Übernahme«, sagte Meredith Johnson, »hielt ich es für wichtig, mich am Montag mit allen Abteilungsleitern zu treffen.« Sie sprach ruhig und langsam und blickte dabei reihum jeden der am Tisch Sitzenden an. Auf Sanders wirkte sie wie eine Führungskraft bei einer Produktpräsentation. »Am Nachmittag traf ich mich mit Don Cherry, Mark Lewyn und Mary Anne Hunter. Tom Sanders sagte mir jedoch, er habe sehr viele Termine, und fragte, ob wir uns erst nach Arbeitsschluß treffen könnten. Auf seine Bitte hin legte ich die Besprechung mit ihm auf 18 Uhr fest.«

Die Lässigkeit, mit der sie log, verblüffte Sanders. Er hatte zwar erwartet, daß sie ihren Auftritt wirkungsvoll inszenieren würde, aber sie nun so sprechen zu hören, erstaunte ihn doch.

»Tom schlug vor, daß wir auch etwas trinken und uns über die alten Zeiten unterhalten könnten. Mein Stil ist das zwar nicht, aber ich stimmte zu. Gerade mit Tom war es mir ja sehr um eine gute Beziehung zu tun, denn ich wußte, daß er enttäuscht war, weil er den Job nicht bekommen hatte, außerdem waren wir ja einmal miteinander befreundet gewesen. Ich wollte eine herzliche, kollegiale Beziehung zu ihm aufbauen. Ihm den Wunsch nach einem Drink abzuschlagen, das wäre mir irgendwie ... ich weiß nicht ... abweisend oder verkrampft erschienen. Deshalb stimmte ich zu.

Um sechs kam Tom in mein Büro. Wir tranken ein Glas Wein und sprachen über die Probleme mit dem Twinkle-Laufwerk. Er ließ allerdings von Anfang an Bemerkungen privater Natur fallen, die ich als ziemlich unpassend empfand – beispielsweise Bemerkungen über mein Aussehen und darüber, wie häufig er an unsere frühere Beziehung denke. Er machte Anspielungen auf Sexuelles in unserer gemeinsamen Vergangenheit und so weiter.«

Du Schwein! Sanders' ganzer Körper war angespannt. Die

Hände hatte er zu Fäusten geballt. Er biß die Zähne aufeinander, daß es schmerzte.
Fernandez beugte sich zu ihm hinüber und legte ihm die Hand auf das Handgelenk.
Meredith Johnson hatte inzwischen weitergesprochen.
»... kamen Anrufe von Garvin und von anderen Personen, die ich an meinem Schreibtisch entgegennahm. Dann kam meine Sekretärin herein und fragte, ob sie früher gehen dürfe – es handelte sich um irgendwelche Privatangelegenheiten. Ich erlaubte es ihr, und sie verließ mein Büro. Gleich darauf kam Tom auf mich zu und begann mich plötzlich zu küssen.«
Meredith legte eine kurze Pause ein und ließ den Blick über den Tisch schweifen. Als er auf Sanders traf, sah sie ihn seelenruhig an.
»Auf diesen plötzlichen, ganz und gar unerwarteten Überfall reagierte ich völlig perplex«, sagte sie, den Blick weiterhin auf Sanders gerichtet. »Zuerst versuchte ich zu protestieren und die Situation zu entschärfen, aber Tom ist natürlich viel größer und kräftiger als ich. Er zog mich zur Couch hinüber und begann sich auszuziehen und auch mich. Wie Sie sich vorstellen können, war ich völlig entsetzt. Die Situation war außer Kontrolle geraten, und ich dachte daran, wie sehr das unsere künftige Zusammenarbeit erschweren würde. Ganz zu schweigen von dem, was ich als Frau bei diesem Übergriff empfand.«
Sanders starrte sie an, verzweifelt bemüht, seine Wut im Zaum zu halten. Er hörte, daß ihm Fernandez »Atmen Sie durch!« ins Ohr flüsterte. Er holte tief Atem und ließ ihn langsam ausströmen. Erst jetzt merkte er, daß er schon eine ganze Weile die Luft angehalten hatte.
»Ich bemühte mich, die Angelegenheit möglichst beiläufig zu behandeln«, fuhr Meredith fort, »indem ich mich ein wenig darüber lustig machte, um aus der Situation herauszu-

kommen. Ich sagte, Tom, es ist wirklich besser, wenn wir das nicht tun. Aber er war wild entschlossen. Und als er meinen Slip wegriß, als ich Stoff reißen hörte, wurde mir klar, daß ich mich auf diplomatischem Wege nicht mehr aus dieser Situation befreien konnte. Ich mußte der Tatsache ins Auge sehen, daß Mr. Sanders dabei war, mich zu vergewaltigen, und ich bekam große Angst und eine große Wut. Als er sich auf der Couch ein wenig von mir wegbewegte, um, kurz vor der Penetration, seinen Penis aus der Hose zu holen, stieß ich ihm mein Knie in den Unterleib. Er rollte daraufhin von der Couch hinunter auf den Fußboden und stand auf. Ich stand auch auf.

Mr. Sanders war wütend, weil ich seine Avancen zurückgewiesen hatte. Er begann mich anzuschreien, und dann schlug er mich, so daß ich zu Boden fiel. Aber zu diesem Zeitpunkt war auch ich sehr wütend. Ich erinnere mich, daß ich zu ihm sagte: ›Das kannst du mit mir nicht machen‹ und daß ich Flüche ausstieß. Aber ich kann nicht behaupten, daß ich noch alles weiß, was er oder ich gesagt haben. Er kam noch einmal auf mich zu, aber da hatte ich meine Schuhe in der Hand und schlug ihm mit meinen Stöckelschuhen auf die Brust, um ihn mir vom Leib zu halten. Ich glaube, daß sein Hemd dabei zerriß, aber das kann ich nicht mit Sicherheit sagen. Ich war völlig außer mir vor Wut. Am liebsten hätte ich ihn umgebracht. Ich erinnere mich, daß ich ihm sagte, ich würde ihn umbringen. Ich war unglaublich wütend. Mein erster Tag im neuen Job, und dann *das* – mir war klar, daß diese Sache unsere Beziehung zerstören und in der Firma jede Menge Probleme hervorrufen würde. Er ging dann. Er kochte vor Wut. Als er weg war, stellte sich mir die Frage, wie ich nun vorgehen sollte.«

Sie schüttelte schweigend den Kopf, so als empfände sie wieder die gleiche Ratlosigkeit wie damals.

»Und zu welchem Vorgehen entschlossen Sie sich?« fragte Heller sanft.
»Also, das ist ein Problem. Tom ist ein wichtiger Angestellter und nicht leicht zu ersetzen. Außerdem ist es meiner Meinung nach nicht ratsam, jemanden mitten in einem Übernahmeverfahren auszutauschen. Mein erster Gedanke war, zu versuchen, die ganze Sache zu vergessen. Schließlich sind wir beide erwachsene Menschen. Mir war das Vorgefallene zwar äußerst peinlich, aber ich dachte mir, daß Tom es, wenn er wieder bei klarem Verstand war und über die Sache nachgedacht hatte, wohl genauso empfinden würde. Und ich dachte mir, vielleicht könnten wir dann doch zusammenarbeiten. Unschöne Vorkommnisse gibt es eben hin und wieder, und ich finde, man muß in der Lage sein, auch mal darüber hinwegzusehen.
Also rief ich, als ich von dem vorgezogenen Beginn der Sitzung erfahren hatte, bei ihm zu Hause an, um ihn davon zu unterrichten. Er war nicht da, aber ich unterhielt mich sehr angenehm mit seiner Frau. Aus dem Gespräch ging klar hervor, daß sie weder wußte, daß Tom sich mit mir getroffen hatte, noch, daß Tom und ich uns von früher her kannten. Jedenfalls teilte ich seiner Frau den neuen Sitzungsbeginn mit und bat sie, Tom zu verständigen.
Die Sitzung am nächsten Tag verlief nicht gut. Tom kam zu spät und änderte seine Version über das Twinkle-Laufwerk, wobei er die Probleme herunterspielte und sich damit in Widerspruch zu mir setzte. Seine Absicht bestand eindeutig darin, meine Autorität während der Besprechung in Anwesenheit aller zu untergraben, und das konnte ich nicht zulassen. Ich ging sofort zu Phil Blackburn und erzählte ihm, was passiert war. Ich erklärte, daß ich von einer Anzeige absehen wolle, machte jedoch deutlich, daß ich eine Zusammenarbeit mit Tom ausschloß und daß er versetzt werden müsse. Phil

sagte, er werde mit Tom sprechen. Und letztlich fiel dann der Entschluß, es mit einer Schlichtung zu versuchen.«

Sie lehnte sich zurück und legte die Hände flach auf den Tisch. »Ich glaube, das ist alles. Ja, das ist alles.« Sie sah noch einmal reihum jeden an. Sehr kühl, sehr beherrscht.

Es war eine brillante Vorstellung gewesen, die auf Sanders eine gänzlich unerwartete Wirkung ausübte: Er empfand Schuld. Er fühlte sich, als hätte er ihr das, was sie eben erzählt hatte, tatsächlich angetan. Plötzlich schämte er sich; er ließ den Kopf hängen und senkte den Blick.

Fernandez stieß ihm mit aller Kraft gegen das Fußgelenk. Er zuckte zusammen und riß den Kopf hoch. Sie warf ihm einen bösen Blick zu. Er setzte sich wieder gerade hin.

Judge Murphy räusperte sich. »Offensichtlich«, sagte sie, »haben wir es hier mit zwei völlig unvereinbaren Darstellungen zu tun. Ms. Johnson, ich habe nur einige wenige Fragen, bevor wir weitermachen.«

»Ja, Euer Ehren?«

»Sie sind eine attraktive Frau. Sie hatten sich doch im Lauf Ihrer Karriere sicherlich einer ganzen Menge unerwünschter Avancen zu erwehren?«

»Ja, Euer Ehren«, sagte Meredith lächelnd.

»Sie haben es darin bestimmt zu einiger Geschicklichkeit gebracht.«

»Ja, Euer Ehren.«

»Sie sagten, Sie hätten Spannungen gespürt, die aus der früheren Beziehung mit Mr. Sanders herrührten. In Anbetracht dieser Spannungen könnte ich mir vorstellen, daß ein Treffen unter Tags und ohne Wein einen professionelleren Anstrich gehabt und eine bessere Atmosphäre geschaffen hätte.«

»Im nachhinein betrachtet, ist das sicherlich richtig«, stimmte Meredith ihr zu. »Aber Sie müssen sich vorstellen, daß sich das alles im Umfeld der Fusionsverhandlungen abspielte. Alle waren sehr beschäftigt, und ich versuchte eben, die Besprechung mit Mr. Sanders noch vor der Conley-White-Sitzung am nächsten Tag zu ermöglichen. Das war mein einziger Gedanke dabei – Terminschwierigkeiten und wie ich sie lösen könnte.«

»Ich verstehe. Und als Mr. Sanders Ihr Büro verlassen hatte, warum haben Sie da nicht Mr. Blackburn oder einen anderen leitenden Betriebsangehörigen angerufen und von dem Vorfall unterrichtet?«

»Wie ich bereits sagte – ich hoffte, wir könnten über die Sache hinwegsehen.«

»Aber die von Ihnen beschriebene Episode«, hakte Murphy nach, »stellt doch eine schwerwiegende Abweichung vom üblichen Verhalten im Berufsleben dar. Sie als erfahrene Managerin müssen doch gewußt haben, daß die Wahrscheinlichkeit einer guten Zusammenarbeit mit Mr. Sanders nach diesem Vorfall gleich Null war. Verständlich wäre es meiner Ansicht nach gewesen, wenn Sie sich geradezu gezwungen gesehen hätten, das Geschehnis sofort einem Vorgesetzten zu berichten. Und auch vom praktischen Standpunkt her würde ich es als normal betrachten, wenn Sie so schnell wie möglich eine Stellungnahme zu dem Vorfall zu Protokoll gegeben hätten.«

»Wie bereits gesagt, ich hegte immer noch die Hoffnung …« Meredith runzelte nachdenklich die Stirn. »Wissen Sie, ich glaube … ich glaube, ich fühlte mich verantwortlich für Tom. Und als seine ehemalige Freundin wollte ich einfach nicht, daß er wegen mir seinen Job verlor.«

»Andererseits hat er ihn gerade Ihretwegen verloren.«

»Ja, aber auch das läßt sich erst jetzt, im Rückblick, erkennen.«

»Nun gut. Ms. Fernandez?«

»Danke, Euer Ehren.« Fernandez rückte ihren Stuhl so zur Seite, daß sie Meredith Johnson ins Gesicht blicken konnte. »Ms. Johnson, in einer solchen Situation, in der sich Privates hinter verschlossenen Türen abspielt, müssen wir uns, wo immer dies möglich ist, umliegende Ereignisse ansehen, in die der Vorfall sozusagen eingebettet ist. Ich werde Ihnen nun also einige Fragen zu Ereignissen im Umfeld des Vorfalls stellen.«

»In Ordnung.«

»Sie sagten, als Sie das Treffen mit Mr. Sanders vereinbarten, habe er Sie um Wein gebeten.«

»Ja.«

»Wo kam der Wein her, den Sie an jenem Abend tranken?«

»Ich bat meine Sekretärin, ihn zu besorgen.«

»Ms. Ross?«

»Ja.«

»Sie arbeitet schon lange für Sie?«

»Ja.«

»Sie kam mit Ihnen von Cupertino hierher?«

»Ja.«

»Sie ist eine vertrauenswürdige Angestellte?«

»Ja.«

»Wie viele Flaschen baten Sie Ms. Ross zu kaufen?«

»Ich weiß nicht mehr, ob ich ihr eine bestimmte Anzahl nannte.«

»Gut. Und wie viele Flaschen hat sie gekauft?«

»Drei, glaube ich.«

»Drei. Und baten Sie Ihre Sekretärin, sonst noch etwas zu besorgen?«

»Was denn?«

»Baten Sie sie, Kondome zu besorgen?«

»Nein.«

»Wissen Sie, ob sie Kondome kaufte?«

»Nein, das weiß ich nicht.«
»Sie tat es aber. Sie kaufte in einem Drugstore in der Second Avenue Kondome.«
»Also, wenn sie Kondome gekauft hat«, sagte Johnson, »dann müssen die für ihren eigenen Gebrauch bestimmt gewesen sein.«
»Können Sie sich irgendeinen Grund denken, warum Ihre Sekretärin behauptet, sie habe die Kondome für Sie gekauft?«
»Nein«, sagte Johnson sehr gedehnt. Sie überlegte. »Ich kann mir nicht vorstellen, warum sie das sagen sollte.«
»Einen Augenblick!« unterbrach Murphy. »Ms. Fernandez, wollen Sie behaupten, daß die Sekretärin tatsächlich sagte, sie habe für Ms. Johnson Kondome gekauft?«
»Ja, Euer Ehren. Das behaupten wir.«
»Haben Sie einen Zeugen dafür?«
»Jawohl.«
Heller, der neben Meredith saß, rieb sich die Unterlippe mit dem Finger. Meredith ließ keine Reaktion erkennen. Sie zuckte nicht einmal mit der Wimper, sondern hielt den Blick in Erwartung der nächsten Frage weiterhin ruhig auf Fernandez gerichtet.
»Ms. Johnson, gaben Sie Ihrer Sekretärin Anweisung, Ihre Bürotür abzusperren, als Mr. Sanders bei Ihnen war?«
»Ganz bestimmt nicht.«
»Wissen Sie, ob sie die Tür abgesperrt hat?«
»Nein.«
»Können Sie sich erklären, warum sie dann jemandem erzählt, Sie hätten sie aufgefordert, die Tür abzusperren?«
»Nein.«
»Ms. Johnson. Ihr Treffen mit Mr. Sanders fand um 18 Uhr statt. Hatten Sie am späteren Abend weitere Termine?«
»Nein, das war der letzte Termin.«

»Hatten Sie nicht ursprünglich noch einen Termin um neunzehn Uhr, den Sie absagten?«

»Ach, ja, das ist richtig, ich hatte einen Termin mit Stephanie Kaplan. Aber ich sagte ab, weil ich die Zahlen noch nicht fertig hatte, die sie überprüfen sollte. Ich hatte keine Zeit gehabt, mich vorzubereiten.«

»Wissen Sie, daß Ihre Sekretärin Ms. Kaplan erklärte, Sie würden den Termin platzen lassen, weil Sie einen anderen Termin wahrnehmen müßten, und zwar eine Besprechung, die lange dauern werde?«

»Ich weiß nicht, was meine Sekretärin ihr gesagt hat«, erwiderte Meredith. Zum erstenmal wirkte sie ein bißchen unduldsam. »Wir sprechen hier sehr viel über meine Sekretärin. Vielleicht sollten Sie diese Fragen besser ihr selbst stellen.«

»Ja, vielleicht sollten wir das tun. Das ließe sich bestimmt arrangieren. Nun gut. Jetzt zu etwas anderem. Mr. Sanders sagte, er habe, als er Ihr Büro verließ, eine Putzfrau gesehen. Haben Sie diese Frau auch gesehen?«

»Nein. Ich blieb in meinem Büro, als er gegangen war.«

»Die Putzfrau, Marian Walden, sagt, sie habe, bevor Mr. Sanders aus Ihrem Büro kam, einen lauten Wortwechsel gehört. Sie sagt, sie habe einen Mann sagen hören: ›Das ist keine gute Idee, ich will das nicht‹, und dann habe eine Frau gesagt: ›Du kannst mich nicht einfach so sitzenlassen, du Wichser.‹ Können Sie sich erinnern, so etwas gesagt zu haben?«

»Nein. Ich erinnere mich, gesagt zu haben: ›Das kannst du nicht mit mir machen.‹«

»Aber daran, daß Sie ›Du kannst mich nicht einfach so sitzenlassen‹ gesagt haben, können Sie sich nicht erinnern?«

»Nein.«

»Ms. Walden ist sich ganz sicher, daß Sie das gesagt haben.«

»Ich weiß nicht, was Ms. Walden gehört zu haben glaubt«,

erwiderte Johnson. »Die Tür war die ganze Zeit über geschlossen.«
»Sprachen Sie nicht ziemlich laut?«
»Ich weiß nicht. Schon möglich.«
»Ms. Walden sagt, Sie hätten geschrien. Und auch Mr. Sanders hat ausgesagt, daß Sie geschrien hätten.«
»Ich weiß es nicht.«
»Gut. Ms. Johnson, Sie sagten, Sie hätten Mr. Blackburn mitgeteilt, daß Sie nach dieser unglücklich verlaufenden Sitzung am Dienstag morgen nicht mehr mit Mr. Sanders zusammenarbeiten könnten.«
»Ja, das stimmt.«
Sanders beugte sich vor. Das hatte er während Meredith' Darstellung des Vorfalls völlig überhört. Er war so empört gewesen, daß ihm gar nicht aufgefallen war, wie sie über den Zeitpunkt ihres Gesprächs mit Blackburn gelogen hatte. Denn Sanders war sofort nach der Sitzung in Blackburns Büro gegangen – und da hatte Blackburn bereits von der Sache gewußt.
»Ms. Johnson, um welche Uhrzeit gingen Sie, Ihrer Schätzung nach, zu Mr. Blackburn?«
»Das weiß ich nicht mehr. Es war nach der Sitzung.«
»Welche Zeit, ungefähr?«
»Zehn Uhr.«
»Nicht früher?«
»Nein.«
Sanders schielte zu Blackburn hinüber, der starr am Ende des Tisches saß. Er wirkte angespannt, biß sich ständig auf die Unterlippe.
»Soll ich Mr. Blackburn bitten, das zu bestätigen?« fragte Fernandez. »Seine Sekretärin hat doch sicherlich einen Kalender, für den Fall, daß ihn sein Gedächtnis im Stich lassen sollte.«

Kurze Zeit herrschte Schweigen. Fernandez richtete den Blick auf Blackburn. »Nein«, sagte Meredith schließlich, »nein, ich war eben ein bißchen durcheinander. Ich wollte sagen, daß ich nach der ersten Sitzung und vor der zweiten Sitzung zu Phil ging.«

»Mit der ersten Sitzung meinen Sie die, bei der Sanders fehlte? Die Sitzung, die um acht Uhr begann?«

»Ja.«

»Dann kann Mr. Sanders' Verhalten bei der zweiten Sitzung, als er Ihnen widersprach, keinen Einfluß auf Ihren Entschluß, mit Mr. Blackburn zu sprechen, gehabt haben. Denn Sie hatten zu diesem Zeitpunkt ja bereits mit Mr. Blackburn gesprochen.«

»Wie gesagt, ich war ein wenig durcheinander.«

»Ich habe keine weiteren Fragen, Euer Ehren.«

Judge Murphy schlug ihren Notizblock zu. Ihre Miene war ausdruckslos, völlig undurchdringlich. Sie warf einen Blick auf ihre Armbanduhr. »Es ist jetzt halb zwölf. Wir unterbrechen für eine zweistündige Mittagspause. Ich setze extra eine längere Pause an, damit die Anwälte die Situation mit ihren Klienten besprechen und herausfinden können, wie die Parteien fortzufahren wünschen.« Sie erhob sich. »Sollten die Anwälte aus irgendeinem Grund mit mir sprechen wollen, so bin ich dazu selbstverständlich gern bereit. Wenn nicht, sehen wir uns alle hier Punkt halb zwei wieder. Ich wünsche Ihnen ein angenehmes und produktives Mittagessen.« Sie stand auf und verließ den Raum.

Blackburn erhob sich und sagte: »Ich bitte um ein Gespräch mit der Anwältin der Gegenpartei, jetzt sofort.«

Sanders warf Fernandez einen Blick zu.

Fernandez deutete ein Lächeln an. »Ich stehe Ihnen zur Verfügung, Mr. Blackburn.«

Die beiden Anwälte und die Anwältin standen beim Brunnen. Fernandez sprach lebhaft auf Heller ein, Blackburn war ein paar Schritte zur Seite gegangen und hielt ein Mobiltelefon ans Ohr gepreßt. Auch Meredith Johnson, die auf der anderen Seite des Innenhofes stand, führte, aufgebracht gestikulierend, ein Telefongespräch.

Sanders hielt sich etwas abseits und beobachtete die Szene. Er hatte nicht den geringsten Zweifel, daß Blackburn sich um einen Vergleich bemühte. Stück für Stück hatte Fernandez die Version von Meredith Johnson zerpflückt: Sie hatte gezeigt, daß Meredith ihre Sekretärin beauftragt hatte, Wein und Kondome zu kaufen, die Tür abzusperren, als Sanders da war, und spätere Termine abzusagen. Sie hatte deutlich gemacht, daß Meredith keineswegs eine durch einen sexuellen »Überfall« überraschte Vorgesetzte war, sondern selbst die Initiative ergriffen und dies den ganzen Nachmittag über geplant hatte. Ihre heikelste Reaktion – der wütende Satz »Du kannst mich nicht einfach sitzenlassen« – war von der Putzfrau gehört worden. Und sie hatte in bezug auf den Zeitpunkt und das Motiv ihrer Unterredung mit Blackburn gelogen.

Es bestand jetzt kein Zweifel mehr daran, daß Meredith log. Die Frage war nur noch, was Blackburn und DigiCom zu tun gedachten. Sanders hatte in genügend Sensibilisierungsseminaren für Manager zum Thema »Sexuelle Belästigung« gesessen, um über die Verpflichtungen der Firma Bescheid zu wissen. Sie hatten wirklich keine Wahl.

Sie mußten sie feuern.

Aber was würden sie mit ihm machen? Das stand auf einem ganz anderen Blatt. Er hatte das starke Gefühl, durch seine Anschuldigung alle Brücken zu DigiCom abgebrochen zu haben; sie würden ihn nicht wiederhaben wollen. Sanders

hatte Garvins Liebling abgeschossen, und das würde Garvin ihm nie verzeihen.
Also kam er als Mitarbeiter nicht mehr in Frage. Sie mußten ihn auszahlen.
»Die läuten wohl schon die Schlußrunde ein, was?«
Sanders drehte sich um und sah Alan, einen der beiden Detektive, vom Parkplatz auf ihn zukommen. Alan hatte nur einen Blick auf die Anwälte zu werfen brauchen, um die Situation richtig einzuschätzen.
»Ja, das glaube ich auch«, sagte Sanders.
Alan sah abschätzig zu den Anwälten hinüber. »Ist auch gut so. Johnson hat nämlich ein Problem, und eine ganze Menge Leute in der Firma wissen darüber Bescheid. Besonders ihre Sekretärin.«
»Haben Sie sich gestern abend mir ihr unterhalten?«
»Ja. Herb machte die Putzfrau ausfindig und nahm ihre Aussage auf Band auf. Und ich hatte ein nächtliches Rendezvous mit Betsy Ross. Sie ist einsam hier in der neuen Stadt, und sie trinkt zuviel. Ich habe alles auf Band.«
»Wußte sie das?«
»Nicht nötig, es ihr mitzuteilen«, sagte Alan. »Es ist trotzdem zulässig.« Er ließ den Blick eine Weile auf den debattierenden Anwälten ruhen. »Blackburn muß der Arsch inzwischen auf Grundeis gehen.«
Louise Fernandez marschierte mit grimmiger Miene über den Hof. »*Verdammt* noch mal!« sagte sie, als sie vor Sanders und Alan stand.
»Was ist los?« fragte Sanders.
Sie schüttelte den Kopf. »Sie weigern sich, einen Deal zu machen.«
»Sie wollen keinen Deal machen?«
»Ja. Sie streiten einfach alles ab. Ihre Sekretärin hat Wein gekauft? Der war für Sanders. Ihre Sekretärin hat Kondome

gekauft? Die waren für die Sekretärin. Die Sekretärin sagt, sie habe sie für Meredith gekauft? Die Sekretärin ist eine unglaubwürdige Alkoholikerin. Die Aussage der Putzfrau? Sie konnte gar nicht hören, was sie angeblich gehört hat, weil ihr Radio lief. Und immer dieselbe Platte: ›Louise, Sie wissen doch, vor Gericht haben Sie damit keine Chance!‹ Und die Obermackerin ist am Telefon und zieht die Fäden, sagt jedem, was zu tun ist.« Fernandez stieß einen Fluch aus. »Ich sage Ihnen, das ist genau die Tour, die sonst männliche Führungskräfte fahren. Sie sehen einem in die Augen und sagen: ›Es ist nie passiert. Es existiert schlicht und einfach nicht. Sie können nichts beweisen.‹ Das kotzt mich an! *Verdammt* noch mal!«

»Am besten essen Sie jetzt erst mal was, Louise«, sagte Alan und, an Sanders gewandt: »Manchmal vergißt sie nämlich zu essen.«

»Ja, gut. Essen. Klar.« Sie gingen zum Parkplatz. Fernandez ging schnell und schüttelte immer wieder den Kopf. »Ich verstehe einfach nicht, warum sie diese Position einnehmen«, sagte sie. »Ich weiß nämlich ganz genau – ich konnte es ihr von den Augen ablesen –, daß Judge Murphy gar nicht mehr an eine Nachmittagssitzung geglaubt hat. Sie hat die Beweise gehört und die Sache für beendet gehalten. Ich auch. Aber es ist noch nicht zu Ende. Blackburn und Heller bewegen sich nicht einen einzigen Zentimeter von der Stelle. Sie wollen keinen Vergleich. Im Grunde laden Sie uns geradezu dazu ein, gegen sie zu klagen.«

»Dann klagen wir eben«, sagte Sanders achselzuckend.

»Wenn wir schlau sind, klagen wir nicht«, erwiderte Fernandez. »Zumindest nicht jetzt. Genau das habe ich nämlich befürchtet. Sie sind jetzt im Besitz einer Menge von Informationen, während wir nichts haben. Wir sind wieder da, wo wir begonnen haben. Und die haben jetzt drei Jahre Zeit, diese

Sekretärin und die Putzfrau zu bearbeiten. Da können wir kommen, mit was wir wollen, die biegen's schon hin. Und ich sage Ihnen eines: In drei Jahren werden wir diese Sekretärin nicht mal mehr *finden.*«

»Aber wir haben ihre Aussage doch auf Band.«

»Trotzdem müßte die Dame vor Gericht erscheinen. Und soweit wird es niemals kommen, das dürfen Sie mir glauben. Sehen Sie mal: DigiCom hängt sich sehr weit aus dem Fenster. Wenn wir aufzeigen, daß DigiCom nicht rechtzeitig und in adäquater Weise auf das reagierte, was man über Johnson wußte, wäre die Firma in hohem Maße schadensersatzpflichtig. Letzten Monat gab es in Kalifornien einen solchen Fall: 19,4 Millionen Dollar wurden dem Kläger zugesprochen. Wenn sich eine Firma derart exponiert, wie DigiCom das tut, dann garantiere ich Ihnen: Die Sekretärin wird nicht mehr aufzutreiben sein. Die macht dann für den Rest ihres Lebens Urlaub in Costa Rica.«

»Und was sollen wir jetzt tun?« fragte Sanders.

»Auf jeden Fall sind wir jetzt festgelegt. Wir haben diesen Kurs eingeschlagen, wir müssen ihn weiterverfolgen. Wir müssen sie irgendwie zwingen, einem Vergleich zuzustimmen. Aber um das zu schaffen, brauchen wir mehr, als wir bisher haben. Fällt Ihnen noch etwas ein?«

Sanders schüttelte den Kopf. »Nein.«

»Mist!« sagte Fernandez. »Was ist eigentlich los? Ich dachte, DigiCom hätte Angst, die Anschuldigungen könnten publik werden, bevor die Übernahme abgeschlossen ist. Ich dachte, ihre größte Sorge sei Publicity.«

Sanders nickte. »Dachte ich eigentlich auch.«

»Dann muß es etwas geben, was wir nicht verstehen. Heller und Blackburn benehmen sich nämlich, als wäre es ihnen schnurzegal, was wir machen. Die Frage ist bloß – warum nur?«

Ein fülliger Mann mit Schnauzbart ging, einen Stapel Papiere im Arm, an ihnen vorbei.
»Wer ist das denn?« fragte Fernandez.
»Den habe ich noch nie gesehen.«
»Die haben doch versucht, irgend jemanden telefonisch zu erreichen. Sie ließen irgend jemanden suchen. Deshalb frage ich.«
Sanders zuckte mit den Achseln. »Was machen wir denn jetzt?«
»Wir gehen essen«, sagte Alan.
»Gut. Gehen wir essen«, sagte Fernandez, »und vergessen wir das Ganze für eine Weile.«
In diesem Augenblick schoß Sanders ein Satz durch den Kopf: *Vergiß das dumme Telefon.* Er schien aus dem Nichts zu kommen, wie ein Befehl:
Vergiß das dumme Telefon.
Fernandez, die neben ihm ging, seufzte auf. »Ein paar ausbaufähige Sachen haben wir noch. Es ist noch längst nicht alles gelaufen. Sie haben doch einiges in der Hinterhand, Alan, oder nicht?«
»Klar«, antwortete Alan. »Wir haben ja kaum angefangen. Von Johnsons Ehemann war noch nicht die Rede und von ihrem vorangegangenen Arbeitgeber auch nicht. Es gibt noch eine Menge Steine, die wir umdrehen können, um nachzusehen, was darunter hervorkrabbelt.«
Vergiß das dumme Telefon.
»Ich muß mich mal im Büro melden«, sagte Sanders, holte sein Handy hervor und wählte Cindys Nummer.
Es begann leicht zu regnen. Sie hatten die auf dem Parkplatz abgestellten Wagen erreicht. »Wer fährt?« fragte Fernandez.
»Ich«, sagte Alan.
Sie gingen zu seinem Wagen, einem einfachen Ford. Alan sperrte auf, Fernandez stieg ein. Nur Sanders blieb noch

draußen stehen. »Und ich dachte schon, aus unserem Lunch heute würde eine rauschende Party werden«, sagte sie.
Unterwegs zu einer Party ...
Durch die mit Regentropfen bedeckte Windschutzscheibe fiel Sanders' Blick auf seine Anwältin, die auf dem Beifahrersitz Platz genommen hatte. Er hielt das Telefon ans Ohr und wartete, daß Cindy sich meldete. Daß sein Telefon wieder funktionierte, beruhigte ihn. Seit jenem Abend, als es nicht mehr ging, hatte er kein rechtes Vertrauen zu dem Gerät gehabt. Aber jetzt schien alles in Ordnung zu sein. Es funktionierte wunderbar.
Das Paar fuhr zu einer Party, und sie telefonierte mit dem Autotelefon. Vom Wagen aus.
Vergiß das dumme Telefon.
»Büro Mr. Sanders«, sagte Cindy.
Und dann bekam sie einen Anrufbeantworter an die Strippe. Sie sprach eine Nachricht auf den Anrufbeantworter. Und dann legte sie auf ...
»Hallo? Hier Büro Mr. Sanders. Hallo?«
»Ich bin's, Cindy.«
»Ach – hi, Tom!« Sie klang noch immer sehr reserviert.
»Irgendwelche Nachrichten?« fragte er.
»Ähm, ja, ich sehe mal nach. Da war ein Anruf von Arthur aus Kuala Lumpur; er wollte wissen, ob die Laufwerke eingetroffen sind. Ich habe bei Don Cherrys Team nachgefragt, sie haben die Geräte bekommen und beschäftigen sich gerade damit. Und dann kam noch ein Anruf aus Austin, von Eddie. Er klang ziemlich aufgeregt. Und dann noch einer von John Levin. Der hat Sie gestern schon mal angerufen. Er sagte, es sei wichtig.«
Levin war leitender Angestellter einer Zulieferfirma für Festplatten. Egal, um was es ging – es konnte warten.
»Okay. Danke, Cindy.«

»Kommen Sie heute noch mal ins Büro? Es haben nämlich viele nach Ihnen gefragt.«
»Ich weiß noch nicht.«
»John Conley hat angerufen. Er wollte sich um 16 Uhr mit Ihnen treffen.«
»Ich kann noch nichts sagen. Ich muß abwarten. Ich rufe Sie später noch mal an.«
»Ist gut.« Sie legte auf.
Er hörte das Freizeichen.
Und dann hatte sie aufgelegt.
Die Geschichte ging ihm nicht aus dem Kopf. Die beiden Leute im Auto. Unterwegs zu einer Party. Wer hatte ihm das nur erzählt? Und wie ging die Geschichte weiter?
Unterwegs zu einer Party. Adele hatte vom Auto aus angerufen und dann aufgelegt.
Sanders schnippte mit den Fingern. Natürlich! Adele! Das Paar in dem Wagen, das waren Mark und Adele Lewyn gewesen. Sie hatten damals ein peinliches Erlebnis. Jetzt fiel es ihm nach und nach wieder ein.
Adele hatte jemanden angerufen und war an den Anrufbeantworter geraten. Sie hinterließ eine Nachricht und legte auf. Dann sprachen Mark und sie im Wagen über denjenigen, den Adele gerade angerufen hatte. Ungefähr eine Viertelstunde lang rissen sie Witze über diesen Menschen und ließen wenig schmeichelhafte Bemerkungen über ihn fallen. Und kurze Zeit später kamen sie in die allergrößte Verlegenheit ...
»Wollen Sie noch länger im Regen stehen bleiben?« fragte Fernandez.
Sanders erwiderte nichts. Er senkte das Mobiltelefon. Das Tastenfeld und der kleine Bildschirm leuchteten hellgrün. Jede Menge Saft. Er betrachtete das Telefon und wartete. Nach fünf Sekunden schaltete es sich von selbst ab; der Bildschirm wurde schwarz. Die neue Telefongeneration ver-

fügte nämlich über einen selbsttätigen Abschaltmechanismus, um Batteriestrom zu sparen. Wenn man das Telefon nicht benützte beziehungsweise 15 Sekunden lang keine Taste drückte, schaltete es sich ab, damit die Batterie nicht leerlief.
Aber in Meredith' Büro war die Batterie leergelaufen.
Warum nur?
Vergiß das dumme Telefon.
Warum hatte sich sein Mobiltelefon nicht von selbst abgeschaltet? Welche Erklärung gab es dafür? Vielleicht mechanische Defekte – eine Taste war steckengeblieben und hatte das Telefon in Gang gehalten. Oder es war beschädigt worden, weil er es fallen ließ, als Meredith ihn zu küssen begann. Oder die Batterie war schon schwach gewesen, weil er am Abend zuvor vergessen hatte, sie aufzuladen.
Nein, dachte er. Dieses Telefon war ein zuverlässiges Gerät. Einen mechanischen Defekt konnte man ausschließen. Und außerdem war die Batterie aufgeladen gewesen.
Nein.
Das Telefon hatte einwandfrei funktioniert.
Ungefähr eine Viertelstunde lang rissen sie Witze über diesen Menschen und ließen wenig schmeichelhafte Bemerkungen über ihn fallen.
Seine Gedanken überstürzten sich. Wirre Bruchstücke eines Gesprächs fielen ihm wieder ein.
»He – warum hast du mich gestern abend nicht mehr angerufen?«
»Aber ich habe dich angerufen.«
Sanders wußte genau, daß er Mark Lewyn von Meredith' Büro aus angerufen hatte. Mitten auf dem Parkplatz, im strömenden Regen, drückte er noch einmal die Tasten L-E-W. Das Telefon schaltete sich wieder ein; auf dem kleinen Bildschirm erschienen der Name LEWYN und Marks Privatnummer.
»Als ich heimkam, war nichts von dir auf dem Anrufbeantworter.«

»Aber ich habe so gegen Viertel nach sechs auf deinen Anrufbeantworter gesprochen.«

»Es war nichts drauf.«

Sanders war sich sicher, Lewyn angerufen und auf seinen Anrufbeantworter gesprochen zu haben. Er erinnerte sich, daß eine Männerstimme die üblichen Sätze heruntergebetet hatte: »Hinterlassen Sie eine Nachricht nach dem Pfeifton.«

Sanders starrte, das Telefon in der Hand, auf Lewyns Nummer. Er drückte den EIN-Knopf. Sekunden später meldete sich der Anrufbeantworter. Eine Frauenstimme sagte: »Hi, Sie haben die Privatnummer von Mark und Adele gewählt. Wir können den Anruf im Moment nicht entgegennehmen, aber wenn Sie eine Nachricht hinterlassen, rufen wir Sie zurück.«

Piep.

Das war eine völlig andere Ansage.

Er hatte an jenem Abend gar nicht Mark Lewyn angerufen.

Das konnte nur bedeuten, daß er damals nicht L-E-W gedrückt hatte. Nervös, wie er in Meredith' Büro gewesen war, hatte er offensichtlich die falschen Tasten betätigt. Er war an den Anrufbeantworter einer ganz anderen Person geraten.

Und sein Telefon funktionierte nicht mehr.

Weil ...

Vergiß das dumme Telefon.

»Mein Gott!« sagte er. Plötzlich konnte er sich alles zusammenreimen. Jetzt wußte er genau, was passiert war. Und das, was passiert war, bedeutete, daß möglicherweise –

»Ist alles in Ordnung mit Ihnen, Tom?« rief Fernandez.

»Ja, ja«, antwortete er. »Einen Augenblick noch. Ich glaube, ich bin gerade auf etwas Wichtiges gekommen.«

Er hatte nicht L-E-W gedrückt.

Er hatte etwas anderes gedrückt. Etwas sehr Ähnliches, wahrscheinlich war nur ein einziger Buchstabe anders. Sanders drückte L-E-L. Der Bildschirm blieb schwarz; für diese Buchstabenkombination befand sich keine Nummer im Speicher. L-E-M. Keine Nummer gespeichert. L-E-S. Keine Nummer gespeichert. L-E-V.

Bingo!

Auf dem Bildschirm war jetzt LEVIN zu lesen.

Darunter die Telefonnummer von John Levin.

Sanders hatte damals den Anrufbeantworter von John Levin angerufen.

John Levin hat angerufen. Er sagte, es sei wichtig.

Wundert mich nicht, daß er das sagte, dachte Sanders.

Plötzlich erinnerte er sich in aller Deutlichkeit an den Ablauf der Ereignisse in Meredith' Büro. Er hatte telefoniert, und sie sagte: »Vergiß das dumme Telefon!« und bog ihm den Arm nach unten, während sie ihn zu küssen begann. Als sie sich küßten, hatte er das Telefon auf die Fensterbank fallen lassen, und dort war es liegengeblieben.

Bevor er dann aus Meredith' Büro gegangen war, hatte er, während er sein Hemd zuknöpfte, das Telefon von der Fensterbank genommen; aber da lief es bereits nicht mehr. Es mußte also über eine Stunde lang ununterbrochen angeschaltet gewesen sein. Während des gesamten Vorfalls mit Meredith war es angeschaltet gewesen.

Als Adele im Wagen das Telefongespräch beendet hatte, hängte sie das Telefon wieder ein. Aber sie vergaß, den AUS-Knopf zu drücken, so daß die Verbindung bestehenblieb und das ganze Gespräch des Ehepaares auf den Anrufbeantworter des Angerufenen aufgenommen wurde. 15 Minuten voller Witze und privater Kommentare – alles auf dem Anrufbeantworter.

Und Sanders' Telefon hatte nicht mehr funktioniert, weil auch in seinem Fall die Verbindung aufrechterhalten blieb. Alles Gesprochene war aufgenommen worden.

Noch immer auf dem Parkplatz stehend, wählte er rasch John

Levins Nummer. Fernandez stieg aus dem Wagen und trat zu ihm.

»Was ist denn?« fragte sie. »Fahren wir jetzt zum Essen oder nicht?«

»Einen Augenblick bitte!«

Der Anruf kam durch. Ein leises Klickgeräusch beim Abheben, dann ertönte die Stimme eines Mannes. »John Levin.«

»John – hier spricht Tom Sanders.«

»Mensch, endlich, Tom-Boy!« rief Levin lachend. »*Meine Fresse!* Du treibst es ja nicht schlecht zur Zeit! Ich kann dir sagen, Tom, ich hab' rote Ohren gekriegt!«

»Wurde es aufgenommen?« fragte Sanders.

»Und wie, Mann! Dienstag morgen habe ich meinen Anrufbeantworter abgehört, und ich kann dir sagen, das ging eine halbe Stunde, also wirklich –»

»John –«

»Da behaupte noch mal einer, das Eheleben sei fade!«

»John, hör mir bitte zu! *Hast du es aufgehoben?*«

Levin antwortete nicht sofort. Er hörte auf zu lachen. »Für wen hältst du mich, Tom – glaubst du, ich wäre pervers? *Natürlich* habe ich das aufgehoben! Ich hab's der ganzen Firma vorgespielt! Ein Heidenspaß war das, kann ich dir sagen!«

»Im Ernst, John ...«

Levin seufzte. »Ja, ich hab's aufgehoben. Ich hatte den Eindruck, daß du in Schwierigkeiten kommen könntest, und ... ach, ich weiß auch nicht. Auf jeden Fall habe ich es aufgehoben.«

»Gut. Wo ist die Kassette?«

»Liegt vor mir auf dem Schreibtisch.«

»John, ich will das Band. Hör mir bitte gut zu: Du mußt jetzt folgendes tun.«

Sie fuhren los. Nach einer Weile sagte Fernandez: »Ich warte.«
»Es gibt ein Band von meinem Treffen mit Meredith – in voller Länge. Alles wurde aufgenommen.«
»Wie denn?«
»Durch einen Zufall. Ich sprach gerade auf einen Anrufbeantworter, und als Meredith mich zu küssen begann, legte ich das Telefon weg, ohne den Anruf beendet zu haben. Das Telefon blieb also mit dem Anrufbeantworter verbunden, und alles, was Meredith und ich miteinander sprachen, ging direkt auf Band.«
»Wahnsinn!« sagte Alan und schlug mit der flachen Hand aufs Lenkrad.
»Ein Tonband?« fragte Fernandez.
»Ja.«
»Gute Qualität?«
»Das weiß ich nicht. Wir müssen abwarten. John bringt es uns ins Lokal.«
Fernandez rieb sich die Hände. »Jetzt geht es mir schon wesentlich besser.«
»Ja?«
»Ja. Wenn dieses Band etwas taugt, können wir sie nämlich erledigen.«

John Levin, ein rotwangiger, jovialer Mensch, schob den Teller von sich und leerte sein Bierglas. »Das nenne ich ein Essen! Ganz vorzüglich, der Heilbutt!« Levin wog an die 300 Pfund; sein Bauch drückte schwer gegen die Tischkante.
Sie saßen in einer Nische im Hinterzimmer von *McCormick and Schmick's* in der First Avenue. Viele Geschäftsleute aßen

hier zu Mittag – es herrschte beträchtlicher Lärm. Fernandez preßte sich den Kopfhörer an die Ohren, während sie das Band auf einem Walkman abhörte. Seit über einer halben Stunde lauschte sie nun schon äußerst konzentriert, machte sich hin und wieder Notizen auf ihrem gelben Schreibblock und hatte noch keinen einzigen Bissen von dem vor ihr stehenden Essen zu sich genommen. Plötzlich stand sie auf. »Ich muß telefonieren.«
Levin schielte auf ihren Teller. »Äh ... wollen Sie das noch?«
Sie schüttelte den Kopf und ging.
Levin grinste, sagte: »Nur nichts verkommen lassen!«, holte den Teller zu sich heran und begann zu essen. »Du sitzt also in der Kacke, Tom, oder wie oder was?«
»Ziemlich tief sogar«, erwiderte Sanders und rührte in seinem Cappuccino. Er hatte nichts essen können und sah staunend zu, wie Levin riesige Löffel Kartoffelpüree hinunterschlang.
»Dachte ich mir schon«, sagte Levin. »Jack Kerry von Aldus rief mich heute vormittag an und sagte, du würdest die Firma verklagen, weil du dich geweigert hast, irgendeine Frau flachzulegen.«
»Kerry ist ein Arschloch.«
»Das allergrößte«, sagte Levin nickend. »Das mit Abstand allergrößte. Aber was soll man machen? Nach der Kolumne von Connie Walsh heute morgen wollen alle rauskriegen, wer Mr. Piggy ist.« Er schob sich einen weiteren Riesenbissen in den Mund. »Aber wie ist sie überhaupt an die Geschichte rangekommen? Immerhin ist sie doch diejenige, die das Ganze schließlich an die Öffentlichkeit gezerrt hat.«
»Vielleicht hast du's ihr gesteckt, John«, sagte Sanders.
»Willst du mich verarschen?«
»Du hattest das Band.«
Levin verzog das Gesicht. »Wenn du so weiterredest, werde

ich stinksauer, Tom!« Er schüttelte den Kopf. »Nein, wenn du mich fragst, hat sie den Tip von einer Frau bekommen.«
»Welche Frau wußte denn davon? Nur Meredith, und die hat es ihr bestimmt nicht erzählt.«
»Ich gehe jede Wette ein, daß es eine Frau war«, bekräftigte Levin seine Meinung. »Wenn du das überhaupt jemals rausfindest – was ich bezweifle.« Er blickte nachdenklich drein, kaute dabei bedächtig weiter. »Der Schwertfisch hat eine etwas gummiartige Konsistenz. Ich finde, wir sollten das dem Kellner sagen.« Er ließ den Blick durch den Raum schweifen.
»Äh, Tom?«
»Ja?«
»Da drüben steht ein Typ, der tritt andauernd von einem Fuß auf den anderen. Ich glaube, du kennst ihn.«
Sanders warf einen Blick über die Schulter. An der Bar stand Bob Garvin, den Blick erwartungsvoll auf ihn gerichtet. Einige Schritte hinter ihm Phil Blackburn.
»Entschuldige mich«, sagte Sanders und erhob sich vom Tisch.

Garvin und Sanders schüttelten einander die Hand. »Schön, Sie zu sehen, Tom! Wie geht's Ihnen denn mit dieser unangenehmen Sache?«
»Es geht mir nicht schlecht«, sagte Sanders.
»Gut, gut.« Garvin legte ihm väterlich eine Hand auf die Schulter. »Wirklich schön, Sie wiederzusehen.«
»Schön, Sie wiederzusehen, Bob.«
»Dort drüben in der Ecke ist es ein bißchen ruhiger«, sagte Garvin. »Ich habe Cappuccino bestellt. Ist es Ihnen recht, wenn wir uns kurz miteinander unterhalten?«
»In Ordnung.« Mit dem fluchenden, wütenden Garvin war

er wohlvertraut; dieser behutsame, höfliche Garvin dagegen machte ihn nervös.
Sie setzten sich in eine Ecke der Bar. Garvin nahm Sanders gegenüber Platz.
»Also, Tom ... Wir haben es schon eine ganze Weile miteinander zu tun, Sie und ich, was?«
»Ja, das stimmt.«
»Diese verdammten Flüge nach Seoul, auf denen es immer dieses miese Essen gab, und der Hintern tat einem weh – wissen Sie noch?«
»Ja.«
»Tja, das waren schöne Zeiten, damals«, sagte Garvin, den Blick aufmerksam auf Sanders gerichtet. »Also, Tom, wir beide kennen uns, deshalb will ich Ihnen nichts vorschwafeln. Ich lege Ihnen jetzt die Karten offen auf den Tisch. Wir haben ein Problem, und dieses Problem muß gelöst werden, bevor es sich für alle Beteiligten zur Katastrophe auswächst. Ich möchte hinsichtlich unseres weiteren Vorgehens an Ihre Vernunft appellieren?«
»An meine Vernunft?«
»Ja«, sagte Garvin. »Ich finde, man sollte sich die Dinge von allen Seiten ansehen.«
»Wie viele Seiten gibt es denn?«
»Mindestens zwei«, erklärte Garvin lächelnd. »Passen Sie auf, Tom – es ist nun wahrlich kein Geheimnis, daß ich Meredith innerhalb der Firma gefördert habe. Ich habe immer an ihr großes Talent geglaubt, vor allem aber an ihre visionären Fähigkeiten, die wir für die Zukunft des Unternehmens dringend brauchen. Meredith hat meine gute Meinung über sie noch nie enttäuscht. Ich weiß, daß auch sie nur ein Mensch ist, aber eben ein sehr talentierter Mensch, und ich fördere sie.«
»Mhm.«

»Es könnte nun allerdings sein, daß sie in diesem speziellen Fall ... nun, vielleicht hat sie ja wirklich einen Fehler gemacht. Ich weiß es nicht.«
Sanders schwieg. Er wartete einfach, wartete und starrte in Garvins Gesicht. Garvin spielte den Unvoreingenommenen durchaus überzeugend, aber Sanders ließ sich nicht täuschen.
»Sagen wir mal so«, fuhr Garvin fort. »Sagen wir, sie hat tatsächlich einen Fehler gemacht.«
»Das *hat* sie auch, Bob!« warf Sanders trocken ein.
»Na gut. Sagen wir, es ist so. Nennen wir es einen Einschätzungsfehler. Eine Verletzung bestimmter Grenzen. Das einzig Wichtige dabei, Tom, ist aber, daß ich sie auch angesichts einer solchen Situation weiterhin unterstützen werde.«
»Warum?«
»Weil sie eine Frau ist.«
»Was hat das damit zu tun?«
»Nun, Frauen sind im Geschäftsleben traditionellerweise von Führungspositionen ausgeschlossen gewesen, Tom.«
»Meredith wurde nicht ausgeschlossen.«
»Und außerdem ist sie jung«, sagte Garvin.
»So jung auch wieder nicht.«
»Aber natürlich. Sie ist fast noch eine Collegestudentin. Erst vor ein paar Jahren hat sie ihr Betriebswirtschaftsstudium abgeschlossen.«
»Bob«, sagte Sanders. »Meredith Johnson ist 35 und wahrlich keine kleine Studentin mehr.«
Garvin schien das gar nicht gehört zu haben. Er sah Sanders mitfühlend an. »Tom, ich kann doch verstehen, daß Sie wegen des Jobs enttäuscht waren. Und ich verstehe auch, daß Meredith in Ihren Augen einen Fehler beging, als sie sich Ihnen auf diese Weise näherte.«
»Sie hat sich mir nicht genähert, Bob. Sie ist über mich hergefallen.«

Garvin ließ jetzt eine leichte Gereiztheit erkennen. »Sie sind schließlich auch kein Kind mehr, Tom!«
»Das ist richtig, ich bin kein Kind mehr«, erwiderte Sanders. »Aber ich bin ihr Untergebener.«
»Und ich weiß, daß Sie bei ihr in höchstem Ansehen stehen«, sagte Garvin und lehnte sich in seinen Stuhl zurück. »Wie übrigens bei allen in der Firma, Tom. Sie sind wichtig für unsere Zukunft. Sie wissen das, und ich weiß das. Ich will Ihr Team zusammenhalten. Und ich werde immer wieder betonen, daß wir Frauen gegenüber Nachsicht üben müssen. Wir müssen ihnen wenigstens einen kleinen Vorsprung einräumen.«
»Aber hier geht es doch gar nicht um Frauen«, sagte Sanders. »Hier geht es um eine ganz bestimmte Frau.«
»Tom –«
»Und wenn ein Mann getan hätte, was sie getan hat, würden Sie nicht von Vorsprung reden. Diesen Mann würden Sie hochkant feuern.«
»Schon möglich.«
»Und genau hier liegt der Hase im Pfeffer«, erwiderte Sanders.
»Ich bin mir nicht sicher, ob ich Sie richtig verstehe, Tom.« Garvins Stimme hatte einen warnenden Unterton bekommen: Garvin mochte es nicht, wenn man ihm widersprach. Während sein Unternehmen im Lauf der Jahre immer profitabler und erfolgreicher wurde, hatte er sich allmählich daran gewöhnt, daß man ihm mit Unterwürfigkeit begegnete. Und jetzt, da er auf den Ruhestand zuging, erwartete er Konsens und Gehorsam geradezu. »Wir sind nun mal verpflichtet, Gleichheit zu garantieren«, sagte er.
»Schön. Aber Gleichheit bedeutet keine Sonderrechte«, erwiderte Sanders. »Gleichheit bedeutet, daß man die Leute gleich behandelt. Sie erbitten für Meredith Ungleichheit,

weil Sie sich weigern, das zu tun, was Sie mit einem Mann sofort tun würden – entlassen.«
Garvin seufzte auf. »Wenn alles ganz eindeutig wäre, Tom, dann würde ich es ja tun. Aber soweit ich es beurteilen kann, ist die Situation eben nicht eindeutig.«
Sanders dachte kurz daran, ihm von der Kassette zu erzählen. Aber er ließ es doch bleiben. »Ich finde sie sehr wohl eindeutig.«
»In solchen Angelegenheiten gibt es doch immer Meinungsunterschiede«, sagte Garvin und beugte sich über die Bar zu Sanders. »Das ist doch nun mal so, oder etwa nicht? Immer gibt es Meinungsunterschiede, Tom. Hören Sie zu – was hat sie Ihnen denn so Schlimmes getan? Jetzt mal im Ernst: Sie ist zudringlich geworden? Und wenn schon! Sie hätten das auch als schmeichelhaft interpretieren können. Schließlich ist sie eine wunderschöne Frau. Es gibt Schlimmeres im Leben! Eine schöne Frau legt ihre Hand auf Ihr Knie. Sie hätten auch einfach ›Nein, danke‹ sagen können. Sie hätten viele Möglichkeiten gehabt, darauf zu reagieren, Sie sind ein erwachsener Mann. Aber diese ... *Rachsucht*, Tom! Ich muß schon sagen – Sie überraschen mich.«
»Sie hat das Gesetz gebrochen, Bob«, sagte Sanders.
»Das bleibt doch wohl noch abzuwarten, oder? Sie können Ihr Privatleben gern vor Geschworenen ausbreiten, wenn Sie unbedingt wollen. Ich persönlich würde es nicht wollen. Und ich sehe auch nicht ein, was es irgend jemandem bringen sollte, wenn Sie die Sache vor Gericht zerren. Ein solcher Prozeß läßt sich nicht gewinnen.«
»Was soll das heißen?«
»Sie werden doch nicht vor Gericht gehen, Tom!« Garvins Augen waren schmal geworden und funkelten bedrohlich.
»Warum nicht?«
»Sie werden es ganz einfach nicht tun.« Garvin holte tief Luft.

»Passen Sie mal auf – jetzt reden wir Klartext! Ich habe mit Meredith gesprochen. Sie stimmt mit mir darin überein, daß die Sache uns allen über den Kopf gewachsen ist.«

»Aha ...«

»Und jetzt spreche ich auch mit Ihnen, weil ich die Hoffnung hege, Tom, daß wir das Ganze bereinigen können und daß alles wieder so wird wie zuvor – lassen Sie mich bitte ausreden –, ehe es zu diesem unglücklichen Mißverständnis kam. Sie behalten Ihren Job, Meredith behält den ihren. Sie beide werden weiter zusammenarbeiten wie zwei zivilisierte, erwachsene Menschen. Sie machen weiter und bauen die neue Firma auf, bringen sie an die Börse, und in einem Jahr kriegen alle einen Haufen Geld. Was sollte daran falsch sein?«

Sanders empfand Erleichterung: Die Normalität war plötzlich zum Greifen nahe gerückt. Er sehnte sich danach, den Anwälten und der Anspannung der letzten drei Tage zu entfliehen. Sich in die Dinge, wie sie waren, zu fügen erschien ihm verlockend wie ein warmes Bad.

»Ich meine, betrachten Sie es doch mal von dieser Seite, Tom: Nachdem die Sache am Montag abend passiert war, hat keiner von Ihnen beiden Alarm geschlagen. Sie haben niemanden informiert, Meredith hat niemanden informiert. Ich glaube, Sie wollten beide, daß die Sache vergessen wird. Am nächsten Tag kam es dann zu einem unglücklichen Durcheinander und zu einem Streit, der völlig überflüssig war. Wenn Sie rechtzeitig zu der Sitzung erschienen wären und wenn Sie und Meredith übereinstimmende Darstellungen abgeliefert hätten, wäre das alles nicht passiert. Sie hätten weiter zusammengearbeitet, und was immer zwischen Ihnen vorgefallen ist, wäre allein Ihrer beider Sache geblieben. Statt dessen haben wir jetzt diese Bescherung! Das Ganze ist doch im Grunde ein einziges großes Mißverständnis. Warum also die

Sache nicht einfach vergessen und weitermachen? Und reich werden, Tom! Was ist so falsch daran?«
»Nichts«, sagte Sanders nach einer Weile.
»Gut!«
»Außer, daß es nicht funktionieren würde.«
»Warum denn nicht?«
Dutzende von Antworten schossen Sanders durch den Kopf. Weil sie nicht kompetent ist. Weil sie eine Schlange ist. Weil es ihr nur um ihre Stellung in der Firma geht, weil sie nur auf ihr Image bedacht ist, und weil diese Abteilung eine technische Abteilung ist, die mit Produkten aufwarten muß. Weil sie lügt. Weil ich sie nicht respektieren kann. Weil sie es wieder tun wird. Weil sie mich nicht respektiert. Weil sie mich nicht fair behandelt. Weil sie dein Liebling ist. Weil du sie mir vorgezogen hast. Weil ...
»Weil die Sache zu weit getrieben wurde«, sagte er schließlich.
Garvin starrte ihn an. »Man kann eine Sache auch wieder zurücktreiben.«
»Nein, Bob. Das geht nicht.«
Garvin beugte sich vor und sagte mit gesenkter Stimme: »Hören Sie mal gut zu, Sie kleiner Scheißer: Ich weiß genau, was hier läuft. Ich habe Sie eingestellt, da hatten Sie noch Flaum hinter den Ohren. Ich habe Ihnen den beruflichen Start ermöglicht, habe Sie unterstützt, habe Ihnen in jeder Hinsicht Möglichkeiten eröffnet. Und jetzt wollen Sie mir so kommen? Na schön. Sie wollen unbedingt in der Scheiße sitzen, Tom? Das können Sie haben!« Er stand auf.
Sanders sagte: »Bob, wenn es um Meredith Johnson ging, waren Sie noch nie einem vernünftigen Argument zugänglich.«
»Ach, Sie glauben, *ich* hätte ein Problem mit Meredith?« Garvin lachte heiser auf. »Hören Sie mir gut zu, Tom: Sie war

Ihre Freundin, aber sie war klug und unabhängig, und Sie sind mit ihr nicht zurechtgekommen. Als sie Sie fallenließ, waren Sie stinksauer. Und jetzt, viele Jahre später, wollen Sie es ihr heimzahlen. Um nichts anderes geht es hier. Es hat nicht das geringste mit geschäftlicher Ethik zu tun oder damit, daß das Gesetz gebrochen wurde, oder mit sexueller Belästigung oder mit irgend etwas anderem. Das Ganze ist rein privat und unglaublich kleinkariert. Und Sie sind so mit Scheiße angefüllt, daß Ihre Augen braun sind.«

Mit diesen Worten drängte er sich wütend an Blackburn vorbei und marschierte aus dem Restaurant. Blackburn blieb einen Moment zurück, warf Sanders einen starren Blick zu und eilte dann seinem Chef hinterher.

Als Sanders zu seinem Tisch zurückging, kam er an einer Sitznische vorbei, in der mehrere Typen von Microsoft saßen, darunter zwei Riesenarschlöcher von der Systemprogrammierung. Prompt begann einer der Kerle, wie ein Schwein zu grunzen.

»He, Mr. Piggy!« sagte ein anderer leise.

»Oink, oink!«

»Hast ihn nicht hochgekriegt, was?«

Sanders ging ein paar Schritte weiter und drehte sich dann um. »He, Leute!« sagte er. »Wenigstens lasse ich's mir nicht in spätnächtlichen Sitzungen von« – er nannte den Namen eines leitenden Programmierers bei Microsoft – »besorgen!«

Alle brüllten vor Lachen.

»Ha, ha, ha!«

»Mr. Piggy spricht!«

»Oink, oink!«

»Was habt ihr Typen überhaupt in der Stadt zu suchen?«

fragte Sanders. »Ist euch in Redmond das Gleitgel ausgegangen?«
»Woah!«
»Piggy ist sauer!«
Sie krümmten sich vor Lachen, prustend wie Collegestudenten. Auf dem Tisch stand ein großer Krug Bier. Einer der Typen sagte: »Wenn Meredith Johnson für mich den Slip ausziehen würde, würde ich bestimmt nicht die Polizei rufen!«
»Würde mir nicht im Traum einfallen!«
»Immer mit einem Lächeln!«
»Der Hengst vom Dienst!«
»Ladies *first*!«
Sie trommelten vor Lachen mit den Fäusten auf den Tisch.
Sanders ging wortlos weiter.

Draußen auf dem Gehsteig vor dem Lokal ging Garvin wütend hin und her. Blackburn stand da und hielt sich das Telefon ans Ohr.
»Wo ist der verdammte Wagen?« fragte Garvin.
»Ich weiß es nicht, Bob.«
»Ich habe ihm gesagt, er soll *warten*!«
»Ich weiß, Bob. Ich versuche ihn ja gerade zu erreichen.«
»Großer Gott im Himmel – die simpelsten Dinge! Bringt es nicht mal fertig, daß der Wagen da ist, wenn man ihn braucht!«
»Vielleicht mußte er auf die Toilette.«
»Ach? Wie lange dauert so was denn? Gottverdammter Sanders! Können Sie fassen, was der Kerl sich einbildet?«
»Nein, Bob.«
»Ich verstehe das einfach nicht. Er läßt in dieser Sache nicht

mit sich reden. Und ich reiß' mir hier die Beine aus! Ich biete ihm an, daß er seinen Job wiederkriegt, ich biete ihm die Aktien an, ich biete ihm alles! Und was tut er? Verdammt noch mal!«

»Er hat einfach keinen Teamgeist, Bob.«

»Wie wahr! Und er ist nicht mal bereit, sich mit uns zu treffen. Wir müssen ihn erst dazu bringen, sich mit uns an einen Tisch zu setzen!«

»Ja, Bob.«

»Es drückt ihn noch nicht genug«, sagte Garvin. »Das ist das Problem.«

»Heute morgen erschien die Geschichte in der Zeitung. Darüber kann er doch nicht glücklich gewesen sein.«

»Tja, aber das reicht eben noch nicht.«

Garvin begann wieder auf und ab zu gehen.

»Da kommt der Wagen«, sagte Blackburn und deutete die Straße hinunter, wo der große Lincoln auf sie zufuhr.

»Na endlich! Passen Sie auf, Phil: Ich habe es satt, meine Zeit an Sanders zu verschwenden. Wir haben es im guten versucht, es hat nicht funktioniert. Das ist der Kern der ganzen Sache. Was sollen wir jetzt also tun, damit er endlich kapiert, was los ist?«

»Darüber habe ich bereits nachgedacht«, sagte Phil. »Was tut Sanders eigentlich? Ich meine, was *tut* er denn im Grunde? Er verleumdet Meredith, nicht wahr?«

»Verdammt wahr!«

»Er hat nicht gezögert, sie zu verleumden.«

»Nicht im geringsten.«

»Und was er über sie sagt, entspricht nicht der Wahrheit. Aber Verleumdungen haben es eben an sich, daß sie nicht wahr zu sein brauchen. Es muß nur etwas sein, was die Leute bereitwillig glauben.«

»Und?«

»Vielleicht müßte Sanders einfach mal am eigenen Leib erfahren, wie so etwas ist.«
»Wie was ist? Was soll das heißen?«
Blackburn starrte nachdenklich auf das sich nähernde Auto. »Ich halte Tom für einen gewalttätigen Mann.«
»Also das«, warf Garvin ein, »ist er nun wirklich nicht. Ich kenne ihn seit Jahren. Er ist ein harmloses, kleines Schäfchen.«
»Nein«, sagte Blackburn und rieb seine Nase. »Da bin ich anderer Meinung. Ich halte ihn für gewalttätig. Er war Footballspieler im College, er ist ein rauher Bursche. Spielt Touch-Football in der Betriebsmannschaft, richtet andere Menschen übel zu. Er hat etwas Brutales. Schließlich trifft das auf die meisten Männer zu. Männer sind nun mal brutal.«
»Was soll denn der Quatsch?«
»Und Sie müssen zugeben, daß er Meredith gegenüber brutal war«, fuhr Blackburn fort. »Er schrie, er brüllte sie an, er stieß sie um. Sex und Gewalt. Ein Mann verliert die Kontrolle. Er ist viel größer als sie. Stellen Sie die beiden nur mal nebeneinander, dann kann jeder den Unterschied sehen. Er ist viel größer, viel kräftiger. Man braucht ihn nur anzuschauen – ein brutaler, zu Gewalt neigender Mann. Das nette Äußere ist nur eine Maske. Sanders gehört zu den Männern, die ihre Aggressionen ausleben, indem sie wehrlose Frauen verprügeln.«
Garvin schwieg, sah Blackburn mit zusammengekniffenen Augen an und sagte schließlich: »Das schaffen Sie nie.«
»Ich denke doch.«
»Kein vernünftiger Mensch kauft uns das ab.«
»Ich denke schon, daß es uns jemand abkaufen wird.«
»Ja? Wer denn bitte?«
»Irgend jemand, ganz egal«, sagte Blackburn.
Das Auto fuhr an den Gehsteig heran. Garvin öffnete die Tür. »Also, ich weiß nur, daß wir ihn dazu bringen müssen, mit uns

zu verhandeln. Wir müssen Druck auf ihn ausüben, damit er sich mit uns an einen Tisch setzt.«
»Ich denke, das läßt sich arrangieren«, sagte Blackburn.
Garvin nickte. »Sie haben es in der Hand, Phil. Sorgen Sie dafür, daß es klappt!« Er stieg in den Wagen. Blackburn folgte ihm. »Wo, zum Teufel, waren Sie?« brüllte Garvin den Fahrer an.
Die Tür wurde zugeschlagen. Der Wagen fuhr ab.

Sanders fuhr mit Fernandez in Alans Wagen zum Schlichtungszentrum zurück. Kopfschüttelnd hörte sich Fernandez Sanders' Schilderung seines Gesprächs mit Garvin an. »Sie hätten nicht allein mit ihm sprechen dürfen. Wenn ich dabeigewesen wäre, hätte er sich nicht so aufführen können. Hat er wirklich gesagt, daß man Frauen gegenüber Nachsicht walten lassen muß?«
»Ja.«
»Welch edler Mensch! Da hat er doch tatsächlich einen ehrenwerten Grund gefunden, warum wir eine Frau, die Männer belästigt, schützen sollten. Das ist ein schöner Zug an ihm. Am besten lehnen wir uns alle zurück und erlauben ihr, das Gesetz zu brechen – bloß weil sie eine Frau ist. Wirklich reizend!«
Sanders taten diese Worte gut. Das Gespräch mit Garvin hatte ihn ziemlich mitgenommen. Es war ihm bewußt, daß Fernandez versuchte, ihn wieder aufzubauen, aber es funktionierte trotzdem.
»Das ganze Gespräch zwischen Garvin und Ihnen ist einfach lächerlich«, sagte sie. »Und dann hat er Ihnen also gedroht?«
Sanders nickte.
»Vergessen Sie's. Das war reiner Bluff.«

»Sind Sie sicher?«

»Völlig sicher. Das war nur Gerede. Aber wenigstens wissen Sie jetzt, warum es immer heißt: Die Männer werden's nie kapieren. Garvin hat Ihnen das gleiche gesagt, was seit Jahr und Tag jeder Chef in solchen Fällen sagt: Betrachte die Sache doch mal aus dem Blickwinkel des Belästigers. Was hat dieser Mensch denn so Schlimmes getan? Lassen wir das alles doch auf sich beruhen. Am besten gehen alle einfach wieder an die Arbeit, und dann sind wir wieder eine große glückliche Familie.«

»Unglaublich«, sagte Alan, der den Wagen steuerte.

»Ja, heutzutage läßt sich das wirklich nur mehr als unglaublich bezeichnen«, stimmte Fernandez zu. »So kann man es einfach nicht mehr machen. Wie alt ist Garvin eigentlich?«

»An die 60.«

»Das erklärt einiges. Aber Blackburn hätte ihm sagen müssen, daß ein solches Verhalten völlig inakzeptabel ist. Dem Gesetz zufolge hat Garvin keine Wahl: Das mindeste ist, daß er Johnson versetzt, und nicht Sie. Und mit ziemlich großer Sicherheit müßte er sie eigentlich sogar entlassen.«

»Ich glaube nicht, daß er das tun wird«, sagte Sanders.

»Nein, natürlich wird er es nicht tun.«

»Sie ist sein Liebling.«

»Genauer gesagt: Sie ist seine Vizedirektorin«, erklärte Fernandez. Sie blickte aus dem Fenster, während der Wagen die Anhöhe zum Schlichtungszentrum hinauffuhr. »Sie müssen sich darüber im klaren sein, daß es bei all diesen Entscheidungen um Macht geht. Sexuelle Belästigung hat immer etwas mit Macht zu tun, und auch der Widerstand der Firma, sich damit auseinanderzusetzen, hat mit Macht zu tun. Macht schützt Macht. Und wenn eine Frau einmal innerhalb einer Machtstruktur aufgestiegen ist, wird sie von dieser Struktur genauso geschützt wie ein Mann. Das ist dasselbe wie die

Tatsache, daß Ärzte nicht zuungunsten anderer Ärzte aussagen. Dabei ist es völlig unerheblich, ob der Arzt ein Mann oder eine Frau ist. Ärzte sagen ganz einfach nicht gegen einen Kollegen aus, basta. Und leitende Firmenangehörige gehen Beschwerden gegen andere leitende Firmenangehörige, seien sie nun männlich oder weiblich, einfach nicht nach.«

»Und Frauen hatten eben bisher keine solchen Positionen inne?«

»Genau. Aber sie kommen jetzt langsam in diese Positionen. Und können genauso unfair sein, wie Männer es schon immer waren.«

»Weibliche Chauvinistensäue«, sagte Alan.

»Fangen Sie jetzt bloß nicht damit an!« warnte ihn Fernandez.

»Nennen Sie ihm doch mal die Zahlen!«

»Welche Zahlen?« fragte Sanders.

»Ungefähr fünf Prozent der Klagen wegen sexueller Belästigung werden von Männern gegen Frauen vorgebracht. Das ist ein ziemlich niedriger Prozentsatz. Allerdings sind auch nur fünf Prozent der Vorgesetzten in Firmen weiblich. Die Zahlen zeigen also, daß weibliche Führungskräfte Männer im gleichen Verhältnis belästigen wie Männer Frauen. Und je mehr Frauen in die Unternehmen kommen, um so höher wird der Prozentsatz an Klagen von Männern. Denn sexuelle Belästigung hat nun einmal etwas mit Macht zu tun, und Macht ist weder männlich noch weiblich. Der Mensch, der hinter dem Schreibtisch sitzt, hat die Möglichkeit, Macht zu mißbrauchen. Frauen nützen das genauso aus wie Männer. Ein typisches Beispiel dafür ist unsere entzückende Ms. Johnson. Und ihr Chef feuert sie nicht!«

»Garvin sagt, er feuert sie nicht, weil die Situation nicht eindeutig ist.«

»Das Tonband ist ziemlich eindeutig, würde ich sagen.« Fer-

nandez runzelte die Stirn. »Haben Sie ihm von der Kassette erzählt?«
»Nein.«
»Gut. Dann wird der Fall wohl im Verlauf der nächsten zwei Stunden abgewickelt sein.«
Alan fuhr auf den Parkplatz und stellte den Wagen ab. Alle stiegen aus.
»Sehen wir mal, wie es mit den anderen wichtigen Zeugen steht. Alan – wir haben doch noch ihren ehemaligen Arbeitgeber –«
»Ja, Conrad Computer. Bei denen waren wir schon.«
»Und auch bei denen davor?«
»Ja. Novell Network.«
»Gut. Und wir haben ihren Mann ...«
»Ich versuche ihn über CoStar, seine Firma, zu erreichen.«
»Und die Internet-Sache? ›A. Friend‹?«
»Wir kümmern uns darum.«
»Und dann haben wir die Universität, an der sie Betriebswirtschaft studierte, und Vassar.«
»Genau.«
»Ihr wißt ja, am wichtigsten ist immer das, was erst kurz zurückliegt. Konzentriert euch auf Conrad und den Ehemann.«
»Okay«, sagte Alan. »Conrad ist allerdings problematisch, weil diese Firma den Staat und die CIA mit Computersystemen beliefert. Die haben mir einen Vortrag über neutrales Auskunftsgebaren und Nichtoffenlegung von Informationen über frühere Angestellte gehalten.«
»Dann sorgen Sie dafür, daß Harry dort anruft. Er ist gut, wenn es um nachlässige Verweisung geht. Er kann sie ein bißchen aufrütteln, wenn sie weiterhin so mauern.«
»Okay. Könnte tatsächlich notwendig werden.«
Alan stieg wieder in den Wagen. Fernandez und Sanders

begannen zum Schlichtungszentrum hinaufzugehen. Sanders sagte: »Sie überprüfen ihre früheren Arbeitgeber?«
»Ja. Firmen geben nur ungern ungünstige Informationen über frühere Angestellte heraus. Jahrelang teilten sie außer dem Einstellungs- und dem Kündigungsdatum überhaupt nie etwas mit. Jetzt gibt es aber die sogenannte erzwungene Offenlegung und die sogenannte nachlässige Verweisung. Eine Firma kann jetzt haftbar gemacht werden, wenn sie ein Problem mit einem ehemaligen Angestellten nicht mitteilt. Wir können also versuchen, ihnen damit ein bißchen Angst einzujagen. Das garantiert aber nicht, daß wir die für die ehemalige Angestellte ungünstige Information tatsächlich erhalten.«
»Woher wissen Sie überhaupt, daß es ungünstige Informationen gibt?«
Fernandez lächelte. »Johnson hat Sie sexuell belästigt. Und Belästiger weisen immer ein bestimmtes Verhaltensmuster auf. So etwas ist nie das erstemal.«
»Sie glauben, daß sie das schon mal gemacht hat?«
»Sparen Sie sich Ihre Enttäuschung!« sagte Fernandez. »Was haben Sie denn gedacht? Daß Johnson das nur getan hat, weil sie Sie so niedlich fand? Ich garantiere Ihnen, daß sie es auch vorher schon gemacht hatte.« Sie gingen an den Brunnen im Hof vorbei auf den Eingang des Schlichtungsgebäudes zu. »Und jetzt«, sagte Fernandez, »werden wir Ms. Johnson in kleine Stücke zerreißen.«

Punkt 14 Uhr betrat Judge Murphy den Schlichtungsraum. Sie betrachtete die sieben schweigend am Tisch sitzenden Personen und verzog das Gesicht. »Haben sich die gegnerischen Anwälte besprochen?«
»Ja«, antwortete Heller.

»Mit welchem Ergebnis?«
»Es ist uns nicht gelungen, einen Vergleich zu schließen«, sagte Heller.
»Nun gut. Dann machen wir eben weiter.« Sie setzte sich und schlug ihren Notizblock auf. »Gibt es im Zusammenhang mit der Vormittagssitzung noch Punkte, über die gesprochen werden muß?«
»Ja, Euer Ehren«, sagte Fernandez. »Ich möchte einige zusätzliche Fragen an Ms. Johnson richten.«
»In Ordnung. Ms. Johnson?«
Meredith Johnson setzte ihre Brille auf. »Ich möchte zuvor gerne eine Aussage machen, Euer Ehren.«
»Gut.«
»Ich habe über die Vormittagssitzung nachgedacht«, begann Johnson mit ruhiger, fester Stimme, »und über Mr. Sanders' Darstellung der Vorgänge vom Montag abend. Und ich bekam immer mehr das Gefühl, daß es sich hier um ein Mißverständnis handeln könnte.«
»Ich verstehe.« Judge Murphy sprach ohne jeden Unterton und hielt den Blick starr auf Meredith gerichtet. »In Ordnung.«
»Ich fürchte, daß ich, als Tom ein Treffen nach Arbeitsschluß vorschlug und als er meinte, daß wir Wein trinken und uns über die alten Zeiten unterhalten könnten, nun, daß ich da unbewußt in einer Art und Weise auf ihn reagiert haben könnte, die er möglicherweise nicht beabsichtigt hatte.«
Judge Murphy blieb völlig regungslos. Alle blieben völlig regungslos. Es war vollkommen still im Raum.
»Ich glaube, ich kann wahrheitsgetreu sagen, daß ich ihn beim Wort nahm und mir so etwas wie eine, äh, romantische Episode vorzustellen begann. Und um ganz ehrlich zu sein – ich hatte nichts dagegen einzuwenden. Mr. Sanders und ich hatten vor einigen Jahren eine ganz besondere Beziehung

miteinander, die mir als sehr aufregend in Erinnerung geblieben war. Der Ehrlichkeit halber muß ich also sagen, daß ich mich auf unser Treffen freute und vielleicht sogar annahm, daß es zu einer intimen Begegnung führen könnte, die ich mir, unbewußt, sogar wünschte.«

Die Mienen von Heller und Blackburn, zwischen denen Meredith saß, blieben völlig starr; die beiden zeigten nicht die geringste Reaktion. Auch die beiden Anwältinnen zuckten nicht mit der Wimper. Sanders war klar, daß Meredith' Aussage sorgfältig vorbereitet worden war. Aber was sollte das? Warum bog sie ihre Geschichte jetzt um?

Johnson räusperte sich und sprach im gleichen, sehr bestimmten Ton weiter. »Ich glaube, man kann sagen, daß ich bei allen Vorfällen an jenem Abend eine bereitwillige Mitwirkende war. Und es ist durchaus möglich, daß ich an einem bestimmten Punkt für Mr. Sanders' Geschmack zu direkt wurde. Es kann gut sein, daß ich im Eifer des Gefechts die Grenzen der Schicklichkeit überschritten habe und mir meiner Position innerhalb des Unternehmens nicht mehr bewußt war. Ich halte das für denkbar. Nach gründlicher Überlegung bin ich daher zu dem Schluß gelangt, daß meine Erinnerung an die Ereignisse und Mr. Sanders' Erinnerung an die Ereignisse weit mehr miteinander übereinstimmen, als mir zuvor bewußt war.«

Eine Zeitlang herrschte tiefes Schweigen. Auch Judge Murphy sagte nichts. Johnson rutschte nervös auf ihrem Stuhl herum, nahm die Brille ab, setzte sie wieder auf.

»Ms. Johnson«, sagte Murphy schließlich, »verstehe ich Sie richtig? Sie sagen, daß Sie jetzt Mr. Sanders' Version der Ereignisse vom Montag abend zustimmen?«

»In vielen Aspekten, ja. Vielleicht sogar in allen Aspekten.«

Plötzlich verstand Sanders, was passiert war: *Sie wußten von dem Band.*

Aber woher? Sanders selbst hatte doch erst vor zwei Stunden davon erfahren. Und Levin war nicht in seinem Büro gewesen, er hatte mit ihnen zusammen zu Mittag gegessen und konnte es der gegnerischen Partei nicht erzählt haben. Aber woher wußten sie es dann?

»Und«, fuhr Murphy fort, »Sie teilen also auch den von Mr. Sanders gegen Sie erhobenen Vorwurf der sexuellen Belästigung?«

»Nein, ganz und gar nicht, Euer Ehren«, sagte Johnson. »Nein.«

»Dann weiß ich nicht, ob ich Sie richtig verstanden habe. Sie haben doch Ihre Darstellung geändert. Sie sagen jetzt, daß Mr. Sanders' Version der Ereignisse in weiten Teilen korrekt sei. Aber mit den Anschuldigungen, die er gegen Sie vorgebracht hat, sind Sie nicht einverstanden?«

»Nein, Euer Ehren. Wie ich bereits sagte, halte ich das Ganze für ein Mißverständnis.«

»Ein *Mißverständnis*«, wiederholte Murphy mit ungläubigem Staunen.

»Ja, Euer Ehren. Und zwar ein Mißverständnis, bei dem Mr. Sanders eine sehr aktive Rolle spielte.«

»Ms. Johnson. Mr. Sanders zufolge begannen Sie ihn zu küssen, obwohl er dagegen protestierte. Sie drückten ihn auf die Couch, obwohl er dagegen protestierte. Sie öffneten den Reißverschluß seiner Hose und zogen seinen Penis hervor, obwohl er dagegen protestierte. Und Sie legten auch Ihre eigene Kleidung ab, obwohl er dagegen protestierte. Da es sich bei Mr. Sanders um Ihren Untergebenen handelt, der hinsichtlich seiner Anstellung von Ihnen abhängig ist, fällt es mir schwer zu verstehen, warum dies nicht ein eindeutiger und unstreitiger, von Ihnen verschuldeter Fall von sexueller Belästigung sein soll.«

»Ich verstehe, was Sie meinen, Euer Ehren«, sagte Meredith

Johnson seelenruhig. »Und ich weiß sehr wohl, daß ich meine Darstellung abgeändert habe. Aber der Grund, weshalb ich jetzt von einem Mißverständnis spreche, ist der, daß ich von Anfang an ehrlich glaubte, Mr. Sanders habe es auf eine sexuelle Begegnung mit mir abgesehen, und daß dieser Glaube mein gesamtes Verhalten leitete.«

»Sie streiten ab, ihn belästigt zu haben.«

»Ja, Euer Ehren, denn ich glaubte ja klare *körperliche* Hinweise darauf zu haben, daß Mr. Sanders ein williger Mitwirkender sei. An bestimmten Punkten übernahm er eindeutig die Initiative. Und nun muß ich mich natürlich fragen, warum er die Initiative übernahm – und sich dann so plötzlich verweigerte. Ich weiß nicht, warum er das tat. Aber ich glaube, daß auch er für den Vorfall Verantwortung übernehmen muß. Und genau deswegen sage ich mir, daß es letzten Endes ein echtes Mißverständnis war. Und ich möchte hinzufügen, daß ich meinen Anteil an diesem Mißverständnis bedaure – ehrlich und zutiefst bedaure.«

»Sie bedauern das Ganze also.« Murphy sah sich fassungslos im Raum um. »Kann mir irgend jemand hier erklären, was eigentlich los ist? Mr. Heller?«

Heller spreizte die Finger beider Hände. »Euer Ehren, meine Klientin hat mir mitgeteilt, was sie hier zu tun gedachte. Ich werte es als ein sehr mutiges Vorgehen. Ihr liegt wirklich daran, der Wahrheit auf die Spur zu kommen.«

»Ersparen Sie mir um Himmels willen dieses Geschwafel!« zischte Fernandez.

Judge Murphy schaltete sich wieder ein. »Ms. Fernandez, wünschen Sie in Anbetracht der grundlegend neuen Version von Ms. Johnson eine Pause, bevor Sie mit Ihrer Befragung fortfahren?«

»Nein, Euer Ehren. Ich kann gleich weitermachen.«

»Gut«, sagte Murphy verwundert. »In Ordnung.« Sie spürte

offensichtlich, daß da etwas war, was alle Anwesenden wußten, nur sie nicht.

Sanders überlegte noch immer, von wem Meredith über das Band informiert worden war. Dann fiel sein Blick auf Phil Blackburn, der an der Schmalseite des Tisches saß und nervös an seinem vor ihm liegenden Handy herumspielte.

Aufgenommene Telefongespräche. Das mußte es sein.

DigiCom hatte offenbar jemanden – wahrscheinlich Gary Bosak – beauftragt, alle Unterlagen über Sanders durchzugehen, um Sachverhalte ausfindig zu machen, die gegen ihn benützt werden konnten. Bosak hatte daraufhin alle Anrufe überprüft, die Sanders von seinem Mobiltelefon aus geführt hatte. Dabei mußte er auf ein Gespräch gestoßen sein, das am Montag abend stattgefunden und 45 Minuten gedauert hatte. Das war ihm natürlich aufgefallen: enorm lange Dauer, enorm hohe Gebühr. Bosak hatte dann die genaue Uhrzeit des Gesprächs eruiert und sich zusammengereimt, was geschehen war. Es war ihm klargeworden, daß Sanders während dieser 45 Minuten am Montag abend nicht telefoniert hatte und daß es dafür nur eine Erklärung gab: Der Anruf war an einen Anrufbeantworter gegangen, und das wiederum bedeutete, daß es eine Aufzeichnung davon geben mußte. Johnson hatte davon erfahren und ihre Geschichte entsprechend hingebogen. Deshalb also hatte sie es sich plötzlich anders überlegt.

»Ms. Johnson«, sagte Fernandez, »ich möchte zunächst einmal einige Punkte klären. Sagen Sie jetzt, daß Sie Ihre Sekretärin *doch* beauftragt haben, Wein und Kondome zu kaufen, und haben Sie sie *doch* gebeten, die Tür abzuschließen und Ihren Termin um 19 Uhr abzusagen, weil Sie damit rechneten, daß es zum Intimverkehr mit Mr. Sanders kommen würde?«

»Ja.«

»Mit anderen Worten – Sie haben vorhin gelogen.«

»Ich stellte nur meine Sichtweise dar.«

»Wir sprechen hier nicht über irgendeine Sichtweise, sondern über Tatsachen. Und in Anbetracht dieser Tatsachen würde es mich doch sehr interessieren, wie Sie zu der Ansicht kommen, daß auch Mr. Sanders Verantwortung für jene Vorfälle in Ihrem Büro trägt!«

»Weil ich das Gefühl hatte ... weil ich glaubte, daß Mr. Sanders in mein Büro kam mit der klaren Absicht, sexuell mit mir zu verkehren, und weil er eine solche Absicht hinterher leugnete. Ich fühlte mich von ihm getäuscht. Er hatte mich dazu verleitet, und dann beschuldigte er mich, obwohl ich doch nichts anderes getan hatte, als auf ihn zu reagieren.«

»Sie fühlten sich von ihm getäuscht?«

»Ja.«

»Und deshalb erachten Sie ihn für mitverantwortlich?«

»Aber das ist doch ganz offensichtlich. Die Sache war doch schon recht weit gediehen, als er plötzlich von der Couch aufstand und sagte, er wolle nicht weitermachen. Ich würde das durchaus als Täuschung bezeichnen.«

»Warum?«

»Weil man nicht so weit gehen und dann plötzlich aufhören darf. Das war ein eindeutig böswilliges Verhalten mit dem Ziel, mich zu kompromittieren und zu demütigen. Ich meine ... das kann man doch gar nicht anders sehen.«

»Gut. Sehen wir uns diesen Augenblick einmal ganz genau an«, schlug Fernandez vor. »Wenn ich es richtig verstanden habe, meinen Sie die Situation, als Sie und Mr. Sanders, beide teilweise entkleidet, auf der Couch lagen. Mr. Sanders kniete auf der Couch, sein Penis war nackt, und Sie lagen ohne Slip und mit gespreizten Beinen auf dem Rücken. Ist das richtig?«

»Im großen und ganzen, ja.« Sie schüttelte den Kopf. »In Ihren Worten klingt es so ... derb.«

»Aber so war die Situation doch, oder nicht?«
»Ja.«
»Sagten Sie nun in diesem Augenblick: ›Nein, nein, bitte‹ und erwiderte Mr. Sanders: ›Du hast recht, wir sollten das nicht tun‹, und entfernte er sich daraufhin von der Couch?«
»Ja, das sagte er.«
»Worin bestand dann das Mißverständnis?«
»Als ich ›Nein, nein‹ sagte, meinte ich: ›Nein, warte nicht länger.‹ Er wartete nämlich ab, wie um mich hinzuhalten, und ich wollte, daß er endlich anfing. Statt dessen aber erhob er sich von der Couch, und das machte mich sehr wütend.«
»Warum?«
»Weil ich wollte, daß er es tut.«
»Aber Ms. Johnson – Sie sagten doch ›Nein, nein‹.«
»Ich weiß, was ich gesagt habe«, erklärte sie barsch. »Aber in einer solchen Situation ist doch völlig klar, was ich damit meinte.«
»Wirklich?«
»Natürlich. Er wußte genau, was ich meinte, aber er zog es vor, das zu überhören.«
»Ms. Johnson, haben Sie schon einmal den Spruch ›Nein heißt nein‹ gehört?«
»Natürlich, aber in dieser Situation –«
»Entschuldigen Sie bitte, Ms. Johnson – heißt nein nun nein oder nicht?«
»In diesem Fall eben nicht. Denn in dieser Situation, als wir beide auf der Couch lagen, war völlig klar, was ich eigentlich meinte.«
»Ihnen war es völlig klar, meinen Sie.«
Johnson wurde nun deutlich sauer. »Es war auch ihm klar«, zischte sie.
»Ms. Johnson. Wenn man einem Mann sagt: ›Nein heißt nein‹, was meint man damit?«

»Ich weiß es nicht.« Sie hob verärgert die Hände. »Ich weiß überhaupt nicht, auf was Sie hinauswollen.«
»Ich versuche Ihnen klarzumachen, daß man mit diesem Satz einem Mann zu verstehen gibt, daß er die Frau beim Wort zu nehmen hat. Daß nein eben nein bedeutet und daß der Mann nicht unterstellen darf, nein bedeute möglicherweise ja.«
»Aber in dieser speziellen Situation, als wir beide keine Kleider mehr trugen und bereits so weit gegangen waren –«
»Was hat das damit zu tun?« fragte Fernandez.
»Also, ich bitte Sie!« sagte Johnson. »Wenn zwei Menschen zusammen sind, dann beginnen sie mit kleinen Berührungen, dann küssen sie sich, dann machen sie ein bißchen Petting und dann ein bißchen mehr Petting. Dann ziehen sie sich aus und berühren die jeweiligen erogenen Zonen und so weiter. Und dann besteht doch ziemlich bald eine gewisse Erwartungshaltung hinsichtlich dessen, was als nächstes geschehen wird. Und dann macht man nicht mehr kehrt. Dann aufzuhören ist ein böswilliger Akt. Und genau das hat er getan. Er hat mich getäuscht.«
»Ms. Johnson, entspricht es nicht der Wahrheit, daß Frauen für sich in Anspruch nehmen, ihre Meinung zu jedem Zeitpunkt bis hin zum Augenblick der Penetration zu ändern? Nehmen Frauen nicht für sich unmißverständlich das Recht in Anspruch, es sich anders zu überlegen?«
»Ja, aber in diesem Fall –«
»Ms. Johnson. Wenn Frauen das Recht haben, ihre Meinung zu ändern, haben dann nicht auch Männer dieses Recht? Darf Mr. Sanders es sich nicht auch anders überlegen?«
»Es war ein böswilliger Akt.« Ihr Blick war starr und trotzig. »Er hat mich getäuscht.«
»Ich frage Sie, ob Mr. Sanders in einer solchen Situation dasselbe Recht hat wie eine Frau. Ob er das Recht hat, aufzuhören, auch wenn es im allerletzten Moment ist.«

»Nein.«

»Warum nicht?«

»Weil Männer anders sind.«

»Inwiefern sind Männer anders?«

»Ach, zum Teufel!« sagte Johnson wütend. »Was soll das Ganze überhaupt? Ich komme mir vor wie Alice im Wunderland! Männer *sind* einfach anders als Frauen, das weiß doch jeder. Männer können ihre Impulse nicht unter Kontrolle halten.«

»Mr. Sanders konnte es offenbar.«

»Ja, weil er wußte, daß er mich damit demütigte. Das war doch das einzige, was er wollte!«

»Aber Mr. Sanders sagte doch nur: ›Ich habe kein gutes Gefühl dabei.‹ Oder nicht?«

»Ich weiß nicht mehr, was er genau gesagt hat. Aber sein Verhalten war extrem feindselig und herabsetzend für mich als Frau.«

»Überlegen wir uns einmal, wer sich hier wem gegenüber feindselig und herabsetzend verhalten hat«, sagte Fernandez. »Hatte Mr. Sanders nicht bereits zu Beginn des Treffens gegen bestimmte Verhaltensweisen Ihrerseits protestiert?«

»Im Grunde nicht, nein.«

»Ich dachte, er hätte protestiert.« Fernandez warf einen Blick auf ihre Notizen. »Hatten Sie nicht zu einem früheren Zeitpunkt zu Mr. Sanders gesagt: ›Du siehst gut aus‹ und ›Du hattest schon immer einen süßen, knackigen Arsch‹?«

»Das weiß ich nicht mehr. Schon möglich. Ich kann mich nicht erinnern.«

»Und was erwiderte er darauf?«

»Das weiß ich nicht mehr.«

»Als Mr. Sanders telefonierte, sind Sie da nicht auf ihn zugekommen, nahmen ihm den Apparat aus der Hand und sagten ›Vergiß das dumme Telefon‹?«

»Ich bin mir nicht sicher, aber ich glaube nicht, daß es so war.«
»Denken wir mal nach. Wie sonst hätte es vor sich gehen können? Mr. Sanders stand drüben am Fenster und sprach in sein Handy. Sie waren an einem anderen Apparat, der auf Ihrem Schreibtisch stand. Hat er sein Gespräch abgebrochen und sein Telefon weggelegt, um zu Ihnen hinüberzugehen und Sie zu küssen?«
Johnson zögerte einen Augenblick. »Nein.«
»Wer hat mit dem Küssen angefangen?«
»Ich, glaube ich.«
»Und als er protestierte und sagte: ›Meredith!‹, haben Sie das ignoriert, ihn weitergeküßt und gesagt: ›O Gott, den ganzen Tag habe ich schon Lust auf dich. Ich bin so geil, ich hatte schon so lange keinen anständigen Fick mehr‹?« Fernandez zitierte diese Äußerungen mit so monoton klingender Stimme, als läse sie von einem Zettel ab.
»Vielleicht ... Ja, das könnte stimmen. Ja.«
Fernandez warf einen weiteren Blick auf ihre Notizen. »Und als er dann ›Warte, Meredith ...‹ sagte, wobei er wiederum in eindeutig protestierendem Tonfall sprach, sagten Sie daraufhin: ›Oooh! Sag nichts! Nein! Nein! O mein Gott!‹?«
»Ich glaube ... ja, das ist schon möglich.«
»Würden Sie im Rückblick sagen, daß es sich bei den Aussagen von Mr. Sanders um Proteste handelte, die Sie ignorierten?«
»Nein. Wenn es Proteste waren, dann waren es keine eindeutigen Proteste.«
»Ms. Johnson. Würden Sie sagen, daß Mr. Sanders während der gesamten Begegnung mit Ihnen rundweg begeistert war?«
Wieder zögerte Johnson kurz. Sanders sah förmlich, wie sie nachdachte und überlegte, wieviel das Band enthüllen würde.

Schließlich sagte sie: »In einigen Situationen war er begeistert, in anderen weniger. So sehe ich es.«
»Würden Sie sein Verhalten als ambivalent bezeichnen?«
»Ja. Ein bißchen schon.«
»Heißt das nun ja oder nein, Ms. Johnson?«
»Ja.«
»Gut. Mr. Sanders legte also während des Treffens mit Ihnen ein ambivalentes Verhalten an den Tag. Er hat uns auch gesagt, warum: Weil man ihn aufgefordert hatte, eine Büroaffäre mit einer ehemaligen Freundin zu beginnen, die nun seine Chefin war. Würden Sie das als einen triftigen Grund für ambivalentes Verhalten werten?«
»Ja, ich glaube schon.«
»Und in diesem ambivalenten Zustand überwältigte Mr. Sanders im letzten Moment das Gefühl, daß er eigentlich nicht weitermachen wollte. Er erklärte Ihnen dieses Gefühl mit einfachen und deutlichen Worten. Warum bezeichnen Sie dieses Verhalten als ›Täuschung‹? Nun, ich denke, wir verfügen über ausreichende Beweise, um zeigen zu können, daß es genau das Gegenteil war – eine nicht berechnende, verzweifelte menschliche Reaktion auf eine Situation, die ganz allein Sie bestimmten. Es handelte sich nicht um das Wiedersehen ehemaliger Liebender, Ms. Johnson, auch wenn Sie es gerne so sähen. Es handelte sich keineswegs um das Treffen zweier Gleichberechtigter. Es ist nun einmal eine Tatsache, daß Sie seine Vorgesetzte sind und daß Sie in bezug auf dieses Treffen in jeder Hinsicht das Sagen hatten. Sie arrangierten den Zeitpunkt, besorgten den Wein und die Kondome, ließen die Tür absperren – und dann beschuldigten Sie Ihren Angestellten, nachdem er sich geweigert hatte, Sie zu befriedigen. Und das gleiche Verhalten legen Sie auch jetzt noch an den Tag.«
»Und Sie versuchen, sein Verhalten in ein gutes Licht zu rücken«, gab Johnson zurück. »Aber ich sage Ihnen: In der

Praxis ist es nun mal so, daß man wütend wird, wenn jemand bis zum letzten Augenblick mitmacht und dann einfach aufhört!«
»Ja«, sagte Fernandez, »genauso geht es vielen Männern, wenn Frauen in letzter Sekunde einen Rückzieher machen. Aber die Frauen sagen, daß die Männer kein Recht darauf haben, wütend zu sein, weil eine Frau es sich eben zu jedem Zeitpunkt anders überlegen darf. Oder sehe ich das falsch?«
Johnson trommelte gereizt mit den Fingern auf die Tischplatte. »Passen Sie mal auf! Sie versuchen, aus dem Ganzen einen Fall für den Bundesgerichtshof zu konstruieren, indem Sie grundlegende Tatsachen verfälschen. Was habe ich denn so Schlimmes getan? Ich habe ihm ein Angebot gemacht, das war alles. Wenn Mr. Sanders nicht interessiert gewesen wäre, hätte er nur nein zu sagen brauchen. Aber das hat er nicht gesagt. Nicht ein einziges Mal. Eben weil er mich *täuschen* wollte. Er ist sauer, weil er den Job nicht bekommen hat, und rächt sich auf die einzige ihm mögliche Weise – indem er mich verleumdet. Das sind Guerillamethoden, das ist Rufmord! Ich bin erfolgreich im Beruf, und er mißgönnt mir meinen Erfolg und will es mir heimzahlen. Sie sagen das alles doch nur, um diese eine zentrale und unanfechtbare Tatsache zu vertuschen!«
»Ms. Johnson. Die zentrale und unanfechtbare Tatsache besteht darin, daß Sie die Vorgesetzte von Mr. Sanders sind und daß Ihr Verhalten ihm gegenüber illegal war. Und in der Tat handelt es sich hier um einen Fall für den Bundesgerichtshof.«
Einige Sekunden lang herrschte Schweigen.
Blackburns Sekretärin betrat den Raum und gab ihm einen Zettel. Blackburn las ihn und reichte ihn an Heller weiter.
»Ms. Fernandez?« sagte Murphy. »Würden Sie mir jetzt bitte mitteilen, was hier vor sich geht?«

»Ja, Euer Ehren. Es hat sich herausgestellt, daß ein Tonband mit einer Aufnahme des gesamten Treffens existiert.«
»Tatsächlich? Haben Sie es schon gehört?«
»Ja, Euer Ehren. Das Band bestätigt Mr. Sanders' Version.«
»Wissen Sie von diesem Band, Ms. Johnson?«
»Nein.«
»Dann wollen Ms. Johnson und ihr Anwalt es sicher auch hören. Vielleicht sollten wir alle es uns einmal anhören«, sagte Murphy, den Blick auf Blackburn gerichtet.
Heller steckte den Zettel in seine Jackettasche und sagte: »Euer Ehren, ich bitte um eine Unterbrechung von zehn Minuten.«
»In Ordnung, Mr. Heller. Ich denke, diese Entwicklung rechtfertigt eine kurze Pause.«

Über dem Innenhof hingen tiefe, schwarze Wolken. Es sah aus, als würde es bald wieder regnen. Drüben bei den Brunnen steckten Johnson, Heller und Blackburn die Köpfe zusammen. Fernandez beobachtete sie. »Ich verstehe das einfach nicht. Da besprechen sie sich wieder alle. Aber was gibt es überhaupt noch zu besprechen? Ihre Klientin hat gelogen und dann ihre Geschichte abgeändert. Es besteht nicht der geringste Zweifel, daß Johnson der sexuellen Belästigung schuldig ist. Wir haben das Ganze auf Band. Also – über was reden die eigentlich?«
Sie starrte mit gerunzelter Stirn zu den drei Personen hinüber. »Eines muß ich allerdings zugeben: Johnson ist eine unglaublich intelligente Frau«, sagte sie.
»Ja«, pflichtete Sanders ihr bei.
»Sie ist schnell, und sie ist cool.«
»Mhm.«

»In höchstem Tempo die Karriereleiter raufgeklettert.«
»Ja.«
»Warum hat sie sich überhaupt in diese Lage gebracht?«
»Wie meinen Sie das?« fragte Sanders.
»Ich meine, warum macht sie sich gleich am allerersten Tag in ihrem neuen Job an Sie heran? Und dann auch noch auf so plumpe Weise? Wieso riskiert sie all diese unangenehmen Konsequenzen? Sie ist eigentlich viel zu intelligent dafür.«
Sanders zuckte mit den Achseln.
»Oder glauben Sie, das Ganze wurde nur deshalb veranstaltet, weil Sie so unwiderstehlich sind?« fragte Fernandez. »Bei allem Respekt – das wage ich zu bezweifeln.«
Sanders dachte plötzlich wieder an die Zeit, als er mit Meredith befreundet gewesen war; ihm fiel wieder ein, daß sie immer, wenn man ihr während einer Präsentation eine Frage stellte, die sie nicht beantworten konnte, die Beine auf laszive Art übereinanderzuschlagen pflegte. »Sie hat schon immer ihren Sex-Appeal eingesetzt, um Leute von irgend etwas abzulenken. Das beherrscht sie ausgezeichnet.«
»Glaube ich sofort«, sagte Fernandez. »Also – von was will sie uns ablenken?«
Darauf wußte Sanders nichts zu erwidern. Aber sein Gefühl sagte ihm, daß da noch etwas im Busch war. »Wer weiß schon, wie Menschen privat wirklich sind? Ich kannte mal eine Frau, die sah aus wie ein Engel, aber sie stand darauf, von Rockern verprügelt zu werden.«
»Schön und gut«, sagte Fernandez, »aber ich nehme Johnson ihr Verhalten einfach nicht ab. Sie wirkt auf mich nämlich ungemein selbstbeherrscht, und in der Situation mit Ihnen verhielt sie sich alles andere als selbstbeherrscht.«
»Sie sagten doch selbst, daß es da ein Verhaltensmuster gibt.«
»Ja, schon. Aber warum gleich am ersten Tag? Gleich zu Beginn? Ich glaube, sie hatte einen anderen Grund dafür.«

»Und was ist mit mir?« fragte Sanders. »Glauben Sie, daß auch ich einen anderen Grund hatte?«
»Wahrscheinlich schon«, sagte sie und betrachtete ihn mit ernstem Blick. »Aber darüber unterhalten wir uns später einmal.«
Alan kam vom Parkplatz zu ihnen hinüber. Als er vor Fernandez und Sanders stand, schüttelte er nur den Kopf.
»Was haben Sie erreicht?« fragte Fernandez.
»Nichts Tolles. Wir bemühen uns nach Kräften.« Er schlug seinen Notizblock auf. »Also, wir haben diese Internet-Adresse herausgefunden. Die Nachrichten stammen aus dem ›U-Distrikt‹. Und ›A. Friend‹ hat sich als Dr. Arthur A. Friend entpuppt. Er ist Professor für Anorganische Chemie an der University of Washington. Sagt Ihnen dieser Name etwas?«
»Nein«, antwortete Sanders.
»Das überrascht mich nicht. Professor Friend hält sich zur Zeit in Nordnepal auf und berät die nepalesische Regierung. Vor drei Wochen ist er abgereist und wird erst Ende Juli zurückerwartet. Wahrscheinlich ist also sowieso nicht er der Sender dieser Nachrichten.«
»Irgendein anderer benützt seine Internet-Adresse?«
»Seine Sekretärin sagt, das sei unmöglich. Sein Büro ist abgeschlossen, während er weg ist, und außer ihr und ein paar Studenten, mit denen er zusammenarbeitet, hat niemand Zutritt. Also kann auch niemand an seinen Computer ran. Die Sekretärin sagt, sie geht einmal am Tag hinein und beantwortet die E-Mail von Dr. Friend, ansonsten ist der Computer ausgeschaltet. Und außer ihr kennt niemand das Codewort. Also – ich weiß nicht.«
»Die Mitteilungen kommen aus einem abgeschlossenen Büro?« fragte Sanders verwundert.
»Genaues wissen wir noch nicht. Wir versuchen es heraus-

zufinden. Im Augenblick ist es allerdings tatsächlich ein Rätsel.«

»Na gut«, sagte Fernandez. »Und was ist mit Conrad Computer?«

»Conrad hat eine sehr starre Haltung eingenommen. Sie wollen Informationen ausschließlich an die einstellende Firma, in diesem Fall DigiCom, weitergeben, nicht an uns. Und sie sagen, die einstellende Firma habe keine Informationen angefordert. Als wir nachhakten, rief Conrad DigiCom an, und DigiCom erklärte ihnen, sie seien an keinerlei Informationen von Conrad interessiert.«

»Hmm.«

»Als nächstes haben wir uns um den Gatten gekümmert«, sagte Alan. »Ich habe mich mit jemandem unterhalten, der in seiner Firma arbeitete, CoStar. Er sagte mir, daß der Mann Meredith haßt und ziemlich miese Dinge über sie erzählt. Aber er ist bis nächste Woche mit seiner neuen Freundin in Mexiko.«

»Schade!«

»Jetzt zu Novell«, fuhr Alan fort. »Sie bewahren nur die jeweils letzten fünf Jahre auf. Alle Akten aus der Zeit davor werden in der Zentrale in Utah kaltgelagert. Die bei Novell haben keine Ahnung, was drinsteht, aber sie sind bereit, sie rauszuholen, wenn wir dafür bezahlen. Dauert allerdings zwei Wochen.«

Fernandez schüttelte den Kopf. »Nicht gut.«

»Nein.«

»Ich habe das Gefühl, daß Conrad Computer Informationen über sie hat«, sagte Fernandez.

»Kann sein, aber wir müßten klagen, um an die Informationen ranzukommen. Und wir haben keine Zeit.« Alan warf einen Blick über den Innenhof, zu den anderen. »Und was passiert jetzt?«

»Nichts. Die schalten auf stur.«
»Immer noch?«
»Tja.«
»Teufel auch!« sagte Alan. »Wer steht wohl hinter ihr?«
»Ich gäbe viel darum, das zu erfahren«, sagte Fernandez.
Sanders klappte sein Handy auf und rief in seinem Büro an.
»Irgendwelche Mitteilungen, Cindy?«
»Nur zwei, Tom. Stephanie Kaplan fragte, ob sie sich heute mit Ihnen treffen kann.«
»Sagte sie, um was es geht?«
»Nein. Aber sie sagte, es sei nicht wichtig. Und Mary Anne ist zweimal vorbeigekommen, um sich nach Ihnen zu erkundigen.«
»Wahrscheinlich will sie mich bei lebendigem Leibe häuten.«
»Das glaube ich nicht, Tom. Sie ist so ziemlich die einzige, die – sie macht sich große Sorgen um Sie, glaube ich.«
»Okay. Ich rufe sie an.«
Er begann Mary Annes Nummer zu wählen. Plötzlich verpaßte Fernandez ihm einen leichten Rippenstoß. Er hob den Blick und sah eine schlanke, grauhaarige Frau vom Parkplatz auf Fernandez, Alan und ihn zukommen.
»Wappnen Sie sich!« sagte Fernandez.
»Wieso?«
»Das«, erklärte Fernandez, »ist Connie Walsh.«

Connie Walsh war etwa 45 Jahre alt und hatte einen säuerlichen Gesichtsausdruck. »Sind Sie Tom Sanders?«
»Ja, der bin ich.«
Sie zog einen Kassettenrecorder hervor. »Connie Walsh vom *Post-Intelligencer*. Können wir uns kurz unterhalten?«

»Kommt nicht in Frage!« sagte Fernandez.
Walsh schoß ihr einen Blick zu.
»Ich bin Mr. Sanders' Anwältin.«
»Ich weiß, wer Sie sind«, sagte Walsh und wandte sich wieder an Sanders. »Mr. Sanders, unser Blatt bereitet einen Bericht über diese Diskriminierungsklage bei DigiCom vor. Meine Informanten haben mir erzählt, daß Sie Meredith Johnson der sexuellen Belästigung beschuldigen. Ist das richtig?«
»Er gibt keinerlei Kommentar ab«, sagte Fernandez und zwängte sich zwischen Walsh und Sanders.
Walsh blickte einfach an ihr vorbei und sagte: »Mr. Sanders, ist es auch richtig, daß Sie und Meredith Johnson einmal ein Verhältnis miteinander hatten und daß Ihre Anschuldigung die Funktion hat, eine alte Rechnung zu begleichen?«
»Er wird sich dazu nicht äußern«, sagte Fernandez.
»Ich denke, er wird sich äußern«, erwiderte Walsh. »Hören Sie nicht auf sie, Mr. Sanders. Sie können jederzeit etwas sagen, wenn Sie wollen. Und ich denke wirklich, daß Sie diese Gelegenheit, sich zu rechtfertigen, wahrnehmen sollten. Meine Informanten haben mir nämlich auch mitgeteilt, daß Sie Ms. Johnson im Verlauf des Treffens körperlich mißhandelten. Dies sind sehr schwere Vorwürfe, die gegen Sie erhoben werden, und ich kann mir vorstellen, daß Sie darauf reagieren wollen. Was haben Sie nun zu Meredith Johnsons Behauptungen zu sagen? Haben Sie sie körperlich mißhandelt?«
Sanders setzte zum Reden an, aber Fernandez warf ihm einen warnenden Blick zu und legte ihm beschwichtigend eine Hand auf die Brust. Dann sagte sie zu Connie Walsh: »Hat Ms. Johnson diese Behauptungen Ihnen gegenüber geäußert? Sie war nämlich, außer Mr. Sanders, die einzige Anwesende.«
»Das darf ich Ihnen leider nicht sagen. Ich habe die Sache jedenfalls aus sicherer Quelle.«
»Innerhalb oder außerhalb der Firma?«

»Das kann ich Ihnen nicht sagen.«

»Ms. Walsh«, sagte Fernandez, »ich werde Mr. Sanders verbieten, mit Ihnen zu sprechen. Und Sie unterhalten sich besser mal mit der Justitiarin des *Post-Intelligencer*, bevor Sie derartige unhaltbare Behauptungen drucken!«

»Diese Behauptungen sind nicht unhaltbar. Ich habe sehr verläßliche –«

»Sollte Ihre Justitiarin irgendwelche Zweifel haben, so empfehle ich ihr, Mr. Blackburn anzurufen. Er wird ihr dann sicherlich erklären, mit welcher Rechtslage Sie es in diesem Fall zu tun haben.«

Walsh reagierte nur mit einem müden Lächeln. »Mr. Sanders, wollen Sie jetzt einen Kommentar abgeben?«

»Besprechen Sie sich lieber mit Ihrer Justitiarin, Ms. Walsh!«

»Das werde ich, aber an der Sache wird es nicht das geringste ändern. Wir lassen uns nicht mundtot machen, weder von Mr. Blackburn noch von Ihnen. Und wenn Sie meine persönliche Meinung hören wollen: Es ist mir völlig unverständlich, wie Sie einen solchen Fall übernehmen konnten!«

Fernandez beugte sich zu ihr hinüber, lächelte sie an und sagte: »Gehen wir mal ein bißchen zur Seite, dann erkläre ich Ihnen etwas.«

Walsh und sie entfernten sich einige Meter zur Mitte des Innenhofs hin.

Alan und Sanders blieben, wo sie waren. Alan seufzte und sagte: »Würden Sie nicht auch fast alles dafür geben, zu erfahren, was die beiden da miteinander bereden?«

Es ist mir völlig egal, was Sie sagen«, zischte Connie Walsh. »Ich werde Ihnen meinen Informanten nicht nennen!«

»Nach Ihrem Informanten frage ich gar nicht. Ich möchte Ihnen nur sagen, daß Ihre Geschichte falsch ist –«

»Ist ja klar, daß Sie das sagen!«

»– und daß sich dokumentarisch beweisen läßt, daß sie falsch ist.«

Connie Walsh hielt die Luft an und legte die Stirn in Falten. »Dokumentarische Beweise?«

Fernandez nickte langsam. »Jawohl.«

Walsh überlegte. »Aber das ist unmöglich«, sagte sie schließlich. »Sie haben es doch selbst gesagt – die beiden waren allein in dem Zimmer. Seine Aussage steht gegen ihre. Es gibt keine dokumentarischen Beweise.«

Fernandez schüttelte nur schweigend den Kopf.

»Was ist es denn? Ein Videoband?«

Fernandez deutete ein Lächeln an. »Das darf ich leider nicht sagen.«

»Selbst wenn so ein Band existiert – was sieht man schon darauf? Daß sie ihn ein bißchen in den Hintern zwickt? Daß sie ein paar Witze macht? Was soll's? Männer tun so was seit Jahrhunderten.«

»Darum geht es nicht in diesem –«

»Augenblick mal! Der Kerl wird also ein bißchen gezwickt und beginnt Zeter und Mordio zu schreien. Das ist kein normales männliches Verhalten. Dieser Typ haßt und erniedrigt Frauen ganz offensichtlich. Das ist doch völlig klar – man braucht ihn ja nur anzusehen. Und daß er sie während dieses Treffens geschlagen hat, wird überhaupt nicht in Zweifel gezogen. Die Firma mußte ja einen Arzt holen, weil bei Johnson Verdacht auf Gehirnerschütterung bestand. Und mehrere zuverlässige Informanten haben mir berichtet, daß er

als brutal gilt. Seine Frau und er haben schon seit Jahren Schwierigkeiten miteinander. Sie hat sogar die Stadt verlassen und will sich scheiden lassen.« Walsh beobachtete Fernandez aufmerksam, während sie sprach.
Fernandez zuckte nur mit den Achseln.
»Das ist eine Tatsache. Seine Frau hat die Stadt verlassen«, wiederholte Walsh entschieden. »Und zwar völlig unerwartet. Die Kinder hat sie mitgenommen. Und niemand weiß, wohin sie geflogen ist. Jetzt erklären Sie mir doch bitte mal, was das zu bedeuten hat!«
Fernandez erwiderte: »Connie, in meiner Eigenschaft als Mr. Sanders' Anwältin kann ich nichts weiter tun als Ihnen sagen, daß ein dokumentarischer Beweis existiert, der dem, was Ihr Informant in bezug auf diesen Belästigungsfall sagt, widerspricht.«
»Zeigen Sie mir diesen Beweis?«
»Bestimmt nicht.«
»Woher soll ich dann wissen, ob er wirklich existiert?«
»Das können Sie nicht wissen. Sie wissen nur, daß ich Sie über seine Existenz unterrichtet habe.«
»Und was ist, wenn ich Ihnen nicht glaube?«
Fernandez lächelte. »Solche Entscheidungen muß man als Journalistin eben treffen ...«
»Sie wollen sagen, daß es fahrlässige Mißachtung wäre?«
»Wenn Sie bei Ihrer Geschichte bleiben, ja.«
Walsh trat einen Schritt zurück. »Passen Sie auf! Vielleicht haben Sie es hier, technisch betrachtet, mit einem normalen Rechtsfall zu tun, vielleicht auch nicht. Für mich jedenfalls sind Sie nichts weiter als eine zu einer Minderheit zählende Frau, die im Patriarchat vorankommen will, indem sie sich auf die Knie begibt. Wenn Sie auch nur einen Funken Selbstachtung hätten, würden Sie denen nicht die Drecksarbeit abnehmen!«

»Wenn hier jemand in den Klauen des Patriarchats gefangen ist, dann sind das Sie, Connie.«
»So ein Quatsch!« gab Walsh zurück. »Ich sage Ihnen mal was: Es wird Ihnen nicht gelingen, die Beweise zu umgehen. Er hat sie angemacht, und dann hat er sie zusammengeschlagen. Er ist ein ehemaliger Liebhaber von ihr, er ist nachtragend, und er ist brutal. Ein typischer Mann eben! Und ich sage Ihnen, noch bevor ich mit dem Kerl fertig bin, wird er sich wünschen, er wäre niemals geboren worden!«

Glauben Sie, daß sie die Story bringen wird?« fragte Sanders, als Fernandez zurückgekommen war.
»Nein.« Fernandez hatte den Blick wieder auf Johnson, Heller und Blackburn gerichtet, die auf der anderen Seite des Innenhofes standen. Connie Walsh war zu Blackburn hinübergegangen und unterhielt sich mit ihm. »Lassen Sie sich davon nicht ablenken«, sagte Fernandez. »Das ist nicht wichtig. Das Wichtigste ist die Frage: Wie werden Sie sich Johnson gegenüber jetzt verhalten?«
Kurz darauf trat Heller auf sie zu und sagte: »Wir haben über die momentane Situation nachgedacht, Louise.«
»Und?«
»Wir sind zu dem Schluß gelangt, daß es keinen Zweck hat, die Schlichtung weiterzuführen. Wir werden uns bis auf weiteres zurückziehen. Ich habe Judge Murphy schon mitgeteilt, daß wir nicht weitermachen.«
»Ach, wirklich? Und was, mein lieber Herr Kollege, ist mit dem Band?«
»Weder Ms. Johnson noch Mr. Sanders wußten, daß sie aufgenommen wurden. Das Gesetz schreibt vor, daß zumin-

dest eine Partei wissen muß, daß die Begegnung dokumentiert wird. Das Band ist also unzulässig.«

»Aber Ben –«

»Wir wollen erreichen, daß das Band weder bei dieser Schlichtung noch bei irgendeinem nachfolgenden Verfahren zugelassen wird. Nach unserem Dafürhalten ist Ms. Johnsons Darstellung des Treffens als einem Mißverständnis die korrekte Darstellung, und das bedeutet, daß auch Mr. Sanders für dieses Mißverständnis verantwortlich ist. Er war ein aktiver Mitwirkender, Louise, das läßt sich nun mal nicht bestreiten. Er zog ihr den Slip aus. Keiner hat ihm dabei einen Revolver auf die Brust gesetzt. Aber da das Fehlverhalten auf beiden Seiten liegt, kann das einzig angemessene Vorgehen jetzt sein, daß beide Parteien sich die Hand geben, ihren Streit begraben und wieder an die Arbeit gehen. Mr. Garvin hat dies offenbar Mr. Sanders gegenüber bereits vorgeschlagen, und Mr. Sanders hat sich dagegen ausgesprochen. Wir finden, daß Mr. Sanders unter diesen Umständen höchst unvernünftig handelt und daß ihm, wenn er seine Meinung nicht bald ändert, wegen seiner Weigerung, an den Arbeitsplatz zurückzukehren, gekündigt werden sollte.«

»Arschloch!« sagte Sanders.

Fernandez legte ihm die Hand auf den Arm. »Ben«, sagte sie ganz ruhig. »Ist das ein formelles Angebot, sich zu versöhnen und in die Firma zurückzukehren?«

»Ja, Louise.«

»Und wie wollen Sie uns das schmackhaft machen?«

»Hier wird gar nichts schmackhaft gemacht. Die beiden gehen einfach wieder an ihre Arbeit.«

»Der Grund meiner Frage«, sagte Fernandez, »ist folgender. Ich denke, ich kann glaubhaft machen, daß Mr. Sanders sehr wohl wußte, daß die Aufnahme gemacht wurde, und daß das Band daher sehr wohl zulässig ist. Des weiteren werde ich am

Beispiel der zwangsweisen Offenlegung von Beweisstücken auf Datenträgern in ›Waller gegen Herbst‹ zeigen, daß das Band zulässig ist. Darüber hinaus werde ich darauf hinweisen, daß die Firma über die lange Geschichte der von Ms. Johnson ausgeführten sexuellen Belästigungen Bescheid wußte und es weder vor dem Vorfall noch jetzt unternommen hat, entsprechende Maßnahmen zu ergreifen, um ihr Verhalten zu untersuchen. Und ich werde anführen, daß die Firma es durch die Weitergabe der Geschichte an Connie Walsh versäumt hat, Mr. Sanders' guten Ruf zu schützen.«

»Also, Augenblick mal –«

»Ich werde anführen, daß die Firma ein offensichtliches Motiv hatte, die Geschichte weiterzugeben: Die Firma wünschte Mr. Sanders in betrügerischer Weise um seine wohlverdiente Prämie zu bringen, die ihm für den mehr als zehnjährigen Dienst für die Firma zustand. Und mit Ms. Johnson haben sie sich eine Angestellte ins Haus geholt, die schon vorher des öfteren in Schwierigkeiten geraten war. Ich werde Verleumdung geltend machen und einen Strafe einschließenden Schadensersatz in ausreichender Höhe fordern, damit die amerikanischen Firmen erfahren, was sie gegebenenfalls erwartet. Ich werde 60 Millionen Dollar fordern, Ben, und Sie werden sich mit uns auf 40 Millionen einigen, sobald ich den Richter dazu bewegen kann, die Geschworenen das Band anhören zu lassen. Wir wissen nämlich beide, daß die Geschworenen, wenn sie sich das Band anhören, ungefähr fünf Sekunden brauchen werden, um Ms. Johnson und die Firma für schuldig zu erklären.«

Heller schüttelte den Kopf. »Da waren eine Menge möglicher Rohrkrepierer darunter, Louise. Ich glaube im übrigen nicht, daß dieses Band jemals vor Gericht abgespielt werden wird. Außerdem sprechen Sie von einem Zeitpunkt in drei Jahren.«

Fernandez nickte langsam. »Ja«, sagte sie, »drei Jahre sind eine lange Zeit.«

»Sie sagen es, Louise. Bis dahin kann alles mögliche passieren.«

»Ja. Und, ehrlich gesagt, mache ich mir Sorgen um diese Kassette. So viele widrige Umstände können eintreten, wenn ein Beweis so skandalträchtig ist wie dieser ... Ich jedenfalls kann nicht garantieren, daß nicht schon jetzt irgend jemand eine Kopie davon gemacht hat. Es wäre schrecklich, wenn eine solche Kopie in die Hände von KQEM fallen und im Radio abgespielt würde ...«

»Gütiger Himmel!« rief Heller. »Louise – ich kann kaum glauben, was Sie da eben gesagt haben!«

»Was habe ich denn gesagt? Ich drücke doch nur meine berechtigten Befürchtungen aus«, erklärte Fernandez. »Es wäre fahrlässig, Sie nicht über meine Bedenken zu informieren. Sehen wir den Tatsachen ins Auge, Ben! Die Katze ist aus dem Sack. Die Presse hat die Story doch längst; irgend jemand hat sie an Connie Walsh weitergegeben. Und Connie hat einen Kommentar veröffentlicht, der Mr. Sanders' Leumund sehr schadet. Und offenbar sprudelt diese Quelle weiter, denn Connie Walsh plant jetzt die Veröffentlichung völlig unbegründeter Spekulationen über die Ausübung körperlicher Gewalt durch meinen Klienten. Es ist sehr schade, daß jemand von Ihrer Seite beschlossen hat, über diesen Fall zu reden. Aber wir wissen ja beide, wie das so ist mit einer heißen Story in der Presse – man weiß nie, welche Stelle als nächstes undicht sein wird.«

Heller wirkte verunsichert. Er warf einen kurzen Blick über die Schulter auf die anderen, die am Brunnen standen. »Louise, ich glaube nicht, daß sich dort drüben irgendwas bewegt.«

»Tja, dann würde ich an Ihrer Stelle einfach mal mit ihnen reden.«

Heller zuckte mit den Schultern und ging.
»Was machen wir jetzt?« fragte Sanders.
»Wir fahren in Ihr Büro.«
»Wir?«
»Ja«, sagte Fernandez. »Es ist noch nicht zu Ende. Heute wird noch mehr passieren, und ich möchte dabei sein.«

Auf der Rückfahrt sprach Blackburn über Autotelefon mit Garvin. »Die Schlichtung ist vorbei. Wir haben sie abgebrochen.«
»Und?«
»Wir drängen Sanders sehr, einfach wieder an seine Arbeit zu gehen, aber bisher reagiert er darauf nicht. Er stellt sich stur. Jetzt droht er uns Strafe einschließenden Schadensersatz in Höhe von 60 Millionen Dollar an.«
»Um Gottes willen!« sagte Garvin. »Auf welcher Grundlage denn?«
»Verleumdung bedingt durch fahrlässiges Verhalten der Firma. Damit ist gemeint, daß wir über Johnsons Vergangenheit als sexuelle Belästigerin angeblich Bescheid wußten.«
»Ich wußte überhaupt nichts davon«, sagte Garvin. »Wußten Sie denn etwas über irgendeine Vergangenheit von Meredith, Phil?«
»Nein.«
»Gibt es dokumentarische Beweise für eine solche Vergangenheit?«
»Nein«, antwortete Blackburn. »Ich bin mir sicher, daß solche Beweise nicht existieren.«
»Gut. Dann kann er uns drohen, soviel er will. Wie sind Sie mit Sanders verblieben?«
»Wir haben ihm bis morgen vormittag Zeit gegeben, seine

Arbeit in der alten Position wiederaufzunehmen. Wenn er das nicht tut, ist er gefeuert.«

»In Ordnung«, sagte Garvin. »Aber jetzt mal ernsthaft: Was haben wir gegen ihn in der Hand?«

»Wir arbeiten an diesem Vorwurf der Mißhandlung gegen ihn«, sagte Blackburn. »Es ist zwar noch ein wenig früh, aber sehr vielversprechend, denke ich.«

»Was ist mit Frauen?«

»Was Frauen betrifft, haben wir nichts Handfestes. Ich weiß, daß Sanders vor ein paar Jahren eine Sekretärin von uns gebumst hat, konnte jedoch bisher diesbezüglich keine Aufzeichnungen im Computer finden. Wahrscheinlich hat er sie gelöscht.«

»Wie hätte er das tun sollen? Wir haben ihm doch den Zugriff gesperrt.«

»Er muß es schon vorher irgendwann mal getan haben. Der Typ ist gewieft.«

»Warum, verdammt noch mal, hätte er es schon vorher tun sollen, Phil? Er hatte doch nicht den geringsten Grund, mit alldem zu rechnen!«

»Ich weiß, aber wir finden die Aufzeichnungen nicht.« Blackburn schwieg eine Weile. »Bob, ich glaube, wir sollten die Pressekonferenz vorziehen.«

»Auf wann?«

»Auf morgen nachmittag.«

»Gute Idee! Ich kümmere mich darum«, sagte Garvin. »Wir könnten sie sogar auf morgen mittag verlegen. John Marden kommt mit der Frühmaschine.« John Marden war der Geschäftsführer von Conley-White. »Das könnte klappen.«

»Sanders will, daß sich die Sache bis Freitag hinzieht«, sagte Blackburn. »Aber wir werden ihm zuvorkommen. Wir haben ihn ja ausgesperrt. An die Firmenakten kommt er nicht mehr ran, und auch auf Conrad oder irgendeine andere Firma hat er keinen Zugriff. Er ist total isoliert. Völlig undenkbar, daß er bis morgen irgend etwas für uns Schädliches auf die Beine stellen kann.«

»Sehr gut«, sagte Garvin. »Und was ist mit dieser Journalistin?«

»Ich denke, sie wird die Geschichte am Freitag veröffentlichen. Sie hat sie bereits – von wem, weiß ich nicht. Aber sie wird der Versuchung, Sanders in den Boden zu rammen, nicht widerstehen können. Dafür ist die Story einfach zu gut; Walsh wird bei der Geschichte bleiben. Und wenn sie das tut, ist Sanders ein toter Mann.«

»Ausgezeichnet!« sagte Garvin.

Als Meredith Johnson im fünften Stock aus dem Aufzug trat, kam ihr Ed Nichols entgegen. Ein junger Mann von DigiCom, den sie nur vom Sehen kannte, trug einen Stapel Akten für Nichols. Beide blieben stehen. »Wir haben Sie bei den Vormittagsbesprechungen vermißt«, sagte Nichols.

»Ja, ich mußte einige Dinge erledigen«, erklärte Meredith.

»Irgend etwas, das ich wissen sollte?«

»Nein. Langweiliges Zeug. Organisatorische Fragen in Zusammenhang mit Steuerbefreiungen in Irland, weiter nichts. Irland möchte, daß in der Niederlassung in Cork mehr Iren eingestellt werden, und wir wissen nicht genau, ob uns das möglich ist. Seit mehr als einem Jahr zieht sich das nun schon hin.«

»Sie sehen ein bißchen müde aus«, sagte Nichols besorgt. »Und blaß sind Sie auch.«

»Es geht schon. Aber ich bin froh, wenn die Übernahme endlich abgeschlossen ist.«

»So geht es doch jedem von uns. Hätten Sie Zeit, mit mir zu essen?«
»Am Freitag abend vielleicht, wenn Sie dann noch in Seattle sind«, sagte sie. Dann lächelte sie ihn an: »Aber es hat sich wirklich nur um Steuerangelegenheiten gehandelt, Ed.«
»Okay. Ich glaube Ihnen.«
Er winkte ihr zu und bog mit seinem Begleiter in den Gang ein. Johnson trat in ihr Büro.
Dort saß Stephanie Kaplan und arbeitete an dem Computer auf Johnsons Schreibtisch. Sie wirkte sehr verlegen, als Johnson hereinkam. »Entschuldigen Sie, daß ich Ihren Computer benütze, aber ich bin nur ein paar Abrechnungen durchgegangen, während ich auf Sie gewartet habe«, murmelte sie.
Johnson warf ihre Handtasche auf die Couch. »Hören Sie gut zu, Stephanie«, sagte sie. »Ich möchte mal etwas klarstellen. Ich leite diese Abteilung, und daran wird niemand etwas ändern. Und meiner Meinung nach ist genau jetzt der Zeitpunkt, an dem die neue Vizedirektorin herausfinden sollte, wer auf ihrer Seite steht und wer nicht. Wer mich unterstützt, an den werde ich mich erinnern. Wer mich nicht unterstützt, den werde ich anderweitig bedenken. Haben wir uns verstanden?«
Kaplan trat hinter dem Schreibtisch vor. »Ja, selbstverständlich, Meredith.«
»Verscheißern Sie mich bloß nicht, Stephanie!«
»Das würde mir nicht im Traum einfallen.«
»Dann ist es ja gut. Danke, Stephanie.«
»Nichts zu danken, Meredith.«
Kaplan verließ das Büro. Johnson schloß die Tür hinter ihr und setzte sich sofort an ihren Computer.

Mit einem intensiven Gefühl von Unwirklichkeit durchschritt Sanders die Gänge von DigiCom. Er kam sich vor wie ein Fremder. Die Leute, denen er begegnete, wandten den Blick ab und schlichen sich schweigend an ihm vorbei.

»Ich existiere nicht mehr«, sagte er zu Fernandez.

»Kümmern Sie sich einfach nicht darum«, forderte sie ihn auf.

Sie betraten den Mittelteil der Etage; dort saßen die Leute in Arbeitsnischen, die in Brusthöhe abgeteilt waren. Einige Male konnte man Grunzgeräusche wie von Schweinen hören, und jemand sang leise vor sich hin: *»Because I used to fuck her, but it's all over now ...«*

Sanders blieb stehen und versuchte herauszufinden, wer gesungen hatte. Fernandez packte ihn am Arm.

»Kümmern Sie sich einfach nicht darum!«

»Aber das –«

»Machen Sie es nicht schlimmer, als es bereits ist.«

Sie kamen an einem Kaffeeautomaten vorbei. Neben den Automaten hatte jemand ein Bild von Sanders an die Wand geklebt und es dann als Dartbrett benutzt.

»Mein Gott!«

»Gehen Sie weiter!«

Als sie den Gang betraten, der zu Sanders' Büro führte, kam ihnen Don Cherry entgegen.

»Hi, Don.«

»Diese Sache hast du echt gründlich versiebt, Tom«, sagte Cherry kopfschüttelnd und ging weiter.

Sogar Don Cherry.

Sanders stieß einen langen Seufzer aus.

»Sie wußten doch, daß es so werden würde«, sagte Fernandez.

»Kann schon sein.«

»Doch, doch. Sie wußten es. So läuft das nun mal.«

Als er das Vorzimmer seines Büros betrat, stand Cindy von ihrem Schreibtisch auf. »Tom – Mary Anne hat darum gebeten, daß Sie sie sofort anrufen, wenn Sie wieder hier sind.«

»Okay.«

»Und von Stephanie soll ich Ihnen ausrichten, daß sich die Sache erledigt hat. Sie hat das, was sie von Ihnen wissen wollte, selbst herausgefunden. Sie sagte, Sie sollten sie ... äh, nicht anrufen.«

»In Ordnung.«

Sie betraten sein Büro. Er schloß die Tür und setzte sich an seinen Schreibtisch; Fernandez nahm auf dem Stuhl gegenüber Platz. Sie hob sofort den Telefonhörer ab und wählte eine Nummer. »Eine Sache müssen wir uns sofort vom Hals schaffen – Büro Ms. Vries, bitte ... Louise Fernandez am Apparat.«

Sie legte die Hand auf die Sprechmuschel. »Wird nicht allzu lange – Eleanor? Hi, hier spricht Louise Fernandez. Ich rufe dich wegen Connie Walsh an. Mhm, mhm ... Ich bin mir sicher, daß du dir den Artikel noch mal mit ihr zusammen durchgelesen hast. Ja, ich weiß, daß ihr sehr viel daran liegt. Eleanor, ich wollte dir gegenüber noch einmal versichern, daß eine Tonaufzeichnung des Vorfalls existiert, die eher Mr. Sanders' als Ms. Johnsons Darstellung stützt. Ja, sicher, das ließe sich machen. Ganz inoffiziell? Ja, das könnte ich. Nun, das Problem mit Walsh' Informanten besteht eben darin, daß die Firma jetzt eine immense Haftpflicht hat, und wenn ihr eine Story bringt, die falsch ist – auch wenn ihr sie von einem Informanten habt –, dann werden sie wohl gegen euch klagen. O ja, doch, ich halte es für sehr wahrscheinlich, daß Mr. Blackburn gerichtlich gegen euch vorgehen würde. Es bliebe ihm ja nichts anderes übrig. Warum – ah ja. Mhm. Mhm. Nun, das könnte sich ändern, Eleanor. Mhm, mhm. Und vergiß bitte nicht, daß Mr. Sanders jetzt wegen der Mr.-Piggy-Sache eine Verleumdungsklage in Erwägung zieht. Ja, dann tu das doch bitte. Danke.«

Sie legte auf und sah Sanders an. »Wir haben zusammen Jura studiert. Eleanor ist sehr tüchtig und sehr konservativ. Sie hätte den Kommentar von Anfang an nicht durchgehen lassen, und es würde ihr nicht im Traum einfallen, die Story jetzt auszuwalzen, wenn sie Connies Informanten nicht für überaus vertrauenswürdig erachtete.«

»Was soll das heißen?«

»Ich bin mir ziemlich sicher, daß ich weiß, wer ihr die Geschichte gesteckt hat«, sagte Fernandez und wählte bereits wieder.

»Wer denn?« fragte Sanders.

»Das Wichtigste ist im Augenblick Meredith Johnson. Wir müssen ihr Verhaltensmuster dokumentieren, um zeigen zu können, daß sie schon früher männliche Angestellte belästigt hat. Irgendwie müssen wir es schaffen, die Blockade von Conrad Computer zu durchbrechen.« Sie wandte sich ab. »Harry? Louise am Apparat. Haben Sie mit Conrad gesprochen? Ah ja. Und?« Sie schwieg eine Weile, schüttelte nur hin und wieder gereizt den Kopf. »Haben Sie ihnen erklärt, daß sie haftbar gemacht werden können? Aha, aha. Mist! Also, wie gehen wir jetzt weiter vor? Die Zeit läuft uns nämlich davon, Harry, und das macht mir große Sorgen.«

Während sie telefonierte, hatte Sanders einen Blick auf den Bildschirm seines Computers geworfen. Das E-Mail-Licht blinkte. Er klickte es an.

17 NACHRICHTEN ABRUFBAR.

Um Gottes willen! Er ahnte Schlimmes. Er klickte das LESEN-Feld an. Hintereinander erschienen die Nachrichten auf dem Bildschirm.

VON: DON CHERRY, KORRIDOR-PROGRAMMIERTEAM
AN: ALLE UNTERTANEN

WIR HABEN DAS VIE-GERÄT AN DIE LEUTE VON CONLEY-WHITE GESCHICKT. DAS GERÄT IST JETZT IN IHRER FIRMENDATENBANK EINSATZFÄHIG, DA SIE UNS HEUTE DIE CODES GEGEBEN HABEN. JOHN CONLEY BAT DARUM, DAS GERÄT IN EINE SUITE DES FOUR SEASONS HOTEL ZU BRINGEN. DA DER GESCHÄFTSFÜHRER VON CONLEY-WHITE AM DONNERSTAG VORMITTAG HIER EINTRIFFT UND ES SICH DANN ANSEHEN WILL. EIN WEITERER TRIUMPH FÜR DIE CRACKS DES VIE!

DON DER HERRLICHE

Sanders sah sich die nächste Nachricht an.

VON: DIAGNOSTIKGRUPPE
AN: APG-TEAM

ANALYSE DER TWINKLE-LAUFWERKE. DAS PROBLEM MIT DER GESCHWINDIGKEITS-STEUER-SCHLEIFE SCHEINT NICHT VOM CHIP SELBST HERZURÜHREN. WIR ÜBERPRÜFTEN DIE MIKRO-SPANNUNGSSCHWANKUNGEN IM STROM AUS DEM NETZTEIL, DER OFFENBAR MIT MINDERWERTIGEN ODER INADÄQUATEN WIDERSTÄNDEN AUS DER PLATINE VERSETZT WAR. ABER DAS IST NICHT SO WICHTIG UND ERKLÄRT NICHT, WARUM WIR ES NICHT SCHAFFEN, DIE SPEZIFIKATIONEN ZU ERFÜLLEN. DIE ANALYSE WIRD FORTGESETZT.

Sanders las die Mitteilung mit einer gewissen inneren Distanz. Im Grunde besagte sie nämlich gar nichts. Es waren nur Wörter, die die eigentliche Wahrheit verbargen: daß sie nämlich immer noch nicht wußten, wo das Problem lag. Unter anderen Umständen hätte er sich jetzt auf den Weg zum Diagnostikteam gemacht und die Leute dort unten angetrieben, damit sie der Sache endlich auf den Grund gingen. Aber jetzt ... Achselzuckend las er die nächste Nachricht.

VON: BASEBALL CENTRAL
AN: ALLE SPIELER

BETR.: NEUER SOFTBALL-SOMMERSPIELPLAN
ÜBERTRAGEN SIE DATEI BB.72, DANN ERHALTEN
SIE DEN NEUEN, ÜBERARBEITETEN SOMMERPLAN.
WIR SEHEN UNS AUF DEM SPIELFELD!

Er hörte Fernandez am Telefon sagen: »Harry, wir müssen das irgendwie schaffen! Um welche Zeit schließen die ihre Büros in Sunnyvale?« Sanders wandte sich der nächsten Nachricht zu.

KEINE WEITEREN GRUPPENNACHRICHTEN.
WOLLEN SIE DIE PRIVATEN MITTEILUNGEN LESEN?

Er klickte das entsprechende Symbol an.

GIB DOCH EINFACH ZU, DASS DU SCHWUL BIST!
(KEINE NAMENSANGABE)

Er machte sich nicht die Mühe, nachzuschauen, von wo die Mitteilung stammte. Wahrscheinlich hatte man sie manuell eingegeben und es so aussehen lassen, als stamme sie von Garvin oder irgend etwas in dem Stil. Er hätte den wirklichen Sender innerhalb des Systems suchen können, allerdings nicht ohne die Zugriffsrechte, die sie ihm weggenommen hatten. Er ging weiter zur nächsten Mitteilung.

SIE SIEHT BESSER AUS ALS DEINE SEKRETÄRIN,
UND DIE HAST DU JA OFFENSICHTLICH RECHT
GERN GEBUMST.
(OHNE NAMENSANGABE)

Sanders klickte die nächste Nachricht herbei.

DU MIESER SCHLEICHER –
HAU AB AUS DIESER FIRMA!
DEIN BESTER BERATER

Mein Gott, dachte er. Die nächste Nachricht lautete:

KLEIN TOMMY HATTE 'NE RUTE.
MIT DER SPIELTE ER JEDEN TAG.
ALS ABER 'NE DAME SIE ANZUFASSEN GERUHTE,
SAGTE KLEIN TOMMY, DASS ER NICHT MAG.

Die Zeilen gingen weiter, füllten den Bildschirm bis zum unteren Rand, aber Sanders ersparte sich den Rest und klickte weiter zur nächsten Nachricht.

WENN DU DEINE TOCHTER NICHT SO OFT
FICKEN WÜRDEST, KÖNNTEST DU

Er klickte weiter. Immer schneller klickte er, immer hektischer überflog er die Mitteilungen.

TYPEN WIE DU SCHADEN DEM RUF DER MÄNNER,
DU ARSCHLOCH

BORIS

Klick.

DU WIDERLICHES, VERLOGENES MÄNNERSCHWEIN

Klick.

HÖCHSTE ZEIT, DASS ES EINER DIESEN EWIG
JAMMERNDEN WEIBERN MAL ORDENTLICH GEGEBEN
HAT. ICH HABE ES SATT, MIT ANZUSEHEN, WIE SIE
IMMER ALLEN AUSSER SICH SELBST DIE SCHULD
GEBEN. TITTEN UND SCHULDZUWEISUNGEN SIND
GESCHLECHTSSPEZIFISCHE MERKMALE.
LIEGEN BEIDE AUF DEM X-CHROMOSOM.
WEITER SO!

Sanders ließ die Nachrichten jetzt nur noch an sich vorbeiziehen, ohne sie zu lesen. Schließlich ging er sie so rasch durch, daß er eine der letzten beinahe übersehen hätte:

ERFAHRE SOEBEN, DASS MOHAMMED JAFAR IM STERBEN LIEGT. ER IST NOCH IM KRANKENHAUS UND WIRD DIE NACHT NICHT ÜBERLEBEN. VIELLEICHT IST JA DOCH WAS DRAN AN DIESEM ZAUBERKRAM.

ARTHUR KAHN

Sanders starrte auf den Bildschirm. Ein Mann sollte an einem Zauber sterben? Seine Phantasie reichte nicht aus, sich vorzustellen, was da wirklich passiert war. Schon allein der Gedanke daran gehörte in eine andere Welt, nicht in seine jedenfalls. Er hörte Fernandez sagen: »Das ist mir egal, Harry, aber Conrad verfügt über Informationen, die das Verhaltensmuster betreffen, und die müssen wir ihnen irgendwie abschwatzen.«
Sanders klickte die letzte Nachricht an.

SIE ÜBERPRÜFEN DIE FALSCHE FIRMA.

A. FRIEND

Er drehte den Bildschirm so, daß auch Fernandez die Mitteilung lesen konnte. Sie runzelte die Stirn und sagte in den Telefonhörer hinein: »Harry, ich muß jetzt Schluß machen. Tun Sie, was Sie können!« Sie legte auf. »Was soll das heißen – wir überprüfen die falsche Firma? Woher weiß dieser Friend überhaupt, was wir tun? Wann kam die Mitteilung rein?«
Sanders warf einen Blick auf die Infozeile. »Um 20 nach eins heute nachmittag.«
Fernandez kritzelte etwas auf ihren Notizblock. »Das war etwa um die Zeit, als Alan mit Conrad sprach. Und dann rief Conrad bei DigiCom an, erinnern Sie sich? Diese Nachricht

muß also von innerhalb der Firma stammen, sie kommt von DigiCom selbst.«

»Aber sie ist doch auf dem Internet.«

»Ganz egal, von woher sie augenblicklich stammt, in Wirklichkeit wurde sie von jemandem innerhalb dieser Firma gesandt – von jemandem, der Ihnen helfen will.«

Sofort schoß ihm der Name *Max* durch den Kopf. Aber das ergab keinen Sinn. Dorfman war raffiniert, aber so raffiniert auch wieder nicht. Außerdem war er nicht in allen Einzelheiten und zu jeder Zeit über die firmeninternen Vorgänge unterrichtet.

Nein, es mußte sich um einen Menschen handeln, der Sanders helfen, sich aber nicht zu erkennen geben wollte. Konnte es jemand von Conley-White sein? Mein Güte – es konnte praktisch jeder sein, dachte er.

»Was soll das heißen, wir überprüfen die falsche Firma?« fragte er. »Wir überprüfen alle ihre ehemaligen Arbeitgeber und kommen nur sehr schwer an –«

Er unterbrach sich.

Sie überprüfen die falsche Firma.

»Ich bin ein Idiot!« sagte er plötzlich und begann hastig in seinen Computer zu tippen.

»Was ist denn?« fragte Fernandez.

»Sie haben zwar meinen Zugriff eingeschränkt, aber an das hier müßte ich noch rankommen«, erklärte er, während seine Finger über die Tasten flogen.

»An was rankommen?« fragte Fernandez ungeduldig.

»Sie behaupten doch, daß sexuelle Belästiger ein bestimmtes Verhaltensmuster aufweisen, ja?«

»Ja.«

»Dieses Verhaltensmuster taucht immer wieder auf, ja?«

»Ja.«

»Und wir überprüfen Johnsons ehemalige Arbeitgeber, um an

Informationen über zurückliegende Fälle von sexueller Belästigung durch sie heranzukommen.«

»Genau. Aber das gelingt uns nicht.«

»Ja, aber die Sache ist die: Sie arbeitet doch schon seit vier Jahren für uns. Wir überprüfen die falsche Firma.«

Er starrte auf den Bildschirm.

DATENBANK WIRD GESUCHT

Gleich darauf drehte er den Bildschirm wieder so, daß Fernandez mitlesen konnte:

DIGITAL COMMUNICATIONS DATEN-SUCH-LAUF
DB 4: PERSONALABTEILUNG
(SUB 5/PERSONALAKTEN)
SUCHKRITERIEN:

1. EINTEILUNG: KÜNDIGUNG UND/ODER VERSETZUNG UND/ODER RUHESTAND
2. VORGESETZTE/R: JOHNSON, MEREDITH
3. WEITERES KRITERIUM: NUR MÄNNLICH

ZUSAMMENFASSUNG DES SUCH-LAUFS:

MICHAEL TATE	9.05.89 DROGENMISSBRAUCH	ENTLASSUNG PA REFMED
EDWIN SHEEN	5.07.89 NEUE ANSTELLUNG	KÜNDIGUNG D-SILICON
WILLIAM ROGIN	9.11.89 AUF EIGENEN WUNSCH	VERSETZUNG AUSTIN
FREDERIC COHEN	2.04.90 NEUE ANSTELLUNG	KÜNDIGUNG SQUIRE SY.
MICHAEL BACKES	1.08.91 AUF EIGENEN WUNSCH	VERSETZUNG MALAYSIA
TER SALTZ	4.10.91 NEUE ANSTELLUNG	KÜNDIGUNG NOVELL CUPT
ROBERT ELY	1.12.91 AUF EIGENEN WUNSCH	VERSETZUNG SEATTLE

ROSS WALD	5.02.92 AUF EIGENEN WUNSCH	VERSETZUNG CORK
RICHARD JACKSON	14.05.92 AUF EIGENEN WUNSCH	VERSETZUNG SEATTLE
JAMES FRENCH	2.09.92 AUF EIGENEN WUNSCH	VERSETZUNG AUSTIN

Fernandez überflog die Liste. »Sieht ganz so aus, als wäre das Arbeiten unter Meredith Johnson extrem riskant für den Job. Das hier ist das klassische Muster: Die Leute bleiben nur wenige Monate, dann gehen sie oder bitten um eine Versetzung. Alles ganz freiwillig. Keiner wird gefeuert, denn das könnte eine Klage wegen widerrechtlicher Entlassung nach sich ziehen. Wirklich klassisch. Kennen Sie welche von diesen Männern?«

»Nein.« Sanders schüttelte den Kopf. »Aber drei davon sind in Seattle.«

»Ich sehe nur zwei.«

»Nein, Squire Systems ist draußen in Bellevue. Also ist auch Frederic Cohen hier oben.«

»Haben Sie irgendeine Möglichkeit, Details über die Vereinbarungen herauszufinden, die bei der Kündigung dieser Leute hinsichtlich der Pauschalabfindungen getroffen wurden?« fragte Fernandez. »Das wäre sehr nützlich. Denn wenn di[illegible] Firma auch nur einen von diesen Leuten ausgezahlt h[illegible] haben wir einen De-facto-Beweis.«

»Nein«, antwortete Sanders kopfschüttelnd. »Auf fin[illegible] Daten habe ich keinen Zugriff.«

»Versuchen Sie es trotzdem!«

»Aber was soll das bringen? Das System läß[illegible] rein.«

»Versuchen Sie es!«

Er sah sie nachdenklich an. »Glauben Si[illegible] werde?«

»Das kann ich Ihnen garantieren.«
»Okay.« Er tippte die Parameter ein und drückte die Suchtaste. Die Antwort erfolgte prompt:

KEIN ZUGRIFF AUF DIE FINANZDATENBANK
MIT BERECHTIGUNGSSTUFE >0<

Er zuckte mit den Achseln. »Ich wußte es. Pech gehabt!«
»Aber wir haben jetzt die Frage gestellt«, sagte Fernandez. »Und das wird unsere Gegner mit Sicherheit wachrütteln.«

Sanders ging gerade auf die Fahrstühle zu, als er Meredith in Begleitung dreier Conley-White-Leute auf sich zukommen sah. Er drehte sich rasch um und betrat das Treppenhaus, um die vier Etagen zum Erdgeschoß hinunterzugehen. Im Treppenhaus war zunächst niemand.
Aber schon im nächsten Stockwerk öffnete sich die Tür; Stephanie Kaplan erschien, ging ihm entgegen. Sanders hatte keine Lust, mit ihr zu sprechen; immerhin war sie die Leiterin der Finanzabteilung und stand sowohl Garvin als auch Blackburn nahe. Deshalb sagte er nur beiläufig: »Na, wie geht's, Stephanie?«
»Hallo, Tom.« Sie nickte ihm sehr kühl zu, sehr reserviert.
Sanders ging an ihr vorbei und war schon einige Stufen tiefer, als er sie sagen hörte: »Es tut mir leid, daß dies alles so schwierig für Sie ist.«
Er hielt inne. Kaplan stand ein Stockwerk über ihm und sah u ihm hinunter. Sie waren ganz allein im Treppenhaus.
ch komme schon zurecht«, sagte er.
h weiß. Aber es muß trotzdem hart sein. So vieles passiert chzeitig, und niemand gibt Ihnen Informationen. Es ist

bestimmt sehr anstrengend, alles selbst herausfinden zu müssen.«

Niemand gibt Ihnen Informationen?

»Na ja«, sagte er sehr bedächtig, »ja, es ist schon schwer, alles selbst herausfinden zu müssen, Stephanie.«

Sie nickte. »Ich erinnere mich, als ich in der Branche anfing, hatte ich eine Freundin, die einen sehr guten Posten in einer Firma bekam, die normalerweise keine Frauen in Führungspositionen einsetzte. In ihrer neuen Anstellung hatte sie mit sehr großen Belastungen und Krisen zu kämpfen. Sie war stolz darauf, die Probleme so gut zu meistern. Aber dann stellte sich heraus, daß man sie nur genommen hatte, weil es in ihrer Abteilung einen Finanzskandal gab, und sie hatten sie von Anfang an nur eingestellt, damit sie die Konsequenzen auf sich nahm. Ihr Job hatte nicht das geringste mit dem zu tun, was sie sich vorgestellt hatte. Sie war total naiv gewesen. Und als man sie entließ, suchte sie die Schuldigen in der völlig falschen Ecke.«

Sanders sah sie verdutzt an. Warum erzählte sie ihm das?

»Eine interessante Geschichte.«

Kaplan nickte. »Eine Geschichte, die ich nie vergessen habe.«

Im obersten Stockwerk wurde die Tür aufgestoßen; jemand kam herunter. Ohne noch ein Wort zu verlieren, drehte Kaplan sich um und ging die Treppe hinauf.

Sanders eilte kopfschüttelnd weiter nach unten.

In dem großen, holzgetäfelten Raum der Nachrichtenredaktion des *Post-Intelligencer* hob Connie Walsh den Blick von ihrem Computer und sagte: »Das ist doch nicht Ihr Ernst!«

»Doch, es ist mein Ernst«, sagte Eleanor Vries, die neben ihr stand. »Die Story ist gestorben.« Sie ließ den Computerausdruck auf Walshs Schreibtisch fallen.

»Aber Sie kennen meinen Informanten«, sagte Walsh. »Und Sie wissen, daß Jake das gesamte Gespräch mitgehört hat. Wir haben gute Aufzeichnungen, Eleanor. Sehr gute Aufzeichnungen.«

»Ich weiß.«

»Also, wie sollte die Firma in Anbetracht dieses Informanten auf die Idee kommen, uns zu verklagen? Eleanor: *Ich habe die verdammte Story*!«

»Sie haben *eine* Story. Und die Zeitung hat sich bereits viel zu sehr exponiert.«

»Bereits? Durch was denn?«

»Durch die Mr.-Piggy-Kolumne.«

»Also, ich bitte Sie! Anhand dieser Kolumne läßt sich die Person doch nicht identifizieren!«

Vries zog eine Kopie der Kolumne hervor. Sie hatte mehrere Passagen mit gelbem Textliner markiert. »Die Firma X soll eine High-Tech-Firma in Seattle sein, die gerade eine Führungsposition mit einer Frau besetzt hat. Von Mr. Piggy heißt es, daß er ihr Untergebener ist und daß er den Vorwurf der sexuellen Belästigung erhoben hat. Mr. Piggys Ehefrau ist eine Anwältin mit kleinen Kindern. Und dann schreiben Sie noch, Mr. Piggys Beschuldigung entbehre jeder Grundlage, er sei ein Säufer und Frauenheld. Ich denke, Sanders kann durchaus behaupten, daß er wiedererkannt werden könnte, und uns wegen übler Nachrede anzeigen.«

»Aber das ist eine Kolumne, ein reiner Kommentar.«

»Diese Kolumne unterstellt Tatsachen. Und sie unterstellt diese Tatsachen auf sarkastische und unglaublich übertriebene Art und Weise.«

»Es ist ein Artikel, der eine Meinung wiedergibt. Und die freie Meinungsäußerung ist gesetzlich geschützt.«

»Das ist in diesem Fall nicht so sicher. Ich mache mir Vorwürfe, diese Kolumne überhaupt zum Druck freigegeben zu haben. Aber jetzt geht es darum, daß wir nicht behaupten können, keine bösen Absichten gehegt zu haben, wenn wir weitere Artikel darüber veröffentlichen.«
»Sie machen sich also in die Hosen!« sagte Walsh.
»Und Sie gehen ziemlich skrupellos mit dem Inhalt der Hosen anderer Leute um«, sagte Vries. »Die Story ist gestorben, dabei bleibt es. Ich werde es schriftlich festlegen. Kopien erhalten Sie, Marge und Tom Donadio.«
»Scheißanwälte! Wo leben wir eigentlich? Diese Geschichte muß an die Öffentlichkeit gebracht werden!«
»Machen Sie bloß keinen Quatsch, Connie. Ich sage es Ihnen! Machen Sie keinen Quatsch!«
Sie rauschte hinaus.
Walsh durchblätterte die Manuskriptseiten. Zwei Tage lang hatte sie an der Story gearbeitet, hatte sie geglättet und geschliffen, bis sie genau so war, wie sie sein sollte. Und jetzt wollte sie, daß die Geschichte auch erschien. Für ein Denken in juristischen Kategorien brachte sie nicht die Geduld auf. Die ganze Idee des Schutzes von Individuen war doch nur eine angenehme Fiktion. Denn wenn man es sich genau überlegte, war juristisches Denken engstirnig, kleinkariert und diente dem Selbstschutz – die Art von Denken also, mit deren Hilfe Machtstrukturen zementiert wurden. Und Angst stützte diese Machtstrukturen letztlich nur. Angst half den Männern in Machtpositionen. Und wenn es etwas gab, das Connie Walsh für sich beanspruchte, dann war es die Eigenschaft, keine Angst zu haben.
Nach langem Nachdenken hob sie den Hörer vom Telefon und wählte eine Nummer. »KSEA-TV, guten Tag!«
»Ms. Henley, bitte!«
Jean Henley war eine ausgezeichnete junge Reporterin bei

Seattles neuestem unabhängigem Fernsehsender. Walsh hatte schon viele Abende mit ihr verbracht und über die Schwierigkeiten diskutiert, mit denen man konfrontiert wurde, wenn man in den männlich dominierten Massenmedien arbeitete. Henley wußte, wie wertvoll eine heiße Story war, wenn man als Reporterin Karriere machen wollte.

Diese Geschichte, schwor sich Connie Walsh, wird erzählt werden. Egal wie – sie wird erzählt werden.

Robert Ely blickte nervös zu Sanders hoch. »Was wollen Sie?« fragte er. Ely war jung, nicht älter als 26, ein durchtrainierter Mann mit einem blonden Schnurrbart. Er trug Hemd und Krawatte und saß in einer der abgeteilten Arbeitsnischen im hinteren Teil der DigiCom-Buchhaltung im Gower Building.

»Ich möchte mich mit Ihnen über Meredith Johnson unterhalten«, erklärte Sanders. Ely war einer der drei in Seattle ansässigen Männer auf der Liste.

»O Gott!« Ely sah sich ängstlich um. Sein Adamsapfel zuckte. »Dazu kann ich nichts sagen, gar nichts.«

»Ich möchte mich doch nur ein bißchen mit Ihnen unterhalten«, versuchte Sanders ihn zu beruhigen. »Wird auch nicht lange dauern.«

»Aber nicht hier!«

»Dann eben im Konferenzraum«, schlug Sanders vor. Sie gingen den Gang zum kleinen Konferenzraum hinunter, stellten jedoch fest, daß darin gerade eine Sitzung abgehalten wurde. Sanders machte den Vorschlag, sich in die kleine Cafeteria in der Ecke der Buchhaltungsabteilung zu setzen, aber Ely, der von Minute zu Minute nervöser wurde, erklärte, dort würden sie nicht ungestört sein.

»Ich kann Ihnen wirklich nichts dazu sagen«, wiederholte er ständig. »Es gibt da nichts, wirklich, überhaupt nichts.«
Sanders war klar, daß er schnell ein ruhiges Plätzchen finden mußte, bevor Ely endgültig Reißaus nehmen würde. Schließlich landeten sie in der Herrentoilette – weiße Fliesen, makellose Sauberkeit. Ely lehnte sich an ein Waschbecken. »Ich weiß nicht, warum Sie unbedingt mit mir reden wollen. Ich kann Ihnen gar nichts sagen.«
»Sie haben in Cupertino für Meredith gearbeitet, ja?«
»Ja.«
»Und vor zwei Jahren haben Sie dort aufgehört?«
»Ja.«
»Warum sind Sie gegangen?«
»Na, warum wohl?« sagte Ely, plötzlich sehr zornig. Seine Stimme hallte in dem gefliesten Raum wider. »Sie wissen doch genau, warum, verdammt noch mal! Alle wissen, warum. Sie hat mir das Leben zur Hölle gemacht.«
»Was war geschehen?« fragte Sanders.
»Was war geschehen.« Ely schüttelte angesichts seiner Erinnerungen nur immer wieder den Kopf. »Jeden Tag, jeden Tag. ›Robert, würden Sie heute ein bißchen länger bleiben, wir müssen noch ein paar Dinge besprechen.‹ Nach einiger Zeit versuchte ich es mit Ausreden. Daraufhin sagte sie: ›Robert, ich bin mir nicht sicher, ob Sie sich dieser Firma gegenüber ausreichend engagieren.‹ Und dann spickte sie meine Leistungsbeurteilung mit kurzen Kommentaren, mit subtilen kleinen negativen Bemerkungen. Keine großen Sachen, über die ich mich hätte beschweren können. Aber diese Bemerkungen standen eben da, und es wurden immer mehr. ›Robert, ich glaube, Sie brauchen meine Hilfe. Kommen Sie doch nach Dienstschluß mal zu mir.‹ – ›Robert, besuchen Sie mich doch einfach mal in meiner Wohnung, dann reden wir darüber. Ich halte das wirklich für nötig.‹ Es war – es war grauenhaft. Die

Person, mit der ich zusammenlebte, fand das nicht besonders, na ja ... Ich steckte damals in einem richtigen Dilemma.«
»Haben Sie sich über sie beschwert?«
Ely lachte zynisch auf. »Das soll wohl ein Witz sein! Sie ist praktisch ein Mitglied von Garvins *Familie*.«
»Sie haben es also mit sich machen lassen ...«
Ely zuckte mit den Achseln. »Die Person, mit der ich zusammenlebte, bekam dann einen anderen Job und zog hierher. Da ließ ich mich auch versetzen. Ist doch verständlich, daß ich wegwollte. Es ergab sich so, und es klappte dann ja auch.«
»Würden Sie jetzt eine Aussage über Meredith machen?«
»Nie im Leben.«
»Ist Ihnen klar«, sagte Sanders, »daß sie nur deshalb ungeschoren davonkommt, weil niemand ihr Verhalten meldet?«
Ely stieß sich mit Schwung vom Waschbecken ab. »Ich habe, auch ohne diese Sache publik zu machen, genug Probleme im Leben.« Er ging zur Tür, blieb plötzlich stehen, drehte sich um. »Damit wir uns nicht mißverstehen: Ich habe zum Thema Meredith Johnson nichts zu sagen. Wenn mich jemand fragen sollte, werde ich sagen, daß unsere Zusammenarbeit immer korrekt verlief. Und außerdem werde ich sagen, daß ich nie mit Ihnen gesprochen habe.«

Meredith Johnson? Natürlich erinnere ich mich an die«, sagte Richard Jackson. »Ich habe über ein Jahr lang für sie gearbeitet.« Sanders stand in Jacksons Büro im zweiten Stock des Aldus Building an der Südseite des Pioneer Square. Jackson, ein gutaussehender Mann um die 30, hatte die kumpelhafte Art eines ehemaligen Sportlers. Er war Marketingmanager bei Aldus. Sein Büro wirkte hell und freundlich; überall lagen Schachteln für Grafikprogramme herum: Intellidraw, Freehand, SuperPaint und Pagemaker.

»Eine schöne und sehr charmante Frau«, sagte Jackson. »Obendrein sehr intelligent. Es war ein Vergnügen, mit ihr zusammenzuarbeiten.«

»Dann wundert mich, daß Sie dort aufgehört haben«, bemerkte Sanders.

»Weil man mir diesen Job hier anbot, deshalb. Und ich habe meinen Entschluß nie bereut. Ein wunderbarer Job. Eine wunderbare Firma. Ich habe hier sehr viel gelernt.«

»War das der einzige Grund, weshalb Sie bei DigiCom aufhörten?«

Jackson lachte. »Ob Meredith, das männermordende Monster, mich angemacht hat, wollen Sie wissen? He – ist der Papst katholisch oder nicht? Ist Bill Gates reich? *Natürlich* hat sie mich angemacht!«

»Hatte das irgend etwas mit Ihrem Ausscheiden bei DigiCom zu tun?«

»Nein, überhaupt nicht«, sagte Jackson. »Meredith hat jeden Mann angemacht. In dieser Hinsicht ist sie als Chefin sehr auf Chancengleichheit bedacht. Sie war hinter *jedem* her. Als ich in Cupertino anfing, hatte sie diesen kleinen Schwulen, den sie immer um den Tisch jagte. Die hat den armen Teufel echt terrorisiert. So ein kleiner drahtiger, nervöser Typ. Mein Gott, den brachte sie wirklich zum Zittern.«

»Und Sie?«

Jackson hob die Schultern. »Ich war damals Single, fing gerade an mit dem Job. Sie war schön. Ich hatte nichts dagegen.«

»Sie kamen nie in Schwierigkeiten deswegen?«

»Nein, nie. Meredith war super. Allerdings mies im Bett, aber man kann eben nicht alles haben. Sie ist eine sehr intelligente, sehr schöne Frau. Immer erstklassig angezogen. Und sie mochte mich und nahm mich zu allen möglichen Veranstaltungen mit. Ich lernte viele Leute kennen, konnte Kontakte knüpfen. Das war wirklich toll.«

»Sie sahen also nichts Falsches darin?«

»Nein, überhaupt nicht. Na gut, manchmal wurde sie ein bißchen herrisch. Ich hatte auch mit einigen anderen Frauen was, aber für Meredith mußte ich ständig zur Verfügung stehen, oft ganz kurzfristig. Das nervte mich schon hin und wieder. Plötzlich hat man das Gefühl, das eigene Leben gehört einem nicht mehr. Und manchmal hatte sie ganz fiese Wutausbrüche. Das war die Hölle. Aber man tut eben, was man tun muß. Jetzt bin ich hier stellvertretender Marketingleiter, und das mit 30. Es geht mir blendend. Eine tolle Firma, eine tolle Stadt – eine tolle Zukunft. Und das verdanke ich ihr. Sie ist super.«

»Als Sie die Beziehung zu Meredith unterhielten, waren Sie Angestellter der Firma, ja?« fragte Sanders.

»Ja, klar.«

»Hatte die Firma Sie nicht verpflichtet, jede Beziehung zu einem Angestellten zu melden? Hat Meredith die Beziehung zu Ihnen gemeldet?«

»Nein, um Gottes willen!« rief Jackson und beugte sich über seinen Schreibtisch zu Sanders vor. »Ich will hier mal eines klarstellen: Ich finde Meredith super. Wenn Sie ein Problem mit ihr haben, dann ist das Ihr Problem. Ich wüßte überhaupt nicht, was für ein Problem das sein könnte. Sie haben doch mit ihr gelebt, haben Sie mir erzählt. Da konnte es doch für Sie keine Überraschungen mehr geben. Meredith steht nun mal darauf, mit Männern zu bumsen. Und sie steht darauf, Männern zu sagen, sie sollen dies tun und sie sollen jenes tun. Sie fährt darauf ab, Männer herumzukommandieren. So ist sie nun mal. Ich kann daran nichts Schlimmes sehen.«

»Dann nehme ich nicht an, daß Sie –«

»Eine Aussage machen würden? Also, jetzt mal ernsthaft: Im Augenblick ist jede Menge Quatsch im Umlauf. Ich höre Sachen wie: ›Man darf nicht mit seinen Kollegen beziehungsweise Kolleginnen ausgehen.‹ Meine Güte – wenn ich mit meinen Kolleginnen nicht ausgehen dürfte, wäre ich immer noch Jungfrau! Mit wem soll man denn sonst ausgehen, wenn nicht mit den Leuten von der Arbeit? Das sind doch die einzigen Leute, die man kennenlernt. Und manchmal sind diese Leute eben Vorgesetzte. Was soll's? Frauen bumsen mit Männern und machen Karriere. Männer bumsen mit Frauen und machen Karriere. Und überhaupt bumst doch sowieso jeder mit jedem, soweit es eben möglich ist – einfach, weil die Leute Lust dazu haben. Ich meine, Frauen sind doch genauso geil wie Männer. Die wollen es genauso wie wir. So ist das Leben. Aber dann sind plötzlich ein paar Leute sauer und beschweren sich und sagen: ›Nein, nein, mit mir könnt ihr das nicht machen!‹ Ich sage Ihnen, das ist völliger Quatsch! Der gleiche Quatsch wie diese Sensibilisierungsseminare, die wir alle absolvieren müssen. Da sitzen dann alle, die Hände im Schoß wie bei einer Versammlung der Roten Garden, und lernen, wie sie ihre Kollegen korrekt anzusprechen haben. Und wenn es vorbei ist, gehen alle raus und vögeln sich durch die Gegend wie zuvor. Die Sekretärinnen sagen: ›Oh, Mr. Jackson, waren Sie im Fitneßclub? Sie sehen so *stark* aus!‹ – und klimpern mit den Wimpern. Und was soll ich, bitte schön, dagegen unternehmen? Für so was kann man doch keine Regeln aufstellen! Wenn die Leute hungrig sind, essen sie, egal wie viele Seminare sie absolviert haben. Das Ganze ist doch eine einzige gigantische Verarschung. Und jeder, der es ernst nimmt, ist für mich ein Idiot.«

»Ich denke, damit haben Sie meine Frage beantwortet«, sagte Sanders und stand auf. Jackson war eindeutig nicht gewillt, ihm zu helfen.

»Passen Sie auf«, sagte Jackson. »Es tut mir leid, daß Sie ein Problem damit haben. Aber heutzutage sind alle so verdammt sensibel. Ich kenne Leute, junge Leute, die gerade vom College kommen, die allen Ernstes glauben, man sollte nie im Leben auch nur einen einzigen unangenehmen Augenblick durchstehen müssen. Niemand darf ihnen jemals etwas sagen, das ihnen nicht paßt, oder einen Witz erzählen, der ihnen nicht gefällt. Aber es ist doch nun mal so, daß niemand die Welt so machen kann, wie diese Leute sie haben wollen. Es passieren eben immer wieder Dinge, die peinlich oder kränkend sind. So ist das Leben. Jeden Tag höre ich, wie Frauen Witze über Männer erzählen. Ziemlich üble Witze, schmutzige Witze. Aber das kann mich doch nicht aus der Fassung bringen! Das Leben ist schön. Wer hat da schon Zeit für diesen Quatsch? Ich jedenfalls nicht.«

Als Sanders aus dem Aldus Building trat, war es 17 Uhr. Müde und entmutigt ging er zurück zum Hazzard Building. Die Straßen waren naß, aber es hatte aufgehört zu regnen, und das Licht der Nachmittagssonne bahnte sich mühsam einen Weg durch die Wolken.
Zehn Minuten später war er wieder in seinem Büro. Cindy saß nicht an ihrem Schreibtisch, und Fernandez war schon lange weg. Er fühlte sich verlassen, einsam, hoffnungslos. Er setzte sich und wählte die letzte Nummer auf seiner Liste.
»Squire Electronic Data Systems, guten Tag.«
»Bitte verbinden Sie mich mit dem Büro Frederic Cohen.«
»Tut mir leid, aber Mr. Cohen ist heute schon gegangen.«
»Wissen Sie, wo ich ihn erreichen kann?«
»Nein, leider nicht. Wollen Sie eine Nachricht hinterlassen?«

Verdammt, dachte er. Es war doch völlig sinnlos! Aber er sagte trotzdem: »Ja, bitte.«
Er hörte ein Klickgeräusch und dann eine Tonbandansage: »Hi, hier ist Fred Cohen. Hinterlassen Sie nach dem Pfeifton eine Nachricht. Wenn Sie nach Geschäftsschluß anrufen, können Sie versuchen, mich unter der Nummer meines Autotelefons – 502-8804 – oder unter meiner Privatnummer – 505-9943 – zu erreichen.«
Sanders kritzelte die Nummern auf ein Blatt Papier. Als erstes wählte er das Autotelefon an. Zunächst hörte er nur ein Rauschen, dann sagte ein Mann: »Ich weiß, Liebling – tut mir leid, daß es so lange gedauert hat, aber ich bin schon unterwegs. Ich bin aufgehalten worden.«
»Mr. Cohen?«
»Oh.« Er schwieg verdutzt. »Ja, hier ist Fred Cohen.«
»Mein Name ist Tom Sanders. Ich arbeite drüben bei DigiCom, und –«
»Ich kenne Sie.« Er klang plötzlich nervös.
»Sie haben doch mal für Meredith Johnson gearbeitet, ist das richtig?«
»Ja.«
»Könnte ich mich mit Ihnen unterhalten?«
»Über was?«
»Über Ihre Erfahrungen mit ihr. Wie die Zusammenarbeit mit ihr lief.«
Cohen schwieg lange. Dann sagte er: »Was soll das bringen?«
»Nun, ich befinde mich in einer Art Streit mit Meredith, und –«
»Ich weiß Bescheid.«
»Tja, und da würde ich eben gerne –«
»Hören Sie zu, Tom. Ich bin vor zwei Jahren von DigiCom weggegangen. Was damals passierte, ist inzwischen kalter Kaffee.«

»Nein, eben nicht«, sagte Sanders, »und zwar deswegen, weil ich versuche, ein Verhaltensmuster nachzuweisen, und –«
»Ich weiß, was Sie versuchen. Aber das Ganze ist äußerst heikel, Tom, und ich will damit nichts zu tun haben.«
»Wir könnten uns doch einfach mal unterhalten. Nur ganz kurz.«
»Tom!« sagte Cohen mit belegter Stimme. »Ich bin mittlerweile verheiratet. Meine Frau ist schwanger. Über Meredith Johnson habe ich nichts zu sagen. Überhaupt nichts.«
»Aber –«
»Es tut mir leid. Ich muß das Gespräch jetzt beenden.«
Klick.
Gerade als Sanders den Hörer auflegte, kam Cindy herein und stellte eine Tasse Kaffee vor ihn hin. »Alles in Ordnung?«
»Nein«, sagte Sanders. »Alles ist ganz schrecklich.« Er gestand es – auch sich selbst – nur widerwillig ein, daß er nichts mehr tun konnte. Er war auf drei Männer zugegangen, und jeder von ihnen hatte sich auf seine Weise geweigert, ihm dabei zu helfen, ein bestimmtes Verhaltensmuster von Meredith offenzulegen. Er bezweifelte, daß die anderen Männer auf der Liste anders reagieren würden. Er dachte zurück an das, was Susan, seine Frau, ihm zwei Tage zuvor gesagt hatte: *Du hast keine Chance.* Das erwies sich jetzt, trotz all seiner Anstrengungen, als richtig. Er war am Ende.
»Wo ist Fernandez?«
»Sie trifft sich mit Blackburn.«
»Was?«
Cindy nickte. »Im kleinen Konferenzraum. Die beiden sind schon seit einer Viertelstunde dort.«
»O mein Gott!«
Er stand auf, eilte den Gang hinunter und sah durch die Glaswand Fernandez und Blackburn im Konferenzraum sitzen. Fernandez schrieb, den Kopf gesenkt, irgend etwas auf

ihren Notizblock, während Blackburn permanent sein Revers glattstrich und, den Blick nach oben gerichtet, vor sich hin sprach. Es sah aus, als diktierte er ihr etwas.
Dann sah Blackburn ihn und winkte ihn hinein. Sanders trat in den Konferenzraum. »Tom«, sagte Blackburn lächelnd, »ich wollte gerade zu dir. Wir haben gute Neuigkeiten: Ich denke, es ist uns gelungen, das Problem zu lösen. Ich meine, wirklich zu lösen. Ein für allemal.«
»Ach, wirklich?« sagte Sanders. Er glaubte kein Wort. Fragend sah er Fernandez an.
Fernandez hob langsam den Blick von ihrem Notizblock. Sie wirkte leicht benommen. »Ja, sieht ganz danach aus.«
Blackburn stand auf und sah Sanders in die Augen. »Ich kann dir gar nicht sagen, wie sehr mich das freut, Tom. Den ganzen Nachmittag habe ich Bob bearbeitet, und endlich hat er sich dazu durchgerungen, die Realität zu akzeptieren. Es ist nun mal eine Tatsache, daß die Firma ein Problem hat, Tom. Und wir schulden dir Dank dafür, daß du uns so direkt darauf aufmerksam gemacht hast, Tom. So kann es nicht weitergehen. Bob weiß, daß er sich darum kümmern muß, und er wird es tun.«
Sanders starrte ihn schweigend an. Er konnte nicht fassen, was er da hörte. Aber dort saß Fernandez und nickte lächelnd.
Blackburn strich sich die Krawatte gerade. »Aber wie Frank Lloyd Wright einmal sagte: ›Gott steckt im Detail.‹ Tom, du weißt, daß wir da ein kleines, dringendes Problem haben, ein firmenpolitisches Problem, das mit der Fusion zusammenhängt. Wir bitten dich um deine Hilfe bei dem Briefing, das morgen für Marden, den Geschäftsführer von Conley-White, stattfindet. Und danach ... nun, Tom, dir ist großes Unrecht widerfahren. Diese Firma hat dir unrecht getan. Und wir erkennen an, daß wir dir gegenüber verpflichtet sind, den Schaden wiedergutzumachen, soweit das möglich ist.«

Immer noch ungläubig, sagte Sanders schroff: »Kannst du mir mal erklären, was das alles zu bedeuten hat?«

Blackburns Stimme klang sehr sanft: »Nun, Tom, im Augenblick liegt das ganz bei dir. Ich habe Louise die Parameter für einen potentiellen Deal gegeben sowie alle Optionen, mit denen wir uns einverstanden erklären würden. Du kannst dich mit ihr besprechen und dich dann bei uns melden. Selbstverständlich sind wir bereit, alle von dir geforderten Interimspapiere zu unterzeichnen. Im Gegenzug verlangen wir nur, daß du morgen an der Sitzung teilnimmst und uns hilfst, die Fusion abzuschließen. Na, ist das ein faires Angebot?«

Blackburn streckte ihm die Hand entgegen.

Sanders starrte ihn weiter schweigend an.

»Ich bedaure aus tiefstem Herzen, was geschehen ist, Tom.«

Sanders schüttelte ihm die Hand.

»Danke, Tom«, sagte Blackburn. »Danke für deine Geduld und danke auch im Namen der Firma. So, jetzt setz dich und sprich mit Louise, und dann laß uns deine Entscheidung wissen.«

Blackburn verließ den Raum und schloß leise die Tür hinter sich.

Sanders blickte Fernandez an. »Was soll das Ganze, verdammt noch mal?«

Sie seufzte zufrieden auf. »So etwas nennt man Kapitulation«, sagte sie. »Totale und bedingungslose Kapitulation. DigiCom ist gerade zu Boden gegangen.«

Sanders sah zu, wie Blackburn den Konferenzraum verließ und den Gang hinuntereilte. Widersprüchliche Gefühle überkamen ihn. Plötzlich erklärte man ihm, daß alles vorbei sei – vorbei, ganz ohne Kampf, ganz ohne Blutvergießen.

Während er Blackburn nachblickte, schob sich ihm plötzlich wieder ein Bild ins Gedächtnis: Blut im Waschbecken seiner früheren Wohnung. Und diesmal erinnerte er sich, woher es stammte. Ein Teil der Chronologie fügte sich zusammen.

Während seiner Scheidung hatte Blackburn in Sanders' Apartment gewohnt. Er war damals ziemlich danebengewesen und trank zuviel. Eines Tages schnitt er sich beim Rasieren so schlimm, daß das Waschbecken voller Blut war. Als Meredith später das Blut im Becken und auf den Handtüchern sah, sagte sie: »Hat einer von euch Kerlen hier 'ne Frau gebumst, die ihre Periode hatte?« Meredith hatte schon immer eine deutliche Sprache gesprochen. Sie liebte es, Menschen vor den Kopf zu stoßen, ja zu schockieren.

Und dann war sie eines Samstagnachmittags in weißen Strümpfen, Strapsen und BH durch die Wohnung spaziert, während Phil vor dem Fernseher saß. Sanders fragte sie: »Warum tust du das?«

»Ich will ihn nur ein bißchen aufheitern«, hatte Meredith geantwortet und sich wieder aufs Bett fallen lassen. »Und jetzt solltest du mich aufheitern.« Dann hatte sie ihre Beine angewinkelt und gespreizt –

»Tom? Hören Sie mir eigentlich zu?« fragte Fernandez. »Hallo! Tom! Sind Sie noch da?«

»Ja, ich bin da«, sagte Sanders.

Aber er hatte immer noch Blackburn im Kopf, er dachte noch immer über Blackburn nach. Jetzt entsann er sich eines anderen Vorfalls, der etwa ein Jahr später datierte, kurz nachdem Sanders sich mit Susan angefreundet hatte. Phil saß eines

Abends mit den beiden beim Essen. Als Susan auf die Toilette gegangen war, sagte er: »Sie ist großartig. Eine Wahnsinnsfrau! Und schön obendrein.«

»Aber?«

»Aber«, hatte Blackburn schulterzuckend gesagt, »sie ist Anwältin.«

»Na und?«

»Anwälten kann man nie trauen«, hatte Blackburn erklärt und sein wehmütiges, abgeklärtes Lachen zu lachen begonnen.

Anwälten kann man nie trauen.

Jetzt stand Sanders im Konferenzraum von DigiCom, beobachtete noch, wie Blackburn um eine Ecke verschwand, und wandte sich wieder an Fernandez.

»... hatte einfach keine Wahl«, sagte die gerade. »Die ganze Situation ist letztlich unhaltbar geworden. Die Tatsachen sprechen ja nun wahrlich nicht für Johnson. Und das Band ist gefährlich – sie wollen nicht, daß es abgespielt wird, und haben Angst, es könnte an die Öffentlichkeit geraten. Außerdem machen ihnen die früheren Fälle von sexueller Belästigung durch Johnson Sorgen; sie hat es schon öfters getan, und das wissen sie. Auch wenn keiner der Männer, mit denen Sie gesprochen haben, sich zu einer Aussage bereit gefunden hat, so ist es dennoch möglich, daß einer von ihnen es irgendwann doch einmal tut, und auch das ist ihnen bewußt. Und zu alldem gesellt sich die Tatsache, daß DigiComs Chefjustitiar einer Journalistin Betriebsinterna geliefert hat.«

»Was?«

Fernandez nickte. »Connie Walsh hatte die Geschichte von Blackburn, der damit unter krasser Verletzung sämtlicher für Firmenangestellte geltender Vorschriften handelte und für das Unternehmen zu einem gravierenden Problem geworden ist. Das alles zusammen wurde einfach zuviel. Diese Dinge gefährdeten die gesamte Firma. Vom logischen Standpunkt aus betrachtet, blieb ihnen gar nichts anderes übrig, als einen Deal mit Ihnen zu machen.«

»Schon«, sagte Sanders. »Aber das alles ist nicht logisch, verstehen Sie?«

»Offenbar können Sie es noch nicht so recht glauben. Glauben Sie es ruhig! Es wurde einfach zuviel. Sie konnten es sich nicht mehr leisten, daß sich die Sache noch länger hinzog.«

»Und wie sieht dieser Deal nun aus?«

Fernandez überflog ihre Notizen. »Da – Ihr ganzer Wunschzettel! Johnson wird gefeuert, und wenn Sie wollen, bekommen Sie ihren Job. Oder aber die Firma setzt Sie wieder in Ihrer gegenwärtigen Position ein. Sie können aber auch irgendeinen anderen Job in der Firma haben. Ihnen zahlen sie 100 000 Dollar Schmerzensgeld und mir das Honorar. Wenn Sie wollen, können Sie aber auch einen Abfindungsvertrag aushandeln. Auf jeden Fall geben Sie Ihnen die vollen Aktienbezugsrechte, wenn die Abteilung an die Börse geht – ganz egal, ob Sie nun in der Firma bleiben oder nicht.«

»Mein Gott!«

Sie nickte. »Bedingungslose Kapitulation.«

»Und Sie glauben wirklich, daß Blackburn es ernst meint?«

Anwälten kann man nie trauen.

»Ja«, sagte Fernandez. »Ehrlich gesagt, in meinen Augen ist es das erste Vernünftige, was diese Leute am heutigen Tag zustande gebracht haben. Sie waren gezwungen, so zu handeln, Tom. Es ist viel zuviel über sie enthüllt worden, und für die Firma steht viel zuviel auf dem Spiel.«

»Und was ist mit diesem Briefing?«

»Sie machen sich Sorgen wegen der Fusion, ganz wie Sie anfangs vermuteten. Sie wollen verhindern, daß die Übernahme im letzten Moment durch plötzliche Veränderungen platzt. Deshalb ist Ihre Anwesenheit beim morgigen Briefing mit Johnson so erwünscht – alles soll ganz normal aussehen. Anfang nächster Woche wird Johnson dann, wie es ihre Versicherung für den neuen Job fordert, ärztlich untersucht. Bei der Untersuchung wird man ernste gesundheitliche Probleme entdecken – möglicherweise sogar Krebs –, die einen bedauerlichen Wechsel im Management erforderlich machen werden.«

»Ich verstehe.«

Er trat ans Fenster und sah hinaus auf die Stadt. Die Wolken hingen jetzt höher und wurden hier und da von der Abendsonne durchbrochen. Er holte tief Luft.

»Und wenn ich an dem Briefing nicht teilnehme?«

»Die Entscheidung liegt bei Ihnen, aber an Ihrer Stelle würde ich mitziehen«, sagte Fernandez. »Sie haben jetzt einen Punkt erreicht, an dem Sie die Firma wirklich kaputtmachen könnten. Nur – welchen Sinn hätte das?«

Er atmete noch einmal tief durch. Langsam begann er sich besser zu fühlen.

»Ihrer Ansicht nach ist die Sache also vorbei?« fragte er schließlich.

»Ja. Es ist vorbei, und Sie haben gewonnen. Sie haben es geschafft. Herzlichen Glückwunsch, Tom!«

Sie schüttelte ihm die Hand.

»Mein Gott!« sagte Sanders.

Fernandez stand auf. »Ich setze jetzt eine schriftliche Übereinkunft auf, die eine Zusammenfassung meines Gesprächs mit Blackburn sowie eine genaue Darlegung Ihrer Optionen enthält, und werde sie ihm in einer Stunde zur Unterschrift vorlegen. Sobald er unterzeichnet hat, rufe ich Sie an. Ich empfehle Ihnen, sich in der Zwischenzeit auf die Sitzung morgen vorzubereiten, soweit das nötig ist, und sich ein bißchen wohlverdiente Ruhe zu gönnen. Wir sehen uns morgen.«

»Okay.«
Nur ganz allmählich wurde ihm bewußt, daß alles vorüber war. Wirklich vorüber. Die neue Situation war so schnell und so vollständig eingetreten, daß er nur sehr verlangsamt reagieren konnte.
»Nochmals: Herzlichen Glückwunsch!« sagte Fernandez, schloß ihren Aktenkoffer und ging.

Gegen 18 Uhr war er wieder in seinem Büro. Cindy wollte gerade nach Hause gehen; sie fragte, ob er sie noch brauche, und er sagte nein. Als er allein war, setzte er sich an seinen Schreibtisch und blickte eine Zeitlang aus dem Fenster, sah zu, wie die Sonne unterging, kostete den Abschluß dieses Tages aus. Durch die offenstehende Tür beobachtete er die Leute, die über den Gang eilten, sich auf den Heimweg machten. Schließlich rief er bei seiner Frau in Phoenix an, um ihr die Neuigkeit mitzuteilen, aber es war besetzt.
Es klopfte. Sanders blickte auf und sah Blackburn an der offenen Tür stehen. Er wirkte ziemlich kleinlaut. »Hast du eine Minute Zeit?«
»Klar.«
»Ich möchte dir nur noch einmal ganz privat sagen, wie sehr mir das alles leid tut. Unter dem Druck derart komplexer betrieblicher Probleme können die menschlichen Werte schon einmal verlorengehen, auch wenn man das nach Kräften zu verhindern sucht. Auch wenn es unsere Absicht ist, jedem gegenüber Fairneß walten zu lassen, gelingt uns das nicht immer. Und was ist eine Firma denn anderes als eine Gruppe von Menschen, eine Gruppe von menschlichen Wesen? Letztlich sind wir doch alle nur Menschen. So hat

Alexander Pope es einmal ausgedrückt. Deshalb möchte ich dir in Anerkennung deiner durchweg beibehaltenen Freundlichkeit sagen, daß –«

Sanders hörte nicht hin. Er war müde. Er nahm nur wahr, daß Phil einsah, Mist gebaut zu haben, und sich bemühte, die Dinge auf für ihn typische Art zu lösen – indem er sich bei demjenigen, den er noch kurz zuvor schikaniert hatte, anbiederte.

Sanders fiel ihm ins Wort. »Was ist mit Bob?« Jetzt, da alles vorbei war, kehrten seine Gedanken immer wieder zu Garvin zurück. Während seiner ersten Jahre in der Firma war Garvin für ihn fast wie ein Vater gewesen. Und jetzt wollte Sanders etwas von ihm hören. Eine Entschuldigung. Irgend etwas.

»Ich könnte mir vorstellen, daß Bob ein paar Tage braucht, bis er das alles verdaut hat«, sagte Blackburn. »Die Entscheidung ist ihm wahrlich nicht leichtgefallen. Ich mußte ihm sehr zureden, sich zu deinen Gunsten zu entscheiden. Und jetzt muß er sich überlegen, wie er es Meredith beibringt, und so weiter.«

»Ah, ja.«

»Aber danach wird er mit dir reden, dessen bin ich sicher. Ich würde jetzt gerne einige Dinge bezüglich der morgigen Sitzung mit dir besprechen. Das Ganze findet für Marden statt und wird etwas formeller ablaufen, als wir es hier gewohnt sind. Wir treffen uns im großen Konferenzsaal im Erdgeschoß. Das Briefing beginnt um neun und dauert bis etwa zehn Uhr. Meredith wird den Vorsitz führen und alle Leiter der Unterabteilungen auffordern, einen kurzen Bericht über die Fortschritte beziehungsweise Probleme in der jeweiligen Abteilung vorzutragen. Zuerst Mary Anne, dann Don, dann Mark, dann du. Jeder wird drei, vier Minuten lang sprechen, und zwar im Stehen. Zieh bitte ein Jackett und eine Krawatte an. Wenn du Anschauungsmaterial hast, kannst du es benützen

– aber bitte keine technischen Details. Es soll nur ein Überblick sein. Von dir erwarten sie, daß du hauptsächlich über Twinkle sprichst.«

Sanders nickte. »In Ordnung. Aber viel Neues habe ich nicht zu berichten. Wir haben immer noch nicht herausgefunden, was mit den Laufwerken los ist.«

»Das macht nichts. Ich glaube nicht, daß irgend jemand schon jetzt eine Lösung erwartet. Du mußt nur betonen, wie erfolgreich die Prototypen waren, und daß wir schon viele Produktionsprobleme lösen konnten. Zieh es optimistisch und flott auf. Wenn du einen Prototyp oder eine Attrappe hast, solltest du sie mitbringen.«

»Okay.«

»Du weißt schon, was gefragt ist – rosarote digitale Zukunft und so weiter. Geringfügige technische Störungen können den Fortschritt nicht aufhalten, das ist die entscheidende Botschaft.«

»Und Meredith ist damit einverstanden?« fragte Sanders. Es störte ihn ein wenig, daß sie die Sitzung leiten sollte.

»Meredith erwartet, daß die Leiter der Unterabteilungen Optimismus ausstrahlen und sich nicht in technischen Einzelheiten verlieren. Es dürfte da keine Probleme geben.«

»Okay«, sagte Sanders.

»Ruf mich heute abend an, falls du deine Präsentation vorher mit mir besprechen willst«, sagte Blackburn. »Oder morgen früh. Wenn wir bei dieser Sitzung klug vorgehen, können wir weitermachen und nächste Woche den Wechsel einleiten.«

Sanders nickte.

»Du bist genau der Mann, den dieses Unternehmen braucht«, sagte Blackburn. »Ich danke dir für dein Verständnis. Und noch einmal, Tom – es tut mir leid.«

Er ging.

Sanders rief das Diagnostikteam an, um nach neuen Erkenntnissen zu fragen. Niemand meldete sich. Er ging an den Schrank hinter Cindys Schreibtisch und nahm das Demonstrationsmaterial heraus: die große schematische Darstellung des Twinkle-Laufwerks und die Skizze des Fließbandes in Malaysia. Beides würde er, bevor er mit seinem Vortrag begann, auf Tafeln fixieren.

Er dachte noch einmal über Blackburns Ratschläge nach und fand plötzlich, daß Blackburn recht hatte. Eine Attrappe oder ein Prototyp würden besser wirken. Vielleicht sollte er sogar eines der Laufwerke mitnehmen, die Arthur vor kurzem aus Kuala Lumpur geschickt hatte.

Bei dieser Gelegenheit fiel ihm ein, daß er Arthur in Malaysia anrufen mußte. Er wählte die Nummer.

»Büro Mr. Kahn.«

»Hier spricht Tom Sanders.«

Die Sekretärin schien sehr erstaunt zu sein. »Mr. Kahn ist nicht hier, Mr. Sanders.«

»Wann wird er zurückerwartet?«

»Erst nach dem Wochenende, Mr. Sanders.«

»Aha.« Sanders verzog das Gesicht. Das war seltsam. Es sah Arthur nicht ähnlich, jetzt, da Mohammed Jafar wegfiel, die Fabrik ohne Aufsicht zu lassen. Andererseits – es war Freitag.

Die Sekretärin fragte: »Kann ich ihm etwas ausrichten?«

»Nein, danke.«

Er legte den Hörer auf, ging hinunter zu Cherrys Programmierabteilung im dritten Stock und schob seine Karte in den Schlitz, um die Tür zu öffnen. Die Karte kam wieder heraus, und auf der Leuchtdiodenanzeige erschien: 0000. Es dauerte einige Sekunden, bis ihm klargeworden war, daß sie ihm den Zugang gesperrt hatten. Da fiel ihm die andere Karte ein, die er vor zwei Tagen vom Boden aufgehoben hatte. Er schob sie in den Schlitz; die Tür ließ sich öffnen. Sanders trat ein.

Zu seinem Erstaunen war die Abteilung menschenleer. Dabei

hatten die Programmierer seltsame Arbeitszeiten – eigentlich war fast immer jemand da, selbst um Mitternacht.
Er ging in den Diagnostikraum, wo die Laufwerke genau untersucht wurden. Dort standen mehrere von elektronischen Anlagen und Schreibtafeln umgebene Werktische. Auf diesen Tischen lagen die Laufwerke, jedes mit einem weißen Tuch bedeckt. Die hellen Quarzlampen an der Decke waren ausgeschaltet.
Aus dem Nebenraum drang Rockmusik; Sanders ging hinein. Ein einsamer Programmierer Anfang 20 saß tippend an einer Konsole. Neben ihm dröhnte ein tragbares Radio.
»Wo sind die denn alle?« fragte Sanders.
Der Programmierer hob den Blick. »Dritter Mittwoch im Monat.«
»Ja und?«
»Die OOHP trifft sich jeden dritten Mittwoch.«
»Ach so.« Die Vereinigung »Objektorientierte Hilfe für Programmierer«, kurz OOHP, war eine Vereinigung von Programmierern aus dem Großraum Seattle, die Microsoft einige Jahre zuvor gegründet hatte. Man traf sich teils zum Vergnügen, teils zum Fachsimpeln.
»Wissen Sie, ob das Diagnostikteam etwas gefunden hat?« fragte Sanders.
»Tut mir leid.« Der Programmierer schüttelte den Kopf. »Ich bin gerade erst gekommen.«
Sanders ging in das Labor zurück. Er schaltete das Licht ein und entfernte vorsichtig die weißen Tücher von den Laufwerken. Er sah, daß nur drei der CD-ROM-Laufwerke geöffnet worden waren, um die Bauteile unter starken Lupen und mit elektronischen Sonden untersuchen zu können. Die anderen sieben Geräte hatte man, noch in ihrer Plastikumhüllung verschweißt, am Rande eines Tisches aufeinandergestapelt.

Er betrachtete die Schreibtafeln. Auf der einen standen eine Reihe von Gleichungen und hastig hingekritzelte Angaben. Auf der anderen war folgendes Flußdiagramm zu lesen:

```
A. CONTR. INKOMPAT.
   VLSI?
   STROM?
B. OPTISCHE DYSFUNKT.? SPANNUNGSREGLER?/
   ZUGRIFFSARM?/SERVO?
C. LASER R/O (A, B, C)
D. MECHANISCH √√
E. SONSTIGES
```

Sanders wußte nicht viel damit anzufangen. Er richtete seine Aufmerksamkeit wieder auf die Tische und sah sich die Prüfgeräte näher an. Abgesehen von mehreren auf einem Tisch liegenden Nadeln mit großen Ausflußöffnungen und einigen weißen, runden Halbleiterscheiben, die mit Plastik umhüllt waren und wie Kamerafilter aussahen, schien es sich um die üblichen Geräte zu handeln. Er entdeckte auch Polaroidfotos der Laufwerke in verschiedenen Phasen der Zerlegung – das Team hatte die Arbeit dokumentiert. Drei der Fotos waren säuberlich nebeneinander aufgereiht, so als wären sie besonders wichtig, aber er konnte nicht erkennen, warum. Sie zeigten nur Chips auf einer grünen Schaltkarte.
Nun sah er sich die Laufwerke selbst an, wobei er darauf achtete, nichts zu verändern. Eines der drei CD-ROM-Laufwerke auf dem Tisch hatten sie noch nicht aus der Plastikhülle genommen. Auf ihrer Oberfläche war die Plastikverpakkung rund um das Laufwerk an mehreren Stellen mit kleinen Löchern versehen.
Neben dem Laufwerk lag ein aufgeschlagenes Notizbuch mit einer Zahlenreihe:

```
PPE   7   11(WDH.11)   5   2
```

Und darunter hatte jemand »Total offensichtlich!« hingeschmiert. Für Sanders aber war es keineswegs offensichtlich. Er beschloß, später Don Cherry anzurufen und es sich von ihm erklären zu lassen. Er nahm sich ein Laufwerk vom Stapel, um es bei seiner Präsentation am Vormittag zu demonstrieren, und verließ den Diagnostikraum.

Ihm fiel ein, daß er sich noch schnell den Konferenzsaal anschauen könnte, als Einstimmung auf die morgige Präsentation. Es war ein großer Raum, in dem leicht 30 Personen Platz fanden und der fast ausschließlich für Presseempfänge und Marketingkonferenzen genutzt wurde.

Sanders machte sich auf den Weg ins Erdgeschoß. Am Empfang saß jetzt ein schwarzer Wachmann, der sich gerade ein Baseballspiel ansah. Er nickte Sanders schweigend zu, der geräuschlos über den dicken Teppichboden zum anderen Ende der Etage eilte. Im Gang war es dunkel, aber im Konferenzsaal brannte Licht; das konnte er sehen, noch ehe er um die Ecke gebogen war.

Als er näher kam, hörte er Meredith Johnsons Stimme: »Und was dann?« Darauf antwortete ein Mann etwas, das Sanders nicht verstand.

Er blieb stehen.

Er stand im dunklen Gang und lauschte. Was sich in dem Saal abspielte, konnte er nicht sehen.

Eine Zeitlang herrschte Schweigen, dann sagte Johnson: »Okay, Mark wird also über die Entwicklungsabteilung sprechen?«

»Ja, das übernimmt er«, sagte der Mann.

»Okay«, sagte Johnson. »Und was ist dann mit ...«

Den Rest verstand Sanders nicht. Er ging ganz langsam und leise weiter und schielte um die Ecke. Das Innere des Konferenzsaals konnte er auch von dieser Stelle aus nicht sehen, aber vor dem Saal befand sich eine große Chromskulptur, eine

Art Riesenpropeller, auf deren glänzender Oberfläche er Meredith Johnsons Spiegelbild erkannte. Der Mann, mit dem sie sprach, war Blackburn.
»Und was ist, wenn Sanders es nicht anspricht?« fragte Johnson.
»Er wird es ansprechen«, erwiderte Blackburn.
»Sind Sie sicher, daß er nicht ... daß die ...« Wieder blieb der Rest für Sanders unverständlich.
»Nein, er ... keine Ahnung.«
Sanders hielt die Luft an. Meredith ging auf und ab, ihr Spiegelbild drehte und verzerrte sich. »Also, wenn er es tut, dann werde ich sagen, daß das ein ... ist. Entspricht das Ihrer ...?«
»Genau«, sagte Blackburn.
»Und wenn er ...«
Blackburn legte ihr die Hand auf die Schulter. »Ja, Sie müssen ...«
»... wollen Sie also, daß ich ...«
Blackburn antwortete so leise, daß Sanders fast gar nichts hörte, nur den Satzfetzen »... müssen ihn fertigmachen.«
»... kann das tun ...«
»... dafür, daß ... zähle auf Sie ...«
Ein Telefon ertönte schrill. Meredith und Blackburn griffen gleichzeitig in ihre Taschen. Meredith nahm den Anruf entgegen, und die beiden begannen auf die Tür zuzugehen. Sie kamen direkt auf Sanders zu.
Sanders blickte sich panisch um und bemerkte, daß sich gleich rechts von ihm eine Herrentoilette befand. Im letzten Augenblick, bevor die beiden aus dem Konferenzsaal traten und in den Gang einbogen, stahl er sich dort hinein.
»Machen Sie sich keine Sorgen, Meredith«, sagte Blackburn. »Es wird schon klappen.«
»Ich mache mir gar keine Sorgen.«

»Es wird ganz ruhig und sachlich ablaufen«, erklärte Blackburn. »Es gibt keinen Grund zur Erbitterung. Schließlich sprechen die Tatsachen für Sie. Er ist eindeutig inkompetent.«

»In die Datenbank kommt er immer noch nicht?« fragte sie.

»Nein. Er ist vom System ausgeschlossen.«

»Und er hat keine Möglichkeit, in das System von Conley-White zu gelangen?«

Blackburn lachte auf. »Völlig ausgeschlossen, Meredith!«

Die Stimmen wurden schwächer, je weiter sich die beiden den Gang hinunter entfernten. Sanders bemühte sich, noch etwas zu verstehen, hörte aber nur mehr das Klicken einer sich schließenden Tür. Er trat aus der Toilette hinaus in den Gang. Der Gang war menschenleer. Sanders starrte auf die Tür am anderen Ende.

Sein Telefon in der Hosentasche begann zu piepen – so laut, daß er zusammenzuckte. Er meldete sich. »Sanders.«

»Hören Sie zu!« Es war Fernandez. »Ich habe den Entwurf für Ihren Vertrag an Blackburns Büro geschickt, aber er kam zurück, versehen mit einigen zusätzlichen Angaben, über die ich mir nicht sicher bin. Ich halte es für das beste, wenn wir uns treffen und darüber reden.«

»In einer Stunde«, sagte Sanders.

»Warum nicht gleich?«

»Ich muß zuerst etwas anderes erledigen.«

Ah, Thomas!« Max Dorfman öffnete die Tür seines Hotelzimmers und bewegte seinen Rollstuhl sofort wieder zurück vor den Fernseher. »Endlich haben Sie beschlossen zu kommen!«

»Haben Sie es schon gehört?«

»Was soll ich gehört haben? Ich bin ein alter Mann. Mit mir gibt sich doch niemand mehr ab. Mich haben alle – auch Sie – schon längst aufs Abstellgleis geschoben.« Grinsend schaltete er den Apparat aus.

»Was haben Sie denn gehört?« fragte Sanders.

»Ach, dieses und jenes. Gerüchte, Gerede. Erzählen Sie es mir doch selbst!«

»Ich stecke in Schwierigkeiten, Max.«

»Selbstverständlich stecken Sie in Schwierigkeiten«, zischte Dorfman. »Die ganze Woche stecken Sie schon in Schwierigkeiten. Haben Sie das erst jetzt bemerkt?«

»Die wollen mich fertigmachen.«

»Die?«

»Blackburn und Meredith.«

»Unsinn!«

»Es ist die Wahrheit.«

»Sie glauben, Blackburn könnte Sie fertigmachen? Phil Blackburn ist ein charakterloser Narr. Er hat keine Prinzipien und eine sehr geringe Intelligenz. Ich habe Garvin schon vor Jahren geraten, ihn zu entlassen. Blackburn ist völlig unfähig zu eigenständigem Denken.«

»Dann eben Meredith.«

»Ah, Meredith! Ja. So schön! Solch herrliche Brüste!«

»Bitte, Max!«

»Das war einmal auch Ihre Meinung.«

»Ist lange her«, sagte Sanders.

Dorfman lächelte. »Die Zeiten haben sich geändert?« fragte er mit deutlich ironischem Unterton.

»Was soll das heißen?«

»Sie sind kreidebleich, Thomas.«

»Ich verstehe überhaupt nichts mehr. Ich habe Angst.«

»Ah, Sie haben Angst. Ein großer Mann wie Sie hat Angst vor dieser schönen Frau mit den schönen Brüsten.«

»Max –«
»Ihre Angst ist selbstverständlich berechtigt. Schließlich hat sie Ihnen ja all diese schrecklichen Dinge angetan. Sie hat Sie ausgetrickst und manipuliert und mißbraucht, ja?«
»Ja«, sagte Sanders trotzig.
»Garvin und Meredith haben Sie schikaniert.«
»Ja.«
»Warum haben Sie dann mir gegenüber die Blume erwähnt, hm?«
Sanders runzelte die Stirn. Zuerst wußte er nicht, was Dorfman meinte. Der alte Mann verwirrte ihn immer so, und er genoß es, ihn –
»Die Blume«, sagte Dorfman, ungeduldig mit den Knöcheln auf die Armlehne seines Rollstuhls klopfend. »Die Blume aus farbigem Glas in Ihrer Wohnung. Unlängst sprachen wir doch davon. Sagen Sie bloß, Sie haben es vergessen!«
Ja, er hatte es vergessen, es fiel ihm erst jetzt wieder ein: die bunte Glasblume, jenes Bild, das ihm vor wenigen Tagen ganz plötzlich wieder eingefallen war. »Ja, ich hatte es vergessen.«
»Sie haben es vergessen!« Dorfmans Stimme troff vor Sarkasmus. »Wollen Sie mir das wirklich weismachen?«
»Es ist aber so, Max. Ich –«
»Sie sind unmöglich!« zischte Dorfman. »Ich glaube einfach nicht, daß Sie so primitiv sind. Sie haben es nicht vergessen, Thomas. Sie zogen es nur vor, sich nicht damit auseinanderzusetzen.«
»Mit was denn?«
Sanders sah die Glasblume vor sich, grell orangerot, blau und gelb. Die Blume in dem Glaseinsatz in seiner Wohnungstür. Am Montag hatte er ständig an sie denken müssen, es war fast schon eine Manie gewesen. Aber gestern und heute –
»Ich ertrage dieses Gerede nicht länger«, sagte Dorfman.

»Selbstverständlich ist Ihnen das alles bewußt. Aber Sie sind nun mal entschlossen, nicht daran zu denken.«
Sanders schüttelte den Kopf. Er war völlig durcheinander.
»Thomas. Sie haben mir doch vor zehn Jahren alles erzählt!« Dorfman gestikulierte jetzt heftig. »Sie haben sich mir anvertraut, weinend. Sie waren unglaublich aufgeregt damals. Es war die wichtigste Sache in Ihrem Leben – damals. Und jetzt wollen Sie das alles vergessen haben?« Er schüttelte den Kopf. »Sie erzählten mir, Sie unternähmen mit Garvin Geschäftsreisen nach Japan und Korea. Und immer wenn Sie wiederkamen, wartete Meredith in Ihrer Wohnung auf Sie. In irgendeiner erotischen Aufmachung, was weiß ich – in irgendeiner erotischen Pose. Und Sie erzählten mir, daß Sie sie manchmal bei Ihrer Rückkehr zuerst durch das bunte Glas sahen. Haben Sie mir das nicht erzählt, Thomas? Habe ich das damals falsch verstanden?«
Er hatte es falsch verstanden.
Mit einem Mal war die Erinnerung da, wie ein scharfgestelltes Dia, das groß und hell vor ihm erschien. Jetzt sah er es, fast so, als wäre er wieder dort: die Treppe, die zu seiner im ersten Stock gelegenen Wohnung führte, und er hörte die Geräusche, die er gehört hatte, als er nachmittags die Treppe hinaufging, Geräusche, die er zuerst nicht einordnen konnte, aber als er den Treppenabsatz erreicht hatte und durch das farbige Glas sah, da wußte er plötzlich, was er hörte –
»Ich bin damals früher zurückgekommen«, sagte er.
»Ja, genau. Sie kamen unerwartet«, sagte Dorfman.
Die Glassteine, gelb und orangerot und blau. Und durch sie hindurch ihr nackter Rücken, der sich auf und ab bewegte. Sie war im Wohnzimmer, auf der Couch, und sie bewegte sich auf und ab.
»Und was taten Sie?« fragte Dorfman. »Als Sie sie sahen?«
»Ich klingelte.«

»Sie klingelten. Ein äußerst zivilisiertes Verhalten. Ein in hohem Maße defensives und höfliches Verhalten. Sie klingelten.«

In Gedanken sah er, wie Meredith sich umdrehte und zur Tür blickte. Das Haar fiel ihr wirr ins Gesicht. Sie strich es sich aus den Augen. Als sie ihn sah, veränderte sich ihre Miene. Sie riß ganz weit die Augen auf.

Dorfman bohrte weiter. »Und dann, was war dann? Was taten Sie als nächstes?«

»Ich ging. Ich ging zur ... ich ging in die Garage und stieg in meinen Wagen. Ich fuhr ziellos umher. Einige Stunden. Vielleicht auch länger. Als ich zurückkam, war es dunkel.«

»Sie waren selbstverständlich sehr aufgebracht.«

Er stieg wieder die Treppe hoch und sah wieder durch das farbige Glas. Das Wohnzimmer war leer. Er schloß die Tür auf und ging ins Wohnzimmer. Auf der Couch stand eine Schüssel mit Popcorn. Die Couch war voller Falten. Der Fernseher lief ohne Ton. Er wandte den Blick von der Couch ab und ging ins Schlafzimmer. Er rief ihren Namen. Sie packte gerade. Ihr Koffer lag geöffnet auf dem Bett. Er sagte: »Was machst du da?«

»Ich gehe«, sagte sie und sah ihn an. Sie stand sehr aufrecht vor ihm, sehr angespannt. »Oder erwartest du das nicht von mir?«

»Ich weiß nicht.«

Und dann brach sie in Tränen aus. Sie schluchzte, griff nach einem Papiertaschentuch, schneuzte sich laut und unbeholfen wie ein Kind. Beim Anblick ihres Elends streckte er die Arme nach ihr aus, und sie schmiegte sich an ihn und sagte ihm mit tränenerstickter Stimme, daß es ihr leid tue, immer wieder sagte sie es. Immer wieder sah sie zu ihm auf, streichelte sein Gesicht.

Und dann, er wußte selbst nicht, wie ...

»Gleich auf dem Koffer, was?« sagte Dorfman kichernd. »Gleich dort auf dem Koffer, auf den Kleidern, die sie eingepackt hatte, feierten Sie Ihr Versöhnungsfest!«

»Ja«, sagte Sanders.

»Sie erregte Sie. Sie wollten sie wiederhaben. Sie war eine Herausforderung für Sie. Sie wollten sie besitzen.«

»Ja ...«

»Die Liebe ist etwas Wunderbares«, sagte Dorfman aufseufzend, mit nicht zu überhörendem Sarkasmus. »So rein, so unschuldig. Und dann waren Sie wieder zusammen, ja?«

»Ja. Eine Zeitlang. Aber es klappte nicht.«

Das Ende war sehr seltsam gewesen. Zuerst hatte er solche Wut empfunden, aber dann hatte er ihr verziehen und geglaubt, es könnte weitergehen. Sie hatten sich über ihre Gefühle unterhalten, sie hatten einander ihre Liebe gestanden und den festen Willen gehabt, zusammenzubleiben. Aber sie konnten es beide nicht: Der Vorfall hatte die Beziehung schwer erschüttert, hatte ihr etwas Unabdingbares geraubt. Egal, wie oft sie einander einredeten, sie könnten weitermachen – etwas hatte sich grundlegend verändert. Im Inneren war ihre Beziehung tot. Sie stritten häufiger; dadurch gelang es ihnen, die alte Energie noch eine Weile aufzubringen. Aber dann war es eines Tages einfach zu Ende.

»Und als es zu Ende war«, sagte Dorfman, »kamen Sie zu mir und erzählten mir alles.«

»Ja«, sagte Sanders.

»Und warum kamen Sie zu mir und erzählten mir alles? Oder haben Sie auch das ›vergessen‹?«

»Nein, ich weiß es noch. Ich wollte Ihren Rat.«

Er war zu Dorfman gegangen, weil er mit dem Gedanken spielte, aus Cupertino wegzuziehen. Mit Meredith hatte er Schluß gemacht, sein Leben war aus den Fugen, alles war in Unordnung geraten, er wollte einen Neuanfang, anderswo.

Deshalb hatte er erwogen, nach Seattle zu ziehen und die Leitung der Advanced Products Group zu übernehmen. Garvin hatte ihm die Stelle eines Tages ganz beiläufig angeboten, und Sanders überlegte sich, ob er sie annehmen sollte. Deshalb hatte er Dorfman um Rat gebeten.

»Sie waren ziemlich außer sich«, sagte Dorfman. »Es war ein unglückliches Ende für eine Liebesgeschichte.«

»Ja.«

»Man könnte also sagen, daß Meredith Johnson der Grund war, weshalb Sie jetzt hier in Seattle sind. Denn ihretwegen änderten Sie Ihre Berufspläne und Ihr ganzes Leben. Sie fingen hier ganz neu an. Und diese Tatsache aus Ihrer Vergangenheit kannten viele Leute. Garvin zum Beispiel. Auch Blackburn wußte darüber Bescheid. Deshalb war er so darauf bedacht, Sie zu fragen, ob Sie auch wirklich mit ihr zusammenarbeiten könnten. Alle machten sich Gedanken darüber, wie es wohl werden würde. Aber Sie haben alle beschwichtigt, Thomas, nicht wahr?«

»Ja.«

»Aber Ihre Beschwichtigungen waren falsch.«

Sanders überlegte. »Ich weiß nicht, Max.«

»Also, bitte! Sie wissen es doch ganz genau. Es muß wie ein schlechter Traum gewesen sein, wie ein Alptraum aus Ihrer Vergangenheit, als Sie hörten, daß dieser Mensch, vor dem Sie einst geflüchtet waren, jetzt nach Seattle kommen, Sie bis hierher verfolgen und dann auch noch Ihre Vorgesetzte in der Firma werden würde! Daß sie sich den Job nahm, den Sie wollten, den Job, von dem Sie dachten, Sie hätten ihn verdient!«

»Ich weiß nicht ...«

»Wirklich nicht? Ich an Ihrer Stelle wäre sehr, sehr wütend. Ich würde sie mir vom Hals schaffen wollen, und wie! Sie hatte Sie einmal sehr verletzt, und Sie wollten sich nicht ein zweites Mal verletzen lassen. Aber welche Möglichkeiten hatten Sie schon? Sie hatte den Job, und sie wurde von Garvin protegiert. Garvins Macht schützte sie, und wenn man etwas gegen sie sagte, hörte er gar nicht hin. Richtig?«

»Richtig.«

»Während Sie schon seit vielen Jahren Garvin nicht mehr nahestanden, weil es Garvin von Anfang an nicht recht gewesen war, daß Sie den Job in Seattle übernahmen. Er hatte Ihnen diesen Job zwar angeboten, gleichzeitig jedoch erwartet, daß Sie ablehnen. Garvin liebt Menschen, die er protegieren kann. Er liebt es, wenn sich zu seinen Füßen die Bewunderer scharen. Und er liebt es nicht, wenn diese Bewunderer zusammenpacken und in eine andere Stadt ziehen. Deshalb war Garvin enttäuscht von Ihnen. Es wurde nie wieder so, wie es einmal gewesen war. Und dann tauchte plötzlich diese Frau aus Ihrer Vergangenheit auf, eine Frau, die von Garvin gefördert wurde. Was konnten Sie da tun? Wie konnten Sie Ihre Wut loswerden?«

In Sanders' Kopf jagten sich die Gedanken. Als er an die Ereignisse jenes ersten Tages zurückdachte – an die Gerüchte, an Blackburns Ankündigung, an das erste Wiedersehen mit ihr –, konnte er sich nicht erinnern, Wut empfunden zu haben. Seine Gefühle waren an jenem Tag sehr ambivalent gewesen, aber Wut hatte er nicht empfunden, dessen war er sicher ...

»Thomas, Thomas. Hören Sie auf zu träumen. Sie haben keine Zeit dazu.«

Sanders schüttelte den Kopf. Er konnte nicht mehr klar denken.

»Thomas: Sie haben das alles arrangiert. Ob Sie es zugeben oder nicht, ob Sie sich dessen bewußt sind oder nicht. In gewisser Hinsicht ist das, was geschah, genau das, was Sie beabsichtigten. Und Sie sorgten dafür, daß es sich ereignete.«

Plötzlich dachte Sanders an Susan. Was hatte sie damals in dem Restaurant gesagt?
Warum hast du es mir nicht erzählt? Ich hätte dir helfen können.
Und natürlich hatte sie recht gehabt. Sie war Anwältin; sie hätte ihn beraten können, wenn er ihr an jenem ersten Abend alles erzählt hätte. Sie hätte ihm gesagt, was zu tun sei. Sie hätte ihn da wieder herausgeholt. Aber er hatte es ihr nicht erzählt.
Jetzt können wir nicht mehr viel tun.
»Sie wollten diese Konfrontation, Thomas.«
Und dann Garvin: *Sie war Ihre Freundin, und es paßte Ihnen nicht, daß sie Sie verließ. Deshalb wollen Sie sich jetzt an ihr rächen.*
»Die ganze Woche hindurch haben Sie daran gearbeitet, es zu dieser Konfrontation kommen zu lassen.«
»Max –«
»Deshalb erzählen Sie mir bitte nicht, Sie seien hier das Opfer. Sie sind kein Opfer. Sie sehen sich selbst als Opfer, weil Sie keine Verantwortung für Ihr Leben übernehmen wollen. Weil Sie sentimental und faul und naiv sind. Sie denken, andere Menschen sollten sich um Sie kümmern.«
»Max, verdammt –«
»Sie leugnen Ihren Anteil an dieser Sache. Sie geben vor, alles vergessen zu haben. Sie tun so, als wäre Ihnen alles unbewußt geblieben. Und jetzt tun Sie auch noch so, als wären Sie durcheinander.«
»Max –«
»Ach, ich weiß nicht, warum ich mich mit Ihnen noch abgebe! Wie viele Stunden bleiben Ihnen noch bis zu dieser Sitzung? Zwölf? Zehn? Und Sie verschwenden Ihre Zeit und reden mit einem verrückten alten Mann!« Er drehte den Rollstuhl zur Tür. »Wenn ich Sie wäre, würde ich mich an die Arbeit machen!«

»Was meinen Sie damit?«
»Nun, Ihre Absichten kennen wir mittlerweile, Thomas. Aber welche Absichten hat Meredith, hm? Auch sie ist dabei, ein Problem zu lösen. Sie hat ein Ziel vor Augen. Also – welches Problem will sie lösen?«
»Ich weiß es nicht«, sagte Sanders.
»Selbstverständlich wissen Sie es nicht. Die Frage ist: Wie wollen Sie es herausfinden?«

In Gedanken versunken legte er die fünf Straßenblocks zum *Il* Terrazzo zurück. Fernandez hatte vor dem Eingang auf ihn gewartet. Sie gingen zusammen hinein.
»Ach, du meine Güte!« Sanders ließ den Blick durch den Raum schweifen.
»Die üblichen Verdächtigen, alle auf einem Haufen«, bemerkte Fernandez trocken.
Direkt geradeaus saßen, im hinteren Teil des Lokals, Meredith Johnson und Bob Garvin gemeinsam beim Essen. Zwei Tische weiter speiste Phil Blackburn mit Gattin Doris, einer dünnen, brilletragenden Frau, die wie eine Buchhalterin wirkte. Gleich daneben saß Stephanie Kaplan mit einem jungen Mann Anfang 20 – offenbar ihr Sohn, der Student, dachte Sanders. Und rechts am Fenster hatten sich die Leute von Conley-White zu einem Geschäftsessen getroffen, zu ihren Füßen die geöffneten Aktenkoffer. Über den ganzen Tisch lagen Papiere verstreut. John Conley saß rechts, Jim Daly links von Ed Nichols. Daly sprach gerade in ein winziges Diktiergerät.
»Vielleicht sollten wir in ein anderes Lokal gehen«, sagte Sanders.

»Nein«, widersprach Fernandez. »Sie haben uns schon gesehen. Wir können uns dort drüben in die Ecke setzen.«
Carmine kam. »Mr. Sanders.« Ein steifes Nicken.
»Wir hätten gern den Tisch dort in der Ecke, Carmine.«
»Wie Sie wünschen, Mr. Sanders.«
Sie setzten sich und bestellten den Aperitif. Fernandez beobachtete Meredith und Garvin. »Sie könnte seine Tochter sein«, sagte sie.
»Das finden alle.«
»Es ist wirklich auffällig.«
Der Kellner brachte die Speisekarten. Sanders hatte auf nichts Appetit, aber sie bestellten trotzdem etwas. Fernandez ließ den Blick unverwandt auf Garvin ruhen. »Er ist eine Kämpfernatur, was?«
»Bob? Ein berüchtigter Kämpfer. Unglaublich *tough*.«
»Sie weiß ihn zu nehmen.« Fernandez wandte den Blick ab und zog mehrere Papiere aus ihrem Aktenkoffer. »Das ist der Vertrag, den Blackburn zurückgeschickt hat. Abgesehen von zwei Klauseln ist er in Ordnung. In der ersten beanspruchen sie für sich das Recht, Ihnen zu kündigen, wenn man Ihnen nachweisen kann, daß Sie am Arbeitsplatz eine kriminelle Handlung begangen haben.«
»Aha.« Er überlegte, was das wohl zu bedeuten hatte.
»Und diese zweite Klausel hier betrifft das Recht, Ihnen zu kündigen, wenn Sie ›keine nach den branchenüblichen Maßstäben zufriedenstellende Arbeitsleistung‹ erbringen. Was könnte das bedeuten?«
Sanders schüttelte nachdenklich den Kopf. »Die haben etwas ganz Bestimmtes im Sinn.« Er erzählte ihr von dem Gespräch, das er vor dem Konferenzsaal belauscht hatte.
Wie immer zeigte Fernandez keine Reaktion. Sie sagte nur: »Möglich.«
»Möglich? Die ziehen das durch!«

»Juristisch betrachtet, meine ich. Es ist durchaus möglich, daß sie etwas in dieser Richtung vorhaben. Und es würde auch klappen.«
»Warum?«
»Bei einer Klage wegen sexueller Belästigung rückt immer die gesamte Arbeitsleistung eines oder einer Angestellten ins Blickfeld. Wenn es eine Pflichtverletzung gegeben hat, auch wenn sie noch so lange zurückliegt und noch so geringfügig war, kann sie benützt werden, um die Klage abzuwenden. Ich hatte einmal eine Klientin, die zehn Jahre lang für eine Firma gearbeitet hatte und wegen sexueller Belästigung klagte. Die Firma konnte nachweisen, daß die Angestellte bei ihrer schriftlichen Bewerbung in einem Punkt gelogen hatte. Die Klage wurde abgewiesen, die Angestellte sogar entlassen.«
»Dann hängt also letztlich alles von meiner Leistung ab?«
»Das wäre möglich, ja.«
Er runzelte die Stirn. Was hatten sie nur gegen ihn in der Hand?
Auch sie ist dabei, ein Problem zu lösen. Also: Welches Problem will sie lösen?
Fernandez zog einen Kassettenrecorder aus ihrer Tasche. »Ich würde gern noch einige andere Punkte mit Ihnen besprechen«, sagte sie. »Da ist, beispielsweise, etwas, das sich gleich zu Beginn der Aufzeichnung ereignet.«
»Okay.«
»Hören Sie sich das mal an!«
Sie reichte ihm das Gerät. Er hielt es sich dicht ans Ohr.
Er hörte sich selbst klar und deutlich sagen: »... sollten wir uns ihrer Meinung nach darüber erst dann Gedanken machen, wenn es soweit ist. Ich habe ihr gesagt, wie du die Sache siehst, und sie telefoniert gerade mit Bob – wir werden also morgen in der Sitzung voraussichtlich diese Haltung einnehmen. Auf jeden Fall, Mark – sollte sich in dieser Sache noch

eine grundlegende Veränderung ergeben, würde ich dich morgen vor der Sitzung noch mal anrufen und –«

»Vergiß das dumme Telefon!« sagte Meredith laut, und dann hörte er ein Rascheln, wie raschelnder Stoff, und dann eine Art Zischen und gleich darauf ein dumpfes Geräusch – das Telefon war auf die Fensterbank gefallen –, gefolgt von lautem Rauschen.

Wieder das Stoffrascheln. Dann herrschte Stille.

Ein Grunzgeräusch. Rascheln.

Während er lauschte, versuchte er die dazugehörigen Handlungen im Gedächtnis zu rekonstruieren. In diesen Sekunden waren sie wohl zur Couch hinübergetaumelt, denn jetzt klangen die Stimmen leiser und waren weniger deutlich zu verstehen als zuvor. Er hörte sich sagen: »Meredith, warte –«

»O Gott!« sagte sie. »Den ganzen Tag habe ich schon Lust auf dich.«

Es raschelte wieder. Schweres Atmen war zu hören. Sanders wußte nicht mehr genau, was zu diesem Zeitpunkt geschehen war. Meredith stöhnte auf. Es raschelte.

»O Gott, du fühlst dich so *gut* an, ich ertrage es nicht, wenn der Dreckskerl mich anfaßt. Diese blöde Brille! Oh, ich bin so geil, ich hatte schon so lange keinen ordentlichen Fick mehr –«

Rascheln. Störungsrauschen. Rascheln. Das Rascheln wurde stärker. Sanders betrachtete das sich bewegende Tonband und hörte, mittlerweile ziemlich enttäuscht, zu. Es fielen ihm einfach keine Bilder zu diesen Geräuschen ein – und er war doch selbst dabeigewesen. Dieses Band würde niemanden überzeugen. Es bestand vorwiegend aus unerklärlichen Geräuschen, unterbrochen von langen Phasen der Stille.

»Warte, Meredith ...«

»Oooh! Sag nichts! Nein! Nein!« Er hörte sie abgehackt keuchen.

Dann wieder Stille.
»Das reicht«, sagte Fernandez.
Sanders legte den Recorder auf den Tisch und schaltete ihn kopfschüttelnd aus.
»Über das, was wirklich passiert ist, sagt diese Aufnahme nicht das geringste aus.«
»Sie sagt genug aus«, versicherte ihm Fernandez. »Und machen Sie sich nur keine Sorgen wegen der Beweise. Das ist meine Aufgabe. Aber haben Sie Johnsons erste Sätze gehört?« Sie warf einen Blick auf ihren Notizblock. »Die Stelle, an der sie sagt: ›Den ganzen Tag habe ich schon Lust auf dich‹? Und dann sagt sie: ›O Gott, du fühlst dich so gut an, ich ertrage es nicht, wenn der Dreckskerl mich anfaßt. Diese blöde Brille, oh, ich bin so geil, ich hatte schon so lange keinen ordentlichen Fick mehr.‹ Haben Sie diese Passage gehört?«
»Ja.«
»Gut. Von wem spricht sie da?«
»Von wem sie spricht?«
»Ja. Wer ist der Dreckskerl, dessen Berührung sie nicht erträgt?«
»Ihr Mann wahrscheinlich«, sagte Sanders. »Wir hatten kurz vorher über ihn gesprochen. Das war, bevor das Tonband ins Spiel kam.«
»Sagen Sie mir, was vorher gesprochen wurde!«
»Also, Meredith beklagte sich darüber, daß sie ihrem Mann Unterhalt bezahlen muß, und dann sagte sie, ihr Mann sei mies im Bett. Sie sagte: ›Ich hasse Männer, die nicht wissen, was sie tun.‹«
»Sie glauben also, daß sich ›Ich ertrage es nicht, wenn der Dreckskerl mich anfaßt‹ auf ihren Mann bezieht?«
»Ja.«
»Ich nicht«, sagte Fernandez. »Die beiden sind schon seit Monaten geschieden. Es war eine sehr schlimme Scheidung.

Der Mann haßt sie. Er hat jetzt eine Freundin; mit dieser Frau ist er nach Mexiko geflogen. Ich glaube nicht, daß sie ihren Mann meint. Aber wen meint sie dann?«

»Keine Ahnung«, sagte Sanders. »Es könnte praktisch jeder sein.«

»Ich glaube nicht, daß es einfach irgendwer ist. Hören Sie es sich noch mal an. Achten Sie auf den Klang ihrer Stimme.«

Sanders spulte das Band zurück und hielt sich das Gerät wieder dicht ans Ohr. Als er es auf den Tisch zurücklegte, sagte er: »Sie klingt fast wütend.«

Fernandez nickte. »Aufgebracht – so würde ich es bezeichnen. Da ist sie mit Ihnen zugange und spricht plötzlich von einem anderen. ›Der Dreckskerl‹, sagte sie. Es ist fast so, als wollte sie jemandem etwas heimzahlen. Genau in diesem Augenblick hat sie das Gefühl, mit diesem Menschen quitt zu sein.«

»Ich weiß wirklich nicht«, sagte Sanders. »Meredith redet viel. Sie hat schon immer über andere Leute getratscht. Über ehemalige Freunde und so weiter. Sie ist alles andere als romantisch.«

Er erinnerte sich, wie sie einmal in seiner Wohnung in Sunnyvale miteinander im Bett gelegen hatten, entspannt und voller Wohligkeit. Sonntagnachmittag, von der Straße her klang Kinderlachen zu ihnen herein. Seine Hand lag auf ihrem Schenkel, spürte den Schweiß. Da sagte sie plötzlich ganz versonnen: »Weißt du, ich war mal mit einem Norweger zusammen, der hatte einen krummen Schwanz. Krumm wie ein Säbel, so zur Seite gebogen, weißt du, und der –«

»Meredith! Also wirklich!«

»Was ist denn? Das ist wirklich wahr! Er war wirklich gebogen!«

»Das mußt du mir doch nicht ausgerechnet jetzt erzählen.«

Immer wenn so etwas passierte, seufzte sie, als trage sie schrecklich schwer daran, sich mit solch übertriebener Emp-

findlichkeit herumplagen zu müssen. »Warum will eigentlich jeder Typ glauben, er sei der einzige?«
»Das stimmt nicht. Wir wissen, daß wir nicht die einzigen sind. Aber nicht jetzt, okay?«
Und dann hatte sie wieder geseufzt ...
Fernandez sagte: »Auch wenn es nicht ungewöhnlich für sie ist, während des Geschlechtsverkehrs zu reden, auch wenn sie dabei indiskret oder stark distanzierend ist, es bleibt die Frage: Von wem spricht sie an dieser Stelle?«
Sanders schüttelte den Kopf. »Ich weiß es nicht, Louise.«
»Und sie sagt, daß sie seine Berührung nicht erträgt ... Das klingt, als wäre sie dazu gezwungen. Und sie erwähnt seine blöde Brille.«
Sie sah zu Meredith hinüber, die schweigend neben Garvin saß und aß. »Er?«
»Ich glaube nicht.«
»Warum nicht?«
»Alle sagen es. Alle sagen, daß Bob nicht mit ihr schläft.«
»Alle könnten sich irren.«
Sanders schüttelte den Kopf. »Es wäre Inzest.«
»Da haben Sie wahrscheinlich recht.«
Das Essen wurde serviert. Sanders stocherte in seinen *Spaghetti alla puttanesca* herum, pickte sich die Oliven heraus. Er hatte keinen rechten Hunger. Fernandez dagegen ließ es sich sichtlich schmecken. Beide hatten das gleiche Gericht bestellt.
Sanders richtete den Blick auf die Conley-White-Leute. Nichols hielt gerade eine durchsichtige Plastikhülle mit 35-Millimeter-Dias in die Höhe und betrachtete sie durch seine Halbbrille hindurch. Sanders überlegte, was für Aufnahmen das wohl waren. Nichols sah sie sich sehr lange an. Conley, der neben ihm saß, warf einen Blick auf seine Armbanduhr und machte eine Bemerkung über die Uhrzeit. Die beiden anderen nickten. Conley sah kurz zu Meredith hin-

über, dann wandte er sich wieder den vor ihm liegenden Papieren zu.
Daly fragte etwas: »... diese Zahl?«
»Hier«, antwortete Conley und deutete auf ein Blatt.
»Schmeckt ausgezeichnet«, sagte Fernandez. »Lassen Sie es nicht kalt werden!«
»Na gut.« Er nahm eine Gabel voll. Es schmeckte nach gar nichts. Er legte die Gabel auf den Teller zurück und schob ihn von sich weg.
Fernandez wischte sich mit der Serviette das Kinn ab. »Sie haben mir nie erzählt, warum Sie an diesem unglückseligen Abend in Meredith' Büro eigentlich aufgehört haben. Letztlich.«
»Mein Freund Max Dorfman meint, ich hätte das Ganze inszeniert.«
»Aha.«
»Glauben Sie das auch?«
»Ich weiß nicht. Ich habe Sie nur gefragt, was Sie an diesem Punkt empfanden. In der Sekunde, als Sie aufhörten.«
Sanders hob die Schultern. »Ich wollte einfach nicht.«
»Aha. Kurz vor dem Ziel hatten Sie keine Lust mehr, was?«
»Genau.« Nach einer kurzen Pause sagte er: »Wollen Sie wirklich wissen, was es war? Sie hat gehustet.«
»Sie hat gehustet?«
Sanders sah sich wieder in dem Zimmer, die Hose bis zu den Knien heruntergelassen, über die auf der Bürocouch liegende Meredith gebeugt. Ihm fiel ein, daß ihm der Gedanke durch den Kopf geschossen war: Was, zum Teufel, mache ich da eigentlich? Und sie hatte die Hände auf seine Schultern gelegt und wollte ihn an sich ziehen. »Oh, bitte ... Nein ... Nein ...«
Und dann hatte sie den Kopf zur Seite gedreht und gehustet. Dieses Husten hatte den Ausschlag gegeben. Danach hatte er

sich hingesetzt und gesagt: »Du hast recht.« Und dann war er gegangen.

Fernandez sah ihn fragend an. »Ich muß schon sagen – daß ein bißchen Gehuste so viel bewirken kann ...«

»Es war aber so.« Er schob seinen Teller weg. »Ich meine, in einer solchen Situation hustet man einfach nicht.«

»Aber wieso denn? Ist das eine Benimmregel, die ich noch nicht kenne – kein Husten beim Vögeln?«

»Überhaupt nicht«, erwiderte Sanders. »Es geht um das, was es aussagt.«

»Entschuldigen Sie, aber jetzt komme ich nicht mehr mit. Was sagt denn ein Husten aus?«

Sanders zögerte mit der Antwort. »Wissen Sie, Frauen denken immer, Männer wüßten nicht, wie es geht. Ich meine diesen Irrglauben, daß Männer nicht die richtige Stelle finden, daß sie nicht wissen, was sie tun sollen, und so weiter. Daß Männer in bezug auf Sex einfach dumm seien.«

»Ich halte euch Männer nicht für dumm. Aber was sagt denn so ein Husten schon aus?«

»Husten heißt, daß man innerlich unbeteiligt ist.«

Fernandez' Augenbrauen schnellten nach oben. »Das erscheint mir ein wenig extrem.«

»Es ist aber so.«

»Also, ich weiß nicht. Mein Mann hat Bronchitis. Er hustet die ganze Zeit.«

»Aber nicht im letzten Augenblick, ganz bestimmt nicht.«

Fernandez dachte, die Gabel unbewegt in der Hand, darüber nach. »Gut, aber sofort hinterher. Da bricht er in einen wahren Hustenanfall aus. Wir lachen dann beide immer darüber.«

»Gleich danach, das ist etwas anderes. Aber in dem Augenblick, genau in diesem intensiven Moment, von dem ich spreche – da hustet niemand.«

Jetzt kamen weitere Erinnerungen zurück, an die vielen Male früher. Ihre geröteten Wangen. Ihr Hals, ihr Dekolleté, mit roten Flecken bedeckt. Die Brustwarzen nicht mehr hart. Zuerst waren sie hart, dann nicht mehr. Um ihre Augen bildete sich ein dunkler, manchmal violett schimmernder Schatten. Geschwollene Lippen. Unregelmäßiger Atem. Schwallartig ausbrechender Schweiß. Ein Drehen der Hüften, sie verändert den Rhythmus, sie ist angespannt, aber da ist noch etwas anderes, etwas Fließendes. Auf der Stirn bilden sich Falten. Sie stöhnt. Sie beißt. So viele verschiedene Möglichkeiten, aber –

»Niemand hustet«, sagte er noch einmal.

In diesem Moment empfand er plötzlich eine starke Verlegenheit; er zog den Teller wieder zu sich und begann von den Nudeln zu essen. Er brauchte einen Grund, nichts mehr sagen zu müssen; irgendwie hatte er das Gefühl, die Regeln übertreten zu haben, er spürte, daß es diesen Bereich noch immer gab, dieses Wissen, dieses Bewußtsein, von dem jeder behauptete, es existiere nicht ...

Fernandez sah ihn neugierig an. »Haben Sie das irgendwo gelesen?«

Er schüttelte den Kopf und kaute weiter.

»Unterhalten sich die Männer über so was?«

Er schüttelte wieder nur den Kopf.

»Die Frauen schon.«

»Ich weiß.« Er schluckte. »Auf jeden Fall hat sie gehustet, und deshalb habe ich aufgehört. Sie hatte sich nicht darauf eingelassen, und das – ärgerte mich wohl. Ich meine, sie lag da, keuchte und stöhnte, aber im Grunde war sie völlig unbeteiligt. Und ich kam mir ...«

»Ausgebeutet vor?«

»Ja, so ähnlich. Manipuliert. Manchmal denke ich mir, wenn sie nicht genau in diesem Augenblick gehustet hätte ...«

Sanders zuckte mit den Achseln.
»Vielleicht sollte ich sie einfach mal fragen«, sagte Fernandez mit einer Kopfbewegung zu Meredith hin.
Sanders hob den Blick und sah, daß Meredith auf Fernandez und ihn zukam. »Ach, du lieber Gott!«
»Ruhig, ganz ruhig! Alles ist in bester Ordnung.«
Meredith trat breit grinsend an den Tisch. »Hallo, Louise. Hallo, Tom.« Sanders machte Anstalten, aufzustehen. »Bleib sitzen, Tom, ich bitte dich!« Sie legte ihm eine Hand auf die Schulter und drückte sie kurz. »Ich wollte nur kurz mal vorbeischauen.« Sie strahlte übers ganze Gesicht. Sie wirkte tatsächlich wie eine selbstbewußte Chefin, die nur rasch ein paar Kollegen begrüßen will. Sanders sah, daß Garvin, der an seinem Tisch sitzen geblieben war, inzwischen die Rechnung bezahlte, und fragte sich, ob er danach Meredith folgen und auch zu Fernandez und ihm kommen würde.
»Ich wollte nur sagen, daß ich Ihnen nicht böse bin, Louise«, sagte Meredith. »Wir hatten alle unsere Pflicht zu tun, das verstehe ich voll und ganz. Und ich denke, das Ganze hatte durchaus einen Sinn – wir haben reinen Tisch gemacht und können, hoffentlich, von jetzt ab produktiv weiterarbeiten.«
Meredith stand hinter Sanders' Stuhl, während sie das sagte. Er mußte den Kopf drehen und den Hals recken, um sie ansehen zu können.
»Wollen Sie sich nicht setzen?« fragte Fernandez.
»Na gut, aber nur ganz kurz.«
Sanders stand auf, um ihr einen Stuhl zu holen. Auf die Conley-Leute mußte das Ganze genau so wirken, wie sie es gerne sahen: Die Chefin, die nicht stören will und so lange abwartet, bis sie von ihren Mitarbeitern gedrängt wird, sich ihnen anzuschließen. Als er mit einem Stuhl zurückkehrte, schielte er kurz hinüber und sah, daß Nichols sie über seine Brille hinweg beobachtete. Ebenso der junge Conley.

Meredith nahm Platz. Sanders schob ihr den Stuhl an den Tisch. »Sollen wir irgend etwas für Sie bestellen?« fragte Fernandez fürsorglich.
»Ich habe gerade gegessen, danke.«
»Kaffee? Irgendeine Kleinigkeit?«
»Nein, vielen Dank.«
Sanders setzte sich. Meredith beugte sich zu ihm vor. »Bob hat mit mir gerade über seinen Plan gesprochen, mit der Abteilung an die Börse zu gehen. Ich finde das sehr aufregend. Offenbar will er es bald in Angriff nehmen.«
Sanders sah sie erstaunt an.
»Also, Bob hat da eine Liste mit Namen für die Firma, wenn sie nächstes Jahr ausgegliedert wird. Paß mal auf: SpeedCore, SpeedStar, PrimeCore, Talisan und Tensor. Ich finde, SpeedCore klingt wie eine Firma, die Spoiler für Serienwagen herstellt. SpeedStar klingt nach schnellem Geld – vielleicht ein bißchen zu direkt. Bei PrimeCore denkt man sofort an einen offenen Investmentfonds. Wie wäre es mit Talisan oder Tensor?«
»Tensor ist eine Lampe«, sagte Fernandez.
»Okay. Aber Talisan finde ich ziemlich gut.«
»Das Apple-IBM-Joint-venture heißt Taligent«, warf Sanders ein.
»Ah, ja, du hast recht. Das ist zu ähnlich. Und was hältst du von MicroDyne? Das ist doch nicht schlecht. Oder ADG – Advanced Data Graphics? Meinst du, daß einer dieser beiden Namen passen würde?«
»MicroDyne ist gut.«
»Das fand ich auch. Aber da war noch einer ... AnoDyne.«
»Das ist ein Analgetikum«, sagte Fernandez.
»Wie bitte?«
»Ein Anodynum ist ein Analgetikum – ein schmerzstillendes Mittel.«

»Ach, daran hatte ich nicht gedacht. Ein letzter noch: SynStar.«
»Klingt wie ein Pharmaunternehmen.«
»Ja, stimmt. Aber wir haben ja noch ein halbes Jahr Zeit, um uns einen besseren Namen einfallen zu lassen. Und für den Anfang finde ich MicroDyne gar nicht so schlecht. Es verbindet sozusagen Micro mit Dynamo. Damit assoziiert man doch positive Dinge, oder nicht?«
Bevor Sanders oder Fernandez antworten konnten, hatte Meredith schon ihren Stuhl zurückgeschoben. »Ich muß gehen. Aber ich dachte mir, daß die Namensplanung doch von gewissem Interesse ist. Vielen Dank für die Anregungen. Gute Nacht, Louise. Tom – wir sehen uns ja morgen.« Sie schüttelte beiden die Hand und ging zu Garvin hinüber, mit dem zusammen sie daraufhin an den Conley-Tisch trat, um auch dort hallo zu sagen.
Sanders starrte ihr nach. »Positive Assoziationen«, murmelte er. »Das darf doch nicht wahr sein! Sie spricht über Namen für eine Firma und weiß nicht einmal, was für eine Firma das ist.«
»Eine ziemlich gute Show hat sie da hingelegt«, sagte Fernandez.
»Klar«, stimmte Sanders ihr zu. »Die ganze Frau ist eine einzige Show. Aber mit uns hatte das nichts zu tun. Diese Vorstellung war für ein anderes Publikum gedacht.« Er machte eine Kopfbewegung zu den Conley-White-Leuten am anderen Ende des Lokals. Garvin schüttelte reihum jedem die Hand, während Meredith sich mit Jim Daly unterhielt. Daly machte einen Witz; Meredith warf lachend den Kopf zurück und zeigte ihren langen Hals.
»Sie hat nur deshalb mit uns gesprochen, damit es, wenn ich morgen entlassen werde, nicht so aussieht, als wäre es geplant gewesen.«

»Wollen Sie gehen?« fragte Fernandez. »Ich würde noch gerne einige Dinge überprüfen.«
»Ach ja? Was denn?«
»Es könnte sein, daß Alan etwas für uns hat. Zumindest besteht die Möglichkeit.«
Meredith stand immer noch am Conley-White-Tisch, und zwar hinter John Conley, auf dessen Schultern ihre Hände ruhten, während sie sich mit Daly und Ed Nichols unterhielt. Ed Nichols sah sie über seine Brille hinweg an und sagte etwas. Meredith lachte und trat hinter seinen Stuhl, um über seine Schulter hinweg einen Blick auf ein mit Zahlen bedecktes Blatt Papier zu werfen, das er hochhielt. Sie brachte ihren Kopf ganz nahe an seinen, nickte, sagte etwas, deutete auf das Blatt.
Sie überprüfen die falsche Firma.
Sanders starrte Meredith an, die gutgelaunt mit den drei Männern von Conley-White schäkerte. Was hatte Phil Blackburn gestern zu ihm gesagt?
Die Sache ist nur die – Meredith Johnson hat sehr gute Beziehungen innerhalb dieser Firma. Sie hat auf einige extrem wichtige Leute großen Eindruck gemacht.
Auf Garvin, zum Beispiel.
Nicht nur auf Garvin. Meredith hat sich in verschiedenen Bereichen gewisse Machtstützpunkte erobert.
Conley-White?
Ja, auch dort.
Fernandez erhob sich. Auch Sanders stand auf. »Wissen Sie was, Louise?«
»Was?«
»Wir haben die falsche Firma überprüft.«
Fernandez sah ihn skeptisch an; dann blickte sie zum Conley-White-Tisch hinüber. Meredith stimmte Ed Nichols gerade heftig nickend zu und deutete mit einer Hand auf das Papier,

während sie sich mit der anderen flach auf dem Tisch abstützte, um die Balance zu halten. Ihre Finger berührten Ed Nichols' Hand. Er betrachtete über seine Halbgläser hinweg das Blatt mit den Zahlen.
»Blöde Brille ...«, murmelte Sanders.
Kein Wunder, daß Meredith es unterlassen hatte, ihn wegen sexueller Belästigung anzuzeigen. Auf ihre Beziehung mit Ed Nichols hätte sich das fatal auswirken können. Und kein Wunder, daß Garvin sie nicht entließ. Alles paßte perfekt zusammen. Nichols hatte bereits Bedenken wegen der Fusion – seine Affäre mit Meredith war möglicherweise das einzige, was ihn noch bei der Stange hielt.
Fernandez seufzte leise. »Meinen Sie? Nichols?«
»Ja – warum nicht?«
Fernandez schüttelte den Kopf. »Selbst wenn es so ist, es bringt uns nichts. Die können auf Begünstigung aufgrund privater Beziehungen pochen, die können auf alles mögliche pochen – falls es überhaupt nötig wird, irgend etwas ins Feld zu führen. Das wäre nicht die erste Fusion, die im Bett zustande kam. Ich würde sagen: Vergessen Sie's!«
»Soll das heißen, daß nichts Ungehöriges daran ist, daß sie eine Affäre mit jemandem von Conley-White hat und aufgrund dieser Affäre befördert wird?«
»Es ist überhaupt nichts Ungehöriges daran. Zumindest nicht im streng juristischen Sinn. Also – das können Sie vergessen.«
Sanders fiel ein, was Stephanie Kaplan zu ihm gesagt hatte: *Und als man sie entließ, suchte sie die Schuldigen in der völlig falschen Ecke.*
»Ich bin müde«, sagte er.
»Wir sind alle müde. Die dort drüben sehen auch mitgenommen aus.«
Am anderen Ende des Lokals war man im Aufbruch begriffen.

Die Unterlagen wanderten zurück in die Aktenkoffer. Auf dem Weg zum Ausgang unterhielten sich Meredith und Garvin weiterhin mit den drei Herren von Conley-White. Garvin verabschiedete sich mit Handschlag von Carmine, der seinen Gästen die Tür aufhielt.

Dann geschah es.

Von der Straße her leuchtete grelles Quarzlicht auf. Die im Lichtschein Gefangenen drängten sich eng zusammen. Ihre Schatten ragten lang über den Boden des Restaurants.

»Was ist los?« fragte Fernandez leise.

Sanders drehte sich um, aber da hatte sich die Gruppe bereits wieder in das Innere des Lokals gezwängt und die Tür geschlossen. Einige Sekunden lang herrschte helle Aufregung. Garvin sagte laut: »Verdammt noch mal!« und warf Blackburn einen bösen Blick zu.

Blackburn blieb einen Augenblick völlig verdutzt stehen, dann eilte er zu Garvin, der, von einem Fuß auf den anderen tretend, gleichzeitig damit beschäftigt war, die Conley-White-Leute zu beschwichtigen und Blackburn anzupfeifen.

Sanders ging zu ihnen hinüber. »Alles in Ordnung?«

»Es ist die verdammte Presse«, sagte Garvin. »Da draußen steht KSEA-TV.«

»Unglaublich!« sagte Meredith.

»Die fragen nach irgendeiner Klage wegen sexueller Belästigung«, sagte Garvin, den Blick drohend auf Sanders gerichtet.

Sanders zuckte mit den Achseln.

»Mit denen rede ich gleich mal«, sagte Blackburn. »Das ist ja geradezu lächerlich.«

»Lächerlich, allerdings«, sagte Garvin. »Einfach unglaublich ist das!«

Alle sprachen durcheinander, alle fanden es ganz unglaublich. Aber Sanders sah, daß Nichols zutiefst erschüttert war. Meredith führte die Gruppe nun durch die Hintertür aus dem

Lokal, auf die Terrasse. Blackburn ging vorne hinaus und trat mit erhobenen Händen, wie ein Mann kurz vor der Verhaftung, ins grelle Licht. Dann fiel die Tür zu.
Nichols sagte: »Das ist nicht gut. Das ist gar nicht gut.«
»Machen Sie sich keine Sorgen, ich kenne den Nachrichtenchef dieses Senders«, versuchte Garvin ihn zu beschwichtigen. »Ich werde das bereinigen.«
Jim Daly machte eine Bemerkung darüber, daß die Fusion doch vertraulich zu behandeln sei.
»Nur keine Sorge«, sagte Garvin. »Sobald ich mit dem Chef gesprochen habe, ist die Fusion wieder streng geheim!«
Als sie alle durch die Hintertür in die Nacht hinaus verschwunden waren, ging Sanders an den Tisch zurück, an dem Fernandez gerade die Rechnung beglich.
»Kleine Aufregung, was?« sagte sie trocken.
»Mehr als nur ein bißchen Aufregung«, erwiderte Sanders und schielte zu Stephanie Kaplan hinüber, die noch immer mit ihrem Sohn dasaß. Der junge Mann sprach heftig gestikulierend auf seine Mutter ein, aber Kaplan hielt den Blick unverwandt auf die Hintertür gerichtet, durch die die Conley-White-Leute verschwunden waren. Auf ihrem Gesicht lag ein seltsamer Ausdruck. Es verstrichen noch einige Sekunden, erst dann riß sie sich vom Anblick der Tür los und wandte sich wieder ihrem Sohn zu.

Es war ein düsterer, feuchter, unangenehmer Abend. Sanders fröstelte, als er mit Fernandez zu seinem Büro zurückging.
»Wie ist bloß das Fernsehen an die Story gekommen?«
»Die wurden wahrscheinlich von Walsh informiert«, sagte Fernandez. »Vielleicht haben sie es auch von jemand ande-

rem. Im Grunde leben wir hier in einem Dorf. Aber machen Sie sich wegen des Fernsehens keine Sorgen, das ist nicht wichtig. Sie müssen sich jetzt auf die Sitzung morgen vorbereiten.«

»Genau daran habe ich den ganzen Abend versucht nicht zu denken.«

»Tja, Sie sollten aber daran denken.«

Vor ihnen lag der Pioneer Square. Die Fenster in den umliegenden Gebäuden waren noch hell erleuchtet. Viele der hier ansässigen Firmen unterhielten geschäftliche Beziehungen zu Japan und richteten sich auf späte Arbeitszeiten ein, um auch während der ersten Morgenstunden in Tokio Geschäfte tätigen zu können.

»Wissen Sie«, sagte Fernandez plötzlich, »als ich sie beobachtete, wie sie sich diesen Männern gegenüber verhielt, fiel mir auf, wie cool sie wirkte.«

»Ja. Meredith ist cool.«

»Sie verfügt über eine unglaubliche Selbstbeherrschung.«

»Ja, das stimmt.«

»Warum hat sie sich dann so offen an Sie herangemacht, noch dazu an ihrem ersten Arbeitstag? Warum diese Eile?«

Welches Problem versucht sie zu lösen? hatte Max ihn gefragt.

Jetzt fragte ihn Fernandez das gleiche. Offenbar kapierten alle, worum es ging, nur er nicht.

Sie sind kein Opfer.

Also muß ich das Rätsel lösen, dachte er.

Mach dich an die Arbeit!

Er dachte wieder an das Gespräch, das Meredith und Blackburn beim Verlassen des Konferenzsaales geführt hatten.

Es wird ganz ruhig und sachlich ablaufen. Schließlich sprechen die Tatsachen für Sie. Er ist eindeutig inkompetent.

In die Datenbank kommt er immer noch nicht?

Nein. Er ist vom System ausgeschlossen.

Und er hat keine Möglichkeit, in das System von Conley-White zu gelangen?
Völlig ausgeschlossen, Meredith!
Damit hatten sie natürlich recht. Er kam nicht in das System. Aber welchen Vorteil hätte er gehabt, wenn es ihm möglich gewesen wäre?
Lösen Sie das Problem! hatte Max gesagt. *Tun Sie das, was Sie am besten können.*
Das Problem lösen.
»Zum Teufel!« sagte Sanders.
»Wir sind schon unterwegs«, bemerkte Fernandez trocken.

Es war halb zehn. Im vierten Stock machten sich die Reinigungstrupps gerade im mittleren Areal, in den abgeteilten Arbeitsnischen, zu schaffen. Sanders betrat mit Fernandez sein Büro. Eigentlich wußte er gar nicht, warum sie hierhergegangen waren. Hier gab es doch im Augenblick nichts zu tun.
Fernandez sagte: »Ich rufe mal Alan an. Vielleicht hat er etwas.« Sie setzte sich und begann zu wählen.
Sanders nahm an seinem Schreibtisch Platz und blickte auf den Bildschirm seines Computers. Die neueste E-Mail-Information lautete:

SIE ÜBERPRÜFEN NOCH IMMER DIE FALSCHE FIRMA.
A. FRIEND

»Aber wieso denn?« fragte er laut, die Mitteilung unverwandt anstarrend. Er war gereizt; es ärgerte ihn, daß er es mit einem Puzzle zu tun hatte, das offensichtlich jeder außer ihm zusammensetzen konnte.
»Alan?« sagte Fernandez in die Sprechmuschel hinein. »Hier

ist Louise. Haben Sie etwas? Aha, aha. Aha. Ist das ... Na ja, das ist ja ziemlich enttäuschend, Alan. Nein, das kann ich jetzt noch nicht sagen. Ja, klar, wenn das möglich ist. Wann könnten Sie sich mit ihr treffen? In Ordnung. Sehen Sie zu, was sich machen läßt!« Sie legte den Hörer auf. »Wir haben kein Glück heute abend.«
»Aber wir haben nur noch heute abend.«
»Ja.«
Sanders stierte weiter auf den Computerbildschirm. Irgend jemand innerhalb der Firma versuchte ihm zu helfen, wollte ihn darauf hinweisen, daß er die falsche Firma überprüfte. Im Umkehrschluß besagte die Mitteilung, daß es für ihn eine Möglichkeit gab, die richtige Firma zu überprüfen. Und wer genug wußte, um ihm diese Nachrichten senden zu können, wußte wohl auch, daß man ihn aus dem DigiCom-System ausgeschlossen und ihm seine Zugriffsrechte entzogen hatte. Was konnte er tun?
Nichts.
»Wer, glauben Sie, ist dieser ›A. Friend‹?« fragte Fernandez.
»Ich weiß es nicht.«
»Raten Sie einfach mal.«
»Ich weiß es nicht.«
»Wer fällt Ihnen spontan ein?«
Er überlegte, ob sich hinter »A. Friend« möglicherweise Mary Anne Hunter verstecken könnte. Aber Mary Anne hatte im Grunde nichts mit Technik zu tun; ihre Stärke war das Marketing. Es paßte einfach nicht zu ihr, Botschaften über Internet zu versenden. Wahrscheinlich wußte sie nicht einmal, was Internet war. Nein, Mary Anne konnte es nicht sein.
Und auch Mark Lewyn nicht. Lewyn war sauer auf ihn.
Don Cherry? Sanders dachte nach. Einerseits war das Ganze typisch Don Cherry. Andererseits war Cherry bei der einzigen

Begegnung mit Sanders, seit die Sache ins Rollen gekommen war, außerordentlich unfreundlich gewesen.
Nein, Cherry war es auch nicht.
Aber wer dann? Das waren doch die einzigen Leute, die in Seattle über den System-Zugang verfügten, der leitenden Angestellten vorbehalten war: Hunter, Lewyn, Cherry. Eine kurze Liste.
Stephanie Kaplan? Sehr unwahrscheinlich. Sie war im Grunde ein schwerfälliger, phantasieloser Mensch. Und sie kannte sich viel zu wenig mit Computern aus, um so etwas tun zu können.
War es doch jemand außerhalb der Firma? Es konnte Gary Bosak sein. Wahrscheinlich fühlte er sich schuldig, weil er Sanders im Stich gelassen hatte. Außerdem verfügte er über die leicht schrägen Instinkte eines Hackers – und über den typischen Hacker-Humor.
Gary konnte es sehr wohl sein.
Aber auch das brachte Sanders nicht weiter. Er trat auf der Stelle.
Sie waren immer gut, wenn es um technische Probleme ging. Das war schon immer Ihre Stärke.
Sanders holte das noch in Plastik eingeschweißte Twinkle-CD-ROM-Laufwerk hervor. Warum wollten sie es so verpackt haben?
Ganz egal, sagte er sich. Konzentrier dich auf das Wichtige!
Mit diesem Laufwerk stimmte irgend etwas nicht. Wenn er herausbekäme, wo das Problem lag, hätte er die Antwort. Wer wußte möglicherweise Bescheid?
In Plastik verpackt.
Es hatte etwas mit dem Montageband zu tun. Das mußte es sein. Er wühlte in den Sachen auf seinem Schreibtisch, fand die DAT-Kassette und schob sie in das Gerät.
Er konnte sich nun sein Gespräch mit Arthur Kahn ansehen

und anhören. Kahn war auf der einen Seite des Bildschirms, Sanders auf der anderen zu sehen.
Hinter Arthur war, unter fluoreszierenden Lampen, das hellerleuchtete Montageband zu erkennen. Kahn hustete und rieb sich das Kinn. »Hallo, Tom. Wie geht es dir?«
»Mir geht es gut, Arthur«, sagte Sanders.
»Schön. Das mit der Umstrukturierung tut mir leid.«
Aber Sanders' Aufmerksamkeit galt nicht dem Gespräch, sondern er beobachtete Kahn. Ihm fiel auf, daß Kahn sehr dicht vor der Kamera stand, so dicht, daß seine Gesichtszüge ein wenig verzerrt und unscharf waren. Sein Gesicht war so groß, daß es einen ungehinderten Blick auf das Montageband dahinter verstellte. »Was ich persönlich darüber denke, weißt du«, sagte Kahn gerade.
Er hatte mit seinem Kopf den Blick auf das Band verstellt.
Sanders ließ das Band noch einige Sekunden weiterlaufen, dann stoppte er es.
»Kommen Sie, wir gehen hinunter«, sagte er zu Fernandez.
»Ist Ihnen etwas eingefallen?«
»Ein allerletzter Funke Hoffnung, mehr nicht.«

Die Lampen gingen an. Grelles Licht fiel auf die Arbeitstische des Diagnostikteams.
»Was ist das hier?« fragte Fernandez.
»Hier werden die Laufwerke überprüft.«
»Die Laufwerke, die nicht funktionieren?«
»Genau.«
Fernandez hob bedauernd die Schultern. »Ich fürchte, daß ich mich damit nicht –«
»Ich auch nicht«, unterbrach Sanders sie. »Ich bin im Grunde kein Techniker. Ich kann nur in Menschen lesen.«

Fernandez sah sich um. »Verstehen Sie das hier an der Tafel?«
»Nein«, sagte Sanders seufzend.
»Ist die Überprüfung bereits abgeschlossen?«
»Ich weiß es nicht.«
Aber schon im nächsten Moment wurde es ihm schlagartig klar. Ja, die Überprüfung *war* abgeschlossen. Es mußte so sein. Denn sonst hätte das Diagnostikteam die ganze Nacht durchgearbeitet und versucht, bis zur Sitzung morgen fertig zu sein. Statt dessen hatten sie die Geräte abgedeckt und waren zu ihrem Stammtisch gegangen. Ihre Aufgabe hatten sie folglich erfüllt.
Das Problem war gelöst.
Alle außer ihm wußten Bescheid.
Deshalb hatten sie nur drei Laufwerke auseinandergenommen. Die übrigen brauchten sie nicht mehr. Und sie hatten darum gebeten, die Geräte in Plastikhüllen einzuschweißen ...
Weil ...
Die kleinen Löcher ...
»Die Luft«, sagte er.
»Die Luft?«
»Sie glauben, daß es an der Luft liegt.«
»An welcher Luft?« fragte Fernandez.
»An der Luft in der Fabrik.«
»In der Fabrik in Malaysia?«
»Ja ...«
»Sie meinen, es liegt an der Luft in Malaysia?«
»Nein, an der Luft in der *Fabrik*.«
Er betrachtete noch einmal das Notizbuch auf dem Tisch. PPE stand dort, und dann folgte eine Zahlenreihe. PPE war die Abkürzung für »Partikel pro Einheit«. Es handelte sich um die Maßeinheit für die Luftreinheit in einer Fabrik. Und diese Werte, von zwei bis elf, waren viel zu hoch. Eigentlich hätte

man keinen einzigen Partikel finden dürfen, allerhöchstens einen. Diese Werte waren völlig inakzeptabel.
Die Luft in der Fabrik war schlecht.
Und das bedeutete Schmutz in der Split-Optik, Schmutz in den Laufwerkzugriffsarmen, Schmutz an den Chip-Verbindungsstellen ...
Er sah sich die auf der Platine eingesetzten Chips an.
»Großer Gott!«
»Was ist?«
»Sehen Sie mal!«
»Ich sehe gar nichts.«
»Da ist ein Zwischenraum zwischen den Chips und den Platinen. Die Chips sind nicht präzise montiert.«
»Ich finde, es sieht aus, als ob es in Ordnung wäre.«
»Es ist aber nicht in Ordnung.«
Er betrachtete die aufeinandergestapelten Laufwerke und sah mit einem einzigen Blick, daß alle Chips unterschiedlich angebracht waren. Manche saßen fest auf der Platine, bei anderen gab es einen Spalt von mehreren Millimetern, so daß man die Kontaktstifte sehen konnte.
»Das ist alles andere als in Ordnung«, wiederholte Sanders. »So etwas darf einfach nicht passieren.« Die Chips wurden auf dem Band von automatischen Chip-Pressern eingesetzt. Jede Platine und jeder Chip sollte das Band genau so verlassen wie jede andere Platine und jeder andere entsprechende Chip. Das war hier nicht der Fall. Hier waren die Chips völlig unterschiedlich eingepaßt. So konnte es zu Unregelmäßigkeiten in der Stromspannung und zu Problemen bei der Speicherzuteilung kommen, aus denen die reine Willkür resultierte. Und genau das produzierten diese Geräte ja auch – Zufallsergebnisse.
Er warf einen Blick auf die Schreibtafel mit dem Flußdiagramm. Eine Angabe stach ihm ins Auge.

D. ΣMECHANISCH√√

Das Wort »mechanisch« hatte das Diagnostikteam zweimal abgehakt. Bei dem Problem mit den CD-ROM-Laufwerken handelte es sich also um ein mechanisches Problem – und das konnte nur ein Problem mit dem Montageband sein.
Und für das Montageband war er verantwortlich.
Er hatte es konstruiert und aufgebaut. Er hatte alle Spezifikationen dieses Bandes von A bis Z überprüft.
Und jetzt funktionierte es nicht.
Er wußte genau, daß er keinen Fehler gemacht hatte. Irgend etwas mußte passiert sein, nachdem er das Band installiert hatte. Irgend etwas war daran verändert worden, und jetzt funktionierte es nicht mehr. Aber was war passiert?
Um das herauszufinden, mußte er die Datenbanken einsehen.
Aber man hatte ihn ausgeschlossen.
Er hatte keine Möglichkeit, ins System zu gelangen.
Sofort fiel ihm Bosak ein. Mit seiner Hilfe würde er es schaffen. Auch mit der Hilfe eines Programmierers von Cherrys Team würde es gehen. Diese Jungs waren Hacker; schon allein um eines kleinen Vergnügens willen würden sie in das System einbrechen, so wie andere Leute sich in ein Café setzen. Aber im ganzen Gebäude hielt sich mittlerweile kein einziger Programmierer mehr auf. Und Sanders wußte nicht, wann sie von ihrem Treffen zurückkommen würden. Außerdem waren diese Jungs unglaublich unzuverlässig. Ein Beispiel dafür war der Typ, der auf die Lauffläche gekotzt hatte. Das war das Problem mit ihnen – sie waren wie kleine Kinder, die mit Spielsachen herumspielten. Intelligente, kreative Kinder, die sorglos herumalberten, und –
»O mein Gott!« Er beugte sich vor. »Louise!«
»Ja?«
»Es gibt eine Möglichkeit, wir könnten es schaffen!«

»Was?«
»In die Datenbank zu gelangen.« Er stürmte aus dem Raum. Im Laufen durchwühlte er seine Hosentaschen nach der zweiten elektronischen Zutrittskarte.
»Gehen wir irgendwohin?« fragte Fernandez.
»Ja.«
»Würden Sie mir bitte sagen, wohin?«
»Nach New York.«

Die einzelnen, in langen Reihen angebrachten Lampen flackerten nacheinander auf. Fernandez starrte in den Raum hinein. »Was ist *das* denn? Der Turnsaal der Hölle?«
»Das ist ein Virtual-Reality-Simulator«, erklärte Sanders. Fernandez musterte die runden Unterlagen, die vielen Drähte, die von der Decke herabhängenden Kabel. »Und damit wollen Sie nach New York?«
»Genau.«
Sanders ging zu den Hardware-Schränken hinüber, an denen große, handgeschriebene Schilder mit Aufschriften wie NICHT BERÜHREN! und HÄNDE WEG, DU KLEINER STREBER! klebten. Sanders blieb davor stehen, suchte nach der Systemkonsole.
»Hoffentlich wissen Sie, was Sie da tun«, sagte Fernandez, die neben einer der Laufflächen stand und den silbrigen Datenhelm betrachtete. »Ich glaube nämlich, daß das genau so ein Ding ist, wie sie es den Leuten aufsetzen, die auf dem elektrischen Stuhl hingerichtet werden.«
»Ja, ich weiß.« Er hob hastig Schutzhüllen von Bildschirmen und stülpte sie wieder über die Geräte. Endlich hatte er den Hauptschalter gefunden. Gleich darauf summten die Geräte

los. Ein Bildschirm nach dem anderen wurde hell. »Stellen Sie sich auf die Lauffläche!« sagte Sanders.
Er ging zu ihr und half ihr hinauf. Fernandez bewegte zaghaft die Beine, um ein Gefühl für die sich drehenden Kugeln zu bekommen. Sofort blitzten die Laser grün auf. »Was war das?«
»Der Scanner hat Sie abgetastet. Nur keine Angst. Das hier ist der Datenhelm.« Er zog den Helm von der Decke zu sich hinunter und wollte ihn ihr aufsetzen.
»Augenblick mal!« Sie wich zurück. »Was ist das überhaupt?«
»Der Datenhelm hat zwei kleine Bildschirme, die direkt vor Ihre Augen Bilder projizieren. Setzen Sie ihn auf! Und seien Sie vorsichtig – die Dinger sind teuer.«
»Wie teuer?«
»Eine Viertelmillion Dollar pro Stück.« Er rückte den Datenhelm zurecht und gab ihr den Kopfhörer.
»Ich sehe überhaupt keine Bilder. Es ist völlig dunkel hier drin.«
»Sie sind ja auch noch nicht angeschlossen, Louise.« Er steckte die entsprechenden Kabel ein.
»Ah!« rief sie überrascht. »Na, so was! Ich sehe eine große blaue Leinwand, wie eine Kinoleinwand! Direkt vor mir! Und unter der Leinwand sind zwei viereckige Felder. Auf der einen steht EIN und auf der anderen AUS.«
»Bitte nichts anfassen! Lassen Sie Ihre Hände auf dieser Stange!« Er legte ihre Finger über den Haltegriff. »Ich komme gleich.«
»Dieses Ding auf meinem Kopf fühlt sich komisch an.«
Sanders betrat die zweite Lauffläche, zog den Datenhelm von der Decke und schloß ihn an. »Ich bin gleich bei Ihnen.«
Er setzte sich den Helm auf.
Vor ihm erschien der blaue, schwarz umrandete Bildschirm, den Fernandez als Leinwand bezeichnet hatte. Als er den Kopf nach links drehte, sah er Fernandez neben sich stehen. Sie sah

völlig normal aus, trug ihre normale Kleidung. Das Videogerät nahm sie auf, und der Computer eliminierte die Unterlage und den Datenhelm.
»Ich sehe Sie!« sagte sie erstaunt und lächelte ihn an. Der vom Datenhelm verdeckte, computeranimierte Teil ihres Gesichts wirkte ein wenig unwirklich, zeichentrickhaft.
»Gehen Sie auf den Bildschirm zu!«
»Wie denn?«
»Einfach losgehen, Louise.« Sanders machte Schritte auf der Lauffläche. Der blaue Bildschirm wurde immer größer, bis er schließlich sein gesamtes Blickfeld ausfüllte. Er ging zur EIN-Tastfläche und berührte sie mit einem Finger.
Der blaue Bildschirm leuchtete auf. In Riesenbuchstaben, die sich in großer Breite vor ihnen erstreckten, stand:

DIGITAL COMMUNICATIONS DATA SYSTEMS

Darunter befand sich eine Reihe übergroß geschriebener Menü-Felder. Der Bildschirm sah genauso aus wie ein normaler DigiCom-Bildschirm, wie er auf jedem Schreibtisch stand; nur war dieser hier zu enormer Größe aufgebläht.
»Ein gigantisches Computerterminal!« sagte Fernandez. »Toll! Genau das, was wir alle uns schon immer gewünscht haben.«
»Warten Sie ab.« Sanders tastete auf dem Bildschirm umher und wählte Menü-Felder aus. Plötzlich ertönte ein schwirrendes Geräusch; die Buchstaben auf dem Bildschirm krümmten sich nach innen, wurden in die Mitte und in die Tiefe gezogen, bis sie eine Art Schacht formten, der sich nun vor ihnen erstreckte. Fernandez sagte nichts mehr.
Jetzt hat es sogar ihr mal die Sprache verschlagen, dachte Sanders.
Der blaue Schacht verformte sich, wurde breiter und rechteckig. Die Buchstaben und die blaue Farbe verblaßten. Unter

Sanders' Füßen entstand ein Boden wie aus geädertem Marmor. Die Wände zu beiden Seiten waren plötzlich holzgetäfelt. Die Decke war weiß.

»Das ist ein Korridor«, sagte Fernandez leise.

Der Korridor baute sich weiter auf; immer mehr Einzelheiten kamen hinzu. An den Wänden erschienen Schränke und Schubladen. Säulen formierten sich entlang des Wegs. Weitere Gänge öffneten sich, die wieder zu anderen Korridoren führten. Aus den Wänden schoben sich große Beleuchtungskörper und schalteten sich selbst an. Jetzt warfen die Säulen Schatten auf den Marmorboden.

»Sieht aus wie eine Bibliothek«, sagte Fernandez. »Wie eine altmodische Bibliothek.«

»In diesem Teil schon.«

»Wie viele Teile gibt es?«

»Ich weiß nicht genau«, sagte Sanders und begann zu gehen. Sie eilte ihm nach. Durch den Kopfhörer vernahm er das Klappern ihrer Schuhe auf dem Marmorboden. Das war Cherrys Idee gewesen – ein netter kleiner Gag.

»Waren Sie hier schon mal?« fragte Fernandez.

»Schon seit mehreren Wochen nicht mehr. Seit der Fertigstellung nicht mehr.«

»Wohin gehen wir denn?«

»Ich weiß nicht genau. Aber irgendwo hier drin gibt es die Möglichkeit, in die Datenbank von Conley-White einzudringen.«

»Und wo sind wir jetzt?«

»Wir sind inmitten von Daten, Louise. Das alles hier sind Daten.«

»Dieser Korridor besteht aus Daten?«

»Es gibt keinen Korridor. Alles, was Sie sehen, ist im Grunde nur ein Haufen Zahlen. Es ist die Firmendatenbank von DigiCom, exakt die Datenbank, auf die die Leute hier jeden

Tag über ihre Computer Zugriff haben. Nur daß sie sich hier für uns als ein Raum darstellt.«

Sie ging neben ihm weiter. »Wer das wohl so eingerichtet hat?«

»Es ist einer echten Bibliothek nachempfunden. Einer Bibliothek in Oxford, glaube ich.«

Sie gelangten an eine Wegkreuzung, von der andere Gänge abzweigten. Über ihnen hingen große Schilder. Auf einem stand BUCHHALTUNG, auf einem anderen PERSONALABTEILUNG, auf einem dritten MARKETING.

»Ich verstehe«, sagte Fernandez. »Wir sind mitten in der Firmendatenbank.«

»Genau.«

»Wirklich erstaunlich!«

»Ja, das stimmt. Allerdings haben wir hier gar nichts zu suchen. Wir müssen in die Datenbank von Conley-White.«

»Und wie kommen wir da rein?«

»Keine Ahnung. Ich brauche Hilfe.«

»Hier ist Hilfe«, ertönte es leise aus der Nähe. Sanders drehte den Kopf und sah einen etwa 30 Zentimeter hohen Engel. Er war weiß und schwebte, eine flackernde Kerze haltend, in Kopfhöhe durch die Luft.

»Verdammt noch mal, das gibt's doch nicht!« sagte Louise.

»Entschuldigen Sie«, säuselte der Engel, »ist das ein Befehl? Ich erkenne ›Verdammt noch mal‹ nicht.«

»Nein«, sagte Sanders hastig. »Das ist kein Befehl.« Ihm wurde bewußt, daß er sehr vorsichtig sein mußte, wenn er nicht das System zerstören wollte.

»Gut. Ich erwarte Ihren Befehl.«

»Engel: Ich brauche Hilfe.«

»Hier ist Hilfe.«

»Wie finde ich Zugang zur Conley-White-Datenbank?«

»›Conley-White-Datenbank‹ erkenne ich nicht.«

Verständlich, dachte Sanders. Cherrys Team hatte natürlich nichts über Conley-White in das Hilfe-System programmiert. Er mußte die Frage allgemeiner fassen: »Engel: Ich suche nach einer Datenbank.«
»Gut. Der Zugriff auf den Datenbankzugang erfolgt mittels Tastatur.«
»Wo ist die Tastatur?« fragte Sanders.
»Ballen Sie eine Hand zur Faust!«
Sanders machte eine Faust, und sofort formte sich aus dem Nichts eine graue Tastatur, so, als würde er sie halten. Er zog sie an sich und betrachtete sie.
»Nicht schlecht!« sagte Fernandez.
»Ich kann auch Witze erzählen!« erklärte der Engel. »Möchten Sie einen hören?«
»Nein«, sagte Sanders.
»Gut. Ich warte auf Ihren Befehl.«
Sanders starrte auf die Tastatur mit den vielen Funktionstasten und Richtungspfeilen. »Was ist das?« fragte Fernandez.
»Die komplizierteste Fernseherfernbedienung der Welt?«
»Ja, so ungefähr.«
Er fand eine Funktionstaste, auf der ANDERE DATENBANK stand. Das erschien ihm plausibel. Er drückte sie.
Nichts geschah.
Er drückte noch einmal.
»Der Zugang öffnet sich«, verkündete der Engel.
»Wo denn? Ich sehe nichts.«
»Der Zugang öffnet sich.«
Sanders wartete. Dann kam ihm der Gedanke, daß das DigiCom-System sich auf eine andere Datenbank aufschalten lassen mußte. Die Verbindung wurde hergestellt – daher die Verzögerung.
»Verbindung ... jetzt«, sagte der Engel.
Die Korridorwand begann sich aufzulösen. Fernandez und

Sanders sahen ein großes, klaffendes schwarzes Loch, hinter dem nichts zu sein schien.
»Ist ja unheimlich«, sagte Fernandez.
Weiße Drahtgittermodelle tauchten auf und formten einen neuen Korridor. Nacheinander wurden die Zwischenräume ausgefüllt, so daß der Anschein solider Gegenstände entstand.
»Das hier sieht anders aus«, bemerkte Fernandez.
»Die Verbindung erfolgt über eine T-1-Hochgeschwindigkeitsdatenleitung, ist aber trotzdem viel zu langsam.«
Vor ihren Augen baute sich der Korridor neu auf. Diesmal waren die Wände grau. Sie fanden sich in einer Schwarzweißwelt wieder.
»Keine Farben?«
»Das System versucht eine einfachere Umgebung zu erzeugen. Farbe bedeutet, daß viel mehr Daten übertragen werden müssen. Deshalb diesmal nur Schwarzweiß.«
Dem neuen Korridor wurden Lampen, eine Decke und ein Fußboden hinzugefügt. Schließlich sagte Sanders: »Gehen wir hinein?«
»Soll das heißen, daß dort drin die Conley-White-Datenbank ist?«
»Genau.«
»Ich weiß nicht recht«, erwiderte Fernandez zögerlich und deutete auf etwas: »Was ist damit?«
Direkt vor ihnen befand sich eine Art Fluß aus schwarzweißer elektromagnetischer Störung, der mit lautem Zischen über den Boden und die Wände entlangfloß.
»Ich glaube, das Rauschen kommt von den Telefonleitungen«, vermutete Sanders.
»Sie haben also keine Bedenken, über dieses Ding hinüberzusteigen?«
»Es bleibt uns nichts anderes übrig.«
Er machte einen Schritt. Sofort ertönte lautes Knurren. Ein

großer Hund stellte sich ihnen in den Weg. Er hatte drei Köpfe, die über seinem Körper schwebten und in verschiedene Richtungen blickten.

»Was ist *das* denn?«

»Wahrscheinlich repräsentiert er die Systemsicherung.«

Cherry und seine Art von Humor, dachte Sanders.

»Kann der uns was tun?«

»Ich bitte Sie, Louise! Das ist doch nur eine Zeichentrickfigur.« Aber natürlich lief jetzt irgendwo in der Conley-White-Datenbank ein reales Überwachungssystem. Vielleicht war es eine automatische Erfassung, es konnte jedoch auch ein realer Mensch sein, der die Benutzer des Systems überwachte. Allerdings war es jetzt in New York fast ein Uhr nachts. Mit großer Wahrscheinlichkeit jedoch stellte der Hund nur irgendeine Automatik dar.

Sanders ging weiter, trat in die fließende elektromagnetische Störung. Der Hund knurrte, als er sich ihm näherte. Die drei Köpfe schwenkten in alle Richtungen und beobachteten ihn aus Trickfilmaugen. Es war ein unheimlicher Anblick, aber nichts geschah.

Er drehte sich zu Fernandez um. »Kommen Sie!«

Zögernd machte sie ein paar Schritte. Der Engel schwebte hinter ihr in der Luft.

»Engel, kommst du?«

Keine Antwort.

»Wahrscheinlich kann er hier nicht weiter«, sagte Sanders. »Dafür ist er nicht vorgesehen.«

Sie gingen den grauen Korridor entlang, auf dessen beiden Seiten sich unbeschriftete Schubladen befanden.

»Sieht aus wie ein Leichenschauhaus«, murmelte Fernandez.

»Na ja, wenigstens sind wir jetzt da.«

»Ist das die Conley-White-Datenbank in New York?«

»Ja. Hoffentlich finden wir es auch.«

»Was denn?«

Sanders gab ihr keine Antwort. Er ging auf einen Aktenschrank zu, öffnete ihn und sah die Aktenmappen durch.

»Baugenehmigungen. Offenbar für irgendein Lagerhaus in Maryland.«

»Warum sind die Schubladen nicht beschriftet?«

Noch während sie das sagte, sah Sanders, daß sich von den grauen Oberflächen ganz langsam beschriftete Schildchen abhoben. »Wahrscheinlich dauert es einfach ein bißchen.« Er drehte sich langsam um die eigene Achse und ließ den Blick über alle Schilder schweifen. »Schon viel besser! Die Personalakten sind dort drüben an der Wand.«

Er ging die Wand entlang und öffnete eine Schublade.

»Auweia!« rief Fernandez.

»Was ist?«

»Da kommt jemand!«. Ihre Stimme klang sonderbar.

Vom anderen Ende des Korridors her näherte sich eine graue Gestalt. Sie war noch zu weit entfernt, als daß man Einzelheiten erkennen konnte, aber sie kam mit raschen Schritten direkt auf Sanders und Fernandez zu.

»Was machen wir jetzt?«

»Ich weiß nicht«, sagte Sanders.

»Kann der uns sehen?«

»Ich weiß es nicht. Ich glaube es aber nicht.«

»Wir können ihn sehen, aber er kann uns nicht sehen?«

»Ich weiß es nicht.« Sanders versuchte sich zu erinnern. Cherry hatte im Hotel eine zweite virtuelle Station installiert. Wenn jemand in diesem System war, konnten sie von ihm oder ihr wahrscheinlich gesehen werden. Aber nach Cherrys Aussagen bildete sein System auch andere Benutzer ab, auch jemanden, der sich von einem Computer aus Zugriff auf die Datenbank verschaffte. Und wenn da tatsächlich jemand am Computer saß, konnte er sie unmöglich sehen. Ein normaler

Computeranwender konnte nicht feststellen, wer sich sonst noch im System aufhielt.
Die Gestalt kam näher, aber nicht mit normalen, gleitenden Bewegungen, sondern ruckhaft. Jetzt konnten sie mehr erkennen – die Augen, eine Nase, einen Mund.
»Das ist wirklich unheimlich«, flüsterte Fernandez.
Die Gestalt kam noch näher. Einzelheiten wurden sichtbar.
»Nicht zu fassen!« sagte Sanders.
Es war Ed Nichols.
Aus der Nähe sahen sie, daß Ed Nichols' Gesicht durch ein Schwarzweißfoto ersetzt wurde, das mehr schlecht als recht um einen eierförmigen Kopf gebogen war. Der graue Körper wirkte wie eine Schaufensterpuppe oder eine Marionette: Es handelte sich um eine computergenerierte Figur. Ed Nichols war also nicht im virtuellen System, sondern saß wahrscheinlich in seinem Hotelzimmer und benutzte sein Notebook. Er ging auf sie zu und mit raschen Schritten an ihnen vorbei.
»Er kann uns nicht sehen.«
»Warum ist sein Gesicht so komisch?« fragte Fernandez.
»Cherry hat mir erklärt, daß das System ein Foto aus dem Archiv nimmt und es auf die elektronischen Figuren klebt.«
Die Nichols-Figur entfernte sich weiter von ihnen.
»Was macht der hier?«
»Das müssen wir jetzt rausfinden.«
Sie folgten ihm durch den Korridor, bis Nichols vor einem Aktenschrank stehenblieb, wo er eine Schublade aufzog und begann, die Akten zu durchstöbern. Sanders und Fernandez traten zu ihm und blickten ihm über die Schulter.
Der computergenerierte Ed Nichols blätterte seine eigenen Notizen und die E-Mail durch, erst die zwei Monate zurückliegenden, dann die drei und schließlich die sechs Monate zurückliegenden Unterlagen. Dann zog er einzelne Blätter hervor, die in der Luft zu hängen schienen, während er sie

durchlas. Aktenvermerke, Notizen, persönlich und vertraulich. Zu den Akten gelegte Kopien.

»Diese Papiere betreffen allesamt die Übernahme«, sagte Sanders.

Immer mehr Unterlagen zog Nichols nacheinander hervor. Er schien es eilig zu haben.

»Er sucht etwas ganz Bestimmtes.«

Nichols hielt inne. Offenbar hatte er das Gesuchte gefunden. Sein graues Computerbild hielt es in der Hand und betrachtete es. Sanders sah Nichols über die Schulter und las Fernandez einzelne Sätze vor: »›Memo vom 4. Dezember vergangenen Jahres. Gestern Treffen mit Garvin und Johnson in Cupertino bezüglich eventuellen Ankaufs von DigiCom ...‹ Bla, bla ... ›Vorzüglicher erster Eindruck ... Solide Basis auf wichtigen Gebieten, die wir zu kaufen beabsichtigen ...‹ Bla, bla ... ›Überaus kompetentes und aggressives Führungspersonal auf allen Ebenen. Besonders beeindruckt von Ms. Johnsons Kompetenz, trotz ihrer Jugend.‹ Kann ich mir vorstellen, daß du da beeindruckt warst, Ed!«

Der computererzeugte Nichols ging jetzt zu einer anderen Schublade, die er ebenfalls öffnete. Er fand jedoch nicht, was er suchte, schloß die Schublade wieder und trat an eine andere.

Wieder begann er, ein einzelnes Blatt zu lesen. Sanders zitierte: »›Memo an John Marden. Kostenfragen in der Sache DigiCom-Ankauf ...‹ Bla, bla ... Ah, da haben wir's: ›Ms. Johnson hat begonnen, ihrer finanziellen Verantwortung hinsichtlich der malaysischen Niederlassung Rechnung zu tragen ... schlägt Sparmaßnahmen vor ... erwartete Kosteneinsparungen ...‹ Verdammt noch mal – wie kommt die eigentlich dazu?«

»Zu was?«

»Ihrer finanziellen Verantwortung hinsichtlich der malaysi-

schen Niederlassung Rechnung zu tragen? Für diese Niederlassung war sie nicht verantwortlich!«
»Oh, oh!« unterbrach ihn Fernandez. »Sie werden es nicht glauben!«
Sanders sah sie an. Fernandez starrte in den Korridor hinein. Sanders drehte sich, ihrem Blick folgend, um.
Da kam noch jemand auf sie zu.
»Ganz schön was los hier«, sagte er.
Aber selbst aus großer Entfernung konnte man sehen, daß diese Gestalt sich von der ersten unterschied. Der Kopf wirkte lebensecht, der Körper war mit allen Details versehen, und die Bewegungen wirkten geschmeidig und natürlich. »Jetzt könnten wir in Schwierigkeiten kommen«, sagte Sanders. Er hatte die Gestalt schon von weitem erkannt.
»Es ist John Conley«, sagte Fernandez.
»Genau. Und er ist auf der Lauffläche.«
»Was heißt das?«
In der Mitte des Korridors blieb Conley abrupt stehen und starrte geradeaus.
»Daß er uns sehen kann«, erklärte Sanders.
»Wirklich? Wie denn?«
»Er befindet sich in dem System, das wir im Hotel installiert haben. Deshalb wirkt er so echt. Er ist auf dem anderen virtuellen System. Daher kann er uns sehen, und wir ihn.«
»Puh!«
»Sie sagen es.«
Mit skeptischer Miene ging Conley langsam weiter. Sein Blick wanderte von Sanders zu Fernandez, dann zu Nichols hinüber und wieder zu Sanders. Er schien unentschlossen, was er tun sollte.
Aber plötzlich legte er einen Finger auf seinen Mund. Sanders und Fernandez sollten still sein.
»Kann er uns hören?« flüsterte Fernandez.

»Nein«, antwortete Sanders in normaler Lautstärke.
»Können wir mit ihm reden?«
»Nein.«
Conley rang sich offenbar zu einem Entschluß durch. Er ging zu Sanders und Fernandez hinüber, bis er dicht vor ihnen stand, wieder schaute er von einem zum anderen. Sie konnten sein Gesicht klar und deutlich sehen.
Er lächelte und streckte die Hand aus.
Sanders schüttelte sie. Er fühlte zwar nichts, aber durch seinen Datenhelm hindurch wirkte es, als würde seine Hand die von Conley tatsächlich ergreifen.
Dann schüttelte Conley Fernandez die Hand.
»Das ist schon extrem seltsam«, meinte sie.
Conley deutete auf Nichols, dann auf seine eigenen Augen, dann wieder auf Nichols.
Sanders nickte. Alle drei gingen zu Nichols hinüber, der noch immer Akten durchblätterte, und stellten sich hinter ihn.
»Soll das heißen, daß Conley ihn auch beobachtet?«
»Ja.«
»Alle drei können wir also Nichols sehen ...«
»Ja.«
»Aber Nichols kann keinen von uns dreien sehen.«
»Richtig.«
Die graue Computergestalt des Ed Nichols zog hastig Akten aus einer Schublade.
»Was hat er denn jetzt vor?« fragte Sanders. »Ah, er sieht sich die Spesenabrechnungen an. Jetzt hat er eine gefunden: ›*Sunset Shores Lodge*, Carmel 5./6. Dezember.‹ Das war zwei Tage nach seinem Memo. Und sehen Sie sich mal diese Spesen an: 110 Dollar für das Frühstück? Ich habe eine dumpfe Ahnung, daß unser Ed dort nicht alleine war.«
Er sah zu Conley hinüber.
Conley schüttelte stirnrunzelnd den Kopf.

Plötzlich verschwand die Abrechnung, die Nichols eben noch in der Hand gehalten hatte.
»Was ist passiert?«
»Ich glaube, er hat sie gerade gelöscht.«
Nichols sah immer noch Rechnungen durch, stieß auf weitere vier von *Sunset Shores* und löschte sie. Sie lösten sich einfach in Luft auf. Dann schloß er die Schublade, drehte sich um und ging fort.
Conley blieb ihm auf den Fersen. Er warf Sanders einen Blick zu und fuhr rasch mit dem Zeigefinger quer über die Kehle.
Sanders nickte.
Conley legte noch einmal den Finger an die Lippen.
Sanders nickte. Er würde sich ruhig verhalten. »Kommen Sie!« sagte er zu Fernandez. »Mehr bleibt uns hier nicht zu tun.« Mit diesen Worten begann er in Richtung DigiCom-Korridor zurückzugehen.
Eine Zeitlang folgte Fernandez ihm schweigend. Dann sagte sie plötzlich: »Ich glaube, wir haben Gesellschaft bekommen.«
Als Sanders sich umblickte, sah er, daß Conley ihnen folgte.
»Schon gut. Er soll ruhig kommen.«

Zu dritt passierten sie den Ausgang, vorbei an dem bellenden Hund, und gelangten wieder in die viktorianische Bibliothek. Fernandez seufzte vernehmlich. »Schön, wieder daheim zu sein, finden Sie nicht?«
Conley wirkte ziemlich unbeeindruckt, aber er war ja bereits einmal im Korridor gewesen. Sanders schritt hastig voran. Der Engel schwebte wieder neben ihnen her.
»Ist Ihnen eigentlich klar«, sagte Fernandez zu Sanders, »daß dies alles keinerlei Sinn ergibt? Nichols ist nämlich derjenige,

der sich gegen den Ankauf ausgesprochen hat, während Conley sehr dafür ist.«

»Stimmt«, pflichtete Sanders ihr bei. »Es ist geradezu perfekt eingefädelt. Nichols treibt es mit Meredith und unterstützt sie hinter den Kulissen als neue Abteilungsleiterin. Und wie verbirgt er das? Indem er jedem, der es hören will, unablässig etwas vornörgelt und vorjammert.«

»Sie meinen, das alles ist reine Tarnung?«

»Klar. Deshalb ist Meredith auch in keiner einzigen Sitzung auf seine Klagen eingegangen. Sie wußte genau, daß es sich nicht um echte Drohungen handelte.«

»Und Conley?«

Conley ging noch immer neben ihnen her.

»Conley will den Ankauf wirklich. Und er will auch, daß alles klappt. Conley ist klug, und ich denke, er weiß, daß Meredith sich für diesen Job nicht eignet. Aber er betrachtet sie als den Preis, den er für Nichols' Unterstützung zahlen muß. Deshalb hat er sich mit Meredith einverstanden erklärt – bis auf weiteres zumindest.«

»Und was machen wir jetzt?«

»Wir müssen das letzte fehlende Mosaiksteinchen finden.«

»Und das wäre?«

Sanders warf einen Blick in den mit MARKETING bezeichneten Korridor. Abgesehen von bestimmten Bereichen, die sich mit seinem Arbeitsfeld überschnitten, kannte er sich in diesem Teil der Datenbank nicht aus. Die Akten waren in alphabetischer Reihenfolge beschriftet. Er ging den Korridor hinunter, bis er das Schild DIGICOM/MALAYSIA SA fand.

Er zog die Schublade auf und durchsuchte den Dateiabschnitt INBETRIEBNAHME. Darin befanden sich seine eigenen Memos, Projektstudien, Lagepläne, die Unterlagen über die Verhandlungen mit den staatlichen Behörden, die ersten Beschreibungen der Anlage, Memos der Zulieferer in Singapur und Protokolle weiterer Verhandlungen mit den Staatsbehörden. Alles in allem reichten die Unterlagen bis zu zwei Jahre zurück.

»Was suchen Sie?«

»Baupläne.«

Er erwartete, jeden Augenblick auf die dicken Mappen mit den Entwürfen und den Zusammenfassungen der Abnahmeinspektionen zu stoßen, aber er fand nur eine dünne Mappe. Als er sie öffnete, erschien ein dreidimensionales Bild der Fabrik und schwebte vor ihm in der Luft. Zuerst sah man nur die Konturen, die jedoch rasch ausgefüllt wurden, bis das Gebäude plastisch wirkte. Sanders, Fernandez und Conley standen um das Modell herum und betrachteten es. Es sah aus wie ein sehr großes, mit allen Details versehenes Puppenhaus. Sie spähten durch die Fenster.

Sanders drückte auf eine Taste. Das Gebäude wurde transparent und verwandelte sich in ein Schnittmodell. Jetzt sah man die Fertigungsstraße, die technischen Bestandteile der Fabrik. Ein grünes Band – das Fließband – begann sich zu bewegen; Maschinen und Arbeiter montierten die CD-ROM-Laufwerke, während die Einzelteile auf dem grünen Band an ihnen vorbeizogen.

»Was suchen Sie denn?«

»Nachbesserungen.« Er schüttelte den Kopf. »Das hier entspricht den ersten Plänen.«

Das zweite Blatt war mit »NACHBESSERUNGEN 2/NUR DETAILS« beschriftet. Als er es aufklappte, schimmerte die Fabrik kurz auf, wirkte aber unverändert.

»Diesen Plänen zufolge gab es keinerlei Nachbesserungen«, erklärte Sanders. »Wir wissen aber, daß es welche gegeben hat.«

»Was macht er denn da?« fragte Fernandez, den Blick auf Conley gerichtet.

Sanders sah, daß Conley sehr langsam und mit übertriebenen Mundbewegungen Wörter formte.
»Er versucht uns etwas zu sagen. Können Sie erkennen, was?« fragte Fernandez.
»Nein.« Sanders betrachtete ihn eine Weile, aber die zeichentrickartige Ausführung von Conleys Gesicht machte es unmöglich, seine Lippen zu lesen. Schließlich schüttelte Sanders bedauernd den Kopf.
Conley nickte kurz und nahm Sanders die Tastatur aus der Hand. Er drückte eine Taste mit der Aufschrift ENTSPRECHENDES, und schon schwebte eine Liste mit Datenbanken ähnlichen Inhalts in der Luft – eine umfassende Liste, die unter anderem die Genehmigungen der malaysischen Behörden, die Aufzeichnungen des Architekten, die Verträge mit den Bauunternehmen sowie Unterlagen über hygienische und medizinische Überprüfungen enthielt. Insgesamt standen etwa 80 Posten auf der Liste. Den einen in der Mitte, auf den Conley jetzt deutete, hätte Sanders glatt übersehen: »Abteilung Überprüfung der Unternehmensplanung.«
»Was ist das?« fragte Fernandez.
Sanders tippte auf den Posten, und sofort erschien ein neues Blatt. Er drückte eine Taste mit der Aufschrift ZUSAMMENFASSUNG und las laut vor: »›Die Abteilung Überprüfung der Unternehmensplanung wurde von Phil Blackburn vor vier Jahren in Cupertino geschaffen, um Probleme anzugehen, die normalerweise nicht in den Bereich Unternehmensplanungsmanagement fallen. Die Aufgabe der Überprüfungsabteilung bestand darin, die Effizienz des Managements bei DigiCom zu steigern. Die Abteilung Überprüfung der Unternehmensplanung hat im Lauf der Jahre eine Reihe von Managementproblemen bei DigiCom erfolgreich gelöst.‹«
»Aha«, sagte Fernandez.
»›Vor neun Monaten führte die damals von Meredith John-

son, Unternehmensplanung Cupertino, geleitete Abteilung Überprüfung der Unternehmensplanung eine Kontrolle der geplanten Produktionsstätte in Kuala Lumpur, Malaysia, durch. Der unmittelbare Anlaß für diese Überprüfung war ein Konflikt mit den malaysischen Behörden über die Anzahl und ethnische Zusammensetzung der in der geplanten Fabrik einzustellenden Arbeiter.‹«

»Hört, hört!«

»›Unter Ms. Johnsons Leitung und mit juristischem Beistand von Mr. Blackburn gelang es der Abteilung Überprüfung der Unternehmensplanung in hervorragender Weise, die zahlreichen Probleme im Zusammenhang mit DigiComs malaysischer Niederlassung zu lösen.‹«

»Ist das eine Art Pressemitteilung, oder was?« fragte Fernandez.

»Sieht ganz danach aus«, sagte Sanders. Er las weiter: »›Eine besondere Schwierigkeit stellte die Anzahl und ethnische Zusammensetzung der in der Fabrik einzustellenden Arbeiter dar. Die ursprünglichen Pläne sahen 70 einzustellende Arbeiter vor. Als Reaktion auf die Forderungen der malaysischen Behörden gelang es der Kontrollabteilung, diese Zahl durch eine Verringerung der Automatisierung innerhalb der Fabrik auf 85 zu erhöhen und die Fabrik somit der Wirtschaft eines Entwicklungslandes besser anzupassen.‹« Sanders warf Fernandez einen Blick zu. »Und uns in Teufels Küche zu bringen!«

»Wieso?«

Sanders las weiter: »›Darüber hinaus sorgte eine der Kosteneinsparung dienende Überprüfung in mehreren Bereichen für bedeutende finanzielle Vorteile. Ohne jede Minderung der Produktqualität konnten Kosten gesenkt werden. Die Kapazität der Druckluftgeräte wurde auf kostengünstigere Werte gesenkt, Verträge mit Zuliefererbetrieben wurden neu zugeteilt. In beiden Fällen kam es für die Firma dadurch zu beträchtlichen Kosteneinsparungen.‹«

»Das ist es«, sagte Sanders kopfschüttelnd. »Genau das ist der Punkt.«

»Ich verstehe das nicht«, gestand Fernandez. »Sagt Ihnen das irgendwas?«

»Und wie mir das was sagt!«

Er betätigte die Taste DETAILS, um weitere Seiten herbeizuholen.

»Es tut mir leid«, säuselte der Engel, »aber es gibt keine weiteren Details.«

»Engel: Wo sind die dazugehörigen Memos und Akten?«

Sanders wußte, daß hinter diesen summarisch dargestellten Veränderungen eine Unmenge von Unterlagen stecken mußte. Allein die Aufzeichnungen über die Neuverhandlungen mit den malaysischen Staatsbehörden füllten wahrscheinlich mehrere Aktenschränke.

»Es tut mir leid«, sagte der Engel. »Weitere Unterlagen sind nicht verfügbar.«

»Engel: Zeig mir die Akten!«

»In Ordnung.«

Nach einigen Sekunden leuchtete ein rosarotes Blatt auf:

DIE DETAIL-AKTEN ÜBER DIE ABTEILUNG ÜBERPRÜFUNG DER UNTERNEHMENSPLANUNG/MALAYSIA WURDEN GELÖSCHT.
SONNTAG 6.6.
AUTORISATION DC/C/5905

»Verdammt!« sagte Sanders.

»Was hat das denn zu bedeuten?«

»Jemand hat aufgeräumt. Und zwar schon vor über einer Woche. Wer wußte vor über einer Woche, daß das alles passieren würde? Engel: Zeig mir alle in den letzten zwei

Wochen zwischen Malaysia und DC erfolgter Verbindungen!«
»Telefonisch oder per Video?«
»Video.«
»Drücken Sie V.«
Er drückte die Taste. Vor ihnen entfaltete sich ein Blatt mit einer Liste:

DATUM	VERBINDUNG	AN	DAUER	AUTORISATION
1.6.	A. KAHN	> M. JOHNSON	0812-0814	ACSS
1.6.	A. KAHN	> M. JOHNSON	1343-1344	ADS
2.6.	A. KAHN	> M. JOHNSON	1801-1804	DCSC
2.6.	A. KAHN	> T. SANDERS	1822-1823	DCSE
3.6.	A. KAHN	> M. JOHNSON	0922-0924	ADSC
4.6.	A. KAHN	> M. JOHNSON	0902-0912	ADSC
5.6.	A. KAHN	> M. JOHNSON	0832-0832	ADSC
5.6.	A. KAHN	> M. JOHNSON	0904-0905	ACSS
5.6.	A. KAHN	> M. JOHNSON	2002-2004	ADSC
6.6.	A. KAHN	> M. JOHNSON	0902-0932	ADSC
6.6.	A. KAHN	> M. JOHNSON	1124-1125	ACSS
15.6.	A. KAHN	> T. SANDERS	1132-1134	DCSE

»Da müssen die Satellitenverbindungen ja geglüht haben«, bemerkte Sanders mit Blick auf die Liste. »Bis einschließlich 6. Juni sprachen Meredith Johnson und Arthur Kahn fast jeden Tag miteinander. Dann plötzlich nicht mehr. Engel: Zeig mir die Videoaufzeichnungen!«
»Die Aufzeichnungen können nicht eingesehen werden, ausgenommen die vom 15. Juni.«
Das war sein eigenes Gespräch mit Kahn, das vor zwei Tagen stattgefunden hatte. »Wo befinden sich die anderen Aufzeichnungen?«
Eine Mitteilung leuchtete auf:

DIE VIDEOAUFZEICHNUNGEN DER
ABTEILUNG ÜBERPRÜFUNG DER UNTERNEHMENS-
PLANUNG/MALAYSIA WURDEN GELÖSCHT.
SONNTAG 6.6. AUTORISATION DC/C/5905

Wieder alles weg. Er war sich ziemlich sicher, wer es getan hatte, aber er mußte ganz sicher sein. »Engel: Wie überprüfe ich die Bevollmächtigung zum Löschen?«

›Geben Sie die Angaben ein, die Sie überprüfen wollen«, sagte der Engel.

Sanders tippte die Autorisationsnummer ein. Aus dem ursprünglichen Blatt sprang, Vorderseite nach oben, ein kleines Blatt Papier und blieb in der Luft stehen:

AUTORISATION DC/C/5905
IST DIGITAL COMMUNICATIONS
CUPERTINO/LEITUNG UNTERNEHMENSPLANUNG
SONDERZUGRIFFSRECHTE SIND GESPEICHERT
(KEINE BEDIENER-IDENTIFIKATION NOTWENDIG)

»Jemand aus der Führungsspitze in Cupertino hat es vor einer Woche gelöscht.«

»Meredith?«

»Wahrscheinlich. Damit sitze ich in der Tinte.«

»Warum?«

»Weil ich jetzt weiß, was in der Fabrik in Malaysia gelaufen ist. Ich weiß ganz genau, was da passiert ist: Meredith flog hin und änderte die Spezifikationen. Aber dann löschte sie alle diesbezüglichen Unterlagen, bis hin zu den Aufzeichnungen ihrer Gespräche mit Kahn. Und das bedeutet, daß ich nichts beweisen kann.«

Sanders hakte das Blatt ab; es flatterte zurück und verschmolz mit dem ersten Blatt. Er schloß die Datei, legte sie zurück in die Schublade und sah zu, wie das Modell sich auflöste und verschwand.

Er warf einen Blick zu Conley hinüber, aber von dem kam nur ein resigniertes Achselzucken. Er schien zu verstehen, worum es ging. Sanders gab ihm die Hand, wobei er wieder nur Luft zu fassen bekam, und winkte ihm zum Abschied zu.

Conley nickte kurz und wandte sich ab, um den Rückweg anzutreten.
»Und jetzt?« fragte Fernandez.
»Wir müssen gehen«, sagte Sanders.
Der Engel begann zu singen: »Ja, ja, ihr müßt jetzt geh'n, doch wird's beim nächstenmal noch mal so schön –«
»Engel, sei still!« Der Engel hörte auf zu singen. Sanders schüttelte den Kopf. »Genau wie Don Cherry!«
»Wer ist Don Cherry?« fragte Fernandez.
»Don Cherry ist ein lebender Gott«, verkündete der Engel.
Sie gingen zurück zum Eingang des Korridors und traten aus dem blauen Bildschirm.

Fernandez und Sanders standen wieder in Don Cherrys Labor. Sanders nahm den Datenhelm ab und stieg, noch ein wenig unsicher, von der Lauffläche. Dann half er Fernandez, Helm und Kopfhörer abzulegen.
»Ah!« rief sie und sah sich um. »Wir sind wieder in der realen Welt!«
»Wenn Sie es so nennen wollen«, sagte Sanders. »Ich bin mir nicht so sicher, ob sie wirklich soviel realer ist.« Er hängte ihren Datenhelm auf und half ihr, von der Lauffläche zu steigen. Dann knipste er die Stromschalter aus.
Fernandez gähnte und warf einen Blick auf ihre Uhr. »Es ist elf. Was wollen Sie jetzt machen?«
Er nahm den Hörer von einem von Cherrys Datenmodems ab und wählte Gary Bosaks Nummer. Er selbst kam zwar an keine Daten heran, aber Gary Bosak vielleicht – wenn es Sanders gelang, ihn zu überreden. Große Hoffnung hegte er nicht. Aber er wußte nicht, was er sonst hätte tun sollen.
Es meldete sich ein Anrufbeantworter: »Hi, hier ist NE Pro-

ductions. Ich bin ein paar Tage lang nicht in der Stadt, aber Sie können eine Nachricht hinterlassen.« Dann der Pfeifton. Sanders seufzte tief auf. »Gary, es ist 23 Uhr, Mittwoch. Schade, daß ich dich nicht angetroffen habe. Ich fahre jetzt nach Hause.« Er legte auf.

Gary war seine letzte Hoffnung gewesen.

Verreist.

Für ein paar Tage die Stadt verlassen.

»Scheiße!«

»Und jetzt?« fragte Fernandez gähnend.

»Ich weiß nicht. In einer halben Stunde legt meine letzte Fähre ab. Ich fahre wohl am besten heim und versuche ein bißchen zu schlafen.«

»Und die Sitzung morgen?« fragte Fernandez. »Sie sagten doch, Sie bräuchten Unterlagen.«

Sanders zuckte die Achseln. »Louise, ich habe getan, was ich konnte. Ich weiß, was mich erwartet. Irgendwie schaffe ich das schon.«

»Dann sehen wir uns also morgen?«

»Ja. Wir sehen uns morgen.«

Während er mit der Fähre nach Hause fuhr, den Blick auf die Lichter der Stadt gerichtet, die sich im ruhigen, schwarzen Wasser spiegelten, war er schon weit weniger zuversichtlich. Fernandez hatte recht: Er mußte sich die Unterlagen verschaffen, die er brauchte. Max hätte ihn bestimmt verhöhnt, wenn er jetzt dagewesen wäre. Er konnte die Stimme des alten Mannes förmlich hören: »Ach, *müde* sind Sie also! Das ist wahrlich ein triftiger Grund, Thomas.«

Er überlegte, ob Max an der Sitzung teilnehmen würde, aber

er konnte sich nicht richtig konzentrieren. Es gelang ihm nicht, sich diese Sitzung überhaupt vorzustellen. Er war einfach zu erschöpft. Über Lautsprecher wurde verkündet, daß man in fünf Minuten in Winslow anlegen werde. Sanders ging unter Deck, um in seinen Wagen zu steigen.

Er sperrte die Tür auf und setzte sich hinters Lenkrad. Als sein Blick in den Rückspiegel fiel, sah er im Fond eine dunkle Silhouette.

»He, Kumpel!« Es war Gary Bosak.

Sanders wollte sich zu ihm umdrehen.

»Immer schön geradeaus schauen!« sagte Bosak. »In einer Minute bin ich wieder draußen. Jetzt hör mir gut zu! Morgen bist du dran: Die wollen das Malaysia-Fiasko ausschließlich dir anhängen.«

»Ich weiß.«

»Und wenn das nicht klappt, können sie dich immer noch damit zur Strecke bringen, daß du mich beschäftigt hast. Eingriff in die Privatsphäre, dieser ganze Scheiß. Die haben sich schon mit meinem Bewährungshelfer unterhalten. Vielleicht hast du den schon mal gesehen – so ein Dicker mit einem Schnurrbart.«

Sanders erinnerte sich vage an den Mann, den er heute auf dem Weg ins Schlichtungszentrum gesehen hatte. »Ja, ich glaube schon. Gary, hör zu, ich brauche bestimmte Unterlagen –«

»Nicht labern! Wir haben keine Zeit. Die haben alle Unterlagen im Zusammenhang mit der Fabrik aus dem System abgezogen. Da ist nichts mehr drin. Einfach weg. Ich kann dir nicht helfen, Kumpel.« Die Schiffssirene dröhnte. Die Motoren der umstehenden Wagen wurden angelassen. »Aber mit diesem Hackerquatsch lasse ich mich nicht drankriegen – und du dich auch nicht! Da, nimm das!« Er streckte den Arm nach vorn und gab Sanders einen Umschlag.

»Was ist das?«
»Die Zusammenfassung eines Auftrags, den ich für einen anderen Angehörigen eurer Firma erledigt habe. Für Garvin. Das könntest du morgen früh faxen.«
»Warum machst du das nicht selbst?«
»Ich hau' heute nacht über die Grenze ab. Ich hab' einen Cousin in British Columbia, bei dem bleibe ich 'ne Weile. Wenn alles gutgeht, kannst du es mir auf den Anrufbeantworter sprechen.«
»Gut.«
»Bleib cool, Kumpel! Morgen ist die Kacke am Dampfen. Da wird sich für einige Leute einiges ändern.«
Vor ihnen senkte sich mit metallischem Klirren die Rampe. Angestellte des Fährunternehmens winkten die Autos hinaus.
»Hast du mich überwacht, Gary?«
»Tja, tut mir leid. Die haben mich dazu gezwungen.«
»Und wer ist ›A. Friend‹?«
Bosak lachte auf, öffnete die Tür und stieg aus. »Du überraschst mich wirklich, Tom. Kennst du deine Freunde nicht?«
Die Autos fuhren von der Fähre. Als Sanders sah, daß die Bremslichter des Wagens vor ihm aufleuchteten und der Wagen losrollte, wendete er sich halb um: »Gary –« Aber Bosak war nicht mehr da.
Er legte den Gang ein und fuhr hinaus.

Oben an der Auffahrt zum Haus blieb er stehen, um die Post mitzunehmen. Es war eine ganze Menge; er hatte den Kasten seit zwei Tagen nicht geleert. Dann fuhr er den Weg hinunter und stellte den Wagen vor der Garage ab. Er schloß die Vordertür auf und trat ein.

Das Haus wirkte leer und kalt; es roch nach Zitrone. Wahrscheinlich hatte Consuela geputzt.
Er ging in die Küche und bereitete die Kaffeemaschine für den Morgen vor. Die Küche wirkte aufgeräumt, die Spielsachen der Kinder waren weg; Consuela war also tatsächlich hiergewesen. Er sah zum Anrufbeantworter hinüber.
Eine Zahl leuchtete rot auf: 14.
Sanders spielte die Kassette mit den aufgenommenen Anrufen ab. Der erste stammte von John Levin, der ihn um einen Rückruf bat; es sei dringend. Dann fragte Sally, ob man einen Termin für einen Kinder-Spielnachmittag ausmachen könnte. Die restlichen Anrufer hatten alle wieder aufgelegt. Er hörte es sich aufmerksam an und fand, daß es jedesmal gleich klang – das leise, für Ferngespräche typische Rauschen, dann das abrupte Klicken beim Auflegen. Immer wieder.
Irgend jemand versuchte ihn zu erreichen.
Einer der letzten dieser Anrufe war offenbar durch die Vermittlung zustande gekommen, denn eine Frauenstimme säuselte: »Tut mir leid, es nimmt niemand ab. Möchten Sie eine Nachricht hinterlassen?« Darauf erwiderte ein Mann: »Nein.« Schließlich wurde wieder aufgelegt.
Sanders spulte das Band zurück und hörte sich noch einmal dieses »Nein« an.
Die Stimme kam ihm bekannt vor. Sie schien einem Ausländer zu gehören, aber er glaubte sie zu kennen.
»*Nein.*«
Er hörte sich die Stelle mehrmals an, ohne den Sprecher identifizieren zu können.
»*Nein.*«
Einmal glaubte er, ein gewisses Zögern herauszuhören. Oder war es Hast? Er konnte es nicht genau sagen.
»*Nein.*«
Endlich gab er auf, spulte das Band zurück und ging hinauf in

sein Büro. Keine Faxe. Der Bildschirm seines Computers war leer. Heute abend kam keine Hilfe von »A. Friend«.

Er las durch, was Bosak ihm im Auto gegeben hatte. Es war ein einzelnes Blatt, ein an Garvin gerichtetes Memo mit einem zusammengefaßten Bericht über einen Angestellten oder eine Angestellte in Cupertino, dessen oder deren Namen man unleserlich gemacht hatte. Außerdem befand sich in dem Umschlag die Fotokopie einer von Garvin unterschriebenen und an NE Professional Services ausgestellten Rechnung.

Als Sanders ins Bad ging und sich duschte, war es schon nach Mitternacht. Er drehte das heiße Wasser auf, hielt das Gesicht dicht an den Duschkopf und genoß die stechenden Strahlen auf seiner Haut. Das Wasser dröhnte so wuchtig in seinen Ohren, daß er beinahe das Läuten des Telefons überhört hätte. Er griff nach einem Badetuch und lief ins Schlafzimmer.

»Hallo?«

Er hörte das Rauschen der Fernverbindung. Dann sagte ein Mann: »Mr. Sanders, bitte.«

»Mr. Sanders am Apparat.«

»Mr. Sanders, Sir«, sagte der Mann. »Ich weiß nicht, ob Sie sich an mich erinnern. Hier spricht Mohammed Jafar.«

DONNERSTAG

Es war ein klarer Morgen. Sanders fuhr mit der frühen Fähre zur Arbeit und betrat die Firma um acht Uhr. Neben der Rezeption im Erdgeschoß stand ein Schild mit der Mitteilung: »Großer Konferenzsaal belegt.«

Einen grauenhaften Augenblick lang glaubte er, sich schon wieder in bezug auf den Beginn der Sitzung geirrt zu haben, und eilte zum Konferenzsaal. Aber es schien sich um eine andere Sitzung zu handeln. Garvin hielt eine Ansprache an die Führungsspitze von Conley-White. Er redete sehr ruhig auf die hin und wieder nickenden und aufmerksam zuhörenden Männer ein. Sanders beobachtete, wie er, nachdem er seine Ansprache beendet hatte, Stephanie Kaplan vorstellte, die daraufhin unter Zuhilfenahme von Dias einen Finanzbericht vorzulegen begann. Garvin verließ den Saal und ging den Gang hinunter, an dessen Ende die Espressobar lag. Seine Miene war düster.

Sanders wollte gerade weiter in sein Büro gehen, da hörte er Phil Blackburn sagen: »Ich denke wirklich, daß ich das Recht habe, gegen die Art und Weise zu protestieren, wie diese Sache gehandhabt wurde!«

»Haben Sie aber nicht«, versetzte Garvin wütend. »Sie haben überhaupt keine Rechte!«

Sanders ging weiter auf die Espressobar zu, in die er von dieser Seite des Gangs aus hineinsehen konnte. Blackburn und Garvin standen an einer Kaffeemaschine.

»Aber das ist total unfair!« sagte Blackburn.

»Quatsch – unfair! Sie hat Sie als Informanten genannt, Sie blödes Arschloch!«
»Aber Bob, Sie haben mir doch gesagt, daß –«
»Was habe ich Ihnen gesagt?« fragte Garvin ihn mit zusammengekniffenen Augen.
»Sie haben mir gesagt, daß ich die Sache erledigen soll. Daß ich Sanders unter Druck setzen soll.«
»Völlig richtig, Phil. Und Sie haben *mir* gesagt, daß Sie sich darum kümmern würden.«
»Aber Sie wußten doch von meinem Gespräch mit –«
»Ich wußte, daß Sie etwas unternommen haben«, sagte Garvin. »Aber ich wußte nicht, was. Jetzt hat sie Sie als ihren Informanten genannt.«
Blackburn senkte den Kopf. »Ich halte das für überaus unfair.«
»Ach, wirklich? Und was erwarten Sie von mir? Sie sind hier doch der Jurist, verdammt noch mal. Sie sind doch derjenige, dem immer der kalte Schweiß ausbricht, wenn nicht jede Kleinigkeit nach außen hin stimmt. Also, los! Was soll ich tun?«
Blackburn schwieg eine Weile. Dann sagte er: »Ich werde mich von John Robinson vertreten lassen. Er kann den Schlichtungsvertrag ausarbeiten.«
»Gut, einverstanden.« Garvin nickte. »Geht in Ordnung.«
»Aber ich möchte Ihnen noch einmal ganz privat sagen, Bob, daß ich mich in dieser Angelegenheit sehr unfair behandelt fühle.«
»Kommen Sie mir, verdammt noch mal, bloß nicht mit Ihren Gefühlen, Phil! Ihre Gefühle sind doch käuflich! Jetzt spitzen Sie mal beide Ohren und hören Sie mir gut zu: Gehen Sie nicht da hinauf. Räumen Sie Ihren Schreibtisch nicht auf. Fahren Sie sofort zum Flughafen. Ich will, daß Sie innerhalb der nächsten halben Stunde in einem Flugzeug sitzen. Ich will Sie hier weghaben, verdammte Scheiße! Ist das klar?«

»Ich bin einfach der Meinung, daß Sie anerkennen sollten, was ich für die Firma geleistet habe.«
»Das tue ich ja, Sie Arsch!« sagte Garvin. »Aber jetzt hauen Sie endlich ab, bevor ich die Geduld verliere!«
Sanders machte kehrt und lief nach oben. Es fiel ihm schwer, nicht lauthals loszujubeln. Blackburn gefeuert! Er überlegte, ob er es jemandem erzählen sollte; Cindy vielleicht, dachte er.
Aber als er die vierte Etage betrat, war dort schon der Teufel los. Alle standen in den Gängen herum und unterhielten sich. Erste Gerüchte über Blackburns Entlassung waren offenbar bereits durchgesickert. Sanders überraschte die helle Aufregung unter den Mitarbeitern nicht. Blackburn war zwar unbeliebt gewesen, aber seine Entlassung verursachte dennoch überall Unbehagen. Eine derart plötzliche Veränderung im Zusammenhang mit einer Garvin so nahestehenden Person ließ in allen den Eindruck unmittelbarer Gefahr aufkommen. Jeder einzelne fühlte sich plötzlich bedroht.
Cindy, die vor Sanders' Büro stand, begrüßte ihn mit den Worten: »Können Sie das fassen, Tom? Es heißt, Garvin würde Phil feuern.«
»Das darf doch nicht wahr sein«, sagte Sanders in gespielter Überraschung.
Cindy nickte. »Niemand weiß, warum, aber offenbar hat es etwas mit einem Kamerateam zu tun, das gestern abend auftauchte. Garvin war schon unten und hat es den Conley-White-Leuten erklärt.«
Hinter ihm rief jemand: »Jetzt ist es in der E-Mail!« Schlagartig war der Gang menschenleer; jeder war in sein Büro geeilt. Sanders trat an seinen Schreibtisch und klickte das E-Mail-Symbol an. Es dauerte einige Zeit, bis es kam, wahrscheinlich weil alle Angestellten im Gebäude es gleichzeitig angeklickt hatten.

Fernandez wartete bereits in seinem Büro. »Stimmt das mit Blackburn?« rief sie.
»Ich glaube schon«, sagte Sanders. »Es wird gerade über E-Mail mitgeteilt.«

VON: ROBERT GARVIN, GENERALDIREKTOR
UND GESCHÄFTSFÜHRER
AN: DIE GANZE DIGICOM-FAMILIE

MIT GROSSEM BEDAUERN UND DEM GEFÜHL EINES SCHMERZHAFTEN PERSÖNLICHEN VERLUSTES GEBE ICH HEUTE BEKANNT, DASS UNSER HOCHGESCHÄTZTER CHEFJUSTITIAR, PHILIP A. BLACKBURN, DEM STETS UNSER ALLER VERTRAUEN GALT, SEINE KÜNDIGUNG EINGEREICHT HAT. FAST 15 JAHRE LANG WAR PHIL EIN HERAUSRAGENDER LEITENDER MITARBEITER DIESES UNTERNEHMENS, EIN WUNDERBARER MENSCH UND MIR EIN GUTER PERSÖNLICHER FREUND UND BERATER. ICH WEISS, DASS IN DEN NÄCHSTEN TAGEN UND WOCHEN VIELE MITARBEITER GENAU WIE ICH SEINEN WEISEN RAT UND SEINEN HUMOR VERMISSEN WERDEN. UND ICH BIN SICHER, DASS SIE SICH MIR ALLE ANSCHLIESSEN WERDEN, WENN ICH IHM FÜR SEINE ZUKÜNFTIGEN AUFGABEN VIEL GLÜCK WÜNSCHE. EIN VON HERZEN KOMMENDES DANKESCHÖN, PHIL, UND ALLES GUTE!
DIESE KÜNDIGUNG IST AB SOFORT WIRKSAM. HOWARD EBERHARDT WIRD DIE FIRMA BIS ZUR EINSTELLUNG EINES NEUEN CHEFJUSTITIARS RECHTLICH BERATEN.

ROBERT GARVIN

»Was will er damit sagen?« fragte Fernandez.
»Er will damit sagen: ›Ich habe dieses scheinheilige Arschloch gefeuert.‹«
»Es mußte einfach so kommen«, erklärte Fernandez. »Er war nämlich der Informant, von dem Connie Walsh ihre Story hatte.«

Sanders richtete sich kerzengerade auf. »Woher wissen Sie das?«
»Von Eleanor Vries.«
»Sie hat es Ihnen erzählt?«
»Nein. Aber Eleanor Vries ist eine vorsichtige Juristin. Alle Medienjuristen sind vorsichtig. Die sicherste Methode, seinen Job zu behalten, besteht darin, die Publikation bestimmter Dinge zu verhindern. Im Zweifelsfall einen Artikel lieber rausschmeißen. Ich mußte mir also die Frage stellen, warum sie die Mr.-Piggy-Geschichte durchgehen ließ, obwohl sie eindeutig diffamierend war. Der einzige mögliche Grund ist, daß sie davon überzeugt war, daß Walsh innerhalb der Firma einen ungewöhnlich starken Informanten hatte – einen Informanten, der um die juristischen Auswirkungen wußte. Ein Informant, der, indem er die Geschichte preisgab, im Grunde auch sagte: Wir werden euch nicht verklagen, wenn ihr die Story druckt. Da hochrangige Firmenmitarbeiter nie auch nur die geringste Ahnung von juristischen Dingen haben, konnte es sich bei Connie Walshs Informant nur um einen hochrangigen Juristen handeln.«
»Phil.«
»Ja.«
»Meine Güte.«
»Ändert das etwas an Ihren Plänen?«
Darüber hatte Sanders bereits nachgedacht. »Ich glaube nicht. Garvin hätte ihn heute auf jeden Fall gefeuert, nur ein bißchen später vielleicht, denke ich.«
»Sie klingen so zuversichtlich.«
»Ja, ich habe gestern einige Munition erhalten. Und heute wird noch etwas dazukommen, hoffe ich.«
Cindy trat ins Zimmer und sagte: »Erwarten Sie etwas aus Kuala Lumpur? Etwas Umfangreiches?«
»Ja.«

»Seit sieben Uhr kam das hier rein. Muß eine wahre Monster-Datei sein.« Sie legte eine DAT-Kassette auf Sanders' Schreibtisch. Es war genau die gleiche Kassette wie die mit der Aufzeichnung seines Videogesprächs mit Arthur Kahn. Fernandez warf ihm einen Blick zu. Er zuckte mit den Achseln.

Um halb neun faxte er Bosaks Memo an Garvins persönliches Faxgerät. Dann bat er Cindy, von allen Papieren, die Mohammed Jafar ihm in der vorangegangenen Nacht gefaxt hatte, Kopien zu machen. Sanders war fast die ganze Nacht aufgeblieben und hatte das von Jafar stammende Material studiert. Es war eine interessante Lektüre gewesen.

Jafar war selbstverständlich nicht krank; er war nie krank gewesen. Diese kleine Geschichte hatte Kahn sich zusammen mit Meredith ausgedacht.

Er schob die DAT-Kassette in das Gerät und wandte sich Fernandez zu.

»Werden Sie es mir erklären?« fragte sie.

»Ich hoffe, daß es sich selbst erklärt.«

Auf dem Monitor war zu lesen:

FÜNF SEKUNDEN BIS ZUR
VIDEO-DIREKTVERBINDUNG: DC/C-DC/M
SENDER: A. KAHN
EMPFÄNGER: M. JOHNSON

Dann erschien der in der Fabrik stehende Kahn. Gleich darauf teilte sich das Bild, und man sah Meredith in ihrem Büro in Cupertino.

»Was ist das?« fragte Fernandez.

»Ein aufgezeichnetes Videogespräch, das vorletzte Woche geführt wurde.«

»Ich dachte, alle Aufzeichnungen seien gelöscht worden.«

»Hier waren auch alle gelöscht. Aber es gab ja immer noch

jeweils eine Kopie in Kuala Lumpur. Die hat mir ein Freund geschickt.«
Sie richteten ihre Blicke wieder auf den Bildschirm. Arthur Kahn hustete und sagte: »Äh, Meredith, ich mache mir ein wenig Sorgen.«
»Nicht nötig«, erwiderte Meredith.
»Aber wir schaffen es immer noch nicht, entsprechend der Spezifikationen zu produzieren. Zumindest die Druckluftgeräte werden wir gegen bessere auswechseln müssen.«
»Jetzt noch nicht.«
»Aber wir müssen es tun, Meredith.«
»Jetzt noch nicht!«
»Aber diese Geräte sind nicht gut genug. Meredith. Wir dachten, daß sie in Ordnung seien, aber sie sind nicht in Ordnung.«
»Machen Sie sich keine Gedanken darüber.«
Kahn begann zu schwitzen und rieb sich ständig nervös das Kinn. »Über kurz oder lang wird Tom dahinterkommen, Meredith. Er ist nicht dumm, wissen Sie.«
»Wir werden ihn ablenken.«
»Das sagen Sie.«
»Und außerdem hört er sowieso auf.«
Kahn war verdutzt. »Wirklich? Ich glaube nicht, daß er –«
»Sie können es mir glauben. Er wird aufhören. Er wird es geradezu verabscheuen, mit mir zusammenzuarbeiten.«
In Sanders' Büro beugte Fernandez sich vor und sagte, den Blick starr auf den Bildschirm gerichtet: »Das ist ja wohl nicht zu fassen!«
»Aber wieso denn?« fragte Kahn.
»Glauben Sie mir einfach. Es wird so kommen«, erwiderte Meredith. »Tom Sanders wird draußen sein, bevor ich dort meine ersten 48 Stunden absolviert habe.«
»Aber wie können Sie so sicher sein, daß er –«

»Was bleibt ihm denn anderes übrig? Wir haben eine gemeinsame Vergangenheit, Sanders und ich. Jeder in der Firma weiß das. Wenn irgendein Problem auftaucht, wird ihm keiner glauben, und er ist klug genug, das einzusehen. Wenn er jemals wieder arbeiten will, wird er sich mit der ihm angebotenen Abfindung zufriedengeben und die Fliege machen müssen.«
Kahn nickte und wischte sich den Schweiß von der Stirn. »Und dann behaupten wir, Sanders habe die Veränderungen in der Fabrik veranlaßt? Das wird er strikt von sich weisen.«
»Dazu wird es gar nicht erst kommen. Er wird es ja nie erfahren. Denken Sie doch mal nach, Arthur: Bis dahin ist er doch längst weg.«
»Und wenn nicht?«
»Vertrauen Sie mir. Er wird weg sein. Er ist verheiratet, hat Familie. Er wird abhauen.«
»Aber wenn er mich wegen des Montagebands anruft –«
»Umgehen Sie das Thema einfach, Arthur. Hüllen Sie sich in Schweigen. Sie schaffen das, da bin ich mir ganz sicher. Mit wem bei euch hat Sanders denn sonst noch Kontakt?«
»Mit dem Vorarbeiter manchmal, mit Jafar. Der weiß natürlich über alles Bescheid. Und er ist ein ehrlicher Mann. Ich fürchte –«
»Schicken Sie ihn in Urlaub.«
»Er war gerade im Urlaub.«
»Dann soll er eben noch mal Urlaub machen, Arthur. Ich brauche hier doch nur eine Woche.«
»Meine Güte«, seufzte Kahn. »Ich weiß wirklich nicht –«
Sie schnitt ihm das Wort ab: »Arthur –«
»Ja, Meredith?«
»Die Zeit ist gekommen, wo die neue Vizedirektorin registriert, wer ihr welchen Gefallen erweist, für den sie sich in der Zukunft revanchieren kann ...«

»Ja, Meredith.«
»Das wär's.«
Meredith und Arthur verschwanden. Man sah noch ein paar weiße Streifen, dann wurde der Bildschirm schwarz.
»Das war von ihr zu erwarten«, sagte Fernandez.
Sanders nickte. »Sie glaubte nicht, daß die Veränderungen ins Gewicht fallen würden, weil sie keine Ahnung von Produktherstellung hat. Ihr ging es nur um die Kosteneinsparungen. Aber sie wußte, daß die an der Fabrik vorgenommenen Veränderungen bis zu ihr zurückverfolgt werden können, deshalb wollte sie mich loswerden, indem sie versuchte, mich zum Kündigen zu bringen. Dann wäre es ihr ein leichtes gewesen, mir die Probleme mit der Fabrik in die Schuhe zu schieben.«
»Und Kahn hat mitgemacht.«
Sanders nickte.
»Und die beiden haben dafür gesorgt, daß Jafar verschwand.«
Sanders nickte noch einmal. »Kahn sagte zu Jafar, er solle eine Woche lang seine Cousine in Johore besuchen – damit er ihn aus dem Ort hatte und verhindern konnte, daß ich Jafar erreichte. Damit, daß Jafar mich anrufen würde, hat er nie gerechnet.« Er blickte auf seine Armbanduhr. »Wo bleibt es nur?«
»Was?«
Vom Bildschirm erklang eine kurze Melodie; dann sah man einen hübschen dunkelhäutigen Nachrichtenmoderator hinter einem Schreibtisch sitzen und sehr schnell in einer fremden Sprache in die Kamera sprechen.
»Was ist das?« fragte Fernandez.
»Die Abendnachrichten auf Channel 3. Die Aufnahme stammt vom vergangenen Dezember.« Sanders stand auf und drückte eine Taste am Videorecorder. Die Kassette sprang heraus.

»Was ist auf der Kassette?«

In diesem Augenblick kam Cindy mit großen Augen vom Kopiergerät zurück. Sie hielt etwa ein Dutzend säuberlich zusammengehefteter Papierstapel in den Armen. »Was haben Sie mit dem Zeug hier vor?«

»Machen Sie sich keine Gedanken, Cindy.« Sanders nahm ihr die Unterlagen ab.

»Aber das ist ja ganz unerhört, Tom. Was die angerichtet hat!«

»Ich weiß.«

»Alle reden schon darüber«, sagte Cindy. »Es heißt, daß die Fusion gestorben ist.«

»Das werden wir ja sehen.«

Mit Cindys Hilfe begann er jeden der Stapel in einen Umschlag zu verpacken.

»Was haben Sie vor?« fragte Fernandez.

»Meredith' Problem besteht darin, daß sie lügt«, erklärte Sanders. »Sie ist aalglatt und windet sich aus allem heraus. Ihr ganzes Leben hindurch ist sie immer wieder davongekommen. Ich werde versuchen, sie zu einer einzigen riesigen Lüge zu bewegen.«

Er warf einen Blick auf seine Uhr. Noch 15 Minuten bis zur Sitzung.

Der Konferenzsaal war bis auf den letzten Platz belegt. An der einen Seite des Tisches saßen 14 leitende Angestellte von Conley-White, in ihrer Mitte John Marden, an der anderen je 14 DigiCom-Führungskräfte zu beiden Seiten von Bob Garvin.

Meredith Johnson stand an der Schmalseite des Tisches und sagte gerade: »Als nächstes wird Tom Sanders zu uns sprechen. Tom, könntest du uns bitte den Stand der Produktion unseres Twinkle-Laufwerks schildern?«

»Aber gern, Meredith.« Mit klopfendem Herzen stand er auf und ging nach vorn. »Zur Ihrer Information: Twinkle ist unser Codename für ein portables CD-ROM-Laufwerk, das wir für revolutionär erachten.« Er deutete auf das erste Schaubild. »CD-ROM ist eine kleine, für Laser lesbare Scheibe, auf der man Daten speichern kann. Sie ist billig in der Herstellung und kann große Mengen an Informationen in jeder Form aufnehmen – Wörter, Bilder, Töne, Video, Daten und so weiter. Auf eine einzige kleine Scheibe lassen sich bis zu 600 Bücher beziehungsweise, dank unserer Forschungsarbeit hier, bis zu eineinhalb Stunden Videoinformation unterbringen. Natürlich sind auch beliebige Kombinationen möglich. Man könnte, beispielsweise, ein Schulbuch entwerfen, das sowohl Text als auch Bilder, kurze Filmpassagen, Trickfilme und so weiter enthält. Die Produktionskosten werden schon bald nur mehr zehn Cent pro Stück betragen.«

Er ließ den Blick über die am Tisch sitzenden Menschen wandern. Die Conley-White-Leute schienen sehr interessiert zu sein. Garvin hatte die Stirn in Falten gelegt. Meredith wirkte nervös.

»Damit CD-ROM funktioniert, müssen zwei Voraussetzungen erfüllt sein. Erstens braucht man ein tragbares Abspielgerät. So eines, beispielsweise.« Er hielt das Abspielgerät in die Höhe und reichte es dann zur näheren Ansicht dem ihm nächstsitzenden Conley-White-Mitarbeiter.

»Es hat eine Batterie für bis zu fünf Stunden Betriebsdauer und einen hervorragenden Bildschirm. Sie können dieses Gerät im Zug, im Bus oder im Klassenzimmer benutzen – überall dort, wo Sie auch ein Buch lesen können.«

Die Conley-White-Leute musterten das Gerät von allen Seiten. Dann richteten sie den Blick wieder auf Sanders.

»Die zweite Schwierigkeit im Zusammenhang mit der CD-ROM-Technologie«, fuhr Sanders fort, »besteht in ihrer Langsamkeit. An all diese wunderbaren Daten kommt man nämlich nur sehr verzögert heran. Die Twinkle-Laufwerke, deren Prototypen wir bereits erfolgreich hergestellt haben, sind jedoch doppelt so schnell wie jedes andere Laufwerk der Welt. Und mit zusätzlicher Speicherkapazität für die Komprimierung und Dekomprimierung von Information ist Twinkle so schnell wie ein kleiner Computer. Wir rechnen damit, die Stückkosten für diese Laufwerke innerhalb eines Jahres auf den Stückpreis eines Videospiels senken zu können. Und wir stellen diese Laufwerke inzwischen her. Es gibt geringfügige Anfangsschwierigkeiten, die wir aber in den Griff bekommen werden.«

»Kannst du uns darüber etwas mehr sagen?« unterbrach ihn Meredith. »Aus meinen Gesprächen mit Arthur Kahn ging hervor, daß wir noch immer nicht genau wissen, woher die Probleme mit den Laufwerken rühren.«

»Doch, wir wissen es inzwischen«, erwiderte Sanders. »Es hat sich herausgestellt, daß die Probleme sehr geringfügig sind. Ich erwarte, daß man sie innerhalb der nächsten Tage ausgeräumt hat.«

»Wirklich?« Ihre Augenbrauen schnellten in die Höhe. »Wir haben also herausgefunden, an was es liegt?«

»Ja.«

»Das ist ja eine tolle Nachricht!«

»Ja.«

»In der Tat, eine sehr gute Nachricht«, sagte Ed Nichols. »War es ein Konstruktionsfehler?«

»Nein«, antwortete Sanders. »Mit dem hier entstandenen Entwurf stimmt alles; die Prototypen funktionierten ja auch einwandfrei. Es handelt sich um ein Fabrikationsproblem und hängt mit dem Montageband in Malaysia zusammen.«

»Was für ein Problem ist das?«
»Es stellte sich heraus, daß wir an diesem Montageband nicht mit den richtigen Geräten arbeiten. Wir bräuchten automatische Chipmontierer, die die Steuereinheiten und den RAM-Cache auf der Platine fixieren, aber die malaysischen Bandarbeiter haben die Chips mit der Hand montiert, das heißt sie haben sie buchstäblich mit dem Daumen in die Sockel gedrückt. Außerdem ist das Fließband verschmutzt, so daß winzige Partikel in die Split-Optik eindrangen. Eigentlich bräuchten wir Siebener-Druckluftschrauber, statt dessen sind dort nur Fünfer-Geräte installiert. Außerdem ist herausgekommen, daß wir Bauteile wie Gelenkstäbe und Klammern von einem sehr zuverlässigen Zulieferer in Singapur beziehen sollten, daß die Bauelemente in Wirklichkeit jedoch von einem anderen Zulieferbetrieb stammten. Weniger teuer – weniger zuverlässig.«
»Ungeeignete Geräte, schlechte Bedingungen, schlechte Bauteile ...« Meredith schüttelte den Kopf. »Korrigiere mich bitte, wenn ich etwas Falsches sage, aber hast nicht du den Produktionsablauf für dieses Laufwerk konzipiert?«
»Ja, das ist richtig«, sagte Sanders. »Im Herbst des vergangenen Jahres flog ich nach Kuala Lumpur und bereitete die Produktion vor – zusammen mit Arthur Kahn und dem ortsansässigen Vorarbeiter, Mohammed Jafar.«
»Und warum haben wir jetzt mit diesen Schwierigkeiten zu kämpfen?«
»Leider kam es im Verlauf der Vorbereitung zu einer Reihe von falschen Anordnungen.«
Meredith machte eine ernste Miene. »Tom, wir alle kennen dich als überaus kompetent. Wie konnte so etwas passieren?«
Sanders wartete mit seiner Antwort ein wenig ab. Endlich war der Augenblick gekommen!

»Es passierte, weil der Produktionsablauf verändert wurde«, erklärte er. »Die Spezifikationen wurden verändert.«
»Verändert? Wie denn?«
»Ich denke, das erklärst du den Herrschaften am besten selbst, Meredith«, sagte Sanders. »Schließlich hast du diese Veränderungen ja angeordnet.«
»Ich habe sie angeordnet?«
»Ja, Meredith.«
»Da irrst du dich, Tom«, entgegnete sie kühl. »Mit der Produktion in Malaysia hatte ich nicht das mindeste zu tun.«
»Doch. Du bist zweimal dorthin geflogen, im November und im Dezember vergangenen Jahres.«
»Ich bin zweimal nach Kuala Lumpur geflogen, allerdings. Und zwar weil dir die Arbeitsstreitigkeiten mit den malaysischen Behörden aus der Hand geglitten waren. Ich bin hingeflogen und habe den Streit aus der Welt geschafft. Aber mit der eigentlichen Produktion hatte ich nichts zu tun.«
»Ich denke, in diesem Punkt irrst du dich, Meredith.«
»Ganz sicher nicht«, erwiderte sie in eisigem Ton. »Ich hatte weder mit der Produktion noch mit irgendwelchen sogenannten Veränderungen etwas zu tun.«
»In Wirklichkeit bist du hingeflogen, um die von dir angeordneten Veränderungen zu überprüfen.«
»Tut mir leid, Tom, aber das stimmt nicht. Ich habe dieses Montageband noch kein einziges Mal gesehen.«
Auf dem Bildschirm hinter ihr setzte plötzlich, ohne Ton, die Videoaufzeichnung der Nachrichtensendung ein: der Moderator in Jackett und Krawatte, der in die Kamera sprach.
»In der Fabrik selbst bist du also nie gewesen?« fragte Sanders.
»Ganz bestimmt nicht, Tom. Es ist mir ein Rätsel, wer dir diesen Unsinn eingeredet haben könnte – oder warum du ihn hier und jetzt von dir gibst.«
Hinter dem Nachrichtensprecher tauchte ein Bild des Digi-

Com-Gebäudes in Malaysia auf; dann sah man das Innere der Fabrik. Die Kamera schwenkte über die Fließbänder und über eine kleine Gruppe, die eine offizielle Inspektion durchführte. Phil Blackburn war auch dabei; und neben ihm schlenderte Meredith Johnson. Während sie mit einem der Arbeiter plauderte, ging die Kamera ganz dicht an sie heran.
Ein leises Raunen erhob sich im Saal.
Meredith drehte sich ruckartig um und stierte auf den Bildschirm. »Das ist unglaublich! Das gehört überhaupt nicht hierher! Ich weiß gar nicht, woher das stammt –«
»Malaysia, Channel 3. Die dortige Version der BBC. Tut mir leid, Meredith.« Der Nachrichtenfilm war zu Ende, der Bildschirm wurde schwarz. Sanders machte eine Handbewegung; daraufhin begann Cindy, jedem der Anwesenden einen großen Umschlag auszuhändigen.
»Woher auch immer diese sogenannte Aufnahme stammt –« sagte Meredith.
Sanders ignorierte sie. »Meine Damen und Herren, wenn Sie diese Umschläge öffnen, werden Sie darin die ersten einer ganzen Reihe von Memos aus der Abteilung Überprüfung der Unternehmensplanung vorfinden; diese Abteilung stand in der fraglichen Zeitspanne unter Leitung von Ms. Johnson. Ich möchte Ihre Aufmerksamkeit auf das erste Memo lenken; es datiert vom 17. November letzten Jahres. Sie werden bemerken, daß es die Unterschrift von Meredith Johnson trägt und festsetzt, daß die Produktion entsprechend den Auflagen der malaysischen Behörden bezüglich der Einstellung einheimischer Arbeitskräfte verändert wird. Im besonderen legt dieses erste Memo fest, daß keine automatisierten Chipmontagegeräte eingesetzt werden sollen und daß diese Arbeit mit der Hand zu erfolgen habe. Die malaysischen Behörden waren darüber sehr glücklich, aber für uns bedeutete es, daß wir die Laufwerke schlicht und einfach nicht herstellen konnten.«

»Jetzt mal langsam«, warf Johnson ein, »er erwännt überhaupt nicht, daß die Malaysier uns keine Wahl ließen –«

»In diesem Fall hätten wir die Fabrik dort gar nicht erst bauen dürfen«, fiel Sanders ihr ins Wort. »Ganz einfach deswegen, weil wir das geplante Produkt unter diesen veränderten Bedingungen nicht bauen können. Die Toleranzen sind viel zu groß.«

»Das ist deine Meinung, aber –«

»Aus dem zweiten Memo, mit dem Datum 3. Dezember, geht hervor, daß nach einer Überprüfung zur Kosteneinsparung die Leistungsfähigkeit der Druckluftgeräte entlang des Fließbands verringert wurde. Auch dies bedeutet eine Abweichung von den Spezifikationen, die ich angeordnet hatte. Und auch diese Abweichung ist entscheidend – bei derartigen Bedingungen lassen sich keine Hochleistungslaufwerke produzieren. Kurzum: Durch diese Entscheidungen war die Herstellung der Laufwerke zum Scheitern verurteilt.«

»Also bitte!« sagte Johnson. »Wenn hier irgend jemand glaubt, daß an den Problemen mit den Laufwerken irgendein anderer als du schuld bist, dann –«

»Das dritte Memo«, sagte Sanders, »enthält eine aus der Abteilung Überprüfung der Unternehmensplanung stammende Zusammenfassung der Kosteneinsparungen. Wie Sie sehen, ist von einer Senkung der betrieblichen Aufwendungen um elf Prozent die Rede. Diese Einsparung ist durch Produktionsverzögerungen bereits wieder aufgezehrt – ganz zu schweigen von den Kosten, die uns durch die Verspätung entstanden, mit der wir auf den Markt kommen. Selbst wenn wir das Montageband sofort wieder in den ursprünglichen Zustand versetzen würden: Diese elf Prozent Einsparung verwandeln sich auf jeden Fall in eine Erhöhung der Fertigungskosten von, alles in allem, annähernd 70 Prozent. Im ersten Jahr beträgt die Erhöhung sogar 190 Prozent.

Das nächste Memo«, fuhr Sanders fort, »erklärt, warum es überhaupt zu dieser Kosteneinsparung kam. Während der Gespräche über den Ankauf, die Mr. Nichols und Ms. Johnson im Herbst letzten Jahres miteinander führten, kündigte Ms. Johnson an, sie werde zeigen, daß es möglich sei, die Entwicklungskosten im High-Technology-Bereich zu senken. Diese Kosten machten Mr. Nichols nämlich die größten Sorgen bei den Treffen der beiden in –«

»O Gott!« murmelte Ed Nichols, den Blick starr auf das Papier gerichtet.

Meredith trat nach vorn und stellte sich vor Sanders auf. »Entschuldige bitte, Tom«, sagte sie mit fester Stimme, »aber ich muß dich leider unterbrechen. Ich bedauere es, dies sagen zu müssen, aber von dieser kleinen Show hier läßt sich niemand täuschen.« Sie machte eine weit ausgreifende Armbewegung über den ganzen Saal hinweg. »Und auch von deinen sogenannten Beweisen nicht.« Jetzt hob sie die Stimme. »Du warst nicht dabei, als diese Managemententscheidungen von den klügsten Köpfen dieses Unternehmens getroffen wurden. Die diesen Entscheidungen zugrunde liegende Philosophie verstehst du überhaupt nicht. Und die völlig falsche Einstellung, die du diesen Entscheidungen hier entgegenbringst, die sogenannten Memos, die du hier enthüllst, um uns zu überzeugen ... davon läßt sich doch kein Mensch beeindrucken!« Sie warf ihm einen mitleidigen Blick zu. »Das ist alles nur leeres Gerede, Tom. Leere Worte, leere Phrasen. Im Grunde legst du hier doch nur eine Show hin, der jede Substanz fehlt. Glaubst du tatsächlich, du könntest hier reinkommen und der Führungsmannschaft Ratschläge erteilen, für die es längst zu spät ist? Ich sage dir: Das kannst du nicht!«

Garvin erhob sich abrupt und sagte: »Meredith –«

»Lassen Sie mich ausreden«, wies Meredith ihn zurecht. Ihr Gesicht hatte sich vor Wut gerötet. »Es ist nämlich sehr wichtig, Bob. Endlich sind wir am Kern all dessen, was in dieser Abteilung falsch läuft. Ja, es wurden einige Entscheidungen getroffen, die im Rückblick möglicherweise fragwürdig sind. Ja, wir haben innovative Verfahren ausprobiert und sind dabei vielleicht zu weit gegangen. Aber das rechtfertigt kaum dein heutiges Benehmen, Tom. Diese kalkulierte, auf Manipulation hin angelegte Haltung eines einzelnen, der alles tun würde – wirklich alles –, um hochzukommen, um sich auf Kosten anderer einen Namen zu machen, der den guten Ruf eines jeden, der sich ihm in den Weg stellt, zu zerstören bereit ist, dieses rücksichtslose Verhalten, dessen Zeugen wir hier geworden sind ... Davon läßt sich niemand täuschen, Tom, nicht eine Sekunde lang. Du hast uns aufgefordert, deinen haarsträubenden Theorien zu glauben, aber das werden wir nicht tun. Es ist falsch. Das alles ist völlig falsch. Und es wird bald auf dich zurückfallen. Es tut mir leid, aber es geht nun mal nicht, daß du einfach hierherkommst und so etwas tust. Das geht einfach nicht – und es hat ja auch nicht geklappt. Das ist alles.«

Sie machte eine Pause, um tief Luft zu holen, und ließ den Blick über den Tisch schweifen. Alle saßen schweigend und wie erstarrt da. Garvin hatte sich nicht wieder gesetzt; er sah aus, als stünde er unter Schock. Allmählich dämmerte es Meredith, daß etwas nicht stimmte. Als sie weitersprach, klang ihre Stimme leiser.

»Ich hoffe ... ich hoffe, die Gefühle aller Anwesenden hier richtig wiedergegeben zu haben. Mehr hatte ich nicht beabsichtigt.«

Wieder erntete sie nur Schweigen. Nach einer Weile sagte Garvin: »Meredith, würden Sie bitte kurz den Raum verlassen!«

Verblüfft starrte sie ihn an. Dann sagte sie: »Aber selbstverständlich, Bob.«

»Danke, Meredith.«

In kerzengerader Haltung verließ sie den Saal. Hinter ihr fiel die Tür ins Schloß.

John Marden beugte sich vor und sagte: »Mr. Sanders, bitte fahren Sie mit Ihrer Präsentation fort. Wie lange wird es Ihrer Ansicht nach dauern, bis das Montageband repariert und wieder voll funktionstüchtig ist?«

Es war Mittag geworden. Sanders saß, die Füße auf dem Schreibtisch, in seinem Büro und sah aus dem Fenster. Auf die Gebäude am Pioneer Square fiel grelles Sonnenlicht, der Himmel war klar und wolkenlos. Mary Anne Hunter, die diesmal ein Kostüm trug, kam herein und sagte: »Ich verstehe das einfach nicht.«

»Was denn?«

»Dieses Videoband mit den Nachrichten. Meredith muß doch gewußt haben, daß es existiert. Sie war doch dabei, als die Aufnahmen entstanden.«

»Natürlich wußte sie es. Aber sie hielt es für unmöglich, daß ich es mir beschaffen könnte. Und sie dachte, sie sei darauf nicht zu sehen. Sie glaubte, daß sie nur Phil gefilmt hätten. Du weißt schon – islamisches Land und so. Wenn sie dort etwas über Führungskräfte bringen, werden normalerweise immer nur Männer gezeigt.«

»Aha. Aber?«

»Channel 3 ist ein staatlicher Sender«, erklärte Sanders. »Und in dem kurzen Film ging es darum, daß der Staat aus den Verhandlungen über Veränderungen in der DigiCom-Fabrik nur zum Teil erfolgreich hervorgegangen war – daß die ausländischen Unternehmer unbeugsam und unkooperativ gewesen waren. Durch die Story sollte die Reputation von

Mr. Sayad, dem malaysischen Finanzminister, geschützt werden. Deshalb konzentrierten sich die Kameras auf Meredith.«

»Weil …«

»Weil sie eine Frau ist.«

»Ausländische Teufelin im Busineßkostüm? Mit einer weißen Frau kann man keine Geschäfte machen?«

»So ungefähr. Auf jeden Fall stand sie im Mittelpunkt.«

»Und du hast dir das Band beschafft.«

»Tja …«

Hunter nickte. »Nicht schlecht.« Dann ging sie. Sanders war wieder allein, starrte wieder aus dem Fenster.

Nach einer Weile kam Cindy herein. »Letzter Stand der Dinge: Die Fusion ist angeblich geplatzt.«

Sanders zuckte mit den Achseln. Er war matt, ausgebrannt. Es war ihm egal.

»Sind Sie nicht hungrig?« fragte Cindy. »Ich kann Ihnen was zum Lunch holen.«

»Ich habe keinen Hunger. Was machen die denn jetzt?«

»Garvin und Marden führen Gespräche.«

»Immer noch? Das dauert nun schon über eine Stunde.«

»Sie haben gerade eben Conley mit dazugenommen.«

»Nur Conley? Sonst niemanden?«

»Nein. Und Nichols hat das Gebäude verlassen.«

»Was ist mit Meredith?«

»Die hat keiner gesehen.«

Er lehnte sich in seinen Stuhl zurück und blickte wieder aus dem Fenster. Plötzlich ertönten drei Piepstöne aus seinem Computer.

30 SEKUNDEN BIS ZUR VIDEO-DIREKT-
VERBINDUNG: DC/S-DC/M

Sanders verstellte seine Schreibtischlampe und lehnte sich

zurück. Der Bildschirm wurde hell; allmählich schimmerte ein Bild auf. Es war Arthur. Er stand in der Fabrik.

»Ah, Tom! Sehr gut! Hoffentlich ist es noch nicht zu spät.«

»Zu spät für was?« fragte Sanders.

»Ich weiß, daß heute eine Sitzung stattfindet. Ich muß dir etwas sagen.«

»Was denn, Arthur?«

»Also, ich war dir gegenüber leider nicht ganz ehrlich, Tom. Es geht um Meredith. Sie hat vor sechs oder sieben Monaten Veränderungen im Produktionsablauf angeordnet, und ich fürchte, sie hat vor, dir die Schuld zuzuschieben. Wahrscheinlich heute, in dieser Sitzung.«

»Ich verstehe.«

»Es tut mir schrecklich leid, Tom«, sagte Arthur mit gesenktem Kopf. »Ich weiß gar nicht, was ich sagen soll.«

»Sag am besten gar nichts, Arthur.«

Kahn lächelte ihm schuldbewußt zu. »Ich wollte es dir schon früher sagen. Wirklich. Aber Meredith sprach immer davon, daß du die Firma verlassen würdest. Ich wußte nicht, was ich tun sollte. Sie sagte, es stehe eine Schlacht bevor, und ich sollte es besser mit der Siegerin halten.«

»Da hast du auf die Falsche gewettet, Arthur. Du bist entlassen.« Mit diesen Worten hob Sanders die Hand und schaltete die vor ihm angebrachte Kamera für die Direktverbindung aus.

»Was soll das heißen?«

»Du bist entlassen, Arthur.«

»Aber das kannst du mir nicht antun!« rief Kahn, während sein Bild verblaßte und zu schrumpfen begann. »Du kannst mich doch nicht –«

Der Bildschirm war schwarz.

Kurz darauf schaute Mark Lewyn bei Sanders vorbei. Nervös am Halsausschnitt seines schwarzen Armani-T-Shirts zupfend, sagte er: »Ich finde, ich bin ein ziemliches Arschloch.«

»Ja, da hast du recht.«
»Ich ... ich verstand die ganze Situation einfach nicht.«
»Ja, das stimmt.«
»Was machst du denn jetzt?«
»Ich habe gerade Arthur entlassen.«
»Meine Güte! Und was jetzt?«
»Ich weiß noch nicht. Warten wir mal ab, wie alles ausgeht.«
Lewyn nickte und verließ noch nervöser als bei seinem Eintreten den Raum. Sanders beschloß, ihn eine Weile nervös sein zu lassen. Ihre Freundschaft würde schon wieder gekittet werden. Adele und Susan waren gute Freundinnen. Und Mark besaß viel zu viel Talent, um in der Firma ersetzbar zu sein. Aber schwitzen sollte er eine Weile; es würde ihm guttun.
Um eins kam Cindy herein. »Max Dorfman soll sich dem Gespräch zwischen Garvin und Marden angeschlossen haben, heißt es jetzt.«
»Was ist mit John Conley?«
»Der ist weg. Unterhält sich mit den Wirtschaftsprüfern.«
»Das ist ein gutes Zeichen.«
»Und Nichols ist angeblich entlassen worden.«
»Woraus schließt man das?«
»Er ist vor einer Stunde nach Hause geflogen.«
15 Minuten später sah Sanders Ed Nichols durch den Gang hasten. Er stand auf und ging zu Cindy hinaus. »Sie haben doch gesagt, Nichols sei heimgeflogen.«
»Ja, das hat mir jemand erzählt«, sagte sie. »Es ist wirklich chaotisch. Wissen Sie, welches Gerücht derzeit über Meredith im Umlauf ist?«
»Was denn?«
»Sie wird bleiben, heißt es.«
»Das ist ja nicht zu fassen.«
»Bill Everts erzählte der Sekretärin von Stephanie Kaplan, daß Meredith Johnson nicht entlassen wird, weil Garvin nach

wie vor voll hinter ihr steht. Phil ist dazu verdonnert worden, das, was in Malaysia passiert ist, auf seine Kappe zu nehmen; Garvin ist immer noch der Meinung, daß Meredith eben jung ist und man ihr keinen Vorwurf machen kann. Deshalb wird sie ihren Job behalten.«

»Nicht zu glauben.«

Cindy zuckte mit den Achseln. »Jedenfalls hat man es mir so erzählt.« Sie ging wieder hinaus.

Sanders starrte aus dem Fenster. Er versuchte sich einzureden, daß es ja nur ein Gerücht sei. Nach einer Weile summte die Sprechanlage: »Tom? Meredith Johnson hat eben angerufen Sie will jetzt gleich in ihrem Büro mit Ihnen sprechen.«

Durch die großen Fenster in der fünften Etage strömte helles Sonnenlicht. Die Sekretärin in Meredith' Vorzimmer saß nicht an ihrem Schreibtisch, die Tür zum Büro war angelehnt. Sanders klopfte.

»Komm rein!« rief Meredith Johnson.

Sie lehnte an der Kante ihres Schreibtisches, die Arme vor der Brust verschränkt, demonstrativ wartend.

»Hallo, Tom!«

»Meredith.«

»Komm rein. Ich beiße nicht.«

Er trat ein, ließ aber die Tür offen.

»Ich muß schon sagen, heute vormittag hast du dich selbst übertroffen, Tom. Ich war ganz überrascht, wieviel du in so kurzer Zeit gelernt hast. Und deine Vorstellung in der Sitzung – wirklich raffiniert.«

Sanders erwiderte nichts.

»Ja, eine wirklich außergewöhnliche Leistung. Bist du stolz auf dich?« fragte sie, den Blick starr auf ihn gerichtet.

»Meredith ...«

»Endlich hast du es mir heimgezahlt, das glaubst du doch, oder? Nun, ich habe eine Neuigkeit für dich, Tom. Du hast nicht die *geringste* Ahnung, was wirklich los ist.«

Sie stieß sich vom Schreibtisch ab und trat ein paar Schritte zur Seite. Jetzt sah Sanders, daß auf dem Schreibtisch neben dem Telefon ein Umzugskarton stand. Meredith ging um den Schreibtisch herum und begann, Fotos und Papiere und einen Kugelschreiberhalter in dem Karton zu verstauen.

»Die ganze Sache war Garvins Idee. Drei Jahre lang hatte er schon nach einem Käufer Ausschau gehalten, aber keinen finden können. Schließlich setzte er mich darauf an, und ich brachte ihm einen. 27 verschiedene Unternehmen habe ich durchkämmt, bis ich auf Conley-White stieß. Sie zeigten Interesse, und ich habe hart verhandelt. Habe jede Menge Überstunden gemacht. Habe alles getan, was getan werden mußte, um die Fusion voranzutreiben. *Alles*, was dazu getan werden mußte.« Wütend stopfte sie jetzt ganze Stapel von Papieren in den Karton.

Sanders sah ihr schweigend zu.

»Solange ich ihm Nichols auf dem Silbertablett präsentierte, war Garvin zufrieden. Was die Methoden betraf, mit denen ich das alles bewerkstelligte, zeigte er sich nicht kleinlich. Es interessierte ihn nicht mal. Er wollte nur, daß es klappte. Und ich habe mir den Arsch für ihn aufgerissen, weil die Chance, diesen Job zu kriegen, einen echten Durchbruch für mich bedeutete, eine Wahnsinnsgelegenheit, Karriere zu machen. Warum hätte ich diese Chance nicht wahrnehmen sollen? Ich hatte die ganze Arbeit getan. Durch mich war das Geschäft überhaupt erst zustande gekommen. Ich hatte mir diesen Job *verdient*. Ich hatte dich in ehrlichem Wettkampf geschlagen.«

Sanders schwieg.

»Aber jetzt ist alles ganz anders gekommen, was? Wenn es hart auf hart geht, wird Garvin mich fallenlassen. Alle haben immer gesagt, er sei wie ein Vater zu mir. Aber er hat mich nur benutzt. Er wollte ein Geschäft abschließen, koste es, was es wolle. Und genau das tut er jetzt. Irgendein anderes beschissenes Geschäft, und wen kümmert es schon, wer dabei zu Schaden kommt! Alle machen einfach weiter. Jetzt kann ich mir einen Anwalt suchen, der mir meine Abfindung aushandelt. Aber das kümmert ja niemanden!«
Sie schloß den Karton und stützte sich darauf. »Aber ich habe dich geschlagen, und zwar in offenem und ehrlichem Wettkampf, Tom. Ich habe das alles nicht verdient. Das verdammte System hat mich fertiggemacht.«
»Nein, das stimmt nicht«, sagte Sanders. »Du hast schon seit Jahren mit deinen Untergebenen gebumst und aus deiner Position jeden nur denkbaren Vorteil gezogen. Du hast dich wahrlich nicht überarbeitet, ja im Grunde bist du sogar faul. Du lebst von deinem Image, und jedes dritte Wort aus deinem Mund ist gelogen. Du warst schon früher so. Und jetzt zerfließt du auch noch vor Selbstmitleid und glaubst, das System sei schuld. Aber weißt du was, Meredith? Das System hat dich nicht fertiggemacht, sondern es hat dich auffliegen lassen und ausgestoßen. Im Grunde bist du nämlich nur ein Haufen Scheiße.« Er wandte sich zum Gehen. »Ich wünsche dir eine gute Reise – wo immer sie hingeht.«
Er verließ das Büro und knallte die Tür hinter sich zu.

Fünf Minuten später war er wieder in seinem Büro und ging, immer noch wütend, hinter seinem Schreibtisch auf und ab.

Mary Anne Hunter trat ein, diesmal in Sweatshirt und Leggings. Sie setzte sich und legte die Füße mit den Joggingschuhen auf den Schreibtisch. »Warum bist du denn so aufgeregt? Wegen der Pressekonferenz?«

»Welche Pressekonferenz?«

»Für 10 Uhr wurde eine Pressekonferenz angekündigt.«

»Wer sagt das?«

»Marian von der PR-Abteilung. Sie schwört, daß Garvin persönlich die Konferenz angeordnet hat. Und Marians Sekretärin hat die Presse und das Fernsehen verständigt.«

Sanders schüttelte den Kopf. »Dazu ist es doch viel zu früh.« In Anbetracht all dessen, was vorgefallen war, hätte die Pressekonferenz frühestens am Vormittag des nächsten Tages stattfinden dürfen.

»Denke ich auch«, pflichtete Hunter ihm bei. »Bestimmt teilen sie mit, daß die Fusion kein Thema mehr ist. Hast du übrigens gehört, was man sich über Blackburn erzählt?«

»Nein. Was denn?«

»Daß Garvin ihm eine Abfindung von einer Million Dollar angeboten hat.«

»Das glaube ich nicht.«

»Heißt es aber.«

»Frag Stephanie!«

»Die hat keiner gesehen. Sie ist wahrscheinlich wieder nach Cupertino gefahren, um sich jetzt, da die Fusion vom Tisch ist, um die Finanzen zu kümmern.« Sie stand auf und trat ans Fenster. »Wenigstens haben wir heute schönes Wetter.«

»Ja. Endlich.«

»Ich glaube, ich laufe jetzt ein bißchen. Ich ertrage dieses Warten nicht länger.«

»Ich würde das Gebäude lieber nicht verlassen.«
Sie lächelte ihn an. »Ja, wahrscheinlich hast du recht.« Eine Weile blieb sie am Fenster stehen. Plötzlich murmelte sie: »Na, wer sagt's denn!«
Sanders hob den Blick. »Was ist?«
Hunter deutete auf die Straße hinunter. »Kastenwagen. Mit Antennen oben drauf. Es wird wohl doch eine Pressekonferenz geben.«

Die Pressekonferenz fand um 16 Uhr im großen Konferenzsaal im Erdgeschoß statt. Als Garvin an der Schmalseite des Tisches vor das aufgestellte Mikrofon trat, ging ein Blitzlichtgewitter los.
»Ich war immer der Ansicht, daß es mehr Frauen in Führungspositionen geben muß. An der Schwelle zum 21. Jahrhundert stellen die Frauen Amerikas die wichtigste und eine viel zuwenig genutzte Quelle von Arbeitskräften dar. Dies gilt für die High-Technology-Branche ebenso wie für andere Industriezweige. Ich freue mich daher ganz besonders, Ihnen mitteilen zu können, daß als ein Ergebnis unserer Fusion mit Conley-White Communications die neue Vizedirektorin von Digital Communications Seattle eine überaus fähige Frau sein wird, die aus unserer Zentrale in Cupertino kommt. Sie ist schon seit vielen Jahren ein kreatives und engagiertes Mitglied des DigiCom-Teams, und ich bin überzeugt, daß sie in Zukunft noch erfolgreicher sein wird. Ich freue mich, Ihnen die neue Vizedirektorin für Unternehmensplanung vorstellen zu dürfen: Ms. Stephanie Kaplan.«
Unter lautem Applaus trat Kaplan vor das Mikrofon und strich sich das dichte graue Haar zurück. Sie trug ein dunkelbraunes Kostüm. Sanft lächelnd sagte sie: »Danke, Bob. Und

Dank an alle, die hart gearbeitet haben, um diese Abteilung so großartig werden zu lassen. Ich möchte betonen, daß ich mich darauf freue, mit den hervorragenden, hier anwesenden Abteilungsleitern Mary Anne Hunter, Mark Lewyn, Don Cherry und natürlich Tom Sanders zusammenarbeiten zu dürfen. Diese tüchtigen Leute bilden den Kern unseres Unternehmens, und ich werde auf unserem Weg in die Zukunft Hand in Hand mit ihnen arbeiten. Was mich selbst betrifft, so bin ich sowohl in privater als auch in beruflicher Hinsicht eng mit Seattle verbunden, und ich kann nur sagen, daß ich mich glücklich, wirklich glücklich schätze, hier arbeiten zu können. Und daß ich mich auf viele schöne Jahre in dieser wunderbaren Stadt freue.«

Als Sanders wieder in seinem Büro war, rief Fernandez an, die in ihr Büro gefahren war. »Endlich habe ich etwas von Alan gehört. Machen Sie sich auf eine Riesenüberraschung gefaßt: Arthur A. Friend verbringt gerade ein Freisemester in Nepal. Zu seinem Büro haben nur seine Sekretärin und einige wenige ihm nahestehende Studenten Zutritt. Seit Friends Abreise war nur ein einziger Student tatsächlich in dem Raum – ein Chemiestudent, ein Erstsemester namens Jonathan –«

»Kaplan«, ergänzte Sanders.

»Genau. Kennen Sie ihn?«

»Er ist der Sohn der Chefin. Stephanie Kaplan ist gerade zur neuen Vizedirektorin ernannt worden.«

Fernandez schwieg einen Augenblick. Dann sagte sie: »Das muß eine ganz außergewöhnliche Frau sein.«

Garvin vereinbarte mit Fernandez ein Treffen, das im *Four Seasons Hotel* stattfand. Am hellichten Nachmittag saßen die beiden in der kleinen, dunklen Bar an der Fourth Avenue.

»Sie haben Unglaubliches geleistet, Louise«, begann Garvin, »und trotzdem der Gerechtigkeit keinen Dienst erwiesen, das kann ich Ihnen sagen. Eine unschuldige Frau hat anstelle eines gerissenen, intriganten Mannes die Schuld auf sich genommen.«

»Ich bitte Sie, Bob!« sagte Fernandez. »Haben Sie mich deshalb hierherbeordert? Um sich auszuweinen?«

»Ich meine es ernst, Louise – das Thema sexuelle Belästigung ist völlig aus dem Ruder gelaufen. Ich kenne keine einzige Firma mehr, in der es nicht im Augenblick um mindestens ein Dutzend solcher Fälle geht. Wo soll das denn enden?«

»Ich mache mir da keine Sorgen«, erwiderte sie. »Das wird sich wieder geben.«

»Irgendwann mal, ja. Aber bis es soweit ist, müssen unschuldige Menschen –«

»In meinem Beruf bekommt man nicht gerade viele unschuldige Menschen zu Gesicht. Mir ist, beispielsweise, berichtet worden, daß die Verwaltungsratsmitglieder von DigiCom bereits vor einem Jahr über Johnsons Problem Bescheid wußten und nichts unternommen haben.«

»Wer hat Ihnen das erzählt?« fragte Garvin mit nervösem Blinzeln. »Das stimmt überhaupt nicht.«

Fernandez schwieg.

»Und Sie hätten es nie beweisen können.«

Wieder entgegnete Fernandez nichts; sie hob nur leicht die Augenbrauen.

»Wer hat Ihnen das erzählt?« wiederholte Garvin. »Ich möchte es wissen!«

»Hören Sie zu, Bob«, sagte Fernandez. »Es ist doch eine

Tatsache, daß es ein bestimmtes Verhalten gibt, das niemand mehr zu entschuldigen bereit ist: der Vorgesetzte, der Genitalien begrapscht, der im Aufzug auf Tuchfühlung geht, der eine Sekretärin zu einer Geschäftsreise einlädt, aber nur ein Hotelzimmer bucht. Diese Zeiten liegen doch nun wirklich hinter uns. Wenn sich einer Ihrer Angestellten so benimmt, egal ob es sich um einen Mann oder eine Frau, um einen Schwulen oder um einen Hetero handelt, sind Sie als Vorgesetzter ganz einfach verpflichtet, diesem Treiben ein Ende zu setzen.«

»Gut, einverstanden, aber manchmal weiß man eben nicht genau, ob –«

»Stimmt. Und es gibt das andere Extrem. Einer Angestellten gefällt irgendeine geschmacklose Bemerkung ihres Chefs nicht, sie erstattet Anzeige. Dann muß ihr jemand beibringen, daß es sich nicht um sexuelle Belästigung handelt, aber ihr Chef sieht sich bereits mit dem Vorwurf konfrontiert, und alle Mitarbeiter der Firma wissen Bescheid. Er weigert sich, weiter mit ihr zusammenzuarbeiten; jeder verdächtigt jeden, es gibt böses Blut, in der ganzen Firma gerät einiges durcheinander. Mit solchen Fällen habe ich es sehr oft zu tun. Auch das ist bedauerlich. Ich erzähle Ihnen ein Beispiel. Wissen Sie, mein Mann arbeitet in derselben Sozietät wie ich.«

»Aha.«

»Nachdem wir uns kennengelernt hatten, bat er mich fünfmal, mit ihm auszugehen. Zuerst sagte ich immer nein, aber dann erklärte ich mich doch einverstanden. Wir sind inzwischen glücklich miteinander verheiratet. Und vor kurzem sagte er zu mir, bei der Atmosphäre, die heutzutage in solchen Dingen herrscht, hätte er mich wahrscheinlich nicht fünfmal gefragt, sondern das Ganze einfach vergessen.«

»Sehen Sie? Genau das wollte ich damit sagen!«

»Ich weiß. Aber solche Situationen werden im Lauf der Zeit

von selbst verschwinden. In ein, zwei Jahren wird jeder die neuen Regeln kennen.«

»Ja, aber –«

»Aber das Problem ist, daß es noch eine dritte Kategorie gibt, irgend etwas in der Mitte zwischen den beiden Extremen. Eine Art Grauzone, in der nie ganz klar ist, was wirklich passiert ist und wer wem was angetan hat. In diese Kategorie fallen die meisten Klagen, mit denen wir es zu tun haben. Bis jetzt tendiert die Gesellschaft dazu, sich auf die Problematik des Opfers zu konzentrieren, nicht auf die des oder der Beschuldigten. Aber auch die Beschuldigten haben Probleme. Eine Klage wegen sexueller Belästigung ist eine Waffe, Bob, und zwar eine Waffe, gegen die es keine guten Verteidigungsmöglichkeiten gibt. Zu dieser Waffe kann jeder und jede greifen – und viele haben es bereits getan. Und dieser Zustand wird, denke ich, noch eine Weile andauern.«

Garvin seufzte auf.

»Es ist wie dieses Virtual-Reality-Ding, das Sie da entwickelt haben«, sagte Fernandez. »Diese Welten, die wirklich *erscheinen*, aber nicht wirklich *sind*. Wir alle leben Tag für Tag in virtuellen Welten, die von unseren Vorstellungen geformt werden. Diese Welten verändern sich. In bezug auf Frauen haben sie sich bereits verändert, und in bezug auf Männer werden sie sich noch verändern. Die erstere Veränderung gefiel den Männern nicht, und die letztere wird den Frauen nicht gefallen. Und natürlich wird es, wie immer, einige geben, die ihren Vorteil daraus ziehen. Aber letzten Endes wird es funktionieren.«

»Aber wann? Wann soll das alles aufhören?« fragte Garvin kopfschüttelnd.

»Wenn Frauen 50 Prozent der Arbeitsplätze innehaben«, antwortete sie. »Dann wird es aufhören.«

»Sie wissen, daß das ganz in meinem Sinne ist.«

»Ja«, sagte Fernandez, »und ich denke, daß Sie gerade eine hervorragende Frau befördert haben. Meinen Glückwunsch, Bob!«

Man hatte Mary Anne Hunter dazu bestimmt, Meredith Johnson zum Flughafen zu fahren, von wo aus sie nach Cupertino zurückfliegen sollte. Etwa eine Viertelstunde lang saßen die zwei Frauen schweigend nebeneinander. Meredith Johnson starrte, halb in ihren Trenchcoat versunken, aus dem Fenster.
Als sie an den Fabrikanlagen von Boeing vorbeikamen, sagte sie schließlich: »Hier gefällt es mir sowieso nicht.«
Hunter wählte die Worte für ihre Erwiderung sehr bewußt: »Seattle hat Vor- und Nachteile.«
Wieder herrschte eine Zeitlang Schweigen. Dann fragte Johnson: »Sind Sie mit Sanders befreundet?«
»Ja.«
»Er ist ein netter Kerl. War immer schon ein netter Kerl. Wir hatten mal eine Beziehung miteinander, wissen Sie.«
»Davon habe ich gehört.«
»Im Grunde hat Tom nichts falsch gemacht«, sagte Johnson. »Er wußte nur nicht mit einer beiläufigen Bemerkung umzugehen.«
»Mhm.«
»Sie wissen, wovon ich spreche?«
»Ja«, sagte Hunter. »Ich weiß es.«
Wieder schwiegen sie lange. Johnson rutschte unruhig auf ihrem Sitz hin und her.
Sie starrte aus dem Fenster.
»Das System«, sagte sie schließlich. »Das ist das Problem. Das beschissene System hat mich vergewaltigt.«

Als Sanders später das DigiCom Building verließ, um Susan und die Kinder vom Flughafen abzuholen, begegnete er Stephanie Kaplan. Er beglückwünschte sie zu ihrer Ernennung. Sie schüttelte ihm die Hand und sagte ohne den geringsten Anflug eines Lächelns: »Danke für Ihre Unterstützung.«

»Und ich danke Ihnen für Ihre Unterstützung. Es ist schön, Freunde zu haben ...«

»Ja«, stimmte sie zu. »Freundschaften sind wirklich etwas Schönes. Kompetenz auch. Ich werde diesen Job nicht lange behalten, Tom. Nichols ist nicht mehr Finanzleiter von Conley, und der Mann Nummer zwei ist ein bestenfalls bescheidenes Talent. In etwa einem Jahr werden sie sich nach jemand Neuem umsehen. Und wenn ich dorthin gehe, wird irgend jemand die neue Firma hier übernehmen müssen. Ich finde, das sollten Sie sein.«

Sanders machte eine angedeutete Verbeugung.

»Aber das ist Zukunftsmusik«, erklärte sie entschieden. »Bis dahin müssen wir die Arbeit hier wieder in die richtigen Bahnen leiten. Die ganze Abteilung ist ein einziger Saustall. Alle haben sich von der Fusion ablenken lassen, und die Produktionsabläufe wurden durch die in Cupertino herrschende Inkompetenz aufs höchste gefährdet. Wir werden hart arbeiten müssen, um das Steuer herumzureißen. Ich habe auf morgen früh sieben Uhr eine erste Besprechung aller Abteilungsleiter über die Probleme mit der Produktion anberaumt. Also, bis morgen, Tom!«

Sie drehte sich um und ging.

Sanders stand in Seatac am Durchgang für die aus Phoenix ankommenden Fluggäste. Plötzlich kam Eliza auf ihn zugerannt. »Daddy!« rief sie und sprang ihm in die Arme. Sie war ziemlich braun geworden.

»War es schön in Phoenix?«

»Ganz toll, Dad! Wir sind geritten und haben Tacos gegessen, und weißt du was?«

»Was denn?«

»Ich habe eine Schlange gesehen.«

»Eine echte Schlange?«

»Mhm! Eine grüne. *So* groß war die!« sagte sie, die Ärmchen ausbreitend.

»Das ist aber sehr groß, Eliza.«

»Aber weißt du was? Grüne Schlangen tun einem nicht weh.«

Susan kam auf ihn zu; sie trug Matthew auf dem Arm. Auch sie war braungebrannt. Er küßte sie. Eliza sagte: »Ich habe Daddy von der Schlange erzählt.«

»Wie geht es dir?« fragte Susan. Sie sah ihm in die Augen.

»Gut. Müde bin ich.«

»Ist es vorüber?«

»Ja. Es ist vorüber.«

Sie gingen gemeinsam weiter. Susan legte ihm den Arm um die Taille. »Ich habe nachgedacht. Vielleicht bin ich zu viel unterwegs. Wir sollten mehr Zeit miteinander verbringen.«

»Das wäre sehr schön.«

Sie traten ans Kofferkarussell. Sanders, der seine Tochter auf dem Arm trug, ihre kleinen Hände auf seinen Schultern spürte, sah plötzlich aus den Augenwinkeln Meredith Johnson an einem der Abflugschalter stehen. Sie trug einen Trenchcoat und hatte das Haar nach hinten gesteckt. Da sie sich nicht umdrehte, sah sie ihn nicht.

»Jemand, den du kennst?« fragte Susan.

»Nein. Nie gesehen.«

POSTSKRIPTUM

Constance Walsh wurde vom *Post-Intelligencer* in Seattle entlassen. Daraufhin klagte sie gegen die Zeitung wegen unzulässiger Kündigung und geschlechtlicher Diskriminierung gemäß Artikel VII des Civil Rights Act von 1964. Es kam zu einer außergerichtlichen Beilegung des Streits.

Philip Blackburn wurde Chefjustitiar von Silicon Holographics in Mountain View, Kalifornien, einer doppelt so großen Firma wie DigiCom. Einige Zeit später wählte man ihn zum Vorsitzenden des Ethik-Ausschusses der Anwaltsvereinigung von San Francisco.

Edward Nichols ließ sich von Conley-White Communications in den vorgezogenen Ruhestand versetzen und siedelte mit seiner Frau nach Nassau, Bahamas, um, wo er halbtags als Berater für ausländische Firmen arbeitete.

Elizabeth »Betsy« Ross wurde von Conrad Computers in Sunnyvale, Kalifornien, entlassen und schloß sich bald darauf den anonymen Alkoholikern an.

John Conley wurde zum Vizedirektor für Unternehmensplanung von Conley-White Communications ernannt. Sechs Monate später starb er bei einem Autounfall in Patchogue, New York.

Arthur Kahn trat eine Stelle bei Bull Data Systems in Kuala Lumpur, Malaysia, an.

Louise Fernandez wurde zur Bundesrichterin ernannt. Vor der Anwaltsvereinigung von Seattle hielt sie einen Vortrag, in dem sie darauf hinwies, daß Anzeigen wegen sexueller Belästigung immer häufiger als Waffe benutzt würden, mit deren Hilfe man Streitigkeiten am Arbeitsplatz zu entscheiden versuche. Sie gab zu bedenken, daß es sich in Zukunft als nötig erweisen könnte, bestimmte Gesetze zu revidieren und die Möglichkeiten einer Hinzuziehung von Anwälten in solchen Angelegenheiten zu begrenzen. Ihre Rede wurde sehr kühl aufgenommen.

Meredith Johnson wurde Vizedirektorin für Unternehmensplanung in der Pariser Außenstelle von IBM. Später heiratete sie den Botschafter der Vereinigten Staaten in Frankreich, Edward Harmon, nachdem dieser sich hatte scheiden lassen. Seit ihrer Heirat hat sie sich aus dem Berufsleben zurückgezogen.

NACHWORT

Die hier erzählte Geschichte basiert auf einer wahren Begebenheit. Durch ihre Veröffentlichung in Form eines Romans soll aber die Tatsache nicht geleugnet werden, daß die große Mehrheit von Anzeigen wegen sexueller Belästigung durch Frauen erfolgt und gegen Männer gerichtet ist. Ebensowenig liegt es in meiner Absicht zu bestreiten, daß sexuelle Belästigung einen nicht zu rechtfertigenden Machtmißbrauch darstellt. Ganz im Gegenteil: Der Vorteil einer Geschichte mit umgekehrten Rollen besteht darin, daß eine solche Geschichte es uns ermöglichen kann, Aspekte wahrzunehmen, die bisher durch althergebrachte Reaktionen und konventionelle Rhetorik verhüllt waren. Wie immer die Leser diese Geschichte aufnehmen werden – wichtig ist, zu erkennen, daß die Verhaltensweisen der beiden Antagonisten einander widerspiegeln wie die zwei Seiten des Tintenkleckses bei einem Rorschachtest. Der Wert eines Rorschachtests bemißt sich nach dem, was er uns über uns selbst erzählt.

Es muß darauf hingewiesen werden, daß die Handlung in ihrer vorliegenden Form fiktiv ist. Da Beschuldigungen bezüglich sexueller Belästigung am Arbeitsplatz diverse miteinander unvereinbare Rechte ins Spiel bringen und da derartige Behauptungen heute nicht nur für die Einzelperson, sondern auch für Unternehmen eine erhebliche Gefahr darstellen, war es notwendig, die wahre Begebenheit sorgsam zu verfremden. Alle in diesen Fall verwickelten Hauptpersonen waren bereit, Gespräche mit mir zu führen unter der Bedingung, daß sie selbst anonym blieben. Ich bin ihnen dankbar für die Bereitwilligkeit, mit der sie mir halfen, die schwierigen Fragen zu klären, die bei der Beschäftigung mit Fällen sexueller Belästigung auftauchen.

Darüber hinaus gilt mein Dank einer Reihe von Anwälten, Personalmanagern, einzelnen Firmenangestellten und Unternehmensleitern, die mir wertvolle Einsichten in dieses noch relativ neue Thema vermittelten. Es ist bezeichnend für die extreme Empfindlichkeit im Umfeld der Diskussion über sexuelle Belästigung, daß jeder und jede, mit denen ich sprach, anonym zu bleiben wünschte.